Сегодня женское очарование важнее, чем когда-либо!

«Я абсолютно убеждена: в том, чему учит эта книга, мир нуждается сегодня больше всего.

Это утверждение вполне обоснованно. Брак в любви является фундаментом счастливой семьи, а счастливая семья — фундаментом стабильного общества.

Большинство проблем этого мира зарождается в неблагополучных семьях. Если мы хотим иметь мир в мире, мы должны начинать с семьи».

Очарование женственности

Хелен Анделин

Издательский Дом
ХРИСТОФОР

Helen B. Andelin

FASCINATING WOMANHOOD

Copyright © 1963, 1974, 1990 by Helen B. Andelin
Originally published by Bantam Books
ISBN 0-553-29220-X

Анделин Х.

Очарование женственности / Пер. с англ. — СПб.: Издательский Дом
«Христофор», 2005. — 480 с.
ISBN 5-8445-0096-2

Оглавление

Часть 2. ЧЕЛОВЕЧЕСКИЕ КАЧЕСТВА

Что значит для женщины счастье в браке?

Значит ли это иметь уютный дом? Счастливых и здоровых детей? Успешного мужа? Время для своих увлечений? Никаких проблем с деньгами? Совместный отдых и развлечения? Значит ли это чувствовать себя хорошей хозяйкой? Значит ли это быть уважаемой своим окружением?

Все эти вещи очень важны, а некоторые и обязательны, но главной является одна потребность. Женщина должна чувствовать, что она любима мужем. Без его любви ее жизнь — пустая раковина.

Почему одна женщина счастлива, уважаема и любима, а другая — не менее привлекательная и не менее талантливая — обделена вниманием, несчастна и разочарована? Книга объясняет, почему такое случается, и предлагает каждой женщине возможность овладеть искусством завоевания абсолютной любви и обожания своего мужчины.

Очарование женственности

Книга вдохновляющих женских секретов, которые могут спасти ваш брак и обогатить вашу жизнь…

Очаровательная женщина — кто она?

Застенчивая кокетка, которая пленяет мужчин своей милой болтовней? Сногсшибательная модель из модного журнала или школы красоты? Или чувственная женщина, которая умело манипулирует мужчиной, заставляя его удовлетворять все свои прихоти и капризы? Женщина, которая преуспела интеллектуально и оставила свой след в жизни общества, или компетентная независимая женщина, способная сама себе проложить дорогу в жизни? Или жена, жертвующая собой, чтобы сделать счастливым своего мужа? Нет.

Это женщина ангельского характера, посвященная высоким стандартам и ценностям. Она — совершенная жена, которая понимает нужды своего мужа и легко реагирует на его чувства. Она не увлечена тем, чтобы переделывать его в мужчину, которым он должен быть, но принимает его таким, какой он есть, снисходя к его человеческим слабостям и фокусируясь на его сильных качествах.

Хотя она покорна и жертвенна, она не позволяет, чтобы ее попирали или оскорбляли. Она не половичок у двери, не прислуга и не рабыня. Быть настоящей женщиной — значит не терять чувства самоуважения, сознания того, что ты ценная личность, заслуживающая достойного обращения. Такое отношение к себе помогает ей сохранять королевскую позицию, которая требует уважения.

Она гордится тем, что она женщина, и делает все, что в ее силах, чтобы развить свою женственность не как внешние проявления нежности, а как глубинные черты личности. Сюда входит женственность внешности и манер и внутренняя женственность позиций и целей. Так как она — истинно женственная женщина, она обладает очарованием, которое не знает возрастных ограничений.

Она — свободная душа, она вольна выбирать свою жизнь и то, какой она будет. Если она выходит замуж, она выбирает жизнь в семье. Хотя она посвящает большую часть своего времени семье, она не чувствует себя в домашнем плену. Она жертвует добровольно и от всего сердца, движимая нежной любовью к своим близким и заботой о них. Она видит в своей работе священную обязанность мирового значения. Ее карьера — это карьера в доме, ее слава — уважение к ней мужа и счастье детей. Поэтому «ее иго благо, и ее бремя легко». Это делает ее свободной.

Ее чары — не одаренность или изысканность, но свежесть, целостность и внутреннее счастье. Она невинна и доверчива, как ребенок. Ее лицо светится оттого, что она любима мужем. Только та женщина, которую очень сильно любят, может быть по-настоящему очаровательной.

Феноменальный успех «Очарования женственности»

Со времени первого издания «Очарования женственности» в 1965 году было продано свыше двух миллионов экземпляров этой книги. Ее успех, однако, измеряется не столько количеством проданных экземпляров, сколько количеством жизней, которые она изменила. Влияние, которое она оказала на множество брачных союзов, было феноменальным. Те, кто уже был счастлив, обрели новый уровень счастья, а те, кто боролся с серьезными проблемами, были освобождены, восстановлены и благословлены желанным счастьем. Это подтвердили тысячи свидетельств, многие из которых вошли в книгу.

Благодаря «Очарованию женственности» появляется надежда для нового поколения женщин — счастливых, женственных, обожаемых и достойных восхищения. А оно призывает новое поколение мужчин — мужественных и благородных.

Почему автор решила пересмотреть и дополнить свою книгу, которая уже является бестселлером и пользуется огромным успехом? Она объясняет это так:

«Я хотела более понятно изложить концепции своей книги и усилить ее миссию. Я хотела, чтобы „Очарование женственности" наилучшим образом отвечало потребностям женщин, уже усвоивших уроки и принципы этой книги, и тех, кто еще будет ее читать и применять в своей жизни.

Я абсолютно убеждена: в том, чему учит эта книга, мир нуждается сегодня больше всего. Это утверждение вполне обоснованно. Брак в любви является фундаментом счастливой семьи, а счастливая семья — фундаментом стабильного общества. Большинство проблем этого мира зарождается в неблагополучных семьях. Если мы хотим иметь мир в мире, мы должны начинать с семьи».

Особая благодарность

«Я хотела бы выразить огромную благодарность тем женщинам, которые так усердно помогали доносить это послание до женщин и в этой стране, и за рубежом. Я также признательна женщинам, которые прислали мне свои свидетельства, многие из которых включены в эту книгу. И особое слово признательности и благодарности — моему мужу Обри за его поддержку, понимание и помощь, которая подчас стоила ему значительных жертв. Эти источники преданной помощи послужили для меня огромным ободрением, чтобы я могла опубликовать это послание с надеждой, что оно дойдет до женщин всего мира».

Автор

Очарование
женственности

Введение

Быть желанной и любимой — самое сокровенное желание женщины в браке. Эта книга написана для того, чтобы возродить вашу надежду в исполнении этого желания и предложить принципы, которые помогут вам завоевать искреннюю любовь мужчины.

Является ли ваша супружеская жизнь такой, о какой вы мечтали и на какую надеялись? Чувствуете ли вы себя желанной, любимой и уважаемой? Или вы обделены вниманием, нелюбимы и разочарованы? Если да, то смиряетесь ли вы с таким положением, думая, что вы не достойны лучшего? Или вы все еще верите в мечту и продолжаете искать ключи к счастливому браку? Вы находите обрывки информации то тут, то там, но все равно не получаете ответа? Вы заблудились в море беспросветной тьмы?

А может быть, ваша ситуация еще хуже. Может быть, вы думаете, что вы счастливы, когда на самом деле нет. Может быть, ваш брак кажется счастливым по сравнению с другими, но вы не видите, что есть нечто большее. Вам недостает проницательности, чтобы увидеть, насколько счастливым брак может и должен быть. Вы довольствуетесь крохами, которые падают со стола, так как вам незнаком вкус настоящих праздничных блюд. Вы считаете сорняк красивым, поскольку вы никогда не видели по-настоящему красивых цветов. Вы даже можете быть довольны адом, так как вы никогда и мельком не видели небес.

А может быть, вы — из тех редких женщин, которым уже удалось достичь семейного счастья? Но является ли ваш счастливый брак всем, о чем вы мечтали? Чувствуете ли вы необходимость обогатить свою жизнь и сделать ее еще насыщеннее? Если да, готовы ли вы научиться новым концепциям, как построить воистину счастливый брачный союз, такой, в котором вы будете не просто любимой, но обожаемой?

Женское счастье

Что такое счастье для женщины? Если вы не замужем, ваше счастье, возможно, заключается в служении другим и в вашем собственном упорстве в достижении целей, решении проблем и личном развитии. Если вы замужем, необходимы кое-какие дополнительные обстоятельства — счастливые и здоровые дети, преуспевающий муж, который обеспечивает экономическую безопасность, ваш личный успех в создании счастливой семьи, организация вашей жизни, чтобы у вас оставалось время для других интересов. Основным, однако, является любовь вашего мужа. Если он вас не любит, ваша жизнь будет похожа на пустую раковину.

Ответ

Первый шаг к счастливому браку — это понимание, что вся жизнь подчиняется законам — природа, музыка, искусство и все науки. Эти законы непреложны. Жизнь в гармонии с ними дает здоровье, красоту и избыток. Несоблюдение этих законов приводит к искажениям и разрушению. Законы человеческих отношений точно так же непоколебимы. Эти законы функционируют независимо от того, понимаете вы их или нет. Вы можете быть счастливыми в браке, потому что исполняете их, или несчастными, потому что нарушаете, не ведая того, что они существуют и действуют.

Из-за незнания законов супружеских отношений возникает множество ненужных проблем, ведущих к несчастью в браке. Мы видим, что одна женщина счастлива, почитаема и любима, а другая — не менее привлекательная и не менее очаровательная — обделена вниманием, несчастна и разочарована. Почему? Эта книга объясняет, почему так происходит, поскольку она преподает законы, которые должна исполнять женщина, если она хочет быть любимой, почитаемой и обожаемой.

Очарование женственности

«Очарование женственности» научит вас, как быть счастливой в браке. В достижении этой цели есть три основных составляющих:

1. *Любовь*. Поскольку краеугольным камнем счастливого брака является любовь, вы узнаете, как пробудить любовь вашего мужа. Эти принципы действуют независимо от возраста или ситуации. Любовь — достояние не только молодых или красивых, но и тех, кто обладает качествами, которые ее пробуждают.

Если ваш муж вас не любит, вы, вероятно, делаете что-то, что охлаждает его чувства, или утратили то, что пробуждает его любовь. Возможно, ваш брак начинался с большой любви, но романтика увяла. Почему? Может ли это быть оттого, что вы изменились? Посмотрите внимательно. В большинстве случаев мужчина перестает любить женщину после свадьбы, потому что она перестает делать то, что возбуждало его чувства. Восстановите чары, и любовь возродится.

Когда вы будете бороться за любовь своего мужа, ему необязательно об этом знать и как-то на это реагировать. Это не значит, что он не совершает ошибок и не нуждается в изменении, но когда вы исправите свои ошибки, вы вызовете в нем добрую реакцию, которая может превзойти все ваши самые смелые ожидания.

Искусство пробуждения мужской любви под силу любой женщине, так как оно основано на наших природных инстинктах. Однако в условиях современной цивилизованной жизни большинство наших естественных инстинктов заржавели по причине их крайне редкого использования. Вам нужно только пробудить качества, которые принадлежат вам от природы.

2. *Ваше достоинство*. Важной составляющей супружеского счастья является ваше чувство собственного достоинства. Ваш муж когда-нибудь разговаривает с вами грубо, критикует вас без основания, относится к вам несправедливо, пренебрегает вами или жестоко обращается с вами? Важно не то, что он делает, а то, как вы реагируете. Отступаете ли вы назад, как от удара хлыста?

Замыкаетесь ли в себе? Отплачиваете ли ему той же монетой? Или вы срываетесь, давая волю своему гневу и возмущению? Если вы реагируете одним из этих способов, вы причиняете себе ненужную боль и охлаждаете любовь вашего мужа к вам.

Ни одному мужчине не нравится злобный характер и не нужна женщина, которую он может унижать или которая замыкается в себе и чувствует себя виноватой. Ему нужна женщина пылкая, женщина, в которой горит скрытый огонь и которой ему нелегко командовать. Некоторых мужчин восхищают женщины, которые мило независимы и дерзки и которых они не могут смутить даже самым унизительным замечанием.

В «Очаровании женственности» метод управления оскорбленными чувствами называется «детский» гнев, пыл или дерзость. Этот метод научит вас, как справляться с грубой мужской натурой без лишних страданий и конфликтов. Вы сможете в одно мгновение обратить кризис в забавную ситуацию и заставить мужчину внезапно рассмеяться. «Детский» гнев может помочь усилить любовь и нежность.

3. *Желания*. Если вы хотите быть счастливыми в браке, ваши желания должны быть приняты во внимание. Я имею в виду вещи, которые вы хотели бы иметь, места, которые вы хотели бы посетить, что-то, что вы хотели бы сделать, или что-то, что вы хотели бы, чтобы сделали для вас. Это не какие-то эгоистичные капризы или прихоти, но достойные желания. К сожалению, вы, возможно, годами обходились без всех этих вещей, потому что вы просто не знали, как побудить мужа делать что-то для вас.

В результате его чувства к вам, вероятно, угасли. Мы любим тех, кому мы служим. Если ваш муж никогда ничего для вас не делает сверх того, что обязан делать, он может утратить любовь к вам. Из этой книги вы узнаете, как получать вещи, которые вам нужны и которых вы заслуживаете, без семейного скандала. Ваш муж захочет делать что-то для вас, и именно это побудит его любить вас еще больше.

Хотя уроки этой книги фокусируются на построении отношений с мужем, их принципы применимы для построения отношений с любым мужчиной — отцом, братом, сыном, учителем, студентом, начальником. Берегитесь, однако, использовать их неправедно для того, чтобы завоевать любовь женатого мужчины. В отношениях за пределами вашего брака применяйте их только для устранения конфликтов и построения гармоничных и доверительных отношений.

Эти уроки полезны также для одинокой матери, которая поднимает семью без отца. Она становится образцом женщины для своих детей, образцом, который имеет одинаково важное значение как для мальчиков в развитии их мужественности, так и для девочек в развитии их женственности. Она также должна представить своим детям образец мужественности, на который они могли бы ориентироваться, — это могут быть ее отец, брат или другой мужчина.

На этих страницах вы найдете принципы, которым нужно будет следовать, если вы хотите быть счастливой, любимой и желанной. В центре нашего изучения — идеальная женщина с точки зрения мужчины, тип женщины, которая пробуждает у мужчины глубочайшие чувства любви. В ваших руках — возможность сделать свой брак счастливым. Вы можете этого добиться независимо от каких-либо усилий со стороны вашего мужа. Итак, ключи к своему счастью в ваших руках.

При этом вы не теряете ни своего достоинства, ни влияния, ни свободы, но, напротив, приобретаете их, выполняя свою самую главную роль в этом мире. Роль женщины при правильном подходе вовсе не скучна, но интересна и полна интриги. Практика искусства женственности полна радости, щедрых вознаграждений, многочисленных сюрпризов и безмерного счастья. Опыт тысяч женщин подтвердил, что это истина.

Чем эта книга может вам помочь

Она научит вас:

1. Что такое идеальная женщина с точки зрения мужчины.

2. Что мужчины находят очаровательным в женщинах.

3. Как пробудить в мужчине глубочайшее чувство любви и нежности.

4. Как понимать мужчин, их нужды, темперамент и характерные особенности.

5. Как обращаться с мужчиной, когда он находится в угнетенном состоянии, чтобы укрепить его уверенность и уважение к себе.

6. Как вызвать желание мужчины защищать вас, заботиться о вас и посвящать вам всего себя.

7. Как получить те вещи в жизни, которые для вас важны и на которые вы имеете полное право.

8. Как выявить лучшие качества своего мужа без давления и убеждения.

9. Женская роль и счастье, которое приходит в результате ее исполнения.

10. Мужская роль и уважение, которого заслуживает это божественное призвание.

11. Как реагировать, когда мужчина невнимателен, несправедлив или беспечен.

12. Как быть привлекательной и даже восхитительной, когда вы сердитесь.

13. Как поддерживать в браке линию общения, которая всегда сопровождается приятным чувством.

14. Как обрести истинное счастье в браке, поставив своей главной целью счастье мужа.

Примечание. На страницах этой книги приведено множество счастливых историй. Все они правдивы и попали к автору по почте или непосредственно из уст самих героев. Все иллюстрации и примеры тоже взяты из жизненного опыта, за исключением примеров из классической литературы.

Глава 1

Неземная любовь

ермин «неземная любовь» используется в «Очаровании женственности» как олицетворение высшей степени нежной любви мужчины к женщине или женщины к мужчине, любви, которая возносится с уровня посредственности на уровень небесный. Это цветы вместо сорняков и праздничный ужин вместо сухих корочек.

Испытывает ли ваш муж подобного рода любовь, когда он говорит, что любит вас, помнит ваш день рождения, приглашает вас на ужин или проявляет щедрость и доброту? Совсем необязательно. Он может делать или говорить все эти вещи из чувства долга, без всякого чувства настоящей любви.

Неземная любовь — это не любовь по обязанности, это любовь спонтанная, горячая и нежная. Когда мужчина по-настоящему любит женщину, он испытывает глубокое внутреннее чувство. Временами оно может быть сильным и напряженным, как боль. Иногда он чувствует себя плененным и очарованным, испытывая острое желание защищать и охранять любимую женщину от зла, опасности и трудностей. Тогда внутри него возникает более глубокое, более духовное чувство, подобное преклонению. Но и этих сравнений недостаточно, чтобы описать это многогранное удивительное переживание, называемое любовью. Ниже приведены яркие примеры настоящей любви мужчины к женщине.

Джон Алден и Прискилла

Иллюстрация неземной любви — рассказ Лонгфелло о Джоне Алдене и Прискилле Мюллен, в котором Джон так говорит о

Прискилле: «*Нет земли, более священной, и воздуха, более чистого и полезного, чем воздух, который она вдыхает, и земля, которая хранит следы ее ног. Именно здесь, рядом с ней, я хочу остаться навсегда и подобно невидимому покровителю защищать и оберегать ее*».

Любовь Виктора Гюго

Нежное покровительственное чувство любви открывается в словах Виктора Гюго, написанных им об Адели Фуше, женщине, которую он любил в реальной жизни: «*Разве я существую для своего собственного счастья? Нет, все мое существование целиком посвящено ей даже независимо от нее. И по какому праву я смею рассчитывать на ее любовь? Какое это имеет значение, раз это не вредит ее счастью? Мой долг — держаться рядом с ней, окружать ее своим присутствием, служить ей преградой от всех опасностей; подставлять свою голову, как камень, с помощью которого она могла бы переходить через реку трудностей; непрестанно вставать между ней и ее скорбями, не требуя вознаграждения и не ожидая компенсации... Увы! Если бы она только позволила мне посвятить свою жизнь тому, чтобы предвосхищать каждое ее желание, каждый ее каприз; если бы она только разрешила мне с благоговением целовать ее прелестные следы; если бы она только согласилась хотя бы иногда опираться на меня посреди трудностей жизни*».

Вудро Вильсон

Возможно, один из самых ярких примеров истинной и стойкой любви мы находим в любовных письмах президента Вудро Вильсона к его супруге Эллен. После семнадцати лет совместной жизни он пишет: «*Всем, что я собой представляю, и всем, что я имею в жизни, я обязан тебе... Я не мог бы быть тем, кто я есть, если бы я не черпал такого безмятежного счастья из моего союза с тобой. Ты источник удовольствия; и до тех пор, пока ты у меня есть и пока ты тоже счастлива, ко мне ничего не может прийти, кроме добра и силы. О, моя несравненная милая жена, пусть Бог благословит и хранит тебя*».

А после двадцати восьми лет брака он пишет из Белого дома: *«Я обожаю тебя! Ни у одного президента до меня не было такой жены, как ты! Я, безусловно, самый счастливый мужчина на свете».* И в другом письме: *«Когда я пишу, я не могу думать ни о чем, кроме тебя. Мои дни наполнены не столько беспокойством и глубоким чувством ответственности, сколько они наполнены тобой, моя драгоценная жена, которая, будучи даже вдали от меня, играет главную роль в моей жизни каждый день и каждое мгновение».* Эти строки взяты из коллекции их любовных писем, которая называется «Бесценный дар». Каждое из этих писем исполнено любовью, теплотой и интимностью.

Некоторые из вас, возможно, считают, что ваши мужья не способны иметь такие чувства или, по крайней мере, не умеют их выражать. Это еще вопрос. Теплые, нежные письма президента Вильсона были сюрпризом для тех, кто знал его лично. Его характер отличался сдержанностью школьного учителя. Каждый мужчина способен быть нежным, романтичным и обожающим, если женщина, которую он любит, пробуждает в нем все эти чувства.

Любовь Шах-Джахана к Мумтаз-Махал

В городе Агра на севере Индии находится Тадж-Махал, изысканная гробница из белого мрамора, построенная Шах-Джаханом в честь своей супруги. Несмотря на то, что гробница была построена в семнадцатом веке, она до сих пор считается одним из самых великолепных зданий в мире и одной из самых роскошных гробниц, которые только существуют. Это памятник истинной любви мужчины к женщине. Описание любви шаха к Мумтаз-Махал я цитирую из книги Элизабет Байленд «Три мудреца Востока».

«Молодой индийский правитель нашел в этой персидской девушке воплощение всех своих высоких мечтаний и воображения. Их жизни были настолько тесно переплетены, она была настолько сильным вдохновением для него, что образ одного не отделим от образа другого. Чувства шаха выражены в следующих поэтических строках:

„Трону мира он предпочитал наименьший из локонов, который ниспадал на ее изящную шею".

В культуре его времени практически не существовало никаких сдерживающих факторов, будь то закон или общественное мнение, которые контролировали бы желания императора из династии великих Моголов в отношении женщин… Он был абсолютно свободен брать женщин, откуда он хотел, и использовать их по своей воле. Тем не менее совершенно очевидно то, что Шах-Джахан никогда не подвергал свою жену соперничеству с другими женщинами. У него было еще две жены, но с ними он состоял в политическом браке, а не в браке любви.

Также шах возвел для своей жены прекрасный дворец из белого мрамора, наверное, самое роскошное жилище в мире на то время. Это был изысканный дворец с резными, как кружева, мраморными колоннами и великолепными мозаиками с изображениями птиц и цветов, выполненными из драгоценных камней. Строя дом для своей возлюбленной, император создал воистину уникальное произведение искусства. А на потолке, в который упираются пышные колонны, знаменитая надпись, выполненная золотой краской красивым персидским почерком: „Если существует рай на земле, то он здесь, он здесь, он здесь".

Мумтаз умерла в родах, когда появился на свет их четырнадцатый ребенок. В старом персидском манускрипте мы находим следующее описание: „Когда император узнал, что она умрет, он горько заплакал от великой любви, которую он питал к ней, и можно было подумать, что звезды погасли в небе и потоп обрушился на землю. Во дворце поднялся такой сильный плач, как будто наступил день великого суда. Император, рыдая и ударяя себя в грудь, повторял слова поэта Саади: *„Как Богу нет покоя в руках расточителя, так терпение в сердце любящего подобно воде в сите".* Но скорбь разбудила его талант, который реализовался в наивысшей мере. Он решил, что на могиле его возлюбленной должен быть возложен прекрасный венок любви.

Знаменитые здания, как правило, были монументами напыщенных и гордых царей или храмами богов, или памятниками богатых и надменных городов. Но он в красоте белого мрамора впервые выразил истинную любовь мужчины к женщине, не физическое желание, а союз духа с духом. Он не жалел ни сил, ни средств, чтобы довести до совершенства последнее жилище своей возлюбленной королевы. Двадцать тысяч работников трудились над ним в поте лица целых семнадцать лет».

Обратите внимание на одну мысль: Мумтаз-Махал принадлежала культуре, которая требовала от женщин, чтобы они были в подчинении и зависимости и знали свое место в женском мире. В этой культуре женщины не господствовали, не требовали равенства и не пытались быть равными с мужчинами. Но она все-таки сумела получить то, к чему стремится каждая женщина, — уважение, почтение и преданную любовь своего мужа. Тадж-Махал, который Шах-Джахан построил для Мумтаз, был самым дорогим подарком любви, который мужчина когда-либо преподносил женщине.

Эгоистично ли это?

Не думайте, что желание быть любимой с великой нежностью и преданностью эгоистично. Любовь мужа к вам является для него самого источником великой радости. Благодаря своей любви к вам он может быть настоящим мужчиной, и у него есть реальный стимул для того, чтобы преуспеть в жизни, стимул, обеспечивающий ему то, ради чего он мог бы трудиться, жить и, если потребуется, умереть. Пробуждение любви вашего мужа поможет ему обрести счастье и полноту жизни. Если вы этого не делаете, вы лишаете своего мужа одного из его величайших удовольствий в жизни.

Вас тоже ожидает награда. Любовь мужа будет центром вашего счастья. Вы сможете более адекватно посвящать себя семье и домашним делам. Любовь улучшит ваше здоровье и обогатит эмоции, поможет вам расцвести и почувствовать себя королевой.

Любовь в браке — самый важный элемент его успеха, а счастливый брак — фундамент успешной семьи. Нет ни одного реального шанса создать истинно успешную семью без счастливого брака, основанного на искренней и постоянной любви друг к другу, а это значит, что любовь не только желанна, но обязательна. При счастливом браке растут счастливые дети, которые нормально развиваются и готовятся к будущей жизни. Счастливая семья — это достойный вклад в благосостояние общества, вклад, который приносит мир, а не разногласия, возникающие из-за недостатка любви.

Ваша любовь к мужу

Истинная форма «небесной любви» может существовать только при условии, если вы любите своего мужа так же сильно, как он любит вас. Поскольку мы обсуждаем только те принципы, которые пробуждают любовь мужа к жене, подумайте, как ваша любовь к нему может стать глубже и сильнее? Обычно женщины отвечают так: «Он должен что-то для этого сделать, стать лучше». Хотя стремление вашего мужа к самосовершенствованию, безусловно, увеличило бы вашу любовь к нему, однако чудо «Очарования женственности» заключается в следующем:

1. Когда вы будете применять наши уроки на практике, вы начнете лучше понимать и больше ценить своего мужа, научитесь видеть его лучшие стороны и, таким образом, сможете сильнее любить его.

2. Соблюдая принципы «Очарования женственности», вы станете более привлекательной женщиной с милым характером. У вас появится способность любить его сильнее.

3. Когда вы будете помогать ему обретать самоуважение и уверенность в себе и создавать благоприятные условия для счастливой супружеской и семейной жизни, у него будет больше стимула совершить что-нибудь достойное в жизни. Он станет мужчиной, которого вы сможете любить легче и полнее.

«Небесная любовь» — это то, к чему стремится каждая женщина с тех пор, как Бог сотворил этот мир. Еще в детстве каждая девочка мечтает о романтике, воображая себя прекрасной принцессой, которой страстно добивается принц. Белоснежка и Золушка — любимые героини маленьких девочек. В юности мысли девушки заняты тем, чтобы найти человека, который будет любить и лелеять ее. Нежная и преданная любовь всегда была главной темой великих опер, романов и песен. Романтическая любовь, одна из мощнейших движущих сил в жизни, по праву заслуживает тщательного изучения.

В заключение этой главы вы можете спросить: «А что я могу сделать, чтобы пробудить „небесную любовь" в моем муже?» Чтобы это узнать, мы должны изучить принципы, которые пробуждают мужскую любовь. Мы должны изучить качества идеальной с точки зрения мужчины женщины — той, которая пробуждает преклонение, обожание и любовь.

Глава 2

Идеальная женщина
с точки зрения мужчины

Чтобы понять мужскую точку зрения, попытайтесь увидеть идеальную женщину глазами мужчины. Его понимание женского совершенства отличается от вашего. Черты, которые мы, женщины, уважаем друг в друге, редко привлекают мужчин. С другой стороны, черты, которые обычная женщина игнорирует или осуждает в другой женщине, иногда оказываются как раз теми характеристиками, которые делают ее привлекательной для мужчин. Женщины часто не видят своего очарования, поэтому им очень трудно понять, что нужно мужчинам.

Вы когда-нибудь ломали голову над тем, чтобы понять, что конкретный мужчина находит в конкретной женщине? На ваш взгляд она, возможно, не обладает ничем привлекательным, однако мужчина видит в ней само очарование. Восхищение, которое мужчина испытывает к конкретной женщине, кажется неразрешимой загадкой для остальных представительниц ее пола. Иногда сам мужчина не может объяснить, в чем именно заключается обаяние его любимой. А знакомы ли вам женщины, которые, казалось бы, обладают всеми необходимыми женскими качествами, но при этом остаются отверженными и нелюбимыми? Поэтому, изучая идеальную женщину, помните, что мужчина судит в соответствии со своим набором ценностей.

Женщины склонны ценить уравновешенность, талант, интеллектуальные способности и одаренность личности, тогда как мужчины восхищаются женственностью, нежностью, приятным характером, веселым духом и способностью понимать мужчин.

Существенная разница — в отношении к внешности. Женщины склонны восхищаться артистической красотой, например, формой лица, формой носа или артистической одеждой. Мужчины, однако, придерживаются совершенно другого представления о том, что делает женщину красивой. Они придают больше значения сиянию ее глаз, чистоте ее улыбки и женственности ее манеры поведения.

Две стороны: ангельская и человеческая

Идеальная женщина с точки зрения мужчины имеет две стороны: ангельскую и человеческую. Ангельская сторона — ее духовные качества. Это добрый характер, понимание мужчин, домашние навыки и внутреннее счастье. Человеческая сторона имеет дело с внешностью, манерой поведения и женской природой и включает обаяние, лучезарность, хорошее здоровье и детскую искренность. Комбинация ангельской и человеческой сторон создают совершенную женщину с точки зрения мужчины. Они обе необходимы для завоевания искренней любви мужчины.

Качества этих двух разных сторон вызывают разные чувства у мужчины. Ангельские качества пробуждают чувство преклонения и дают мужчине ощущение мира и счастья. Человеческие качества очаровывают его и пробуждают нежность, желание защищать и ограждать женщину от зла и опасности. Когда в женщине присутствуют и ангельские, и человеческие качества, она становится для мужчины идеальной женщиной, той, о которой он может заботиться и которую может лелеять.

Для иллюстрации ангельской и человеческой сторон в женщине я обращусь к примерам из классической литературы. Хотя эти женщины — вымышленные героини, их пример так же надежен, как и живые примеры, потому что великие писатели отражают в своих героях людей, которых они знают в реальной жизни. Так что женщины, на которых я буду ссылаться, были живыми примерами в жизни авторов.

Образы, созданные в прошлом, современны и сегодня. Человеческая природа не меняется. Семья всегда имела одинаковый склад. Вот почему герои из Библии так близки нам сегодня. Давайте теперь обратимся к примерам из классической литературы, чтобы рассмотреть ангельскую и человеческую стороны в женщинах.

Дэвид Копперфилд

Иллюстрацию ангельских и человеческих качеств мы находим в истории Дэвида Копперфилда, описанной Чарлзом Диккенсом. Наш идеал, однако, представлен не одной женщиной, но двумя, Агнес и Дорой.

Агнес

Агнес представляет ангельскую сторону нашего идеала, сторону, которая вызывает преклонение. Дэвид Копперфилд знал Агнес с детства. С тех пор, как он увидел ее впервые, она вызывала в нем чувство преклонения. Диккенс так описывает их первую встречу:

«Мистер Уикфилд постучал в дверь, находившуюся в углу этой комнаты, обшитой панелью; тотчас же выбежала девочка, приблизительно моя ровесница, и поцеловала его. На лице ее я сразу же уловил то ласковое и безмятежное выражение, какое уже видел внизу на портрете леди. И мне представилось, будто леди на портрете выросла и превратилась в женщину, а оригинал остался ребенком. Хотя лицо девочки было радостным и веселым, но и в нем было какое-то спокойствие, и такое же спокойствие она разливала вокруг, и сама она была словно дух умиротворения и покоя, добрый дух, которого я никогда с тех пор не забывал. И никогда не забуду.

Мистер Уикфилд сказал, что это его маленькая хозяйка, его дочь Агнес. Когда я услышал, как он сказал это, и когда увидел, как он держит ее руку, я догадался, какова его единственная цель в жизни.

На поясе у Агнес висела миниатюрная плетеная корзиночка, в которой она хранила ключи, и вид у нее был степенный, скромный, подобающий хозяйке такого старинного дома. Мило улыбаясь, она выслушала рассказ отца обо мне и, когда он закончил его, предложила моей бабушке подняться наверх и посмотреть мою будущую комнату. Мы отправились все вместе, предшествуемые Агнес. Комната была чудесная, старинная — тоже с дубовыми балками, с оконными стеклами ромбической формы, и сюда тоже вела лестница с широкими перилами.

Я не могу припомнить, где и когда в детстве, я видел в церкви окно с цветными стеклами. Не помню я и сцен, изображенных на витраже. Но знаю, что, когда я увидел Агнес, поджидавшую нас наверху в полумраке старинной лестницы, я подумал об этом окне; и знаю еще, что с той поры я всегда связывал его мягкий и чистый свет с Агнес Уикфилд».

Дэвид и Агнес стали близкими друзьями. Она была для него источником комфорта, понимания, истинного сочувствия и дружбы. «В любви, в радости и печали, в надежде и разочаровании — словом, во власти любого чувства — сердце мое невольно обращается к ней и там находит свое пристанище и лучшего друга».

Агнес всегда имела духовное влияние на Дэвида. Вот как он сам пишет об этом: «Когда я писал Агнес, сидя у открытого окна в чудесный вечер и вспомнил ее ясные спокойные глаза и кроткое лицо, при этом воспоминании такой мир и покой снизошли на мою смятенную и взволнованную душу… что я расплакался». Однако, хотя он и знал Агнес с самого детства, хотя он и преклонялся перед ней с того момента, как впервые ее увидел, и хотя он и чувствовал, что только она одна может дать ему дружбу и понимание, он безумно увлекся не Агнес, а Дорой.

Дора

Дора представляет человеческую сторону нашего идеала, сторону, которая очаровывает, покоряет и пробуждает необыкновенную нежность в сердце мужчины и желание защищать и ограждать. Дэвид описывает ее следующими словами:

«Я видел перед собой существо неземное. Это была фея, сильфида, не знаю кто, — нечто, чего никто никогда не видел и о чем все мечтают… У нее был невыразимо нежный детский голосок, заразительный детский смех, милые очаровательные детские ужимки, и от всего этого юноша мог потерять голову и стать ее рабом. И вся она была так миниатюрна! А потому еще более мне дорога… Когда я увидел, как она прижала цветы к крохотному подбородку с ямочкой, я потерял присутствие духа, дар речи…»

Ее детские манеры, ее милые маленькие прихоти и капризы, ее девическое доверие ему, ее абсолютная зависимость от заботы о ней со стороны близких привлекли рыцарское сердце Дэвида. Она пленила его.

Женатый на Доре, Дэвид обращается к Агнес

Несмотря на то, что Дэвид испытывал подобные чувства к Доре, ему недоставало комфорта, понимания, признания и духовного влияния Агнес. Он говорит Агнес: опереться «на Дору трудновато… я не хочу сказать, что на нее нельзя опереться, потому что она — сама верность и чистота, но… трудновато… Она робкое существо, и ее легко смутить и испугать… Когда вас не было со мной, Агнес, чтобы с самого начала дать мне совет или одобрение, я как будто терял голову и попадал из одного затруднительного положения в другое. Но как только я приходил наконец к вам (а я всегда приходил), на меня нисходил мир, и я обретал счастье».

Дора как хозяйка дома

Еще одним слабым местом Доры было ведение домашнего хозяйства: «Наше беспорядочное хозяйство осталось без изменений». Дора не умела ни вести хозяйство, ни управляться с деньгами, ни готовить. Дэвид купил ей дорогую кулинарную книгу, но Дора приспособила ее для игры со своей собачкой.

Пустота в жизни Дэвида

Живя в браке с Дорой, он продолжал ее любить. Она восхищала и удивляла его, и он испытывал к ней самые нежные чувства. Но эта любовь не была полной, и он не был до конца счастлив. «Знакомое тяжелое чувство тяготело надо мной… Пожалуй, оно даже углубилось, но оставалось таким же неясным,

как и раньше, и преследовало меня, словно печальный музыкальный мотив, звучавший где-то далеко в ночи. Да, я горячо любил свою жену и был счастлив, но это было не то счастье, о котором я когда-то мечтал, — и мне всегда чего-то не хватало...»
Дэвид признается: «Иногда мне хотелось, чтобы моя жена была мне советчиком с характером сильным и решительным, поддерживала меня, направляла и обладала способностью заполнить пустоту, которая, казалось мне, возникала вокруг меня».

Дальше в этой истории Дора умирает, и Дэвид обращается к Агнес. Вступив в брак с Агнес, Давид испытывает настоящий мир и счастье. Она заполняет пустоту в его жизни. Она была превосходной хозяйкой и проявляла истинное понимание по отношению к нему. У них были дети и чудесная семейная жизнь. Он любил ее, но и здесь ему чего-то недоставало. Будучи женат на Агнес, он часто предавался воспоминаниям о Доре. В мыслях о ней он писал: «Привлекательность Доры оставила такое сильное впечатление в моей памяти... Возвращаясь назад, к тому времени, о котором я пишу, я призываю невинный образ, так нежно мною любимый, выйти из тумана прошлого и хотя бы еще раз обратить на меня свой лучистый взор».

Однажды его маленькая дочь прибежала к нему с колечком на пальце. «Хорошенькая безделушка с голубыми камешками так связана в моей памяти с ручкой Доры, что вчера, случайно увидев похожее колечко на пальце моей дочери, я почувствовал, как у меня защемило сердце».

Чувство, которое Дэвид испытывал к каждой из них

Чувство, которое Дэвид испытывал к Агнес, было подобно преклонению. Она оказывала на него духовное влияние. Она приносила ему мир и счастье, а без нее он, казалось, «терял голову и попадал из одного затруднительного положения в другое». Думая о ней, он «не мог удержаться от слез облегчения». Она была частью его самого «как один из элементов моего существа».

Чувство, которое Дэвид испытывал к Доре, было другим. Она восхищала и удивляла его. «Это была фея, сильфида, не знаю кто, — нечто, чего никто никогда не видел и о чем все мечтали». Изящество и живость всех ее манер вызывали в нем непреодолимое желание защищать и охранять ее.

Я хотела бы подчеркнуть, что Дэвид Копперфилд испытывал два различных типа любви к этим двум женщинам. Он по-своему любил Агнес, но эта любовь была не настолько сильной, чтобы привести его к браку. И хотя этот тип любви приносит мужчинам величайший мир и истинное долговечное счастье, это еще не совершенство любви.

Любовь к Доре была сильной, напряженной и истощающей. Когда Дэвид думал о ней, он чувствовал себя в сказочной стране, пленником и рабом. Этот тип любви, однако, тоже не был совершенным. Дэвид не был по-настоящему счастлив, что становится ясно из его слов: «Да, я горячо любил свою жену и был счастлив; но это было не то счастье, о котором я когда-то мечтал».

Дэвид Копперфилд никогда так и не испытал полного удовлетворения от любви, поскольку его чувства вдохновлялись двумя разными женщинами. Ни одна из них не была полным идеалом, о котором мы говорим, поэтому ни одна из них не могла вызвать его любовь в полном смысле.

Агнес и Дора

Если бы Агнес обладала девическим очарованием Доры, ее восхитительной «детской» манерой поведения и ее зависимостью от мужчин, от их защиты и руководства, Дэвид никогда в жизни не женился бы на другой. Его преклонение перед Агнес переросло бы в искреннюю любовь, в желание защищать и охранять. С другой стороны, если бы у Доры было сочувственное понимание, умение ценить его высокие идеалы и глубина характера, которой обладала Агнес, если бы она обеспечила ему уютную семейную атмосферу, безумное чувство Дэвида к ней превратилось бы в вечное восхищение и любовь. Но ни одна из них, к сожалению, не представляет собой полноту нашего идеала. Каждая из них допустила ошибки, каждая из них завоевала и потеряла Дэвида, но в некоторых отношениях каждая из них все же достойна подражания.

Анализ характера Агнес

Чем обладала Агнес:

У Агнес было четыре выдающихся качества, и все они из ангельской области нашего идеала.

1. *У нее был целомудренный и милый характер.* Дэвид всегда ассоциировал ее с витражным окном в церкви, и она оказывала духовное влияние на него. Одно из величайших испытаний для ее характера наступило тогда, когда Дэвид женился на Доре. Несмотря на то, что сама Агнес любила Дэвида, она не дала места озлоблению или возмущению по отношению к ним, но продолжала свою бескорыстную дружбу с Дэвидом и стала другом для Доры. У нее хватило силы духа, чтобы держать в тайне свою любовь к Дэвиду и жить полноценной жизнью, несмотря на разочарование. Еще одним подтверждением безупречного характера Агнес является ее преданность отцу и жертва ради него.

2. *Она понимала мужчин.* Она видела духовные потребности и ценила талант Дэвида. Она знала, как радоваться вместе с ним его победам и сочувствовать ему в трудностях. Она была для него источником мира, утешения, моральной поддержки и дружеских отношений.

3. *Благодаря своему благородному характеру* Агнес обладала особым спокойствием и добрым, кротким духом, что говорит о внутренней умиротворенности — источнике счастья.

4. *Она была прекрасной хозяйкой.* С самого детства Агнес научилась вести дом. Она заботилась о пище, о доме и об отце, как взрослая женщина.

Чего недоставало Агнес:

1. *Она была слишком независима.* Она была достаточно способной, чтобы самостоятельно справляться со своими проблемами и, казалось, не нуждалась в мужской заботе и защите Дэвида. Она была слишком бескорыстна, что очевидно из слов Дэвида: «Агнес! Вы всегда были моим наставником и моей лучшей поддержкой. Если бы вы думали о себе больше, чем обо мне, когда мы вместе здесь росли, мои мечты были бы прикованы к вам».

2. *Ей не хватало девичьих, «детских» качеств*, умения доверяться.

3. *Ей не хватало женских чарующих манер*, которые волнуют сердце мужчины.

Анализ характера Доры

Чем обладала Дора:

1. *У нее был чарующий стиль поведения.*

2. *В ней была детская искренность.* Иногда Дэвид обращался с ней, как с ребенком, она была по-детски доверчивой.

3. *У нее были прелестные манеры.* То, как она прижимала цветы к своему подбородку с ямочкой, поглаживала лошадей или шлепала свою маленькую собачку, восхищало Дэвида.

4. *Она излучала счастье.* У нее был веселый нежный смех, приятный нежный голос и самые восхитительные капризы.

5. *У нее были сияющие глаза.*

6. *Она отчаянно нуждалась в мужской защите* и руководстве и по-детски доверяла Давиду.

Чего недоставало Доре:

1. *Она была плохой хозяйкой:* не умела вести хозяйство, готовить, управлять домом, контролировать расходы.

2. *В ее характере имелись существенные недостатки.* Хотя Дора была доброй и целомудренной, но в какой-то мере и эгоистичной. Дэвид хотел, чтобы у его жены были способность и желание поддерживать мужа. Она была слишком увлечена собственными маленькими проблемами, заботами и капризами и не очень-то осознавала мужские нужды.

3. *Она не понимала мужчин.* Это был ее самый серьезный недостаток. У нее не было проницательности, сочувствия, понимания, признательности или интеллектуальных интересов, чтобы быть хорошим собеседником. Дэвид писал, что ему хотелось бы, чтобы жена больше помогала ему.

Много существует таких женщин, как Агнес, женщин с вдохновляющим характером, которые являются прекрасными матерями и хозяйками и которых очень высоко ценят, но если у них отсутствуют человеческие качества, которые восхищают мужчин, им трудно завоевать истинную любовь своих мужей.

Есть такие женщины, как Дора, женщины восхитительные и по-детски искренние и доверчивые, но если они слишком эгоистичны, чтобы замечать нужды мужчин или быть хорошими матерями и хозяйками, они могут завоевать только часть любви своих мужей.

Нет причин, по которым вы не могли бы быть и Агнес, и Дорой одновременно, потому что ангельские и человеческие качества прекрасно уживаются вместе. И те и другие необходимы для того, чтобы завоевать и сохранить любовь мужчины.

Дерюшетта

Примером, сочетающим ангельскую и человеческую стороны, может служить Дерюшетта, героиня романа Виктора Гюго «Труженики моря».

«Ее присутствие озаряет, приближение греет; она проходит мимо, и вы довольны; она останавливается, и вы счастливы; видеть ее — значит жить; она утренняя заря в образе человеческом; ее призвание — существовать, и этого достаточно, она превращает ваш дом в Эдем, она полна райского обаяния, она дарует радость, сама того не сознавая. Ее улыбка — кто знает отчего? — облегчает ту огромную, тяжелую цепь, которую влачат сообща все смертные; в этом, как хотите, есть нечто божественное. Вот так улыбалась Дерюшетта. Скажем больше: сама Дерюшетта была такой улыбкой…

Красота на земле — насущная потребность. Вряд ли найдется на свете более важная обязанность, чем обязанность быть пленительной. Лес впал бы в отчаяние без колибри. Излучать радость, изливать счастье, искриться светом среди мрака, быть позолотой судьбы, быть самой гармонией, самой грацией, самой миловидностью — значит оказывать благодеяние».

В другом месте Гюго сравнивает Дерюшетту с кроткой ручной пташкой, порхающей с ветки на ветку, когда она передвигается по дому, из комнату в комнату, останавливаясь «пригладить перышки» — причесать волосы. Слышится нежный шелест и

шорох ее одежд и голос, нашептывающий вам что-то неизъясни-
мое. Крылышек не видно, но слышно щебетанье. Она лазурная
мысль, которая сливается с вашими черными мыслями. Весь ее
облик дышал добротой и нежностью; вместо семьи и богатства
у нее был дядя — месс Летьери, вместо труда — жизнь в свое
удовольствие, вместо таланта — несколько песенок, вместо образования — красота, вместо ума — невинность, вместо сердца —
неведение; то была она томна, как креолка, то ветренна и резва,
то по-детски весела и задорна, то задумчива и грустна. И еще: та,
которой суждено материнство, пока не вступит в жизнь, долгое
время — дитя, в девушке притаилась девочка, она словно мали-
новка.

На этом этапе вам может показаться, что Дерюшетта была
немного скучной. Однако не забывайте, что Виктор Гюго был
мужчиной, грубым мужчиной, который писал суровые морс-
кие истории и привык выражаться скорее мужским языком, чем
женским. Мы должны быть благодарны ему за то, что он оставил
нам настоящий мужской взгляд на женственность.

Когда молодой священник делал предложение Дерюшетте,
он отметил ее ангельские качества: «Я люблю вас… Для меня
существует на земле лишь одна женщина: это вы. Мои мысли о
вас — молитва. Бог — моя вера, вы моя надежда. Крылья мои —
у вас. Вы моя жизнь, а теперь — и мое небо… Вы живое воплощение Божьей благодати».

Анализ характерных особенностей Дерюшетты

Ангельские качества:

1. *Характер.* Она была сама безмятежность и добродетель.
Она была внимательна к нуждам других людей, так как о ней
сказано, что «она дарует радость». Еще одним доказательством
ее приятного характера служат слова ее поклонника о том, что
она подобна молитве, она святая невинность и живое благословение.

2. *Умение вести домашнее хозяйство.* Она успешно справлялась со своими домашними обязанностями, так как «она превращает ваш дом в Эдем». Она порхала по дому, останавливаясь

поправить свою прическу подобно птичке, которая тщательно ухаживает за своими перышками.

3. *Внутреннее счастье.* Как и Агнес, Дерюшетта обладала внутренним счастьем, иначе у нее, наверное, не было бы такой способности проливать его на других людей.

Человеческие качества:

1. *Детская непосредственность.* Как у Доры, у Дерюшетты были непосредственные детские манеры. «Та, которой суждено материнство, долгое время — дитя...»

2. *Изменчивость.* «То была она томна, то ветрена и резва, то по-детски весела и задорна, то задумчива и грустна». Изменчивость — это тоже качество детской непосредственности.

3. *Свежий внешний вид.* «Она — утренняя заря в облике человеческом».

4. *Нежность.* Весь ее облик дышал добротой и нежностью.

5. *Излучение счастья.* Ее самой примечательной особенностью было умение излучать счастье. Это было частью ее характера, манер и действий.

- Она свежа, как утренняя заря.
- Она излучает радость.
- Она проливает свет на мрачные дни.
- Ее присутствие наполняет дом светом.
- Ее приближение согревает.
- Она проходит мимо, и вы довольны.
- Она останавливается на мгновение, и вы счастливы.
- Ее улыбка способна облегчать тяжесть огромной цепи, которую влачат все смертные, — опасная улыбка, которой и была сама Дерюшетта.
- Иногда она легкомысленна и энергична.

6. *Грациозность.* О грациозности еще не упоминалось, но она близка нежности и доброте. Дерюшетта была «само изящество и гармония».

Эмилия

Еще одним примером, объединяющим ангельские и человеческие качества, является Эмилия из романа Уильяма Теккерея

«Ярмарка тщеславия». Теккерей описывает Эмилию как добрую, непосредственную, улыбающуюся, нежную, маленькую домашнюю богиню, которая вызывает у мужчин желание преклоняться перед ней. Она «обладала таким добрым, нежным, кротким и великодушным сердцем, что располагала к себе всех, кто только к ней приближался». В другом месте он говорит о ней как о доброй, светящейся улыбкой, нежной, щедрой душе».

Теккерей допускает, что не все признают в ней красавицу: «Боюсь, нос у нее несколько короче, чем это желательно, а щеки слишком уж круглы и румяны для героини. Зато ее лицо цвело здоровьем, губы — свежестью улыбки, а глаза сверкали искренней, неподдельной жизнерадостностью, кроме тех, конечно, случаев, когда они наполнялись слезами, что бывало, пожалуй, слишком часто: эта дурочка способна была плакать над мертвой канарейкой, над мышкой, невзначай пойманной котом, над развязкой романа, хотя бы и глупейшего».

У Эмилии был приятный, нежный голос. Ей были присущи «маленькие тревоги, страхи, слезы, робкие опасения». Ее бросало в дрожь, когда кто-нибудь проявлял грубость. Иными словами, она была слишком скромной, слишком нежной, слишком доверчивой, слишком слабой и очень женственной, и это побуждало мужчин защищать ее и заботиться о ней.

Анализ характера Эмилии

Ангельские качества:

1. *Характер*. Она была очень доброй и имела щедрое сердце. Поскольку мужчины были готовы преклоняться перед ней, она, вероятно, обладала характером, достойным этого преклонения.

2. *Привязанность к дому*. Теккерей называет ее «маленькой домашней богиней».

Человеческие качества:

1. *Хорошее здоровье*. У нее была самая восхитительная улыбка, и ее лицо сияло здоровым румянцем, глаза сверкали, ее голос был приятным и нежным.

2. *Искренние эмоции*. Она плакала над умершей канарейкой, над мышкой, пойманной котом, над развязкой романа. Ей были

присущи маленькие тревоги, слезы, страхи, робкие опасения. Ее бросало в дрожь, когда кто-нибудь проявлял грубость.

3. *Нежность.* Она была нежной маленькой домашней богиней, слишком нежной, слишком слабой, очень женственной.

4. *Доверчивость.* «Она была слишком доверчивой». Это тоже качество детской непосредственности.

Обязательна ли красота?

Интересно заметить, что ни один из авторов только что приведенных описаний женщин не придавал особого значения природной красоте. Эмилия, к примеру, была полной и круглолицей с несовершенным носом. «Нос у нее был несколько короче, чем желательно, а щеки слишком уж круглы и румяны для героини». Лицо Дерюшетты было усеяно веснушками, и ее рот был великоват для совершенства. Авторы настолько далеки от утверждения, что эти молодые обаятельные женщины были красивыми, что, за исключением указания на дефекты, они даже не пытаются давать описание внешности. Что касается Агнес и Доры, они обе были красивыми девушками, поэтому выбор Дэвида основывался на других качествах.

Все четыре женщины, которые до сего момента были предметом нашего рассмотрения, являются примерами из классической литературы. Существуют, конечно, и всегда существовали примеры из истории. Один, достойный изучения, — это Мумтаз-Махал, жена Шах-Джахана. И снова я цитирую Елизабет Байлэнд, «Три мудреца Востока».

Мумтаз-Махал

Мумтаз-Махал была необыкновенно привлекательной. Ее блестящие черные волосы ниспадали на плечи двумя восхитительными прядями. Ее большие черные глаза имели совершенную форму; изящно изогнутые брови были похожи на крылья ласточки, а длинные шелковые ресницы дополняли их красоту. Бархатистая кожа была белой, как лилия.

Помимо необыкновенной внешней красоты, Мумтаз-Махал обладала следующими качествами:

«У нее был непорочный, искренний и благородный ум. Она была дружелюбна и приветлива от природы. Она обладала невероятным терпением, способным выдерживать даже самые тяжелые испытания. Например, перед тем как ее муж взошел на трон, в их жизни был период, когда предпринимались попытки устранить его. Преследуемый императорской армией, он был вынужден кочевать с места на место в поисках безопасности. Мумтаз-Махал сопровождала своего мужа повсюду, от лесов Телинганы до равнин Бенгала, и с упорной добровольной покорностью терпела все трудности и лишения бродячей жизни. Многие из друзей и советников принца покинули его в это время, но Мумтаз-Махал осталась верной и преданной ему до конца».

Мумтаз-Махал была мудрой, рассудительной и проницательной женщиной, и шах безгранично доверял ей как в личных, так и государственных делах. Он советовался с ней по многим важным вопросам, и она превосходно справлялась с функцией советника. Она была добра и милосердна. К ней приходили толпы просителей, и она не оставляла без внимания ни одной просьбы. По ее ходатайству многие приговоренные к смертной казни были помилованы и многие снискавшие немилость у императора были прощены. Сироты, вдовы и другие нуждающиеся люди пользовались ее благосклонностью.

Мумтаз-Махал оказалась идеальной женой. Она пленила ум своего мужа. Неописуемо красивая, изящная и мудрая, она была совершенным цветком своей одаренной семьи. Когда она прибегала к своим чарам, чтобы склонить мужа на свою сторону, она делала это с таким искусством, что окружающие и не догадывались о ее намерениях. Из истории их жизни очевидно, что эта женщина сильно влияла на своего мужа.

Ее женское влияние, возможно, было причиной длительного мира в период правления Шах-Джахана. За долгие 40 лет его царствования имели место всего три войны, да и те были направлены на отражение атак или на подавление мятежей. Общественные дела шли настолько гладко, что летописцы не смогли найти для записи ни одного эпизода кровопролития или жестокости. Его чрезвычайно грамотная внешняя политика тоже была показателем успеха его правления, так же как и его внутреннее судопроизводство.

Из исторических записей можно только догадываться, что Мумтаз-Махал принимала участие в формировании характера Шах-Джахана, но то, что она оказала глубочайшее влияние на его жизнь, это совершенно неоспоримый факт, и не потому, что мы располагаем какими-то записями высказываний шаха. Равно нам неизвестно о какой-либо общественной деятельности Мумтаз-Махал. Нашему взору доступен лишь мимолетный, прелестный образ, предстающий как драгоценный камень в изящной оправе величия.

Анализ характера Мумтаз-Махал

Ангельские качества:

1. *Характер.* Она была целомудренна, искренна и благородна. У нее был мягкий характер и доброе сердце. Она была приветлива и любезна. Она проявляла терпение даже в самых тяжелых обстоятельствах. Она была сострадательна к нуждающимся и помогала им в их отчаянном положении. Она обладала живым умом, необыкновенной мудростью и рассудительностью.

2. *Ее семейные качества.* Она имела высочайшее чувство супружеского долга и проявила себя идеальной женой. Она родила ему четырнадцать детей. (К сожалению, выжили только восемь из них— четыре сына и четыре дочери.)

Человеческие качества:

1. *Женственность.* Она оказывала глубочайшее влияние на жизнь своего мужа, но это делалось с великим женским искусством. Она великолепно играла роль покорной супруги.

2. *Лучезарность.* Она сияла жизнерадостностью, несмотря на трудные обстоятельства.

3. *Обаяние.* Она пленила ум своего мужа.

История богата примерами женщин, которые сочетали в себе ангельские и человеческие качества. Очарование Клеопатры изменило ход истории. Елена из Трои была настолько почитаема, что из-за нее разразилась большая война. Эллен Вильсон, жена президента, также достойна тщательного изучения. Биографии, хранящиеся в библиотеках, — источники таких примеров.

Что касается живых примеров известных женщин, подробные описания их женских чар — большая редкость. Традиция показывает, что человек должен прежде умереть, чтобы его достоинства открылись. Лишь недавно любовные письма Вудро и Эллен Вильсон стали достоянием публики.

А как насчет неизвестных женщин? Да, время от времени в нашей повседневной жизни нам встречаются яркие примеры, объединяющие ангельскую и человеческую стороны. Будьте внимательны к таким примерам. Помните, они могут и не быть кумиром для женщин, зато являются таковыми для мужчин. В кругу своих подруг они скорее представляют собой объект презрения и насмешек. Но обратите на таких женщин особое внимание. У них есть чему поучиться.

Завершая наше изучение ангельских и человеческих качеств, я предлагаю объединить их в одно целое. На следующей странице представлена диаграмма идеальной женщины с основными и очень важными качествами, которые мужчины находят привлекательными. Две стороны, составляющие единое целое, образуют полноту женского очарования.

ИДЕАЛЬНАЯ ЖЕНЩИНА
с точки зрения мужчины

Ангельская сторона	Человеческая сторона
Понимает мужчин	Женственна
Обладает внутренним счастьем	Излучает счастье
Имеет достойный характер	Обладает сияющим здоровьем
Является домашней богиней	Любит детей
Ангельские качества пробуждают чувство, близкое преклонению. Они обеспечивают мужчине мир и счастье.	Человеческие качества восхищают, очаровывают.

Вместе они представляют целое, которое муж любит и лелеет.
И то и другое важно и необходимо для его небесной любви.

Вы можете подумать: «Как мне убедиться, что всему сказанному здесь можно доверять, что верно определены именно те качества, которые мужчина находит очаровательными и что они наверняка пробуждают его самые нежные чувства любви?» Опыт тысяч женщин подтвердил истинность это учения. Результаты были ошеломляющими. Женщины, которые считали себя счастливыми, обрели новую романтическую любовь. Женщины, которые чувствовали себя отверженными и нелюбимыми, увидели, как их супружеская жизнь расцвела, и даже те, что отчаялись, добились тех же счастливых результатов. Время и опыт доказали, что всякий раз, когда эти принципы приводились в действие, женщины становились любимыми, почитаемыми и обожаемыми, браки — цветущими и семьи — счастливее, как это видно из следующих свидетельств.

Потрясающие результаты

У меня замечательный муж, и я всегда была счастлива в нашей супружеской жизни (четырнадцать лет). Поэтому, когда я читала «Очарование женственности», я думала о том, как это могло бы помочь Джиллу и Марше. Это выглядело слишком легким и волшебным, так что я решила сначала убедиться в эффективности этих принципов сама. Позвольте мне рассказать. Я не могла поверить своим глазам. Мне показалось, что, по крайней мере, две сферы были немного преувеличены, поэтому я решила их испытать, и мой муж отреагировал именно так, как вы обещали. Я просто восхищена простотой «Очарования женственности» и теми глубочайшими истинами, которые дают ошеломляющие результаты.

Не нужно говорить, как трудно хранить молчание о том, что может превратить браки в счастливые союзы двух любящих партнеров, которые действуют заодно, а не противостоят друг другу. На той же неделе, когда я читала «Очарование женственности», ко мне пришли три женщины, которые сказали, что они дошли до такого состояния, что готовы оставить своих мужей. И теперь я могла предложить им практическую помощь. Я знаю, что вы мне поверите, если я скажу, что три недели спустя одна из них оставила своих троих детей с сиделкой, и они с мужем отправились на «медовую неделю». Вторая пришла к осознанию вины своей самоуверенности, и всего через две недели смех вернулся в ее дом. Третья, к сожалению, не попробовала применить ни одной рекомендации, и ее брак по-прежнему «на мели».

В капкане

Хочу поблагодарить вас за «Очарование женственности». Оно помогло мне завоевать настоящую любовь мужа. У меня была только одна просьба к моему мужу — чтобы он носил обручальное кольцо. Он говорил, что он его ненавидит и не может носить, потому что оно заставляет его чувствовать себя, как в капкане. Я находила его обручальное кольцо на столах и комодах, где угодно, только не на его пальце. Он знал, как сильно я хотела, чтобы он его носил, но упорно продолжал гнуть свою линию. Поэтому, найдя кольцо в очередной раз, я его убрала.

Однажды моя чудесная подруга дала мне «Очарование женственности», и я начала практиковать его в своей жизни. Однажды вечером, спустя около двух месяцев, мы собирались на вечеринку, и муж попросил у меня свое кольцо. Мое сердце едва не выпрыгнуло из груди, пока я доставала его и надевала на палец своему мужу. Он поднял руку и с восхищением посмотрел на кольцо. С тех пор прошел год, и он еще ни разу не снимал его. Наша любовь, кажется, становится сильнее с каждым днем. Теперь вы — одна из моих самых драгоценных подруг, и я от всего сердца благодарна вам.

Совет врача

«Очарование женственности» должна прочитать каждая женщина. Жаль, что эта книга не попала ко мне несколько лет назад. Моей семье не пришлось бы столько страдать. Я была на грани развода. Я очень сильно любила своего мужа, но не умела выражать свою любовь. Прошлым летом у нас начались серьезные проблемы, и я пришла в отчаяние. Я не знала, к кому обратиться, а муж не желал обсуждать что-либо со мной. Мой врач посоветовал мне приобрести «Очарование женственности», и я буду благодарна ему за это всю жизнь. Мой муж сказал мне, что всегда любил меня, но теперь его чувство ко мне стало намного глубже, чем раньше.

Наш брак расцвел

Я уверена, вы уже слышали миллион счастливых историй, но я все-таки расскажу вам еще одну. Я каждый день благодарю Бога за «Очарование женственности». Мой пастор дал мне эту книгу, и с того самого момента, как я начала ее читать, мой брак стал расцветать. Я купила по экземпляру для каждой из моих восьми сестер, и хотя некоторые из них еще не замужем, эта книга помогла им узнать очень многое о мужчинах, о понимании мужчин, о роли женщины и о женственности.

О многих ошибках, которые я допускала раньше, я даже и не подозревала, но каждая из них отдаляла от меня моего мужа. Теперь он обращается со мной еще лучше, чем во время ухаживания, — он называет меня разными ласковыми словами, снова открывает для меня двери и два раза в день звонит с работы. Я могу продолжать и продолжать. Я теперь знаю, что у нас есть все необходимое для христианского брака.

Я была другим человеком

Мой муж очень сильно пил, не ночевал дома, едва разговаривал со мной и, я думаю, встречался с другими женщинами. Он сказал мне, что я тоже могу уйти, потому что больше ему не нужна. Однажды вечером он не пустил меня в дом и велел прийти утром за своими вещами. Когда я пришла на следующее утро, он уже упаковал мою сумку, встретил меня в дверях и сказал, что подумает о том, чтобы позволить мне видеться с нашей шестилетней дочерью. Позже в этот же день он позвонил мне с работы и сказал, что я должна кое с кем поговорить. Потом он передал трубку какой-то девушке. Подобные вещи продолжались до тех пор, пока я не дошла до отчаяния. Я уже была готова оставить его, когда кто-то рассказал мне об «Очаровании женственности». Я подумала: они, должно быть, сумасшедшие. Ни одна книга не способна изменить моего мужа. Я была в этом уверена.

Пострадав еще какое-то время, я все-таки села и прочитала эту книгу, и когда я это сделала, я просто загорелась. Я начала на следующий же день и через каких-то несколько недель увидела поразительные перемены в муже и в нашем браке. Он начал оставаться дома, приглашать меня в разные места, покупать мне какие-то вещи и почти перестал пить. Но самое важное — это то, что он снова начал разговаривать со мной и делиться своими переживаниями. Однажды в сильный снегопад мы гуляли с ним в обнимку. Я могла бы еще долго рассказывать, но хочу подчеркнуть одну вещь: он сказал мне, что я стала совершенно другим человеком, что произошло нечто, изменившее меня. Наша маленькая девочка теперь тоже стала другой. Она была очень замкнутой и раздражительной, и я уже начала подозревать, что у нее язва. Теперь она счастлива и общительна, и ее отец проводит с ней много времени.

Эти свидетельства — доказательство успеха «Очарования женственности», но еще более эффективный способ убедиться в истинности этого учения — это применить его в собственной жизни. Приобретите качества, описанные в этой главе, и посмотрите, что будет происходить с вашим мужем. Продолжайте изучение, выполняйте практические задания и наблюдайте за реакцией мужа. Во время этого процесса лучше не открывать ему, что вы делаете. Если вы будете применять эти принципы, а он не будет об этом знать, вы увидите его реакцию на «Очарование женственности» более отчетливо. Это будет еще одним доказательством истинности этого учения.

Практическое задание

1. Желая стать идеальной женщиной, вы не начинаете с нуля. Внимательно исследуйте себя, и вы найдете качества, достойные одобрения. Запишите 25 качеств, которые вы в себе уважаете.

2. Нарисуйте диаграмму идеальной женщины. Красным маркером отметьте качества, которые у вас есть. Синим — те, которых вам недостает. Возьмите одно из качеств, помеченных синим цветом, и работайте над ним в течение недели. Наблюдайте за одобрительной реакцией вашего мужа.

Часть 1

Ангельские качества

Понимание мужчин

Внутреннее счастье

Достойный характер

Домашняя богиня

Ангельские качества пробуждают в мужчине чувство, близкое преклонению, и дарят ему мир и счастье.

Чтобы стать идеальной женщиной с точки зрения мужчины, изучите сначала ангельские качества, перечисленные выше. Все главы этой части посвящены рассмотрению ангельских качеств и тому, как их приобрести.

Введение в понимание мужчин

Мы начнем наше изучение ангельской стороны с того, что будем учиться понимать мужчин. Первое, что мы должны усвоить, это то, что мужчины отличаются от женщин, отличаются по натуре и темпераменту, причем настолько сильно, как будто они пришельцы с другой планеты. Мужчины думают, действуют и реагируют не так, как женщины, и у них совершенно другие ценности и потребности. Даже те потребности, которые сходны, отличаются по значению. Например, потребность в любви присуща как мужчинам, так и женщинам; потребность в восхищении также присуща и тем и другим; но любовь имеет более важное значение для женщин, а восхищение — для мужчин. По причине непонимания этих различий мы иногда даем мужчинам не то, в чем нуждаются они, а то, в чем нуждаемся мы сами, и когда они не реагируют так, как мы ожидаем, это выбивает нас из колеи.

Следующие главы посвящены рассмотрению потребностей, темперамента и характерных особенностей мужчин. Это знание должно быть неотъемлемой частью образования каждой женщины. Как мы можем надеяться на хорошие, добрые отношения с нашими мужьями и сыновьями без глубокого знания мужской природы? Следующие правила построения отношений основаны на природе, потребностях и характерных особенностях мужчин:

Правила отношений с мужчинами:

1. Принимать его таким, какой он есть.
2. Ценить его лучшие стороны.
3. Восхищаться его мужественностью.
4. Ставить его на первое место.

5. Позволить ему быть лидером, защитником и кормильцем.
6. Позволить ему управлять финансами.
7. Не задевать его чувствительную мужскую гордость.
8. Проявлять благожелательность и понимание.

Глава 3

Принимайте его таким, какой он есть

Много лет назад доктор Норман Винсент Пеле читал в нашем городке лекцию. После лекции доктор Пеле, как у него было заведено, предоставил время для вопросов. Один из вопросов, заданный женщиной, звучал приблизительно так: «Я стремилась создать уютный дом, быть хорошей матерью и преданной женой, но все мои усилия оказались тщетными. Проблема в том, что мой муж не желал прикладывать равноценных усилий, чтобы сделать наш брак счастливее». Затем она осветила его недостатки. Вот некоторые из них: «Он не оказывает детям должного внимания, неразумно тратит деньги, пьет, и с ним невозможно жить». Ее вопрос к доктору Пеле был таким: «После двадцати пяти лет совместной жизни есть ли еще хоть какая-нибудь надежда, что он изменится?»

Доктор Пеле ответил твердо и слегка раздраженно: «Разве вы не знаете, что вы должны принимать мужчину по номинальному курсу, т.е. таким, какой он есть, и не пытаться изменить его?» Совет доктора Пеле является ключом к счастливому браку и фундаментом «Очарования женственности». Поэтому, если вы желаете видеть свой брак счастливым, принимайте своего мужа таким, какой он есть, и не пытайтесь изменить его.

Что означает принятие

Принятие означает, что вы принимаете вашего мужа таким, какой он сегодня, без каких-либо изменений. Вы понимаете, что его поведение могло бы быть лучше и, возможно даже, должно быть лучше, но это его ответственность, а не ваша. Вы видите его недостатки, но постарайтесь относиться к ним, как к обычным человеческим слабостям. Вы можете не соглашаться с его идеями, но предоставьте ему право на собственное мнение. Вы можете не одобрять его интересы, мечты или отсутствие какой-либо мечты, но предоставьте ему свободу заниматься тем, чем он хочет. Принимая его, вы признаете его право быть самим собой, к лучшему это или к худшему.

Принятие не означает терпимость, как будто вы просто терпите его. Оно также не означает самообман, когда вы заставляете себя думать, что он замечательный, хотя это вовсе не так. Оно не имеет никакого отношения к покорности. Принятие — это счастливое состояние ума, когда вы понимаете, что ваша обязанность не в том, чтобы переделывать его, а в том, чтобы принимать его таким, какой он есть.

Принятие означает, что вы признаете его человеческим существом, которое, точно так же, как и вы, наполовину состоит из достоинств, наполовину — из недостатков. Это справедливый взгляд. Вы понимаете, что у него есть недостатки, но сосредоточиваете внимание на его достоинствах. Вы принимаете человека целиком со всеми его ценными качествами и со всеми его человеческими слабостями.

Чтобы лучше понять, что такое принятие, нарисуйте в своем воображении образ человека и проведите мысленную линию посередине, которая разделит его на две равные части. Представьте, что одна сторона, окрашенная в светлые тона, представляет его достоинства; другая, окрашенная в темный цвет, — его недостатки. Затем удалите темную сторону из поля зрения так, чтобы вы могли видеть только светлую сторону. Вы знаете, что темная сторона существует, но вы не смотрите на нее. Вы видите только светлую сторону. Принятие означает, что вы принимаете его как человеческое существо, которое наполовину состоит из достоинств, наполовину — из недостатков; вы перестаете беспокоиться о его слабостях и фокусируетесь на его лучших качествах.

Какие недостатки мужчин женщины пытаются изменить?

Чтобы узнать, в какой мере вы, возможно, нарушаете этот принцип, внимательно изучите нижеприведенный список обычных недостатков мужчин:

1. *Личные привычки.* Неразумное питание, дурные манеры поведения за столом, пренебрежение внешним видом, безграмотность, вспыльчивость, подавленность, неряшливость, невежливость, сквернословие, курение, употребление алкоголя.

2. *Времяпрепровождение.* Проводит слишком много времени перед телевизором, в ванной, на диване, вне дома с друзьями, на спортивных мероприятиях; занят церковными делами или другой внешней деятельностью; берется за много дел сразу; всегда спешит; не приходит домой вовремя или забывает предупреждать, что задерживается.

3. *Обязанности.* Пренебрегает домашними обязанностями, такими как мелкий ремонт по дому, уход за газоном, покраска, починка, оплата счетов; пренебрегает церковными обязанностями; не следует инструкции по работе; ненадежен в работе и поэтому неуспешен; ленив и безответствен.

4. *Поведение в обществе.* Слишком хвастлив, слишком болтлив, слишком неразговорчив, невнимателен к людям; говорит слишком грубо или слишком громко; невежлив и нетактичен; не старается выбирать друзей, которых могла бы принимать жена; не желает принимать друзей жены.

5. *Желания и мечты.* Нет никаких амбиций и интереса к жизни; нет желания самосовершенствоваться; недооценивает себя; нет уверенности в себе; не может решить, чего хочет от жизни; бросается от одной мечты к другой; позволяет хорошим возможностям проходить мимо; нет видения будущего; мечты либо неосуществимы, либо требуют большого риска.

6. *Мужские качества.* Недостаточно мужествен; нерешителен; не умеет вести семью; слишком мягок к детям; слишком сильно беспокоится о прошлых ошибках; боится начинать что-нибудь новое; вялые мышцы; не занимается физическими упражнениями.

7. *Финансы.* Мало зарабатывает; не умеет управлять финансами; неразумно тратит деньги; скупой; тратит большие суммы без совета с женой.

8. *Отношения с детьми.* Игнорирует детей, когда они приходят домой; не играет с ними и никуда их не водит; не помогает им с домашним заданием и не принимает участия в их воспитании; жалуется на шум, естественный для маленьких детей.

9. *Религия.* Не посещает церковь; отвергает религиозные идеи; безразличен к религии; в воскресенье вместо церкви отводит детей на рыбалку или в парк развлечений.

Как вы реагируете на недостатки мужа? Принимаете ли вы его и смотрите ли на его лучшую сторону? Или пытаетесь его изменить, как делает большинство женщин? Если так, то почему? Возможно, по одной из следующих причин.

Почему вы пытаетесь изменить его

1. *Для своего блага:* вы можете пытаться изменить вашего мужа, потому что его недостатки действуют вам на нервы, создают тяжелые проблемы или лишают вас определенных вещей, которых вы желаете и заслуживаете. «Если бы только он изменился, — думаете вы, — моя жизнь стала бы намного счастливее». Посмотрите на недостатки вашего мужа и скажите, так ли это. Если бы он изменился, ваша жизнь стала бы приятнее, решились бы многие проблемы, у вас появилось бы хорошее настроение, больше денег, больше материальных благ, престиж и другие вещи, полезные для вас? Ваше желание иметь все эти вещи, возможно, и является стимулом, который побуждает вас предпринимать попытки, чтобы изменить его.

2. *Для его блага:* вы заботитесь о его комфорте и счастье; вы хотите, чтобы он был успешен и получил все самое лучшее от жизни; поэтому вы решаете изменить его для его же блага. Возможно, вы начали вашу супружескую жизнь с того, что составили список недостатков мужа, думая, что теперь ваша обязанность — совершенствовать его. На самом ли деле, ваша ли это обязанность? Должны ли вы брать на себя ответственность за то, чтобы делать вашего мужа тем, кем он должен быть?

В ответ на вопрос: «Что делать, если мужчина не видит своих недостатков, и его слепота не позволяет ему быть успешным?» — вы должны пробудить его, как я разъясню позже в этой главе. Но если, даже осознав свои слабые стороны, он выберет продолжение в том же духе, не упорствуйте в этом вопросе. Примите его таким, какой он есть. Толкать его к успеху — это не ваша обязанность. «Но, — можете возразить вы, — недостатки моего мужа обкрадывают его, и я должна сделать все возможное, чтобы он был счастлив». Это, кажется, достойная цель, так почему бы не попробовать? То, что написано ниже, объясняет, почему вам не следует пытаться изменить своего мужа. Такая попытка:

1. Вызывает разногласие

Даже если вы пытаетесь переделать вашего мужа из самых лучших побуждений, это может создать проблемы с серьезными последствиями. Как бы тщательно вы ни подбирали слова, ваши предложения, скорее всего, встретят сопротивление, возмущение и даже гнев. Если вы давите на него, надеясь, что он изменится, вы можете разбудить в нем зверя и привести его в бешенство. Это может привести к серьезному конфликту. В свою очередь, вы можете ответить разочарованием и даже слезами, спрашивая себя: «Что я сделала не так? Почему мой муж реагирует так грубо?» Дети тоже страдают, видя разногласие между родителями.

Другая проблема связана с его чувством безопасности. Мужчина хочет, чтобы его супруга была для него безопасным убежищем, где он мог бы расслабиться, быть самим собой и чувствовать себя уверенно. Осознание того, что вы, возможно, не удовлетворены им, ставит под угрозу его чувство безопасности, точно так же, как вы потеряли бы уверенность, если бы почувствовали, что он вас не любит. Это может выбить его из колеи, разрушив надежду и стимул стремиться к лучшему.

Возмущение, раздражение, конфликт, споры, разочарование, разногласие, угроза чувству безопасности мужчины — на самом ли деле попытки изменить вашего мужа стоят всего этого? Может ли то, чего вы надеетесь добиться своими усилиями, компенсировать раздор в вашем доме и ущерб, нанесенный вашим отношениям? Что важнее для ваших детей, для вас самих, для вашего мужа? Разве не дороже любовь и гармония в браке?

2. Охлаждает чувства мужа

Любая ваша попытка изменить мужа может ослабить его чувства к вам. Даже смутная догадка, что он не соответствует вашим стандартам, может охладить его отношение. Открыто предлагая ему измениться, вы можете встретить отвержение с его стороны. Это может стать началом нарушения общения, которое может продлиться несколько часов и даже дней. Чтобы избежать столкновения с вами, он начнет проводить больше времени вне дома, со своими друзьями или занимаясь другими делами.

Любовь может не только охладеть, но в некоторых случаях умереть совсем. Когда жена не предоставляет мужу свободу быть самим собой, когда она то и дело давит на него, побуждая его к изменению, это может привести счастливый брак к крушению. Один из самых трагических случаев в истории — это брак русского писателя графа Льва Николаевича Толстого и его супруги Софьи Андреевны.

Лев и Софья Толстые

Толстой — один из самых известных писателей в истории. Два из его шедевров, «Война и мир» и «Анна Каренина», считаются сокровищами мировой литературы. Он был настолько почитаем своим народом, что некоторые ходили за ним по пятам день и ночь, записывая каждое слово, выходившее из его уст. Хотя он был человеком богатым и известным, познакомившись с учением Христа и других философов, он пошел работать в поле. Он сам делал себе обувь, ел из деревянной миски и старался любить своих врагов. Он отказался от авторских прав на свои книги и отважился жить жизнью, в которую верил.

В самом начале совместной жизни Лев Николаевич и Софья Андреевна вместе молились Богу, чтобы их любовь друг к другу не угасала. Но как только взгляд Толстого на жизнь изменился, изменился и их брак. Софья не могла принять его простой образ жизни. Она любила роскошь, он же презирал ценность материальных благ. Ее тянуло к славе и признанию в обществе, он же почитал эти вещи за сор. Она стремилась к богатству, он считал это грехом. Когда он противостал ей и пошел своим путем, она ударилась в истерику и стала угрожать, что покончит с собой или прыгнет в колодец. Таким способом она пыталась оказать на него давление и заставить измениться.

Этот человек, который обожал свою жену, когда женился на ней, через сорок восемь лет уже не мог выносить одного ее вида. Графиня Толстая, с разбитым сердцем, в преклонных годах, жаждущая любви, упав на колени у ног своего супруга, умоляла его прочесть свои записи, которые он сделал для нее в своем дневнике пятьдесят лет назад. Когда он читал о тех чудесных днях, которые теперь ушли навсегда, оба они расплакались. Умирающий писатель просил, чтобы жену не пускали в его комнату.

Графиню Толстую не стоит обвинять во всем. Ее муж мог бы посчитаться с ее чувствами и пойти на некоторые уступки. Он мог бы хотя бы частично уступить ей. Но представьте, как благородно было бы с ее стороны принять его образ жизни, дать ему свободу поэкспериментировать со своими идеями, проверить их достоинство. Он стал бы любить ее еще сильнее, чем вначале, а она ничего не потеряла бы, но, наоборот, приобрела бы то, что имеет настоящую ценность.

3. Может вызвать бунт

Давление, которое вы оказываете на мужчину, чтобы изменить его, может вызвать в нем вспышку сопротивления. Это объясняется его стремлением сохранить свободу быть самим собой. Мой сын, например, иногда говорит мне: «Мама, только не говори мне, что делать, иначе я не захочу этого делать». Это показывает, насколько мужчины дорожат своей свободой и почему они иногда отвергают те вещи, которых они и сами хотят. Следующая история является хорошей иллюстрацией.

Побег из окна ванной комнаты

Одна женщина, которая была очень предана своей религии, пыталась уговорить своего мужа проявить хотя бы мизерный интерес к ее церкви. Он сопротивлялся. Она преследовала его день и ночь, но все ее попытки заканчивались неудачей. Однажды она тайно договорилась с миссионерами из церкви, чтобы они, как бы случайно, зашли к ним во время ужина, надеясь, что ее муж из вежливости пригласит их на ужин и будет с ними любезен. Она также попросила, чтобы они принесли с собой книги, кассеты, видеофильм и другие материалы, с помощью которых они смогли бы проповедовать ему после ужина.

Все шло как по маслу. Как только семья уселась за стол, раздался звонок в дверь, пришли миссионеры. После чудесного ужина жена сказала: «Ты не возражаешь, если эти два джентльмена расскажут немного о церкви?» Оказавшись под моральным давлением, мужчина из вежливости согласился. Когда миссионеры начали раскладывать свои материалы, книги и иллюстрации, мужчина понял, что он попал в капкан. Он извинился и удалился в ванную комнату, якобы по нужде, открыл окно и исчез.

В отчаянии жена обратилась за помощью в церковь. Несколько человек откликнулись на ее просьбу и начали искать пропавшего мужа. На третий день усиленных поисков он был найден. У него не было и малейшего намерения возвращаться домой, но благодаря уговорам и обещанию жены впредь никогда не упоминать о религии он вернулся. Жена сдержала свое обещание, и теперь муж мог спать спокойно. Самая трогательная часть истории в следующем: муж познакомился с человеком, который его нашел, и признался ему: «Я хотел узнать побольше о вашей церкви, но только не от моей жены». Тайно он изучил религию своей жены, обратился и стал членом церкви. В одно воскресенье служитель объявил о появлении нового члена общины и попросил его выйти к кафедре. Когда муж поднялся со своего места, для жены это было таким неожиданным сюрпризом, что она разрыдалась от радости.

Здоровая пища

Другая женщина спровоцировала взрыв возмущения в своем муже следующим образом: когда они поженились, она буквально одолевала мужа советами по всяким мелочам. Она пыталась исправить его привычки питания, напоминала ему чаще принимать душ и лучше заботиться о своем внешнем виде.

Она была радикальной в отношении здоровой пищи. Он же вырос в семье, где питанию не придавалось столь серьезного значения, поэтому его раздражало отсутствие пищи, к которой он привык. Это посягательство на его свободу спровоцировало его употреблять в пищу всякую отраву, продукты, имеющие низкое качество, когда он находился вне дома. При этом он еще начал пить и курить. Она выступала за здоровье, поэтому его протест был против здоровья. Он практически губил свой некогда сильный организм. В каком-то смысле это было вызовом: «Дай мне свободу или дай мне умереть».

Противоположным примером является молодая женщина, которая тоже придерживалась принципов здорового питания. Она тоже вышла замуж за человека, которого абсолютно не волновала питательная ценность продуктов. Он вырос на пирогах, тортах, варенье, конфетах и белом хлебе. Как только они поженились, жена ласково спросила его: «Дорогой, я знаю, что ты привык питаться немного по-другому, чем я, но ты не возражаешь, если я буду готовить для себя то, что предпочитаю я, а для тебя то, что любишь ты?» Он согласился, и она готовила два разных блюда многие месяцы. Со временем он перенял ее привычки правильного питания и даже начал проповедовать их своей семье. Обычно мужчины достаточно разумны, чтобы хотеть того, что для них лучше, но им не нравится, когда на них давят.

4. Не работает

Вы можете бросить попытки изменить мужа к лучшему, потому что они не работают. Намеки, грамотно сформулированные аргументы и даже давление не изменят его. Преуспела ли Софья Толстая в своих усилиях изменить мужа? Преуспела ли жена, которая пыталась заставить мужа присоединиться к ее церкви? Удалось ли жене, которая настаивала на том, чтобы ее муж ел здоровую пищу, переделать его привычки в питании? Нет, мужчин невозможно изменить таким способом.

Некоторые женщины ставят себе в заслугу перемены к лучшему, которые происходят в их мужьях. Они оказывали на мужей давление, и те в конце концов сдались. Но не обманывайтесь. За очень редким исключением, он изменился не по причине убедительности доводов жены, а благодаря мотивации, о которой она может и не подозревать. Может быть, с ним кто-то побеседовал, как в случае с мужчиной, который в итоге присоединился к церкви жены. Может быть, он посетил какую-нибудь лекцию или прочитал что-нибудь вдохновляющее. Это может быть мгновенное озарение, побудившее его увидеть безрассудство своего поведения. Да, он изменился, но мог бы измениться быстрее без ее давления.

Как видите, попытки изменить мужа не приводят ни к чему хорошему. Они создают проблемы в семье, охлаждают чувства, разрушают любовь, вызывают бунт и просто не работают. Они не помогают мужчине измениться или стать лучше.

Как вы можете помочь мужчине измениться

Если вы принимаете мужчину по его «номинальному курсу», есть ли надежда, что он изменится? Он может и не измениться, и вам нужно принять этот факт. Но каким-то чудом, когда вы принимаете его таким, какой он есть, у него больше шансов измениться. Единственная надежда, что мужчина изменится — это оставить все попытки его изменить. Другие могут пытаться наставлять его и давать советы, но женщина, которую он любит, должна принимать его таким, какой он есть, и видеть его лучшую сторону. Тем не менее есть три способа, которые вы можете использовать, чтобы помочь ему измениться:

1. *Предоставьте ему его свободу:* дайте ему свободу быть самим собой, следовать собственным убеждениям, ставить собственные цели, увлекаться своими хобби или не увлекаться ничем и делать то, что ему хочется. Получив эту личную свободу, его ум сможет функционировать без каких-либо препятствий. Он будет восприимчив к новым идеям, в том числе и вашим, и сможет реализовать свою лучшую сторону.

2. *Цените его лучшую сторону:* стабильная диета «похвалы» может послужить для него мотивом, чтобы победить свои недостатки и стать лучше. Добрая оценка может помочь любому человеку, будь то мужчина, ребенок или еще кто-нибудь, подняться на более высокую ступень своего потенциала. Подробнее об этом в следующей главе.

3. *Выполняйте рекомендации «Очарования женственности» целиком:* когда вы применяете принципы «Очарования женственности», каким-то удивительным образом недостатки вашего мужа начинают исчезать. Я неоднократно наблюдала это в жизни. Мужчины были настолько несносными, что ни супруга, ни кто-либо другой не мог выдерживать их присутствия, но когда жена начала применять методику «Очарования женственности», мужчина становился милым и любезным. Конечно, нет никакой гарантии, но искреннее желание жить по этим принципам может побудить мужчину измениться к лучшему.

Потребность мужчины в свободе

Свобода воли — один из фундаментальных законов жизни. Без нее люди не могут быть счастливыми. Бог прекрасно это понимал, когда создавал человека и поселил его на земле. Он допустил присутствие злых сил и позволил им испытывать и искушать человека. И от самого начала Он знал, что многие из драгоценных человеческих душ впадут в грех и будут пожинать зло, которое придет от непослушания. Но Он также знал, что без свободы человечество просто будет неспособно расти и развиваться. Человек должен иметь свободу выбора и делать этот выбор сам. Если Бог смог рисковать будущим счастьем человека ради того, чтобы предоставить ему драгоценную свободу, тем более женщина должна позволить своему мужу пользоваться этой привилегией. Пусть он беспрепятственно делает то, что хочет делать, и будет тем, кем хочет быть.

В частности, мужчина нуждается в свободе вероисповедания, как и все люди во все времена. Она была причиной многих войн; за нее доблестно сражались и умирали; из-за нее пилигримы покинули Европу; на этом принципе была основана Америка. Она не утратила своего значения для каждого из нас и сегодня. Это наше право, данное нам Богом. У мужчины есть право на свое личное мнение относительно религии. Когда жена предоставляет ему такую свободу, награда не заставляет себя ждать. Его разум более восприимчив и расположен к рассмотрению другой точки зрения, как в следующем примере.

Одна девушка была помолвлена с человеком, исповедующим другую религию. Ее религия была очень важна для нее, поэтому она надеялась, что когда-нибудь он все-таки присоединится к ее церкви. Она спросила совета у одного мудрого человека, который сказал: «Если ты выйдешь замуж за этого человека, никогда не ставь ваши религиозные отличия на повестку дня. Если он хочет ходить в свою церковь, иди с ним. В свою очередь, попроси его посетить твою церковь. Придерживайся своих убеждений и будь примером того, чему учит твоя религия».

Она вышла за этого человека и, следуя мудрому совету, посещала его церковь, а он, в свою очередь, посещал ее церковь. Через некоторое время он пересмотрел свое мировоззрение и стал членом той же церкви, что и его супруга.

Свобода вероисповедания является настолько щекотливым вопросом для мужчин, что они оказывают сопротивление даже самому тонкому намеку. Например, одним воскресным утром молодая жена ласково спросила своего мужа: «Ты планируешь посетить церковь сегодня утром?» Это настолько зацепило его, что он остался дома только для того, чтобы заявить о своей свободе. Он не имел ничего против своей церкви, но когда он посещал богослужения, он хотел, чтобы это было его идеей. Как только жена перестала делать намеки, он начал посещать церковь значительно регулярнее.

Своими попытками привлечь мужчину к церкви мы чаще всего добиваемся обратного результата. Если вы ставите себе в заслугу то, что ваш муж посещает церковь, полагая, что он делает это благодаря вашим усилиям, вы страдаете ложной иллюзией. Ваш муж наверняка нашел другую причину для посещения церкви, чем вы себе представляете, и сделал бы это быстрее, если бы у него была свобода и ваш яркий пример.

Побуждение к праведности

Ранние религиозные учения утверждают, что женщина должна побуждать своего мужа к праведности. Это ее обязанность. Что это значит? В те времена, когда давалось это религиозное наставление, значение слова «побуждать» в словарях толковалось, как «вдохновлять» или «воодушевлять». В таком случае предполагалось, что женщина должна побуждать своего мужа к праведности своим примером и духовным влиянием.

Сегодня возникает проблема, и она состоит в том, что женщины ошибочно толкуют эти ранние учения. Современные словари определяют слово «побуждать» как «стимулировать» или «подталкивать», а это не то, что имели в виду ранние учения. Этот метод никогда не работает. Когда женщина давит на мужчину, желая привлечь его к церкви, она, напротив, отдаляет его.

Методы, к которым прибегают женщины, чтобы изменить мужчин

Иногда женщины пытаются изменить мужчин силой, прибегая к требованиям, ультиматумам или угрозам. Чаще, однако, они используют такие формы, как назойливые советы, критику, осуждение или ворчание, или более скрытые методы, такие как моральное давление, неодобрение, грамотно сформулированное предложение или тонкий намек.

Некоторые женщины пытаются изменить мужчину, обращаясь к яркому примеру другого мужчины. Это может проявляться в выражении восхищения своим отцом, братом, другим мужчиной в городе или даже просто известным человеком из истории. Если это делается только из-за восхищения этими людьми, муж может отнестись к этому спокойно. Но если жена заостряет внимание на высоких достоинствах другого мужчины, надеясь, что ее муж захочет быть более похожим на этого человека, он, безусловно, возмутится.

Самодовольство или самоуверенность

Когда вы пытаетесь изменить вашего мужа, вы выдаете один очень серьезный недостаток вашего характера — уверенность в собственной праведности. Это говорит о том, что вы считаете себя лучше его. Возможно, вы думаете, что вы более праведны, более усердны в соблюдении заповедей вашего вероисповедания или более ответственны в исполнении ваших церковных обязанностей. Подобного рода позиция самодовольства наблюдалась между саддукеями и фарисеями в библейские времена. Они чрезвычайно гордились тем, с каким постоянством они посещают синагоги, платят десятину, молятся, читают Писание, постятся, чтят субботу, присутствуют на различных религиозных мероприятиях. Спаситель осудил их, но не за их верность, а за позицию самодовольства в отношении своей верности.

Когда вы критикуете или осуждаете вашего мужа, вы берете на себя роль судьи. Но разве вы компетентны судить его достоинства? Разве вы лучше, чем он? Когда одна женщина пожаловалась мне на недостатки своего мужа, а некоторые из них были достаточно серьезными, я спросила ее: «Вы на самом деле считаете, что вы лучше, чем он?» Она посмотрела на меня с возмущением, затем, после спокойного размышления, опустила голову и кротко сказала: «Нет, я не думаю, что я лучше своего мужа. Я знаю, в сердце он замечательный человек».

Чувство превосходства

Сродни самодовольству чувство превосходства. Возможно, вы считаете себя разумнее, образованнее, способнее, проворнее, внимательнее, умнее или успешнее, чем он. Возможно, вы вышли из более благополучной семьи, более состоятельной и уважаемой. С таким представлением о себе вы берете на себя инициативу «откорректировать» своего мужа в соответствии с вашими стандартами. Если вы желаете, чтобы ваш брак был счастливым, не ставьте достоинство этих вещей себе в заслугу, не хвалитесь ими перед своим мужем, заставляя его чувствовать себя неполноценным. Вместо этого научитесь ценить вещи, которые действительно имеют значение, о чем мы узнаем из следующей главы.

Одна из причин, по которой нам трудно прощать недостатки мужчин, это то, что их недостатки отличаются от наших. Он может быть неорганизован и неряшлив, тогда как вы, напротив, опрятны и любите порядок. Он может быть забывчив, а вы — всегда на чеку. С другой стороны, вы, возможно, критичны, тогда как он склонен прощать. Вы, возможно, медлительны, а он — расторопен. Поскольку ваши недостатки различны, вы фокусируетесь на его недостатках, игнорируя собственные. В следующий раз, когда недостатки вашего мужа станут вас раздражать, скажите себе: «У него есть этот недостаток, но он лучше меня в других отношениях».

Ключ к принятию

Ключом к принятию является смирение, т.е. осознание наших собственных человеческих слабостей и ограничений и, соответственно, взгляд на себя со стороны и желание измениться к лучшему. Сущность христианской доктрины и других религий и философских учений состоит в следующем: «Кого мы должны менять, так это самих себя», или «Прежде вынь бревно из своего глаза, чтобы ты мог разглядеть соринку в глазе твоего брата». Только с таким смирением в сердце мы можем рассчитывать на добрые отношения с другими людьми. Вспомните библейскую историю о человеке, который гордо заявил, что он рад, что он не так грешен, как другие люди. Но Иисус одобрил мытаря, который в смирении склонил голову и, ударяя себя в грудь, просил: «О Господи, будь милостив ко мне, грешнику!»

Следует ли мне вообще пытаться изменить его?

Прежде всего нужно сказать, что, если женщине удается изменить мужчину к лучшему и при этом избежать семейных проблем, в этом нет ничего плохого. Но как мы выяснили, это очень трудно осуществить. Мужчины противостоят изменениям, и это, как правило, приводит к серьезным проблемам в супружеских отношениях и во многих случаях к распаду брака. Поэтому, когда вы начинаете прикладывать усилия, чтобы изменить своего мужа каким бы то ни было способом, всегда действуйте очень осторожно. Будьте готовы к его упорному сопротивлению, к проблемам в ваших отношениях и даже к охлаждению чувств.

Тем не менее существуют ситуации, когда вам стоит попытаться изменить его, и, если вы сделаете это правильно, вы можете добиться успеха и ваши усилия будут оправданы:

1. *Когда он слеп к своим недостаткам.* Иногда недостатки мужчины причиняют ему серьезный ущерб. Когда он не видит своих недостатков, он не в состоянии распознать свои проблемы и решить их. Возьмите, к примеру, торгового агента, который не может четко и внятно представить товар; или менеджера, который слишком деспотичен; или врача, который неприветлив со своими пациентами. Если он не видит этих недостатков, он вновь и вновь терпит неудачу, повторяя те же самые ошибки. Люди, с которыми он работает, могут быть не слишком заинтересованы, чтобы что-то посоветовать, или не считают своей обязанностью это делать. Его жена может быть единственной, кому не все равно и чье положение позволяет говорить.

Стараясь открыть глаза мужчине, помните, что вы принимаете его таким, какой он есть. В отличие от вас мир этого не делает. Обращаясь к мужу, не указывайте на его недостатки открыто. Вместо этого заострите внимание на успехе, который ждет его в двух шагах. Постарайтесь заверить его, что, если бы он кое-что изменил, он мог бы стать намного успешнее и люди начали бы ценить его по достоинству. Пролив свет на этот вопрос, снимите его с повестки дня. Если ваш муж будет продолжать совершать те же ошибки теперь уже сознательно, предоставьте ему такую свободу.

Прежде чем исправлять своего мужа, убедитесь, что его ошибки на самом деле доставляют ему проблемы. Одна женщина спросила меня, следует ли ей что-нибудь предпринять, чтобы улучшить грамматику своего мужа. Задав несколько вопросов о нем, я выяснила, что он был чрезвычайно успешным и уважаемым друзьями человеком, и сказала женщине, что нет никакой необходимости поднимать этот вопрос.

В своих усилиях исправить мужа будьте женственны; не показывайте, что вы знаете о его бизнесе больше, чем он; не ведите себя, как мама; и не разговаривайте с ним, как мужчина с мужчиной. Смотрите главу 8 о том, как давать женский совет.

2. *Когда он жесток к своим детям.* Иногда мужчина, даже не осознавая этого, может причинять вред своим детям. Привычные грубые слова или пренебрежительные замечания могут оскорбить чувство собственного достоинства ребенка и пагубно повлиять на всю его жизнь. Жестокое или несправедливое наказание, будь то моральное или физическое, также может поставить под угрозу безопасность ребенка и его отношения со своим родителем. Не важно, морально или физически, это просто несправедливо причинять такое зло своему ребенку. Если это имеет место, ваш моральный долг — оказать решительное сопротивление.

Вы должны высказаться смело и, возможно, неоднократно, с терпеливой настойчивостью. Если вы живете по «Очарованию женственности», соблюдая все рекомендации, и делаете все возможное со своей стороны, чтобы созидать добрые отношения со своим мужем, вам не следует бояться оказать такое сопротивление. В данном случае вы не выходите за рамки своих прав, и ваш муж это почувствует. Если вы терпеливы и настойчивы, у вас есть почти стопроцентная гарантия выиграть, усмирить своего мужа и изменить его позицию по отношению к детям. Однажды он поблагодарит вас за это.

Я не говорю сейчас о мужчине, который просто строг в отношении дисциплины своих детей. Это мужская склонность, которая достойна уважения. Дети имеют тенденцию уважать строгого отца и любить его больше за его строгое воспитание. При этом они должны чувствовать, что за авторитетом их отца всегда стоит поддержка их матери и что их родители действуют единым фронтом.

Но когда отец заходит слишком далеко, когда он оскорбляет ребенка резкими, грубыми словами, или когда его наказание несправедливо, или он обращается к ремням, пряжкам, палкам и другим предметам, которые могут нанести ущерб здоровью ребенка, как физическому, так и духовному, вы просто обязаны оказать этому решительное сопротивление. Если же он оставит ваше возмущение без внимания, увезите детей из дома и не возвращайтесь до тех пор, пока опасность не минует. Не осуждайте вашего мужа за его действия. Будьте тверды, но не грубы. Дайте ему знать, что вы делаете это ради безопасности детей. Ваша решительная, но доброжелательная позиция, подкрепленная действиями, может усмирить мужа и побудить его к покаянию.

3. *Когда есть вещи, с которыми вы не можете смириться.* Бывают такие вещи, с которыми, как бы вы ни старались, вы просто не можете смириться. Это могут быть незначительные, но совершенно невыносимые вещи, которые только и делают, что раздражают вас. Они так сильно действуют вам на нервы, что ваша жизнь становится просто несчастной. Когда вы воплотите в жизнь все рекомендации «Очарования женственности», вы сможете эффективно вносить коррективы в поведение своего мужа следующими способами:

а) Скажите ему, чего вы от него ожидаете. Когда он делает что-то раздражающее вас, не критикуйте его. Вместо этого используйте положительный подход. Скажите ему, чего вы от него ожидаете. Начните примерно так: «Я ожидаю большего от такого мужчины, как ты» или «Ты можешь быть лучше». Эти утверждения предполагают, что вы имеете о нем высокое мнение, которого он не оправдывает. Скрытым образом это побуждает его поступать в соответствии с вашим представлением о нем. Сделав оптимистическое вступление, дайте ему знать, каковы ваши ожидания.

Когда Уэлли Симпсон только познакомилась с Эдвардом, принцем Уэльским, беседа с ним показалась ей пустой и скучной. Тогда Уэлли сказала нечто такое, что стало историей: «Я ожидала большего от будущего короля Англии». Ее высокое ожидание от принца Уэльского и откровенная честность очаровали его. Это было особенное качество, которое он в ней ценил.

б) Женская просьба. Вы можете обратиться к мужу, прибегнув к такой женской тактике, как просьба. Например: «Не мог бы ты подумать об этом…», или «Мне очень помогло бы, если бы ты…», или «Мне было бы очень приятно, если бы ты…», или «Ты не сильно возражаешь?..»

Если вы попытались применить эти способы, а они оказались неэффективными, вы можете быть уверены, что вы не выполняете какие-то из рекомендаций «Очарования женственности» до конца. Если вы эгоистичны, ворчливы, неженственны, не заботитесь о домашнем уюте, ваш муж, вероятнее всего, останется глухим к этим методам.

Особые проблемы

Бывают случаи, когда вы должны определенным образом реагировать на недостатки вашего мужа, хотя и не с целью его изменить. Например:

1. *Когда он жестоко с вами обращается.* Должны ли вы пытаться изменить мужчину, когда он невнимателен, несправедлив, груб, критичен, ведет себя оскорбительно? Должны ли вы пытаться пресечь его грубое поведение? Нет, отнесите эти недостатки к человеческим слабостям, присущим большинству человеческих существ. Но отреагируйте на его грубое поведение правильно: не будьте «половой тряпкой». Не закрывайтесь в себе и не ведите себя обиженно. Вместо этого, проявите чувство собственного достоинства. Окажите ему сопротивление, и он будет любить вас еще больше. Но будьте осторожны и делайте это грамотно. Правильный метод выражения гнева — один из принципов обаяния описан в главе 24 «Очарования женственности».

2. *Когда он поступает неправильно.* Если мужчина поступает безнравственно, нечестно, несправедливо, коварно, жестоко или грешит каким-либо еще образом, не оставляйте этого без внимания. Если вы это сделаете, вы покажете слабость вашего характера. И не допускайте ошибку, снижая свои стандарты. Он ожидает, что вы будете лучше, чем он, и очень расстроится, увидев, что вы опустились до его уровня. Он хочет, чтобы вы придерживались своих идеалов и стандартов даже в условиях самых тяжелых испытаний, независимо от того, что делает он сам.

Когда мужчина совершает или говорит что-то греховное, я предлагаю вам следующий способ разрешения ситуации: сначала выразите свое нежелание верить этому. Скажите, что вы не верите, что такой человек, как он, может поступать таким образом. Если вы вынуждены поверить этому, скажите, что вы уверены, что это противоположно его истинной натуре и случилось только по неосторожности и невнимательности. Вы должны быть сильно разочарованы его временным упущением, но ваша вера в его лучшую сторону должна быть непоколебимой.

3. *Муж-алкоголик.* С алкоголизмом трудно смириться из-за проблем, которые из него вытекают, таких как расточение имущества, безобразный характер, нечестность, ненадежность, другие женщины и запущенность дома. Женщины буквально доходят до отчаяния из-за этой проблемы. «Как я могу принять то, что он сделал с нашей жизнью?» — спрашивают они. Следующие советы сделают принятие возможным.

Во-первых, займите позицию сочувственного понимания по отношению к проблеме. Алкоголизм — это одна из наиболее тяжелых слабостей, с которыми очень трудно бороться. Я уверена, что вы уже об этом слышали, но я предлагаю вам способ, как сделать сочувствие реальным: один раз в месяц берите трехдневный пост, откажитесь от пищи и питья — от всего, кроме воды. Или исключите кофе, сладости и другие любимые продукты, к которым вы привязаны. Вскоре у вас появится представление, хотя и очень смутное, того, что вы ожидаете от своего мужа.

Дальше, приобретите немного смирения. Взгляните со стороны, какова ваша реакция на его проблему. Вы кричите, ворчите, ругаете и оскорбляете его за то, что он испортил вашу жизнь? Когда он пьет, вы плохо с ним обращаетесь, теряете терпение и выходите из себя? А как насчет ошибок, которые допускаете вы? Хорошая ли вы мать? Хозяйка? Исполняете ли вы заповеди своей веры? Соблюдаете ли вы принципы «Очарования женственности»? Или вы пытаетесь, но снова и снова терпите неудачу?

Если вы можете признать эти слабости в себе, у вас будет меньше причин осуждать своего мужа за его неудачи, которые гораздо сложнее преодолеть. Ваши проблемы относительно легкие, его — практически непреодолимые. Если вы «вынете сначала бревно из своего глаза», вы более отчетливо увидите ужасные рабские оковы алкоголизма.

4. *Другие женщины.* Две вещи вы имеете право ожидать в браке — это супружеская верность и финансовая поддержка.

Если у вашего мужа есть связь с другой женщиной, поступите следующим образом: сначала спросите себя, не сделали ли вы что-нибудь такое, что отдалило его от вас. По мере ознакомления с «Очарованием женственности» вы обнаружите свои ошибки. Примите меры, чтобы исправить их, чтобы снова завоевать мужа. Во многих случаях это происходило быстро даже в очень трудных обстоятельствах, как подтверждают истории, описанные в конце этой и последующих глав.

Если вы устранили свои ошибки и стали превосходной женой, а он продолжает свое безнравственное поведение, наступило время вызвать его на откровенный разговор. Заявите ясно и твердо, что он должен сделать выбор, что в противном случае вы уйдете от него. Будьте готовы сдержать свое слово. Морально недопустимо для женщины продолжать жить с безнравственным мужчиной. Кроме того, это может удерживать его от покаяния, поскольку до тех пор пока он имеет вас обеих, у него нет необходимости и стимула оставить другую женщину. Не осуждайте его. Его грех — это слабость пристрастия, с которой трудно бороться. После того как вы оставите его, попытайтесь отбить его у другой женщины. Ваш моральный долг — поступить таким образом, так как, живя во грехе, ваш муж находится на пути к погибели. Завоевав его обратно, вы спасете не только брак, но и душу!

5. *Невыполнение обязанностей кормильца семьи.* Второе, что вы можете ожидать в браке, — это финансовая поддержка. Это означает обеспечение семьи жильем и вещами, необходимыми для жизни. Если ваш муж — инвалид или не может найти работу, без ропота приспособьтесь к обстоятельствам, пока не будет найдено решение. Если же он трудоспособный мужчина, физически и умственно, и отказывается искать работу и брать на себя обязанность обеспечения семьи, вы должны действовать, и это вполне оправданно.

Поскольку вы не можете позволить вашим детям терпеть голод или нужду, вы, вероятнее всего, постараетесь устроиться на работу или обратитесь в социальную службу за помощью. Если это имеет место, вы должны попросить вашего мужа уйти и не возвращаться до тех пор, пока он не сможет содержать семью. Если вы этого не сделаете и позволите ему остаться, вы усугубите проблему. Он привыкнет жить на ваш заработок и снимет с себя обязанность кормильца, а вы пожизненно погрязнете в работе. Другой вариант — забрать детей и уехать.

6. *Идеальное прошлое.* Если вы выросли в идеальном доме, у вас был идеальный отец, идеальная семья, вы всегда ходили вместе на различные мероприятия и вам не нужно было беспокоиться о деньгах, это может стать для вас проблемой. Вы будете склонны ожидать такого же образа жизни от мужа, который имеет иное представление о том, какой образ жизни следует вести. Вы будете пытаться подогнать его под ваш шаблон. Остерегайтесь этой ситуации. Ожидая от него слишком многого, вы можете расколоть ваш брак на две части и закончить ни с чем. Примите его прошлое наряду со всем остальным. Когда вы это сделаете, он будет более расположен к тому, чтобы вместе искать выход из сложной ситуации.

Принятие — нелегкое дело

Когда я учу вас принимать вашего мужа по «номинальному курсу», я не предлагаю вам легкую задачу. Для некоторых женщин это оказалось настолько трудным, что они перестали пытаться. Однажды две женщины разговаривали об этом через забор и пришли к единому мнению, что принимать слабости своих мужей — это невероятно трудное дело, которое требует от них слишком больших жертв, поэтому они решили игнорировать этот принцип.

Попытайтесь понять, что любое продвижение к лучшей, более счастливой жизни нелегко и требует усилий. Например, жить христианской жизнью очень нелегко. Вас учат любить своих врагов, делать добро тем, кто вас ненавидит, и стремиться к совершенству. Преданный христианин никогда не откладывает эти цели в сторону из-за того, что они труднодостижимы. Женщины, беседовавшие через забор, могут отказаться от христианского образа жизни с таким же успехом, с каким они отказались принимать своих мужей такими, какие они есть.

Вознаграждение

Я могу гарантировать вам огромное вознаграждение, если вы примете вашего мужа таким, какой он есть. Реакция вашего мужа может быть очень трогательной. На протяжении многих лет он, возможно, страдал от неприятной мысли, что вы недовольны им. Ваше заверение, что вы принимаете его таким, какой он есть, очистит его разум от сомнений и принесет ему большое облегчение. Он обязательно это оценит, и его нежная реакция может быть ошеломляющей, как в следующих свидетельствах.

Совершенно новые супружеские отношения

Когда мне было двадцать семь лет, я вышла замуж за тридцатичетырехлетнего бакалавра, грубого, упрямого морского офицера, который на протяжении последующих двадцати семи лет оставался таким же грубым и упрямым! Что только я не делала, чтобы он стал нежным любящим мужем. Ничего не помогало!

Будучи офицером военно-морских сил, он строго следил за своим внешним видом и всегда выглядел на миллион долларов. Несколько лет назад он вышел на пенсию, и от его чистоплотных манер не осталось и следа. Он мог днями ходить небритым. Когда нас приглашали на ужин, он мог надеть запятнанные брюки или неглаженую рубашку, и мне приходилось сгорать от позора. Если я говорила: «Дорогой, может быть, ты наденешь эти темно-синие слаксы? Они чистые», то нарывалась на скандал. Он сердился, грозился остаться дома, и я сдавалась. Мы отправлялись на ужин, и оба чувствовали себя ужасно. Через несколько лет я изменила тактику. Я научилась выражать свои чувства взглядом, сопровождавшимся многозначительным вздохом, но это не изменило положения вещей.

Потом произошло чудо. Я пошла на курсы, которые назывались «Очарование женственности». Я была шокирована, когда узнала, как часто я занимала неправильную позицию и реагировала не так, как нужно. Во время второй лекции преподаватель потратил два часа, рассказывая о тщетности попыток изменить мужчину и о мудрости принимать его таким, какой он есть.

И меня вдруг осенило: «Мой муж — человек взрослый, умный, способный принимать решения… опытный морской офицер!» Когда я изменила мою позицию, произошло чудо! Я наконец осознала, что меня больше волновало мнение других людей, чем счастье моего мужа.

По дороге домой я твердо решила впредь воздерживаться от своих советов по поводу того, что ему надевать… если, конечно, он об этом не попросит, и не позволять этому расстраивать меня. Вы не представляете, какой груз свалился с моих плеч, когда я оставила должность старшего советника мужа. Теперь счастье и покой моего мужа в миллион раз важнее для меня, чем то, что думают или говорят другие. Теперь наши совместные выходы, которые раньше приносили нам одно несчастье, стали для нас настоящим удовольствием.

Сегодня он нежный и любящий муж. Но он не изменился, когда я пыталась изменить его. Когда я оставила свои попытки изменить его и начала работать над собой, он изменился в ответ на перемены, которые произошли во мне.

За двадцать восемь лет мой муж ни разу не дарил мне подарка на годовщину свадьбы, но на нашу двадцать девятую годовщину мы поехали в Мехико-Сити. Он разбудил меня рано на рассвете и сказал: «Знаешь, любимая, у меня такое чувство, как будто мы только что поженились», и подарил мне бриллиантовое обручальное кольцо. Не говорите мне, что «Очарование женственности» не работает!»

Жемчужина, которую я должна отшлифовать

Еще до замужества я уверенно шла по пути нарушения одного из важнейших правил «Очарования женственности» — принимать мужчину таким, какой он есть, и не пытаться изменить его. Я помню, как говорила своей подруге: «Он на самом деле жемчужина. Мне лишь нужно слегка отшлифовать ее». Как только мы поженились, я начала процесс шлифовки, не осознавая того, что своими усилиями я натирала его не в тех местах.

Вместо прекрасной жемчужины я своими руками создавала груду холодных камней. Мои постоянные упреки заставили его возвести вокруг себя стену, из-за которой он выходил только в состоянии опьянения, чтобы отплатить мне той же монетой. Жизнь стала для меня и детей бесконечной чередой бессонных ночей, сопровождавшихся страхом, террором, криком, проклятиями, нервным напряжением, сердечной болью и слезами.

Все, о чем я могла думать, это как вырваться из этого замкнутого круга. Я меняла работы, пока не поднялась на должность, которая позволила мне содержать себя и детей. После этого я подала на развод. Когда документы были готовы, и их оставалось только подписать, я вдруг почувствовала в глубине своего сердца, что это было не то решение, какого мне хотелось бы. Должен быть какой-то другой, более разумный выход.

Я знала, что, если я разведусь, до конца моих дней меня будет преследовать чувство, что я потерпела поражение как жена и как женщина вообще. Я испугалась, что у моих троих дочерей будет ужасный пример для подражания и что этот шаг, который я намеревалась совершить, приведет не к одному разводу, а как минимум к четырем. «Помоги мне найти другой выход», — молилась я.

Бог начал говорить мне о принципе принятия. Тогда я положила в своем сердце, что с этого момента я буду принимать своего мужа таким, какой он есть, вместе с его алкоголизмом и всем остальным, что я больше не буду раздражаться, когда он придет домой пьяным. Я решила обнять его и попытаться дать ему понять, что я люблю его.

Когда я сделала это, по той причине, что я вела себя по-другому в течение многих лет, он не поверил мне и оттолкнул. Я настойчиво продолжала показывать ему, как я о нем забочусь, и молиться. Позже благодаря «Очарованию женственности» я поняла, что мой муж не мог принять эту перемену во мне, сомневаясь в ее искренности, до тех пор пока я не смирила себя и не признала, что была не права на протяжении стольких лет, и не попросила у него прощения.

В ответ на мои молитвы Бог вложил в мое сердце понимание, что я должна быть покорной своему мужу во всем. Для меня это был невероятно трудный шаг, особенно в свете того факта, что на тот момент мой муж остался без работы. Он постоянно был либо слишком пьян, либо слишком болен, чтобы работать, и я стала вполне независимой от него финансово, эмоционально и социально.

Именно это требование подчиняться мужу во всем возмущало меня больше всего. Во мне происходила духовная борьба. Моим главным аргументом было: «Но, Господь, мой муж нехристианин, так как же я могу подчиняться ему во всем?» В ответ Бог сказал, что я должна положиться на Него, что Его Слово может достичь сердец мужей через жизнь их жен. В конце концов в последний день апреля я сдала эту твердыню Богу и сказала Ему, что с этого дня я буду подчиняться моему мужу во всем. В тот же самый вечер я встретила женщину, которая позже и познакомила меня с «Очарованием женственности».

В течение недели после моего решения покоряться во всем мой муж перестал пить и обратился за помощью в специальный центр. С тех пор я больше не видела его пьяным. Я была очень рада иметь трезвого мужа, но я начала ощущать невыносимую пустоту в наших супружеских отношениях. Мы были как незнакомцы, которые жили под одной крышей, едва зная друг друга. Моя неспособность заполнить этот ужасный пробел стала для меня источником разочарования. Именно в это время моя новая подруга и одолжила мне книгу «Очарование женственности». Прочитав ее, я поняла, что на мою молитву был другой ответ.

Постепенно я начала применять рекомендации книги в моей жизни. «Милый, я хочу тебе сказать, что я сознаю, что была неправа все эти годы, пытаясь изменить тебя. Мне очень жаль, и я прошу тебя простить меня. На самом деле я рада, что ты оказался достаточно сильным, чтобы противостоять моим усилиям изменить тебя. Прости меня, пожалуйста, что я не понимала, какая большая ответственность лежит на твоих плечах — обеспечивать меня и наших детей. Я хочу, чтобы ты знал, как высоко я ценю твою заботу о нас. И, знаешь, меня всегда восхищали твои широкие плечи и сильные руки. Они такие крепкие, как скала. И то, как ты держишь себя. Я думаю, ты замечательный».

В первые два раза, когда я попыталась сказать мужу эти вещи, он отреагировал молчанием. В третий раз он тоже ничего не сказал, но его выразительное пожатие плечами было красноречивее всяких слов. «Ну, наконец-то она разобралась во мне!» — говорил этот жест. Потом его реакция приобрела самые разнообразные трогательные формы — букет цветов, новое кресло для гостиной, приглашение пойти с ним на аукцион или приглашение гостей в дом. Я благодарна ему за каждую его реакцию, значительную и незначительную, которая свидетельствует о том, что я действительно нашла ключ к счастливому браку.

Благодаря «Очарованию женственности» я снова чувствую себя невестой. Я только теперь узнаю, что такое хороший, крепкий брак. Те немногие супружеские пары, с которыми я была знакома и которые имели хорошие взаимоотношения, либо были из предшествующего поколения (и поэтому, рассуждала я, их обстоятельства уже не актуальны в наше время), либо муж не пил так сильно.

Я не знала, что божественное установление брака, которое было дано Адаму и Еве, не изменилось, что потребности мужчины не изменились и что мой брак может быть успешным только тогда, когда я буду следовать принципам, которые заложил Бог. Его законы — вечны, они не зависят от времени и обстоятельств.

Годы, которые пожрала саранча

Я вышла замуж, когда мне было двадцать, и для меня брак означал мероприятие, где я могла начать переделывать своего супруга в человека, которого я хотела видеть, и извлечь из этого все возможные блага для себя. Меня учили, что брак — это сделка пятьдесят на пятьдесят и что я должна делать все, что в моих силах, чтобы иметь уверенность в безопасности моей части сделки.

После семилетней бури я увидела развал, который я создала своими руками: воинственно настроенный муж, который замкнулся в себе, и дети, на которых не могла не отразиться ситуация в семье. Я начала спрашивать у Бога, что было не так. Медленно, но отчетливо, через исследование Писания, я начала понимать, какую чудесную роль Бог предназначил для женщины как помощницы для мужа и что муж есть глава дома. Разумом-то я согласилась с этими истинами, но у меня не было ни малейшего представления о том, как применить их на деле. Наша ситуация немного улучшилась, но мой муж по-прежнему находился за своей стеной. Прошло достаточно много времени, и меня постигло разочарование, я начала сомневаться в истинах, которым научилась.

В этот момент я услышала о курсах «Очарование женственности». Я надеялась, что найду там хотя бы некоторые из ответов, которые я так жаждала получить. Через шесть недель я попыталась применить на практике то, чему меня учили, и моего мужа просто прорвало. К концу шестой недели наша совместная жизнь стала нежнее и богаче, чем во время медового месяца.

Несмотря на то, что раньше я была очень озабочена недостатками мужа, теперь каким-то образом эти же самые недостатки стали качествами, которыми я на самом деле могу восхищаться. На меня нахлынула свежая струя любви к мужу. Впервые за многие годы он начал говорить мне, что любит меня. С тех пор наша жизнь продолжает улучшаться и возрастать в любви и общении. Впервые я ощущаю себя удовлетворенной и реализованной как женщина, с огромной благодарностью в сердце за чудесный дар женственности, который Бог дал мне и всем женщинам.

В книге пророка Иоиля написано: *«Я воздам вам за те годы, которые пожирала саранча… и до сытости будете есть и насыщаться и славить имя Господа Бога вашего, Который дивное соделал с вами…»* (Иоиля 2:25,26). Я могу с полной уверенностью сказать, что это обетование исполняется в моей жизни по мере того, как силою Иисуса Христа я продолжаю применять на практике принципы Священного Писания, рекомендуемые «Очарованием женственности».

Его маленький ангел

Мы с мужем женаты двадцать один год. Я всегда считала, что у нас замечательный брак, что было истиной первую половину нашей супружеской жизни. Затем что-то начало происходить. У нас семеро детей, которых мы обожаем, но этого не было достаточно, чтобы удержать наш брак на плаву. Моя подруга и сестра пыталась заинтересовать меня «Очарованием женственности», и в отчаянии я подумала, что мне стоит попытаться. Я одолжила книгу и начала читать. Для меня это было откровение за откровением.

Мой муж в это время планировал уйти от меня. Я сказала ему, что, возможно, ему следует это сделать, поскольку у нас не осталось ничего общего. Он находился в двухстах милях от дома в поисках работы, которая еще больше отдалила бы его от меня, поэтому мне нужно было действовать быстро. Вечером, когда он пришел домой, я незамедлительно применила первую рекомендацию — принять его и сказать ему об этом — и попросила у него шанс доказать ему, что я стану другой. Он ничего не ответил.

Когда наступил следующий вечер, я спросила его, думал ли он о том, что я сказала, и он ответил «да», но он уверен, что это не сработает. Он был настолько разочарован, что единственный выход видел в том, чтобы уйти самому. Я попыталась убедить его в обратном, но ничто не могло изменить его решения. Ну вот к чему я пришла на закате своей жизни, думала я и проплакала всю ночь.

На следующее утро муж спросил меня, действительно ли я имела в виду то, что я сказала, и я ответила «да». Тогда он сказал мне, что он никогда не переставал меня любить, что на самом деле он не хотел уходить и что его начальник предложил ему повышение, если он останется. Он крепко обнял меня и не хотел отпускать. Я вспоминаю первый год нашей супружеской жизни, когда он целовал мои ноги и называл меня своим «маленьким ангелом», и удивляюсь, как я могла быть настолько глупой, чтобы так разочаровать его. Но мне дан еще один шанс, и я молюсь, чтобы с помощью «Очарования женственности» я смогла снова пробудить в нем эти чувства.

Из подвала

У меня замечательный муж, но у него есть привычки, которые я не одобряю, особенно его пристрастие к табаку. Я всегда требовала, чтобы он спускался в подвал курить, хотя я не возражала против этой привычки, когда мы собирались пожениться. Узнав о принципе принятия, я осознала, как ужасно я поступала. Когда в тот вечер он пришел домой, я открыла ему свои переживания, попросив прощения за свое плохое обращение с ним и сказав, что я принимаю его таким, какой он есть. Мой муж был так тронут, что не удержался от слез. Позже тем же вечером он впервые за последние два года сказал, что любит меня, и я всю ночь спала в его объятиях.

Правила принятия

1. Избавиться от позиции самодовольства.
2. Принимать мужа как человеческое существо, которое наполовину состоит из достоинств, наполовину — из недостатков.
3. Дать ему свободу быть самим собой.
4. Не пытаться совершенствовать его.
5. Не ставить в пример мужу других мужчин.
6. Видеть его лучшую сторону.
7. Выражать принятие словами.

Практическое задание

1. *Список недостатков*: запишите недостатки вашего мужа, которые раздражают вас, те вещи, с которыми вам тяжело мириться. Лучше смотреть правде в глаза. Вам необходимо знать, что вы должны принять. Сохраните этот список. Позднее, когда в вашем браке будут возникать трения или конфликты, вы сможете обратиться к этому списку и посмотреть, какие из недостатков мужа у вас не получается принимать.

2. *Ломка льда*: скажите что-нибудь наподобие: «Я рада, что ты именно такой, какой ты есть. Я осознаю, что не понимала тебя в прошлом и допустила очень много ошибок. Но я рада, что ты не позволил мне помыкать тобой. Ты не поддался моему давлению, но твердо стоял на своем. Прости меня, пожалуйста, за непонимание и позволь доказать тебе, что я могу быть замечательной женой».

3. *Любовный дневник*: сделайте или купите небольшой любовный дневник, чтобы записывать приятные вещи, которые будет говорить или делать ваш муж, когда вы начнете применять принципы «Очарования женственности». Записывайте каждую положительную реакцию на рекомендации, предложенные выше.

Примечание. Принятие — один из важнейших принципов, рассматриваемых в «Очаровании женственности». Ваш успех в применении следующих принципов зависит от того, принимаете ли вы вашего мужа по «номинальному курсу».

Глава 4

Цените мужа, смотрите на его лучшую сторону

Ценить мужчину означает уважать его достоинства и быть благодарной ему за то, что он есть, и за то, что он делает для вас. Вот некоторые рекомендации для развития искреннего чувства признательности:

Третий глаз

Научитесь смотреть на него новыми глазами. Истинная любовь обладает тремя глазами. Один глаз — слабовидящий, смутно видит его недостатки. Второй глаз видит его так, как видят другие. Это очень важная перспектива. Иногда вы должны помогать ему смотреть на себя со стороны, о чем мы говорили в предыдущей главе. Третий глаз видит его так, как не видит никто другой, ценит его так, как не ценит никто другой. Постарайтесь, чтобы этот глаз всегда был четко сфокусирован, и вы обнаружите много вещей, достойных уважения. У каждой хорошей жены есть третий глаз.

Развивайте ценности

Склонны ли вы ценить только внешние качества мужчины, такие как внешний вид, доход или положение? Кто для вас идеальный мужчина? Тот, у кого есть деньги и успех? Тот, кто добился высокого положения в обществе? Есть ли у вас стереотипное представление о том, каким он должен быть? Ожидаете ли вы от него, чтобы он был похож на кого-то из других мужчин? Чтобы ценить мужчину за его истинные достоинства, вы должны знать, что это за достоинства. Вам необходимо развить чувство ценностей, о чем речь пойдет ниже.

Что ценить

1. *Характер*. Отыщите в его характере качества, которые вы можете ценить. Например, честность, надежность, доброта, любовь. Когда вы цените эти достоинства, вы помогаете ему становиться лучше и укрепляете ваши отношения. Основные качества характера описаны в главе 16 «Достойный характер».

2. *Интеллект*. Чтобы вы смогли ценить интеллектуальные качества мужчины, примите во внимание его образование, знания, здравые суждения и творческие навыки. Возможно, он особенно талантлив в математике, науках, торговле или искусстве. Для мужчины, однако, не обязательно быть хорошо образованным, чтобы иметь интеллектуальные таланты. Высокий интеллект наблюдается и у рядовых представителей человеческого рода и часто распространен среди самых скромных из них. Если женщина достаточно внимательна, чтобы заметить интеллектуальные способности своего мужа и верить в них, ей нетрудно восхищаться ими.

3. *То, что он делает для вас*. Замечайте и цените каждую незначительную вещь, которую он делает для вас. Например, когда он несет тяжелые сумки из магазина, открывает для вас двери, помнит о вашем дне рождения или звонит вам по телефону. Цените то, что он делает по дому, чтобы помочь вам, например, нянчит ребенка, моет посуду или отправляется в магазин за покупкой, о которой вы вспомнили в последний момент.

Цените его работу, когда он что-нибудь ремонтирует, заботясь о том, чтобы все вещи были в порядке, или ухаживает за лужайкой перед домом. Цените вещи, которые он покупает для вас, — мебель, одежду и многое другое, цените даже те деньги, что он дает на продукты. Цените время, которое он проводит с детьми. Да, все эти вещи входят в его обязанности, но как ему приятно получить ваше восхищение, как много это значит для ваших отношений. Возможно, ваш муж не делает ничего из перечисленного. Тогда цените самую важную вещь из всех: цените его профессию, которой он зарабатывает на жизнь, те многочисленные часы упорного труда, которые он проводит вдали от дома, чтобы обеспечить своей семье средства к существованию. Многие женщины, принимая это за должное, не считают его ежедневные усилия чем-то достойным восхищения. Это всего лишь часть того, что вообще ожидается от мужчины, это его обязанность. Таким женщинам следует поучиться у женщин из прошлого. На заре американской культуры мужчину ценили только за то, что он обеспечивал пищу на столе. В частности, так было на западной границе США, где жизнь была особенно трудной. Мужчина должен был построить дом, защищать семью и выращивать урожай. Его важнейшей заботой было выживание. Это все, что от него ожидали. Ценили само его существование.

В наши дни усилия мужчины менее заметны и поэтому менее ценимы. Сегодня ему не нужно самому строить дом, но он должен заработать достаточно денег, чтобы его купить. Помимо вещей первой необходимости, он должен платить подоходный налог, налог штата, налог на имущество, налог с оборота, налог на горючее и т. п. Он содержит не только семью, но и федеральное правительство, местное правительство, школьную систему, дорожную систему и другие самые разнообразные организации.

Если после вычета всех налогов зарплаты вашего мужа хватает, чтобы обеспечивать семью самыми необходимыми вещами, он достоин уважения. Ваша признательность может означать для него больше, чем его чек. Выражайте признательность ему каждый день и делайте это снова и снова. Если вам однажды надоест это делать, вспомните, что он должен зарабатывать на жизнь снова и снова.

Один из самых серьезных недостатков любого человека — это неблагодарность. Неблагодарная жена — главная причина серьезных проблем, возникающих в супружеских отношениях. Проверьте, не страдают ли этим недостатком ваши дети, иначе их поведение может быть оскорбительным для окружающих. Самый легкий способ испортить ребенка — это давать ему больше, чем он может оценить. Это верно и по отношению к взрослым. Нас портит не столько богатство и роскошь, сколько наша неспособность ценить их.

Если вы не можете найти, что ценить

В некоторых исключительных случаях мужчина деградирует до такой степени, что становится мало похож на мужчину. Возможно, вы уже дошли до отчаяния, пытаясь найти в нем хоть что-нибудь, что можно было бы ценить. Вы понимаете, что было бы неискренне с вашей стороны хвалить его за качества, которые в нем отсутствуют. В таком случае вы можете попробовать три вещи:

1. *Верить в его достоинство.* Проявите веру в то, что характер, интеллект и доброта — это неотъемлемые компоненты его сущности, поскольку они заложены в каждой человеческой душе. Немецкий поэт Гете писал: «Если обращаться с человеком так, как он этого заслуживает, он останется таким, какой он есть, но если обращаться с ним, как с человеком, каким он должен и может быть, он станет таким человеком».

Своей непоколебимой верой в его лучшую сторону вы вдохновляете его жить в соответствии с вашим представлением о его способностях. Вы вселяете в него надежду, что он не ценил себя по достоинству, что мужество, твердость и честность — это основные качества его характера. Фактически вы можете преобразовать явно неразумного, слабого, ленивого, трусливого, безнравственного мужчину в решительного, энергичного, честного и благородного.

Часто мужчина внутри обладает достойным характером. Ему лишь нужно, чтобы вы намекнули, что его жизнь не показывает его с лучшей стороны. Как только вы убедите его, что в сердце он благородный человек и что вы чувствуете это, ему захочется доказать вам и самому себе, что это не ошибка. Одно лишь такое откровение о его потенциальных способностях может стать переломным моментом в его жизни. Помните, не давлением и не убеждением вы активизируете лучшую сторону вашего мужа и побуждаете его к более успешной и праведной жизни, но непоколебимой верой в его лучшие качества.

2. *Вернуться в прошлое*. Если вы не можете найти в своем муже, что ценить в настоящее время, обратитесь к прошлому опыту. Скажите ему, чем он впервые вас привлек, напомните ему какие-нибудь события первых лет вашей совместной жизни, которые вызвали ваше восхищение и признательность, или трудные обстоятельства, с которыми он мужественно справился. Выразите признательность за усердие, которое он проявил в получении образования или самоутверждении на работе. Вспомните конкретные случаи, в которых он проявил свой интеллект, характер или способности.

Одна женщина вспоминала время депрессии, дни испытаний, когда ее муж потерял работу, а устроиться на новую было очень нелегко. Она вспоминала, как ее муж трудился в поте лица, чтобы прокормить свою семью. Только благодаря его упорству семья смогла остаться на плаву.

С тех пор он допустил много промахов, стал невыносимым, и их брак начал деградировать. Но когда она выразила благодарность за его упорство в первые годы их супружеской жизни, он был глубоко тронут. Это было хлебом жизни, в котором он так нуждался, чтобы сделать новый рывок. В тот самый момент в нем что-то изменилось; он встал на новую дорогу, и у него появился стимул жить и стремиться к лучшему; его чувства к супруге воскресли, и их брак вновь расцвел.

3. *Искать достоинства под недостатками*. Загляните во внутренний мир мужчины, за его внешнюю оболочку, и вы найдете вещи, которые вы могли бы ценить, как свидетельствуют следующие примеры.

Достоинства под недостатками

1. *Невыносимый*. Предположим, мужчина настолько невыносим, что его собственные дети стараются его избегать. Он затевает споры, постоянно вам возражает и всячески усложняет вашу жизнь. Такое ощущение, как будто он мстит вам по какой-то непонятной для вас причине. Загляните внутрь. Возможно, он достойный человек, но его не оценили до конца. Это может вызвать в нем озлобление. Он ценит самого себя,

почему же другие этого не делают? Когда мужчина, уважаемый в обществе и с высокой самооценкой, не получает должного признания от жены, он может стать невыносимым в семейной жизни.

2. *Угрюмый.* Или, может быть, мужчина угрюм и подолгу находится в дурном настроении. Это было обычным явлением для Авраама Линкольна. Он сидел часами, погрузившись в раздумья или уткнувшись в газету. Загляните во внутренний мир такого мужчины, и вы обнаружите, что он носит в себе высокие стремления, которые не реализуются. Постарайтесь оценить не только его высокие цели, но и его чувство неудовлетворенности, оттого что эти цели не были достигнуты. Если бы он был человеком менее значительным, он не страдал бы так сильно.

3. *Рассеянный, беспечный* или *невнимательный.* Допустим, мужчина невнимателен или рассеян. Загляните за внешнюю оболочку, и вы, возможно, увидите человека, погруженного в какое-нибудь дело, которое он считает важнее. Альберт Эйнштейн отличался рассеянностью. В один дождливый день он взял свой зонт, вышел на улицу и только подойдя к машине обнаружил, что он в пижаме. Если мужчина рассеян или невнимателен, постарайтесь увидеть вещи, которые он считает самыми важными. Вы найдете много такого, что можно ценить.

4. *Пренебрежение работой по дому.* Или, может быть, он не следит за газоном вокруг дома. Трава уже такая высокая, что вы боитесь, что в ней заведутся змеи. Он не заботится о ремонте дома и никогда не участвует в мелких домашних делах. Вы напоминаете ему о них снова и снова, но его мысли, кажется, где-то далеко. Загляните внутрь. Может быть, он отдает все свои силы работе, стараясь достичь успеха. В списке приоритетов его работа занимает главное место, а делам по дому придается меньшее значение.

Вам нужно помнить следующее: никогда не ставьте на мужчине крест в поисках вещей, которые вы могли бы ценить. Если вы не можете ценить его характер, его интеллект или то, что он делает для вас, имейте веру в него, цените его прошлые усилия и ищите достоинства под его недостатками.

Когда вы принимаете мужчину и цените его лучшую сторону, вы закладываете фундамент для успешного брака. Это истинно, особенно когда вы цените его ежедневные усилия зарабатывать на жизнь. Это так много значит для него, что, когда вы это делаете, вы становитесь для него по-новому красивой. Следующее свидетельство, которым поделился со мной муж моей знакомой, служит прекрасным примером.

Что он в ней нашел?

В нашем районе жила женщина, которая была для всех загадкой. Она не отличалась красотой, была полновата и всегда одевалась немного старомодно. В ней не было ничего такого, что делало бы ее необычной, никаких особенных достоинств, заметных для окружающих. Однако муж, казалось, просто обожал ее. Что же это было такое? Это приводило всех в недоумение.

Как-то я зашел к ним в дом. Это было вечером. Она суетилась на кухне, заканчивая приготовления к ужину, когда муж пришел с работы. Случилось так, что это был день зарплаты. Он прошел на кухню, поцеловал ее и вручил ей чек. Она немедленно отложила свое занятие, обняла мужа и сказала: «Я знаю, как усердно ты трудился, чтобы заработать эти деньги. Спасибо тебе за то, что мы имеем все удобства и у меня есть возможность оставаться дома и заботиться о семье».

Но это было еще не все. Она пошла в гостиную, где играли дети, и попросила их остановиться и встать. «Смотрите, — сказала она, держа в руке чек, — ваш отец очень усердно трудился, чтобы заработать эти деньги. Теперь, Джейн, мы сможем купить тебе пару новых сандалий, а ты, Джони, сможешь починить свой велосипед». Отец стоял и слушал, а его лицо светилось от удовольствия. Его жена не только ценила его сама, но также учила этому своих детей. В его глазах она была прекрасной женщиной.

Не знаю, делала ли она это каждый раз, когда муж приносил зарплату, но совершенно очевидным было то, что в этом доме мужчину очень ценили за его ежедневные усилия. Эта обычная женщина на самом деле была не такой уж обычной. Она знала, как ценить мужчину, и именно поэтому она была для него красавицей.

Все пошло наперекосяк

Около двух с половиной лет тому назад статья под названием «Ожидай чуда» заставила меня задуматься: «А какое чудо я хотела бы увидеть в своей жизни?» И тут же мне пришла в голову мысль: «Чудо в моих отношениях с мужем, чтобы мы были без ума друг от друга». И я начала регулярно молиться об этом чуде.

Спустя полгода подруга дала мне почитать «Очарование женственности». Я поняла, что эта книга была подарком от Господа и ответом на мою молитву, потому что она показала мне, что я делала неправильно и как быть такой женой, какой меня хочет видеть Бог. Прежде всего, я узнала, что я не принимала Джорджа таким, какой он есть. Я не была довольна тем, что дал мне Господь. Я хотела изменить Джорджа.

Я то и дело обращала внимание на его плохую сторону. Я критиковала его в своем сердце. Естественно, это проявлялось во всем моем отношении к мужу. Я размышляла над его промахами и игнорировала его хорошую сторону. Все приятные качества Джорджа я принимала просто как само собой разумеющееся. Я даже не думала о том, чтобы как-то их комментировать или вообще замечать. Это, разумеется, расценивалось им, как равнодушие. Как только я узнала о том, что мне необходимо фокусироваться на его хорошей стороне и выражать ему свое восхищение, я начала это практиковать. Ему никогда не надоедает это слушать, а мне — говорить.

Наши отношения сразу же начали улучшаться. По мере того как я все больше и больше обращала внимание на лучшую сторону Джорджа, его недостатки становились все менее заметными. Он начал говорить мне много нежных слов. Я даже записываю их в свой дневник, например: «С каждым днем я люблю тебя все больше и больше» или «я счастлив с тобой». Раньше он ограничивался одной стандартной фразой «Я тебя люблю», и больше никаких нежностей. Раньше он был очень скуп на деньги. Теперь он покупает мне все, что бы я ни попросила. На тот момент мы были женаты уже шестнадцать лет, и вся моя кухонная посуда, в которой я готовила, пришла в негодность. Джордж купил мне новый набор хорошей посуды, который я хотела. Он начал проявлять больше интереса и к детям.

Иногда я нет-нет да и возвращаюсь к своей старой манере придираться. Когда я это делаю, все в нашем доме идет наперекосяк. Дети начинают ссориться. Джордж становится невыносимым. Все просто ужасно! Забавно то, что это происходит моментально. Стоит мне изменить свою позицию, и все тут же меняется. Требуется не более пяти минут, чтобы ситуация изменилась либо к лучшему, либо к худшему.

Нечто подобное случилось около трех месяцев назад. Я вдруг подумала (наверняка сатана подкинул мне эту мысль), что никто меня не ценит, никто не заботится, я только и делаю, что отдаю, отдаю и отдаю, я устала и больше не намерена это терпеть, я просто буду самой собой (что, возможно, означало мое старое «я»). Я перестала читать и изучать «Очарование женственности». Читать Библию и молиться я продолжала, но не так часто.

Что же мне пришлось пережить! Глубокое разочарование и слезы. Все были несчастны. В конце концов я решила вернуться к принципам «Очарования женственности». Это произошло несколько недель назад. Вчера вечером Джордж сказал: «Ты так мила!» (Знали бы вы, что он говорил, когда я была «самой собой», но это я лучше оставлю при себе.)

Вчера он сказал мне еще кое-что очень приятное. Позвольте объяснить: через два года после того, как мы поженились, Джордж сказал, что ему больше нравятся карие глаза. Это разбило мое сердце и сокрушило мой дух. Я знала, что таким образом он выражал непринятие по отношению ко мне. Ведь я считала свои голубые глаза одним из своих основных достоинств. Вчера же он сделал мне несколько приятных комплиментов о моих голубых глазах. Я сказала: «Это замечательно, но ты ведь предпочитаешь карие». «Вовсе нет», — возразил он. Я сказала: «Ты же сам говорил мне об этом», на что он ответил: «Я изменил свое мнение около двух лет назад». Это было как раз то время, когда я начала применять «Очарование женственности». Представляете, какое это было счастье!

Я больше не любила его

Первые два курса «Очарования женственности», которые я посетила, спасли мой брак и послужили огромным благословением для всей моей семьи. Когда я разбирала бумаги на своем столе на этой неделе, я нашла некоторые записи своих переживаний, сделанные мной год назад. Тогда я меньше всего ожидала хоть какого-то будущего для моего брака. Мне казалось, я больше не любила своего мужа, и даже сомневалась, любила ли я своих детей. В то время меня даже посещали мысли о самоубийстве.

Я безмерно благодарна Богу за то, что Он вывел меня из этой бездны разочарования в жизнь, полную радости и стабильности. Курсы «Очарования женственности», против которых я поначалу протестовала, помогли мне, эгоистичной, независимой, самодовольной матери и жене, стать новым человеком с новой перспективой во всем, что я делаю.

Когда я начала искренне и по-настоящему принимать своего мужа, я обнаружила в себе невероятную любовь к нему. До посещения курсов я только и знала, что критиковала его. Когда я попросила у него прощения и сказала, как сильно я его люблю и принимаю его таким, какой он есть, он впервые за двадцать пять лет нашей совместной жизни взял на себя обязанность главы семьи. Это настоящее чудо!

Какое это для меня облегчение — позволить мужу принимать решения и доверять Господу, чтобы Он направлял его. Моя позиция — это абсолютное доверие. Наши дети теперь тоже намного счастливее и легко принимают авторитет своего отца. Я больше не слышу никаких споров и разногласий, ранее бывших в порядке вещей. Все наши пятеро детей, возрастом от начальной школы до колледжа, с благодарностью реагируют на свою новую маму, потому что их тоже принимают и любят такими, какие они есть.

Теперь каждый вечер после ужина у нас наконец проходят семейные беседы! Это то, о чем я просила на протяжении многих лет, но безуспешно. Теперь муж принял такое решение, а дети согласились. Мы начали лучше понимать друг друга. Я так занята своей ролью идеальной жены, что у меня больше нет времени на то, чтобы ворчать, критиковать или жалеть себя. В нашем доме наконец воцарилась атмосфера мира, порядка, уюта, любви, радости и признания.

Мой муж начинает осознавать, что он может положиться на мою любовь, и это дает ему чувство облегчения и умиротворенности. Он начал придумывать больше забавных вещей, и это получается у него спонтанно. Семейные финансы теперь полностью в его ведении. У него была электропила, которую он никогда не использовал. Теперь он вдруг начал мастерить для меня полки — для специй, для швейных принадлежностей и т. п. Я выражаю свою признательность и восхищение его работой, а он придумывает все новые и новые проекты. Я никогда раньше не видела в нем такого энтузиазма к творческому труду.

Я работаю в школе учителем и попробовала применить принципы «Очарования женственности» в своей работе. Результат просто превосходный! Раньше я никогда не испытывала такого удовольствия от своей работы, и у меня никогда не было целого класса детей, которым так нравилось бы учиться, независимо от их успеваемости. На самом деле в моем классе сейчас нет ни одного ученика, отстающего или такого, кому грозит остаться на второй год. Это впервые за двадцать пять лет моей работы в начальных классах.

Самая приятная часть в моей жизни — это то, что я очень сильно люблю моего мужа и знаю, что он тоже любит меня. Это величайшая радость, которую может испытывать человек! Когда мы, женщины, меняемся внутри, следуя рекомендациям, которые предлагает этот курс, мы не теряем своей индивидуальности. Напротив, мы обретаем ее, и это для нас огромное облегчение и радость. Никогда не бывает слишком поздно! Это на самом деле работает!

Что ценить:

1. Характер.
2. Интеллект.
3. То, что он делает для вас.

Практическое задание

1. Подумайте о его лучшей стороне. Составьте список его достоинств, включая его характер, интеллект и то, что он делает для вас. В течение недели выражайте ему свою признательность за эти вещи.

2. Не забывайте ценить его труд как кормильца семьи.

3. Если он реагирует положительно, отметьте это в своем любовном дневнике.

Глава 5

Восхищайтесь мужем

Что означает слово «восхищаться»? Каким образом оно отличается от слова «ценить» в предыдущей главе? Эти слова в определенной степени синонимичны, но в данной книге мы определяем их следующим образом: вы оцениваете мужчину в соответствии с его *реальными достоинствами* или за то, что он делает для вас, но восхищаетесь его *мужскими качествами*.

Глубоко в сердце каждый мужчина желает видеть в женщине восхищение своими мужскими достоинствами, а именно свойственными мужчинам способностями, талантами, достижениями, идеями, мечтами и мужским телом. Он нуждается в восхищении как в хлебе. Как женщина нуждается в любви, так и мужчина нуждается в восхищении. Фактически смысл женского счастья в браке заключается в любви, а смысл мужского — в восхищении.

И хотя восхищение исключительно важно для мужчин, им его взять неоткуда, если окружающие не будут ими восхищаться. Восхищение могут выразить только те, кто любит и уважает его. Мужчина готов получить его из любого источника, но особенно ценным будет восхищение из уст любимой женщины. Женщина, умеющая не обращать внимания на его человеческие слабости, но способная найти в нем качества, которыми она сможет искренне восхищаться, качества, которые другие люди не заметят и не оценят, будет восприниматься мужчиной как главное сокровище его жизни. Именная такая женщина вызовет к себе самую глубокую и самую нежную его привязанность. *По мере того как она будет проявлять свое восхищение им, он будет проявлять к ней свою любовь.*

Иногда мужчина намеренно говорит или делает нечто в присутствии женщины, чтобы вызвать ее восхищение, но она этого не замечает. Она слишком занята, ее мысли направлены на ее собственный мир, и потому она не видит ничего, достойного восхищения. Ее неспособность отреагировать на его потребности грозит ей многими неприятностями. Если важнейшие потребности мужчины не находят удовлетворения, он невольно начнет обращать внимание на других привлекательных женщин, которые могут попытаться удовлетворить эти насущные нужды. Вам может показаться интересным тот факт, что есть женщины, которые совершенно осознанно увели мужчин от их жен только лишь умением восхищаться их мужскими качествами. Всем хорошо известно, что мужчины уходят к другим женщинам не столько из-за желания удовлетворить свои сексуальные потребности, сколько ради желания видеть в их глазах восхищение собой. Многие легкомысленные и безнравственные женщины хорошо это знают и с успехом используют эту неудовлетворенную жажду мужчин. И если жена не в состоянии восполнить эту потребность, она может стать легкой жертвой происков другой женщины.

С молодых лет и до старости

Потребность в восхищении проявляется в мальчике еще с раннего возраста. Он не осознает этого, однако это его неотъемлемая потребность. Когда родители смотрят на сына и восхищаются его качествами, свойственными мужскому полу, он приобретает уверенность, которая помогает ему выработать мужские черты характера и осуществить мужской потенциал, в нем заложенный. Вместе с тем в нем просыпается доброе чувство благодарности к родителям, и между ними устанавливаются крепкие узы любви. Если молодой человек достаточно близок к родителям, проблемы, свойственные подростковому возрасту, для него не страшны. Однако поскольку многие родители не осознают острую потребность в восхищении в своих сыновьях, они никак не выражают своего восхищения. Одни молодые люди выживают в обстановке постоянных упреков, выговоров, не слыша слов похвалы, но у других на это не хватает сил. В таком случае можно говорить о жертвах и потерях. Молодые люди, в потенциале предназначенные стать светом для мира, с чувством усталости и непонимания бредут по обочине жизни.

Восхищаться молодым мужчиной особенно нужно в начале его карьеры. Его надежды на будущее в этот момент возвышенны. Для него нет ничего невозможного, и все мечты кажутся осуществимыми. Он полон идей и планов, энтузиазма и уверенности. В жизни старшего поколения он видит много недостатков и ждет шанса перевернуть весь мир! Тем временем жизнь покажется ему бессмысленной, если рядом не окажется человека, которому он сможет доверять. Многие его товарищи слишком заняты собой и собственными планами, чтобы выделить время и выслушать его. Старшие только смеются над ним. Где же ему найти некритичного слушателя, которому он мог бы доверить свои мысли и идеи? Его душа жаждет восхищения, и женщина, которая проявит это восхищение, будет в его глазах словно ангел небесный.

Мужчинам старшего возраста восхищение нужно не меньше, чем молодым. Однако если мужчина мог обходиться без него долгие годы, время и возраст могут притупить его чувства, и он уже не будет так остро реагировать на его отсутствие. Чем старше он будет становиться, тем меньше он будет ждать проявления восхищения к себе и с тем большей горечью будет реагировать на равнодушие к своим мужским качествам.

Чем нужно восхищаться в мужчинах

Более всего на свете мужчина хочет, чтобы восхищались его *мужскими качествами*. Если вы восторгаетесь только теми его свойствами, которые присущи и мужчинам, и женщинам, он будет глубоко разочарован. Например, если вы будете восторгаться его добротой, предусмотрительностью, приятной внешностью или внешним лоском, он будет благодарен вам за ваши слова признательности в его адрес, но ваша реакция на эти качества никак не изменит его чувства к вам. Он хочет, чтобы в нем замечали и ценили *мужские качества*. Это его мужское *тело, умения, способности, достижения* и *мечты*. В результате такого восхищения в нем проснется глубокое чувство привязанности и любви.

Мужские качества

1. *Его мужское тело*. Это такие физические качества, как рост, сложение, сильные мускулы, низкий голос, мужская форма подбородка, борода, усы. Это может быть также тяжелая поступь, большие руки и все остальное, что свойственно ему как представителю мужского пола.

Восхищаться мужским значит отмечать его физическую *силу* и *выносливость*, например в спорте, в поднятии тяжестей, в плавании, в умении управлять тяжелой техникой, в распиловке дров. Это могут быть даже такие простые вещи, как малярные работы, чисто мужские работы по дому и т. п. Мужчины скроены иначе, чем женщины, и потому они отличаются от женщин и внешне.

2. *Мужские умения и способности*. Это умения в области плотницких, механических и слесарных работ и в некоторых других.

3. *Достижения мужчин*. Сюда относятся случаи продвижения его на работе, победы на чемпионатах и в дебатах, почести за выдающиеся заслуги или достижение важной цели в области мужских занятий.

4. *Мужские цели и мечты*. Сюда я отношу стремления, которые мужчина еще не осуществил, но хотел бы осуществить. Это может быть область профессиональных интересов или нечто вне сферы его деятельности. Если этот интерес случайный или мимолетный, то вам не стоит обращать на него серьезного внимания, но если он стремится к успеху в чем-то конкретном, добиваясь действительно достойной цели в области мужских интересов, тогда вам стоит проявить свое восхищение его целеустремленностью.

5. *Мужские черты характера*. Мужчины с мужским типом характера проявляют тенденцию к решительности, настойчивости и даже агрессии. Эти черты кажутся исключительно мужскими.

И, напротив, женщины склонны к сомнениям, уступчивости и благодушию.

Мужские черты характера предполагают рыцарское отношение к женщинам и детям. Сюда входит мужское чувство ответственности и долга, например решительность в разрешении различных ситуаций, и если он будет игнорировать их разрешение, он просто не сможет чувствовать себя мужчиной. Мужской характер подразумевает любые достоинства, свойственные мужскому полу.

6. *Роль мужчины.* Мужчина, исполняющий роль руководителя, защитника и кормильца в семье, исполняет исключительно важный долг мужчины. Если он руководит своей семьей с любовью, но твердо, изо дня в день ходит на работу, чтобы обеспечить свою семью, он заслуживает и признательности, и восхищения. Вы цените его за то, что он делает, и за деньги, которые он зарабатывает на жизнь семьи. Однако вы проявляете свое восхищение его *мужскими качествами и способностями,* которые необходимы для его работы.

Почему ваше восхищение так важно для него? Потому что в этом случае *он чувствует себя мужчиной.* Это осознание своей мужественности — одно из самых радостных чувств, которые может испытывать мужчина. Когда вы выражаете восхищение, в котором он так нуждается, вы становитесь неотъемлемым условием его счастья. Он будет снова и снова приходить к вам за утешением, которое обеспечивает ему ваше дружеское к нему отношение, и за чувством мужественности, которое он испытывает в вашем присутствии. Восхищаясь его мужественностью, вы фактически используете один из ключей, который способен завоевать его любовь и преданность.

Как найти качества, которыми можно восхищаться

1. *Думайте о нем.* Скорее всего, по большей части все ваши мысли сконцентрированы на конкретных заботах — дети, домашнее хозяйство, личные проблемы и все то, чем вы постоянно занимаетесь. Попытайтесь больше думать о муже. Подумайте, какой он человек. С какими проблемами он сталкивается? Что

приходится ему переживать? На каком этапе своей жизни он сейчас находится? Чего он хотел бы достичь в будущем? Каковы его сильные стороны? Восхищайтесь всем этим.

2. *Наблюдайте за ним.* Держите глаза открытыми и понаблюдайте за ним, и тогда вы обнаружите, что есть в нем восхитительного. У любого мужчины есть либо выдающийся интеллект, либо развитые мускулы, либо поразительные способности и таланты, поэтому понаблюдайте, как он проявляется в этих областях.

3. *Слушайте, когда он говорит с вами.* Величайший шанс выразить свое восхищение вы получаете во время разговора с ним, особенно если он говорит о себе или на интересующую его тему, или же о жизни вне дома. Скорее всего, он проявит свои способности и таланты, когда будет говорить о работе. Он может проявить смелость или другие мужские качества в преодолении проблем или трудных ситуаций на работе.

Поэтому старайтесь вызвать его на разговор о нем самом, особенно о делах, которые он делает вне дома. Начните с наводящих вопросов о работе. Однако не будьте слишком назойливы и не проявляйте подозрительного любопытства. Заведите разговор о вещах, которые ему интересны, покажите свою заинтересованность, пока он сам не увлечется затронутой темой. Когда вы увидите, что он получает удовольствие от разговора, поддерживайте его течение короткими комментариями и наводящими вопросами. Научитесь слушать внимательно и заинтересованно.

Как слушать мужчину

Следуйте этому правилу и будьте хорошим слушателем. *Слушайте не только слова, которые он говорит, но слушайте мужчину, который эти слова произносит.* Обратите внимание, насколько он поглощен темой разговора, как выражает сложные детали, сколько знаний и способностей он приобрел, как он развил и представил свои идеи. Посмотрите, насколько он им верен, какой интеллектуальной и моральной силой он обладает. Какой это гениальный человек, когда вы останавливаете его, чтобы выразить свое восхищение и признательность.

Если он говорит о политике или текущих событиях, не следите за темой разговора слишком внимательно, иначе вы не сможете оценить то, как он говорит. И не нужно концентрироваться на собственном мнении по поводу обсуждаемого предмета разговора, иначе вы начнете спорить. Конечно, следите за темой разговора, но в большей степени наблюдайте за самим человеком. Он может выказать особые знания в данной области, знания, проистекающие из его интеллекта, опыта или целенаправленных занятий. Если он проявляет в разговоре нетерпение и эмоциональность, это значит, что ему обязательно нужно выразить свои идеи по этой теме с тем, чтобы вы сумели их оценить по достоинству. По мере того как он будет объяснять свои мысли, постарайтесь увидеть в нем преданность и лояльность тому, во что он верит.

Если вы не можете понять тему разговора, ни в коем случае не вздумайте задремать, в то время как он делится с вами наболевшим. Смотрите, как в разговоре выражаются черты его характера, которые могут вызвать в вас чувство восхищения. Впрочем, если вы будете следить только за предметом разговора и решите оценить только тему, он будет глубоко разочарован. Можете быть уверены в том, что он разговаривает с вами не для того, чтобы вы смогли оценить тему беседы. Он хочет увидеть в ваших глазах восхищение по отношению к нему как к мужчине. Можно смело предположить, что *если он обсуждает нечто с вами*, он делает это *только для того, чтобы вы выразили свое восхищение им.*

Не нужно иметь блестящего образования или быть очень умной, чтобы вникнуть в рассуждения умного мужчины. В своем желании увидеть в глазах женщины восхищение он редко замечает, что вы не совсем ясно представляете, о чем идет речь. Но даже если он замечает это, ему такое положение вещей понравится, как можно видеть из следующих слов Метерлинка:

Ну и что из того, что она меня не понимает,
Неужели вы думаете, что я жажду от нее умных слов,
Когда я чувствую, что ее душа взирает на мою душу?

Если вы научитесь правильно слушать мужчину, будет совсем не важно, интересную или скучную тему он взялся обсуждать в своем разговоре с вами. Вы можете рассуждать о международных событиях или специфике деловой карьеры. Вы можете обсуждать самые утомительные темы и тем не менее найти в мужчине то, чем можно искренне восхищаться. Ниже следует история, в которой показано, как нужно правильно слушать мужчину.

Алиса и Джим

Алиса — превосходная слушательница, и она всегда очень внимательна по отношению к мужу. Джим — человек, страстно желающий вызвать в жене восхищение, ибо вне дома он его не получает вовсе. Он имеет большой успех в мире бизнеса. Это исключительно умный человек, у него часто возникают гениальные идеи, но кому это интересно, кроме него? Более того, некоторые считают, что он достиг успеха только благодаря счастливому стечению обстоятельств.

Но дома все иначе. После ужина они уединяются на несколько минут, и Алиса заводит разговор о работе. Она подталкивает его к этой теме то с одной, то с другой стороны, пока он сам не увлечется, и тогда она только слушает. Но если внимательно за ней понаблюдать, можно увидеть, что она не всегда вникает в то, о чем говорит ее муж, но зато всегда находит, на что обратить свое восхищение. Но чем же она восхищается? Не внешностью мужа. Потому что в этом смысле он заурядный мужчина. Не языком, потому что она говорит не хуже, и не его идеями, поскольку они тоже вполне ординарны.

Она видит в нем надежность, смелость и полет мечты. Это человек, чье сердце гармонично с идеями, а также с тем, во что он твердо и непреклонно верит. И не важно, соглашается она с ним или нет. Она сидит рядом и восхищается им. Не его словами, не его идеями, но его качествами как мужчины. Она смотрит на его ревностный энтузиазм, который мог бы вызвать раздражение у людей, с ним не соглашающихся, как на еще одно доказательство его преданности своему делу. Она любуется живой мимикой его лица и специфическими проявлениями его характера и ни о чем не спрашивает. Она восторгается даже в том случае, когда он пребывает в мрачном настроении. Разве он мрачен не оттого, что что-то не ладится с осуществлением его идей?

Наташа

В романе «Война и мир» мы видим, как прекрасно Наташа умела слушать мужчин. Когда Пьер рассказывал ей о своих переживаниях на войне, «он испытывал то редкое наслаждение, которое дают женщины, слушая мужчину. Не *умные* женщины, которые, слушая, стараются или запомнить, что им говорят, для того, чтоб обогатить свой ум, и при случае пересказать то же, или приладить рассказываемое к своему, и сообщить поскорее свои умные речи, выработанные в своем маленьком умственном хозяйстве; а то наслаждение, которое дают настоящие женщины, одаренные способностью выбирания и всасывания в себя всего самого лучшего, что только есть в проявлениях мужчины. Наташа, сама не зная этого, была вся внимание: она не упускала ни слова, ни колебания голоса, ни взгляда, ни вздрагивания мускула лица, ни жеста Пьера. Она на лету ловила еще не высказанное слово и прямо вносила в свое раскрытое сердце, угадывая тайный смысл всей душевной работы Пьера».

Как выразить восхищение

1. *Будьте искренни.* Искренность важна в особенности там, где вы имеете дело с самой чувствительной областью мужской натуры: мужской гордостью и особенно причастностью к мужскому полу. *Здесь нельзя допускать ни шутки, ни лести с видом превосходства.* Нужно прежде развить в себе чувство искреннего восхищения и потом только научиться выражать его. Если вы не чувствуете искреннего восхищения даже после того, как последовали всем советам, представленным в предыдущей главе, начните все сначала. Все, что вы будете говорить, будет выглядеть неискренним, и вместо того чтобы оценить вашу похвалу, он отвергнет ее, решив, что вы пытаетесь манипулировать им ради каких-то своих корыстных целей.

2. *Говорите конкретно.* Когда вы выражаете свое восхищение, не говорите общие фразы. Например, не нужно говорить: «Ты такой мужественный!» Он может сказать в ответ на это: «Что? В каком смысле я мужественный?» Если вы не найдете, что ответить, вы попадете в неловкое положение.

Выражая свое восхищение, говорите конкретные вещи о конкретных качествах или случаях, когда эти качества, достойные восхищения, были проявлены видимым образом. Вот почему так важно наблюдать за ним и слушать. Тогда вы увидите определенные качества, которые могут вызвать искреннее восхищение. Если вы сможете ориентироваться на конкретные эпизоды, в которых были явно видны его восхитительные качества, ваша хвала будет неопровержимой даже для него.

Вам нужно принимать его таким, какой он есть

Хотя восхищение для мужчины исключительно важно, он не сможет его оценить, если оно не будет сопровождаться вашим безоговорочным принятием его таким, какой он есть. Если вы восхищаетесь им в одних случаях и критикуете в других, ваша непоследовательность вызовет лишь недоумение. Это выглядит со стороны так, словно вы пытаетесь скормить ему заплесневелый пирог, украсив его сверху взбитыми сливками. Вам нужно прежде принять всего человека целиком, и только после этого найти в нем достойные восхищения качества, и тогда он с радостью примет вашу похвалу.

Награда

Когда вы искренне восхищаетесь мужем, вы оба получите в ответ превосходную награду. Ибо ваши слова хвалы удовлетворят его самую насущную потребность. Они также станут для него незаменимой мотивацией и подтолкнут к тому, чтобы его мужские качества получили еще большее развитие. В результате он добьется еще больших успехов, а значит, сумеет реализовать себя в этой жизни. Вы более всего нуждаетесь в его любви. И если вы будете им восхищаться, он обязательно ответит вам любовью. Это совершенно очевидно, как мы увидим на следующих примерах, взятых из реальной жизни.

Выражение его глаз

…Мне было очень трудно заставить себя сказать мужу, что я принимаю его и восхищаюсь тем, что он твердо стоит за свои убеждения. Во-первых, я не отношусь к тому типу женщин, которые могут говорить такие вещи, и, во-вторых, мне казалось, что я вот-вот начну смеяться. Несколько раз я пыталась произнести свою небольшую речь, но каждый раз все заканчивалось тем, что мне приходилось быстро ретироваться из комнаты. Наконец я решилась сказать это вне зависимости от того, к чему приведут мои слова. Итак, я вошла в комнату и начала говорить, и когда я все сказала, я поняла, что я именно так и думаю. Дело в том, что я влюбилась в своего мужа как раз благодаря этим его качествам. Он действительно всегда твердо стоял за свои убеждения и никогда не позволял мне пренебрегать его мнением.

Но должна сказать, что я не поверила сама себе, когда увидела выражение его глаз. Я просто не помню, чтобы он раньше так смотрел на меня. В его глазах светилась гордость, но он гордился не собой, а мной. Неделей позже он пригласил меня в ресторан и сделал два замечания. Одно причинило мне боль, но от другого я буквально взмыла в небо. Он сказал, что впервые в жизни поверил, что он мне не безразличен, поскольку раньше он думал, что мне все равно, что происходит в его жизни. Во-вторых, он никогда раньше не любил меня так сильно, как теперь. Чего женщина может еще пожелать? Разве не этого мы все хотим, и разве не ради этого живем?

Я снова почувствовала себя невестой

Моя история не столь впечатляющая. У меня всегда все было хорошо в семейной жизни. Я пошла на занятия по теме «Очарование женственности», потому что мне нужно было почувствовать себя более уверенной, но оказалось, что у меня намного больше проблем, чем я думала. Я всегда принимала своего мужа и восхищалась им, но никогда не говорила ему об этом, отчасти потому что я восхищалась им так сильно, что была уверена — он знает об этом. Однако мне было очень трудно произнести слова признания, поэтому я стала писать ему записки. Когда он комментировал их, я говорила: «Но это правда», или «Я хочу, чтобы ты знал, что я чувствую».

Затем я пошла дальше и начала говорить ему комплименты. Он реагировал так потрясающе, что я осознала его потребность слышать все эти вещи. Он стал говорить, как ему приятно, и это придало мне уверенности, которой мне всегда так не хватало. Его нежность по отношению ко мне просто невероятна. Я снова почувствовала себя невестой. Более всего я была поражена, когда он сказал мне: «Я понял, что ты самая сладкая, самая женственная из всех женщин, и я люблю тебя так сильно, что просто не могу сказать. Ты смысл всей моей жизни».

Я научилась его слушать

В течение двадцати семи лет я не знала, какие чаяния таятся в душе моего мужа. Я не знала, что он думает и куда ходит. Я могла узнать об этом, только случайно услышав его разговор по телефону или с кем-нибудь из зашедших поболтать с ним друзей. Прочитав книгу «Очарование женственности», я стала его слушать. Если я читаю, когда он обращается ко мне, я не просто опускаю книгу, я закрываю ее, откладываю в сторону и уделяю ему все свое внимание. Я перестаю читать, смотрю на него и слушаю! Я была поражена тем, как быстро он стал раскрываться передо мной и делиться сокровенным. Он делится тем, о чем я не могла предположить в своих самых смелых мечтах.

Одно лишь внимание к его словам разрушило все барьеры и породило любовь в нашем браке. Часто он начинает делиться со мной, когда я спокойно сижу рядом с ним и ничего не говорю. Я просто сижу рядом и всегда готова его выслушать. Я не ухожу в другую комнату, не сажусь за шитье и не начинаю заниматься уборкой. Он говорит и делится своими планами или мечтой, и мы оба получаем от этого огромное удовольствие.

Люди слушают его, как завороженные

Мой муж умный и интересный человек, но он всегда был скучным собеседником. Когда к нам приходили гости, он начинал говорить медленно и неуверенно, а между предложениями делал такие длинные паузы, что люди в нетерпении перебивали его и меняли тему разговора. Иногда я сама перехватывала эстафету и заканчивала его рассказ, взяв инициативу на себя. Но так было до того, как я прочитала «Очарование женственности». После того как я узнала из этой книги, что мне нужно научиться восхищаться мужем, на вечеринках и званых обедах я стала вести себя иначе. Когда мой муж начинал говорить, я больше ни на кого не смотрела, обращала свой взор только на него, таким образом вынуждая сидящих за столом людей внимательно его слушать. Правда, в течение года или около того он обращался непосредственно ко мне, потому что я выражала безмерный восторг по поводу всего, что он говорил. Постепенно он обрел уверенность оратора. Сегодня люди слушают его, как завороженные. Люди говорят мне: «Я могу слушать твоего мужа часами».

Новое начало

Мы с мужем женаты тринадцать лет, и большую часть этого времени можно назвать несчастливыми годами. Мы расходились три раза, и в последний раз я решила уйти от него окончательно. Я не надеялась на улучшение сложившейся ситуации. Примерно в то же время одна моя подруга рассказала мне про книгу «Очарование женственности» и пригласила на занятия по методике, предложенной в этой книге. Я сказала, что, на мой взгляд, ничто не в состоянии изменить моего упрямого мужа, и последняя моя надежда угасла. Но подруга настаивала, и я прочитала книгу. К тому времени мы уже разошлись.

Не знаю, понимаете ли вы, что приходится пережить женщине во время развода. Это кошмар, и я никому не пожелаю испытать такое на себе. Я онемела и погрузилась в оцепенение. Мне казалось, что я уже умерла. Я молилась, как никогда раньше, умоляя Бога помочь мне пережить буквально каждую минуту, каждый час, чтобы мне надеяться только на Него, поскольку мне больше не к кому было обратиться за помощью.

Я молилась, чтобы муж захотел повидаться со мной и поговорить. Так и случилось. Сначала он набросился на меня с обвинениями, затем утихомирился и попытался понять меня. Я решила вернуть мужа. Но в то же время я боялась, что у нас опять ничего не получится. Я спросила, не хочет ли он, чтобы я прошла курс занятий по книге «Очарование женственности». Он заинтересовался, и я объяснила, что этот курс направлен на разрешение проблем в браке и изменение отношения жены к мужу. Он согласился, и я видела, что в нем зародилась надежда.

На первом же занятии нам посоветовали делать комплименты мужьям по поводу их *мужских качеств, силы, внешнего вида* и т. д. Я не представляла, как я смогу заставить себя сказать такое. Наконец, накануне следующих занятий я решилась сделать это, потому что от нас требовали выполнения «домашнего задания». Я дождалась, когда мы ляжем в постель и свет будет выключен. Мне казалось, я потеряю сознание от страха. Наконец я сказала ему, какие у него прекрасные и сильные руки. С того момента у нас началась новая страница брачных отношений. Мне говорили, что в ответ на изменения во мне я получу счастливый брак, а не материальное вознаграждение. Однако я получила и то и другое. Мой муж стал делать неожиданные сюрпризы. Например, не спрашивая меня, он купил красивую ночную сорочку, печатную машинку, путевку на Гавайи, новую плиту на кухню, стол со стульями, кушетку и кресло к нему, ковер в спальню, духи и цветы для меня и многое другое, чего я уже не помню.

Моя сладкая девочка

Это была последняя неделя экзаменов накануне окончания университета моим мужем. Ему пришлось учиться на несколько лет дольше, потому что он время от времени прекращал учебу, чтобы поддержать растущую семью. Он работал и во время учебы, а также исполнял служение в церкви, не забывая свои обязанности по дому.

Он часто испытывал чувство отчаяния и горечи, потому что не видел результатов своих титанических трудов. Он видел лишь тяготы, сопровождавшие обучение и окончание университета. Я не была помощницей в этом смысле. Я похвалила его только однажды, когда у него возникли серьезные проблемы, но даже тогда я все сделала неправильно. Я говорила тогда с позиции собственной праведности. Все финансовые расчеты в семье вела я, и я пыталась заставить его проявить больше активности в церкви. Я все время требовала больше внимания к себе, укоряла его за то, например, что он не открывал передо мной дверь машины. Мне казалось, что я оказываю ему огромную услугу, постоянно обличая его в ошибках.

Затем моя невестка восторженно рассказала мне о книге «Очарование женственности», и я взялась прочитать ее. Я была поражена тем, что в ней очень точно и подробно объяснялось, что нам делать и что говорить, вместо многочисленных запретов и нотаций. Я читала и перечитывала ее, и когда мой муж вернулся с работы, я немедленно взялась за осуществление своих новых знаний на практике. Я немного нервничала и волновалась. Я заявила мужу, что рада, что он такой, какой есть, и что я его раньше просто не понимала. Я призналась, что в прошлом совершала ошибки, но счастлива оттого, что он не позволил мне помыкать им, но нашел в себе силы стоять на своих убеждениях. Я попросила у него прощения и сказала, что хочу доказать свою любовь к нему такому, какой он есть на самом деле.

На мгновение мне показалось, что в нем что-то включилось. Выражение его лица изменилось, и весь он словно преобразился. Вместо обычного уныния и усталости он стал излучать счастье. На следующий день я стала выражать свое восхищение и сказала, что горжусь тем, что он закончил колледж, несмотря на все трудности, хотя многие его сокурсники не выдержали этой борьбы и сдались. Я сказала, как я благодарна ему за то, что он много работает, чтобы обеспечить нас всем необходимым. Я также призналась, что теперь понимаю, что совершала ошибку, пытаясь руководить им, но что я люблю его таким, какой он есть, и больше не буду пытаться изменить его.

Эти слова изменили ситуацию еще больше, чем накануне. Он стал обращаться со мной, как с принцессой. Он даже стал открывать передо мной дверцу машины. Во взаимоотношениях со всеми членами семьи он стал излучать доброту, любовь и силу, которой я никогда раньше в нем не видела. Он стал регулярно собирать нас на семейный совет, и я ощутила, что семья у нас действительно была создана на небесах. Но более того, на следующий же день он повез меня на участок, где мы мечтали построить дом, и стал рассказывать о чудесных планах, какие он имел для меня и нашей чудесной семьи (у нас пятеро детей). Сейчас он находится в летней школе, и по расписанию он должен был навестить нас только дважды, однако ему удается приезжать на каждые выходные. Он спел мне песню «Моя сладкая девочка» и сказал, что я самая прекрасная жена на всем белом свете.

Я счастлива, как никогда раньше!

Я так волнуюсь, что не знаю, с чего начать свою историю. Мы с мужем женаты почти пятнадцать лет. Одиннадцать из них ушли на тяжелейшую борьбу с алкоголизмом. Каждый, кто когда-либо сталкивался с этим ужасающим недугом в своей семье, знает, как страшно наблюдать за самоуничтожением любимых людей. Но, оглядываясь назад, я понимаю, что проблемы моего мужа с алкоголем были для меня удобным оправданием моих собственных недостатков. Я всегда объясняла свое отношение к мужу его пьянством. Естественно, что он возмущался и наперекор чувству раскаяния и сожаления по поводу своих привычек не собирался от них отказываться. На тот момент в моем поведении и отношении к нему не было ни капли очарования женственности, но я хочу рассказать сегодня именно о чуде преображения.

Все это время у меня была книга «Очарование женственности». Эту книгу дала мне подруга, которая видела наши проблемы, но я по непонятным мне причинам даже не открывала ее, хотя я очень люблю читать. Просто Бог, по всей видимости, знал, что я пока не готова к восприятию этой книги. В течение многих недель эта книга лежала на тумбочке рядом с моей кроватью.

Однажды я поняла, что больше не хочу жить с мужем и готова оставить его, чтобы выйти замуж за другого. Мы с мужем собирались отправиться в августе в отпуск, и я решила, что если у меня не останется надежды на улучшение наших отношений, после отпуска я попрошу у него развод. В результате в октябре мы договорились, что в январе оформим развод. Мы оба были рады, что наконец-то прекращаем неудавшийся брак.

Однако ровно через три дня после этого решения я взяла в руки «Очарование женственности» и уже не могла отложить книгу в сторону. Вы можете не поверить, но вся моя жизнь изменилась. Мне пришлось приложить немало усилий, чтобы претворить в жизнь принципы книги, но у меня все получилось как нельзя лучше. Книга показала, что всему виной было мое ошибочное мнение и неправильные понятия относительно мужчин и брака. Я не понимала, что для того, чтобы приобрести все, мне нужно было отказаться от своих заблуждений.

Само собой разумеется, в течение последующих недель я очень тщательно исследовала себя. Как было прекрасно видеть, что мой муж мгновенно отреагировал на изменения, совершенные во мне книгой «Очарование женственности». Наступил январь, но мы и не вспомнили о запланированном разводе. Напротив, мы поехали в путешествие вместе с друзьями. Оно было сказочным. Контраст между поездкой до прочтения книги и после был разительным. В первой поездке муж либо был до боли равнодушным ко мне, либо доводил меня до слез. Но в другой поездке я расточала мужу хвалу и восхищение по любому поводу и с неподдельной искренностью. Награда за такое отношение последовала незамедлительно. За завтраком на следующее утро он заметил у меня легкие признаки простуды и проявил такую заботу и внимание, что я была поражена! В кафе он сел вместе с другими мужьями, но я видела, что он постоянно наблюдает за мной. После завтрака он сказал: «Мне кажется, что я снова влюбляюсь в тебя». Мне никогда не забыть то залитое солнцем утро.

Трудно поверить, что прошел всего год с момента прочтения «Очарования женственности». Я расточаю хвалу этой книге всем, кого ни встречаю, как и мой муж, хотя он ее не прочитал ни разу. Он говорит: «Я не знаю, что там написано, но я очень люблю эту книгу!» Я счастлива, как никогда раньше!

Правила для выражения восхищения мужем

1. Принимайте его таким, какой он есть.
2. Думайте о нем.
3. Наблюдайте за ним.
4. Слушайте, когда он говорит.
5. Выражайте свое восхищение словами.
6. Будьте искренними.
7. Говорите конкретные вещи.

Задание

1. Напишите десять мужских качеств мужа, которыми вы восхищаетесь.

2. За ужином попросите его написать десять качеств, которые ему нравятся в вас, и сделайте то же самое относительно его качеств. Прочитайте эти списки друг другу и объясните, почему вам нравятся эти качества. Бесполезно, если вы просто вручите друг другу эти списки. Понаблюдайте за его реакцией. Запишите положительную реакцию в своем любовном дневнике.

3. Следующую неделю понаблюдайте за ним. Если увидите какие-то новые мужские качества, выразите свое восхищение. Запишите результаты.

4. Слушайте, когда он говорит: выполняйте изложенные выше правила.

Главное для женщины в браке — быть любимой, но для мужчины главное — видеть в глазах жены восхищение.

Глава 6

Поставьте его на первое место

Мужчине нужна женщина, которая ставит его на главное место в списке приоритетов, не второе, но первое. Он хочет стать средоточием и осью, вокруг которой будет вращаться вся ее жизнь. Он не желает быть фоновой музыкой для остальных ее интересов и чаяний. Может быть, это желание неосознанно, но если эту *внутреннюю потребность* не удовлетворить, она яростно и бурно вырвется наружу. Это происходит тогда, когда жена ставит на первое место в своей жизни все остальное: детей, дом или свою карьеру. Оказавшись в таком уничиженном состоянии, мужчина начнет выражать яростное сопротивление и неприятие по отношению к жене и даже к своим детям.

Конечно, муж не требует того, чтобы жена из-за него пренебрегала выполнением своего долга в семье и других аспектах своей жизни. Он понимает и желает, чтобы жена делала все, что должна делать. Он не хочет, чтобы дети остались без внимания со стороны матери. Он знает, что у жены есть определенные интересы и развлечения. Но он не хочет быть в ее глазах *менее важным*, чем все остальное. Он не желает быть необходимостью, удобством, шахматной фигуркой, сопровождением, социальным обеспечением, билетом в общество и даже сексуальным партнером. Он хочет видеть, что его жена вышла за него ради него самого и не считает его средством удовлетворения своих потребностей или достижения своих целей.

Женщины не осознают этого, и потому ставят на приоритетное место, прежде мужа, нечто другое. Эта тенденция начинается с раннего детства и явно прослеживается в мире наших грез. Когда мы были маленькими девочками, мы, как правило, мечтали об уютном домике, о комфорте, достатке и чистеньких детишках, играющих на полу. Это был чудесный маленький домик, в котором было все, *кроме мужа*. На смену этой мечте приходила другая, и в ней к нам приходил прекрасный принц на белом коне.

В одном из ранних изданий детских книг представлена подобная мечта о маленьком домике, в котором есть все, за исключением мужа:

Чудесный маленький домик

Я хочу, я так хочу жить в чудесном, маленьком доме,
Где на коврике будет лежать кошка,
А в маленькой норке — жить мышка.
В углу комнаты будут мирно тикать часы,
Будет стоять чайник, сервант и в углу веник.

Утром дети побегут в школу,
Я поцелую их и дам булочку и деньги на завтрак.
Но как только они уйдут,
Я тут же возьму тряпку и буду все натирать до блеска.
Я начищу до блеска все ножи, все окна и полы,
Каминные решетки, тарелки и ручки дверей,

Все вилки, все ложки, все кастрюли и сковородки.
Буду натирать, пока все не заблестит, как новенькое.
Вечером у огня, когда дети уснут,
Я буду с чепчиком на голове сидеть и вязать.
И все чайники и сковородки будут сиять, сиять, сиять
В этом маленьком, уютном и чудесном домике.

Как видите, никакого намека на мужа. Все внимание жены направлено на детей и домашние радости. Маленькие девочки также мечтают о великолепии свадьбы, белом подвенечном платье, кружевах, свадебном торте, свечах, лентах, колокольчиках. Обо всем, кроме жениха. В этих мечтах он не появляется. Немного позже, когда маленькие девочки достигают поры полового созревания, на сцену выходит сказочный прекрасный принц.

Трагедия начинается тогда, когда она действительно выходит замуж и возвращается к своим прежним мечтам. Теперь у нее есть ее мирок, дети, домашний комфорт и радости, о которых она мечтала в детстве. А муж стал только средством достижения этой цели. Когда она посвящает себя домашним заботам, муж уходит на задний план. Со временем ее семейные обязанности увеличиваются, как и потребности и напряжение семейной жизни. Она может уделять время удовлетворению своих интересов, чтобы сделать жизнь более осмысленной. Если время позволяет, она может даже заняться карьерой. Все это отодвигает мужа еще дальше на задний план. Теперь давайте взглянем внимательнее на то, что ставит женщина на приоритетное место перед мужем в своей жизни.

1. Дети

Скорее всего, вы считаете заботу о детях священной обязанностью и долгом и стараетесь обеспечить достойную заботу об их теле и духе, дать им лучшее, чтобы как можно полнее реализовать их потенциал. Благородное чувство материнского долга, движимое сильным чувством материнской любви, может заставить вас все свое внимание сконцентрировать на заботе о детях и их воспитании, так что вы автоматически ставите детей на первое место в списке своих приоритетов.

Клара

Много лет назад я знала одну такую женщину, которую я назову Кларой. Она была великолепной матерью, доброй, терпеливой и любящей. На лице ее сияла умиротворенная улыбка, и с детьми она говорила тихим голосом. Но она была также очень твердой. Она читала книги о воспитании детей и в случае необходимости умела быть непреклонной.

Клара была образцом бескорыстной верности. Помню, как она сидела рядом с детьми, помогая им овладеть секретами игры на пианино или помогая выполнить домашние уроки. Для каждого из детей она подбирала вырезки из газет и журналов, устраивала щедрые праздники в дни их рождения, давая им все то, что так радует маленьких детей. Ее дети были смыслом всей ее жизни. Я не видела примеров более преданной и жертвенной материнской любви или более образцового случая выполнения своего долга. Я восхищалась Кларой и долгое время хотела быть похожей на нее, пока не поняла, какие проблемы вызвала ее бесконечная преданность детям.

Ее муж был несчастной второй скрипкой на этом празднике жизни, просто придатком в семейном кругу. Он был отцом и кормильцем, но не королем. Думаю, на самом деле Клара любила мужа и хорошо к нему относилась, но для нее он явно стоял на втором месте поеле детей. Он с горечью возмущался чрезмерным вниманием, которое она уделяла детям, и тем униженным положением, в которое он был поставлен.

Прежде он был мягким и великодушным человеком, но такое положение вещей привнесло в его характер уродство, на удивление всем тем, кто знал его раньше. Он не только отвергал жену, он также стал отталкивать своих детей, и ему трудно было быть хорошим отцом. Он уходил из дому на целые дни, уходил от всего, а когда возвращался, ему было трудно жить с ними.

Такое униженное положение приводит к тому, что муж противится появлению новых детей в семье. Он может не осознавать этого, но большее количество детей означает больше внимания матери к ним, что усугубляет отверженность и недостаток внимания к мужу со стороны жены. Но если даже новый ребенок появится, отец может полностью его игнорировать. По причине отсутствия любви к ребенку отец будет мучиться от чувства вины, не осознавая собственной отверженности и ощущения ненужности.

Когда вы ставите своего мужа на первое место, вы не перестаете выполнять свой священный материнский долг, и это вовсе не значит, что вы меньше любите своих детей. Вы можете служить мужу и детям, не создавая конфликтной ситуации. Ваш муж не хочет, чтобы вы пренебрегали детьми. Естественно, что он заинтересован в том, чтобы вы заботились о детях, чтобы они были воспитанными и здоровыми, но он должен быть уверен, что ваша любовь и преданность детям не выше преданности и любви к нему.

Дети ничего не потеряют, если папа встанет на первое место. Напротив, они будут чувствовать себя *более* счастливыми и уверенными. Это происходит тогда, когда вы ставите своего мужа на первое место, а значит, строите более счастливые взаимоотношения с ним. Ваш счастливый брак станет фундаментом счастливого дома, от которого выиграет вся семья. Если вам трудно понять, как поставить мужа на первое место, не лишая детей необходимого им внимания, запомните следующее правило:

Не ставьте удобство и капризы своих детей выше основных потребностей мужа.

Как мы ставим детей на первое место

1. *Место проживания.* Предположим, ваш муж решил, что по делам службы вам нужно переехать в другое место. На новом месте он будет получать больше, у него будут перспективы дальнейшего роста и другие преимущества. Если вам покажется, что дети пострадают от переезда, вы· можете заупрямиться. Мудро ли это?

Если ваш муж действительно упустил серьезные неудобства, которые грозят вашим детям в случае переезда, тогда вам нужно попросить его обдумать и пересмотреть свое решение. Но если вы стремитесь избежать дискомфорта в связи с освоением детьми новой территории, тогда вы просто потакаете их капризам. Вы ставите их комфорт выше важных потребностей мужа. Пусть ваши дети испытают небольшое неудобство. Им это пойдет на пользу. И помогите мужу справиться с его проблемами. Ему это тоже пойдет на пользу.

Если муж хочет изменить место жительства из-за каприза или эгоистических соображений, это другое дело. Попросите его подумать о детях. В таком случае вы не ставите его на второе место, потому что не игнорируете его желания, отдавая предпочтение детям, но противостоите его эгоистическим стремлениям.

В любом случае нельзя удобство и комфорт детей ставить выше потребностей и желаний мужа. Не следует требовать от мужа покупок не по средствам в желании угодить детям, в то же время отмахиваясь от просьб и потребностей мужа. Он может отказаться от своих планов и желаний в угоду вам, но не потерпит, если вы всеми силами стараетесь удовлетворить любой каприз детей.

2. *Время и внимание.* Не делаете ли вы своего мужа соперником детям в том смысле, что ему приходится с боем отвоевывать для себя ваше время и внимание? Может быть, вы слишком заняты детьми и у вас нет ни одной лишней минутки, которую вы могли бы посвятить мужу? Или вы второпях уделяете ему несколько минут, а ваше сердце в это время рвется к детям? Бывают ситуации, когда это просто необходимо, но часто мамы непомерно много занимаются детьми в ущерб своим взаимоотношениям с мужьями.

Может быть, ваш муж по роду своей деятельности часто уезжает из дому? Некоторым женам нравится, когда мужья отсутствуют. Тогда они могут полностью посвятить себя заботе о детях, причем муж не беспокоит и не отвлекает их от этого. Когда он возвращается домой, он нутром чувствует такое отношение и понимает, что в этом доме от него ничего, кроме денег, не ожидают. Если его жена не осознает потребности мужа в ее времени и внимании, а эта потребность в такой ситуации особенно актуальна, тогда он обязательно почувствует, что не занимает в ее жизни первое, приоритетное место.

3. *Деньги и материальные блага.* Не балуете ли вы детей, покупая им все, что они просят? Можно написать целую главу о том, как слишком снисходительные матери портят детей, но здесь мы будем говорить не о вреде, который причиняют мамы детям, но об отцах. Если вы покупаете детям то, что не позволяет семейный бюджет, тогда его жизнь становится еще более напряженной. Если вы ставите капризы детей выше заботы о здоровье мужа и финансовом благополучии семьи, тогда его *потребности* стоят на втором месте после их *желаний*.

4. *Интересы и мысли.* Может быть, вы проявляете больше интереса к детям, чем к мужу? Кто преобладает в ваших мыслях и раздумьях, дети или муж? На чем сконцентрированы ваши интересы? Часто ли вы думаете о муже и его проблемах, о том, как ему помочь, успокоить и утешить, поддержать и подбодрить? Интересно ли вам слушать его, и слышите ли вы мельком высказанную просьбу? Знаете ли вы, что он хотел бы съесть на ужин, как ему хотелось бы провести вечер и что для него важнее? Именно таким образом и многими другими путями вы можете показать, что он стоит на самом первом, приоритетном месте в вашей жизни.

2. Домашний уют

Мужчины любят и ценят чистый дом, который содержится в порядке и в котором чувствуется умелая рука хозяйки. Он будет ощущать себя несчастным и неудовлетворенным, если жена не будет выполнять этот важный долг. Однако он не потерпит, если дом и домашнее хозяйство станут для жены важнее, чем он. Дом нужен для того, чтобы служить семье, а не семья дому. Муж хочет, чтобы жена старалась ради него и детей, а не ради удовлетворения собственного тщеславия и желания произвести впечатление на соседей.

Если вы умелая хозяйка, не ставьте свой дом выше нужд и потребностей своей семьи. Убедитесь в том, что вы делаете все по дому для того, чтобы создать уют для членов семьи, но не для того, чтобы получить удовлетворение самой или произвести впечатление на других. Примером таких эгоистичных мотивов может послужить героиня старого фильма «Жена Грега».

Жена Грега следила за тем, чтобы слуги начищали все в доме до ослепительного блеска. Она не позволяла мужу садиться на кровать, чтобы прекрасное покрывало не помялось. Она не любила свежих цветов, потому что лепестки с них опадали на стол и портили картину совершенства. Ее муж понял, что она любила свой дом больше, чем его, и ушел от нее. Когда за его вещами приехал грузовик и рабочие стали выносить из дому его вещи, они нечаянно повредили до блеска натертый пол, оставив на нем глубокую царапину. Жена Грега села на пол и разрыдалась, но не потому, что от нее ушел муж. Она оплакивала свой прекрасный, поцарапанный пол. Вот так иногда жены боготворят свой дом больше, чем мужей.

Ревностное отношение к дому — прекрасная добродетель, но оно может быть *чрезмерным*. Женщина должна созидать дом, а не *демонстрационный зал* для восторженных зрителей. Муж оценит усилия жены, если она старается ради него, но ему не понравится, если дом станет для нее главным или более важным, чем он сам. *Дворец не может быть важнее, чем король, в нем живущий.*

3. Внешний вид

Все люди должны уважать себя в достаточной степени, чтобы выглядеть ухоженными и прилично одетыми. Это принципиальный вопрос. Даже если вы живете вдали от цивилизации, вам нужно выглядеть хорошо ради собственного чувства самоуважения. Но если женщина уделяет слишком много времени и внимания своей внешности, стоит задуматься над тем, чем она руководствуется.

Если вы хотите своим внешним видом угодить мужу, он, возможно, оценит это. Но если вы проводите в магазинах бесконечные часы, шьете, примеряете и наводите на себя лоск, *забывая* о муже, у него создастся впечатление, что вы хотите произвести впечатление на других мужчин. Он почувствует себя отстраненным на фоне публики, ради которой вы наряжаетесь.

4. Родители

Может быть, вы слишком привязаны к родителям, и эта привязанность превосходит вашу любовь к мужу? У вас не бывает проявлений особой радости при мысли о скором свидании с родителями? Может быть, вы ищете предлога, чтобы лишний раз повидаться с ними или остаться в гостях у родителей на более долгое время? Любовь между родителями и детьми — прекрасное чувство, но после свадьбы вы должны ослабить слишком крепкие узы привязанности к родителям и перенести свои самые сильные чувства на мужа. Если вы этого не сделаете, он будет чувствовать себя второстепенной личностью, поставленной на второе место после ваших родителей, и на этом основании неосознанно будет отвергать их.

5. Деньги и успех

Иногда успех и деньги мужчины становятся для его жены важнее его самого. Можно привести такой пример:

Одна женщина вышла замуж за человека с весьма скромным достатком. Он был вполне доволен существующим положением вещей, но жена хотела иметь больше денег и престижное положение в обществе. Она предложила ему пойти учиться, чтобы стать хирургом. После долгих уговоров и давления она вынудила его согласиться на это. После двух мучительных лет он сдался. У него не было ни желания, ни рвения довести до конца начатое. Жена была сильно разочарована.

Такое отношение жены очень вредно для брака. Она считала деньги и престиж более важным мотивом, чем он сам, его личные желания и чувства. Если бы он сам захотел стать хирургом, другое дело. Он оценил бы ее поддержку. Он же воспротивился ее стремлению поставить на первое место деньги и успех. Женщины допускают страшную ошибку, когда ставят что-либо впереди самого главного, чем нужно дорожить более всего, — своего брака.

В другом случае женщина иначе воспротивилась личному мнению своего мужа. Ее муж хотел расширить бизнес, и для этого им нужно было продать дом и снять квартиру. Она не только выразила свое несогласие, она категорически отказалась переехать. Жена не желала слышать о его деловых планах, считая, что главное — ощущение надежности, которое она испытывала в доме. Но была ли ситуация надежной? Конечно, муж может ошибиться в расчетах и не достичь ожидаемого успеха. Конечно, жена имела полное право выразить свое мнение, однако стоять на пути мужа было еще более грубой ошибкой. Естественно, что женщина будет стремиться сохранить стабильное положение в своей семье, однако она должна считать своего мужа, его работу и его планы важнее собственного мнения.

Запомните: *пусть лучше мужчина сделает все по-своему и ошибется, чем стоять на его пути и перечить ему.*

Из этих двух примеров можно видеть, что, если вы ставите своего мужа на первое место, вы должны также уважительно относиться к его работе, планам и целям.

6. Карьера, таланты и трудовая деятельность

Самой большой угрозой для главенства вашего мужа может стать ваша деловая карьера. Ваша верность и преданность работе, необходимые для достижения успеха, отодвинут мужа на задний план. И если вы наконец достигнете вершины успеха, вы затмите собой мужа и заставите его чувствовать себя незначительной личностью.

Женщина, достигшая успеха в бизнесе, создает себе очень серьезную проблему. Чем больше успех, тем менее значимым становится мужчина, по крайней мере, в своих глазах. Это автоматически ставит его на вторую позицию. Положение серьезное, но из него есть выход. Если вы достигли успеха на работе, внимательно следите за правильными приоритетами в своей жизни, то есть на словах и на деле дайте мужу понять, что он занимает в вашей жизни главное место. Если потребуется, всегда будьте готовы пожертвовать ради него хоть чем-то в своей карьере или работе. Но даже если вы не делаете карьеру, если вы просто работаете вне дома, ваша работа потребует от вас определенного времени и сил, так что муж может почувствовать себя ущемленным. Оказывайте ему особые знаки внимания, показывая, что ваша работа для вас менее значима, чем его состояние и счастье.

Главенству мужа может угрожать также ваше стремление реализовать свои способности и таланты. Муж может предоставить вам эту возможность. Работа над развитием способностей — дело похвальное. Однако если вы слишком увлечетесь реализацией своего потенциала, ваш муж останется в тени, будет чувствовать себя второй скрипкой в оркестре и обязательно воспротивится этому. Иногда муж чувствует такой поворот событий заранее, и когда вы решите развивать свои таланты, он вам скажет «нет». Но если вы сохраните за ним главное, приоритетное в вашей жизни место и постоянно будете подчеркивать это, он обязательно будет вашим союзником и поддержит вас в ваших устремлениях к самореализации, так что вы сможете уделить разумное время выбранной вами трудовой деятельности.

Когда мужчина возвращается домой

Вы сможете подтвердить главенствующий статус мужа в момент, когда он возвращается домой. Сделайте эти минуты особенно приятными для него. Прекратите, насколько это возможно, всякие работы по дому. Постарайтесь создать дома тишину. Пусть в доме не работают ни стиральные машины, ни пылесосы. Если вы шили, уберите все с глаз долой. Приведите себя в порядок и приветствуйте его с улыбкой на губах. Не позволяйте детям сразу обрушить на него все свои проблемы. Это можно сделать позже, когда он успокоится и обретет душевное равновесие. Такая встреча произведет в его жизни поразительные перемены, снимет напряжение и принесет ему мир и покой. Благодаря вашему предупредительному отношению к его самочувствию он убедится, что занимает в вашей жизни приоритетное место.

Должен ли муж ставить жену на первое место в своей жизни?

Не всегда возможно, да и не всегда нужно, чтобы муж ставил свою жену на главное место в перечне приоритетов своей жизни. Это связано с особенностями природы мужчины. Главное для него — обеспечить семью. Его работа и времяпрепровождение вне дома могут требовать столько сил, что для достижения успеха ему нужно будет сделать этот аспект своей жизни главным. Это значит, что ему придется обращать на семью меньше внимания, чем хотелось бы. Но на самом деле вы для него — главное. Он работает ради вас и ваших детей. Постарайтесь объяснить его преданность работе именно таким образом.

Мужчины кроме материального обеспечения семьи всегда выполняли функцию преобразователей общества, в котором мы живем. Именно они созидают общество, разрешают его проблемы, развивают новые идеи во имя его благополучия. Эта роль слуги общества дается нелегко и отвлекает мужчину от семьи.

Если внимательно вглядеться в жизнь выдающихся общественных деятелей, вы, как правило, увидите жен, которые добровольно уступили пальму первенства своему мужу и его работе, довольствуясь вторым местом после нее. Хороший тому пример президент и миссис Дуайт Д. Эйзенхауэр. Миссис Эйзенхауэр вспоминает, как однажды, в первые две недели их пятидесятитрехлетнего супружества муж отвел ее в сторонку и сказал: «Мэми, я должен сказать тебе кое-что… Моя страна занимает в моей жизни первое место, а ты — второе». Мэми согласилась с этим, и так они прожили всю свою долгую жизнь. Итак, когда вы ставите мужа на первое место, вы одновременно считаете его работу и его ответственность за то, что происходит в мире, соответственно, тоже очень важными.

Если вы не сделаете мужа самым главным в своей жизни, отдавая предпочтение детям, дому, карьере или другим интересам, ваш муж почувствует себя ущемленным. Как правило, именно по этой причине мужья начинают увлекаться другими женщинами. Как я говорила ранее, в основе увлечения другими женщинами редко лежит сексуальное влечение. Обычно другой женщине удается восполнить его эмоциональные потребности, поскольку она дает ему почувствовать себя ценным и значимым. Следующая история может послужить иллюстрацией к тому, как жена не сумела удержать мужа в рамках семьи интимной жизнью, и его неудовлетворенные эмоциональные нужды привели его к другой женщине.

Он увлекся другой женщиной

Наша сексуальная жизнь была в порядке, все дело было в другом. Я говорила мужу, что он прекрасный любовник, но проблема заключалась в том, что я восхищалась в нем только этим.

Мне больше не за что было его хвалить, я его не принимала в другой роли и никогда не ставила его на первое место в своей жизни. Другими словами, я давала ему понять, что он хорош только в постели.

По этой причине он стал увлекаться другими женщинами, которые восхищались его мужскими качествами, таким образом давая ему почувствовать свою значимость. Он обратился к женщинам, которые готовы были слушать его часами, уделяя ему время и внимание, в котором так нуждается каждый мужчина. Конечно, я возненавидела его за то, что у него появились другие женщины. Я никак не могла понять, почему он не удовлетворяется теми сексуальными отношениями, которые были между нами.

Прочитав «Очарование женственности», я поняла, что муж увлекался другими женщинами не ради секса, но ради того, чтобы его принимали, восторгались им и дали почувствовать себя главным. Не делая всего этого для него, я вынудила его стать неверным. Теперь я не боюсь, что он когда-либо увлечется другими женщинами, потому что теперь я знаю, о какой женщине мечтает каждый мужчина.

Мой муж был второсортным гражданином

Наши трое детей родились умными, здоровыми и красивыми. Я любила их чрезвычайно и пыталась сделать все возможное, чтобы облегчить им жизнь в этом ужасном мире. Я ошибалась, полагая, что смогу помочь им преодолеть все сложности жизни, если буду жить только ради них.

В течение пяти лет они занимали главное место в моих мыслях и действиях. Я не жалела денег, покупая им все, что считала необходимым. Мне казалось, никто на свете не сможет так позаботиться о моих детях, как я, и потому я могла позволить няне посидеть с ними только в тех случаях, когда они уже спали. Я считала себя лично ответственной за их счастье, и под тяжестью этого бремени я представляла собой жалкое зрелище. Естественно, что муж стал в нашей семье второсортным гражданином. Ему приходилось бороться за каждую минуту моего времени и внимания. Я даже требовала, чтобы он замолкал, когда дети начинали говорить одновременно с ним.

Затем мой муж попал в серьезную аварию, и одно время мы думали, что он не выживет. Когда я сидела рядом с реанимационной палатой, меня вдруг охватило такое сильное чувство вины, что мне стало физически плохо. Я думала о положении мужа в семье. Я вспомнила, как сильно он хотел устроить бассейн во дворе, а я не хотела уступить ему, потому что мечтала о расширении дома. Когда я подумала о том, что, возможно, мы потеряем его навсегда, я осознала, как много он значил для меня. Я поняла, что дети однажды покинут наш дом, а муж останется со мной на всю жизнь. У друзей и родственников тоже своя жизнь. Мне грозило страшное одиночество. В этой ситуации проигрывала только я одна. Я молилась, молилась и молилась, надеясь, что Бог даст мне еще один шанс.

Бог действительно дал нам еще один шанс. Как только муж вернулся домой, мы построили бассейн. Мой муж расцвел после того, как я поставила его на первое место в семье. Дети положительно отреагировали на эту перемену, стали менее эгоистичными и научились думать не только о себе. Я позволила им искать собственные пути счастья, и в результате стала более свободным человеком. Поскольку они уже не считают себя «пупом земли», они будут лучше подготовлены к взрослой жизни.

Если бы в нашей жизни не было того грозного предупреждения и страха, я думаю, мы с мужем не смогли бы жить вместе. Я продолжала бы жить жизнью детей, уставшая и обиженная, завидующая свободе мужа. Но теперь мы оба свободны, свободны любить друг друга и наших детей.

Женщины склонны ставить на первое место:

1. Детей.
2. Дом.
3. Свой внешний вид.
4. Родителей.
5. Деньги и успех.
6. Работу, карьеру, развитие талантов и способностей.

Задание

Скажите мужу, что он занимает в вашей жизни самое главное место, а затем подтвердите свои слова на практике.

Если вы будете относиться к нему, как к королю, он станет относиться к вам, как к королеве.

Не ставьте удобство и капризы своих детей выше основных потребностей своего мужа.

Глава 7

Мужские и женские роли

Мужские роли:
Глава семьи
Защитник
Кормилец

Женские роли:
Жена
Мать
Домашняя хозяйка

M ужские и женские роли, ясно определенные выше, это не просто обычаи или традиции, но Богом установленный порядок. Именно Бог поставил мужчину главой семьи, сказав Еве: «*К мужу твоему влечение твое, и он будет господствовать над тобою*». Мужчина также был предназначен стать защитником, поскольку ему даны сильные мускулы, большая физическая выносливость и мужская смелость. Кроме того, Бог повелел ему обеспечить семью, сказав: «*В поте лица твоего будешь есть хлеб, доколе не возвратишься в землю, из которой ты взят, ибо прах ты и в прах возвратишься*». Такое повеление было дано мужчине, а не женщине (Бытие 3:16,19).

У женщины другое предназначение. Она должна быть *помощницей, матерью и хозяйкой в доме*. В еврейском языке слово *помощница* означает женщину, *стоящую перед ним*. Такое значение аннулирует мысль о том, что женщине уготованы лишь второстепенные, незначительные роли. Такое значение слова *помощница* объясняет, что женщина была создана равной мужчине. В книге «Очарование женственности» мы используем слово *помощница* для обозначения роли жены в том смысле, что жена понимает, поддерживает, а иногда и помогает своему мужу. Поскольку биологические особенности женщины дают возможность ей вынашивать детей, ее роль *матери* неоспорима. Роль *домаш-*

ней хозяйки также не вызывает сомнений: она должна воспитывать детей, вести хозяйство, чтобы освободить мужа для выполнения его функций кормильца семьи (Бытие 2:18).

Мужские и женские роли *различны по функциям*, но *равны по значимости*. В книге Генри А. Боумена «Marriage for Moderns» («Брак в современном обществе») автор сравнивает партнерство в браке с такими образами, как ключ и замок, соединенные вместе в функциональном единстве. Он пишет: «Вместе они могут совершить то, что ни один из них отдельно совершить не в состоянии. Задача не будет выполнена, если за дело возьмутся два замка или два ключа. Каждый из партнеров уникален, но никто, отдельно взятый, не совершенен. Их роли нельзя назвать идентичными или взаимозаменяемыми. Никто из них не превосходит другого, поскольку оба необходимы. Каждого нужно судить в соответствии с его функциями, поскольку они дополняют друг друга».

Разделение труда

Как видно, основная задача семьи проистекает из *разделения труда*. Интересно, что современные исследователи доказали, что этот древний замысел является самым оптимальным вариантом сотрудничества людей. В 1970-е годы несколько крупных отраслей промышленности в Америке объединили усилия в исследовательском проекте, чтобы выявить самую эффективную структуру, в которой была бы возможна дружная работа без разногласий в командах, особенно в отношении психологической совместимости.

Исследования, в частности, проходили в общинах хиппи, появившихся несколько ранее, в 1960-е годы. Эти группы идеалистов не были построены на принципах разделения труда, но на *равенстве*. Мужчины и женщины равномерно распределяли между собой повседневные дела. Женщины плечом к плечу с мужчинами работали на полях и на строительстве пристаниц. Мужчины наравне с женщинами занимались домашними делами и воспитанием детей.

Ученые обнаружили интересный факт: равенство не согласовывалось с различиями, характерными для мужчин и женщин. Женщины лучше справлялись с одними видами работ, а мужчины — с другими. Женские руки, более нежные и ловкие, более эффективно штопали и шили, а мужчины были лучше приспособлены к ношению тяжестей и копанию. Однако самым поразительным открытием ученых стал тот факт, что когда люди пытались выполнять работу на равных, начинались разногласия. Люди спорили, враждовали и даже ненавидели друг друга. По этой причине распадались целые общины. Ученые пришли к выводу, согласно которому наилучшим вариантом организации работы в команде является *разделение труда*. Итак, Бог приготовил для семьи совершенный замысел.

Самый большой успех в жизни семьи сопутствует людям тогда, когда муж и жена преданно и верно выполняют свои роли. С другой стороны, самые крупные проблемы возникают тогда, когда кто-либо из них не может или не хочет исполнить свою роль, берется за выполнение чужих функций или проявляет слишком большую озабоченность по поводу исполнения или неисполнения роли другого.

Чтобы преуспеть в исполнении своей роли *с большим чувством ответственности*, возьмитесь за исполнение собственной женской роли. Пусть это *заботит* только вас. Конечно, вы можете нанять помощников для ведения домашнего хозяйства или сделать так, чтобы вам в этом помогали дети. Но именно вы должны нести ответственность за порядок в этой области.

Для достижения еще больших успехов вам нужно овладеть женскими *умениями и навыками*. Научитесь готовить, наводить порядок в доме и вести хозяйство вообще. Научитесь женской бережливости и тому, как воспитывать детей. Забудьте о себе и полностью посвятите себя достижению благополучия и счастья для вашей семьи.

Три мужские потребности

Для того чтобы добиться успеха в созидании семьи, помогите мужу преуспеть в исполнении его роли. Для этого осознайте три мужские потребности:

1. Мужчина должен функционировать в своей мужской роли главы семьи, защитника и кормильца.

2. Он должен чувствовать нужду семьи в том, чтобы он исполнял эту роль.

3. Нужно, чтобы он превосходил женщину в этой роли.

1. Осуществление мужской роли на практике. Во-первых, ему нужно осуществить эту роль в реальной жизни в качестве *главы семьи*. Он должен видеть со стороны семьи почтение и поддержку по отношению к себе. Во-вторых, он должен действительно *обеспечивать семью*, удовлетворять ее насущные потребности и делать это самостоятельно, без помощи со стороны. И, в-третьих, он должен выступать в качестве защитника семьи, ограждая ее от опасности, невзгод и трудностей.

2. Он должен видеть в семье потребность в этой мужской роли. Ему нужно видеть, что семья *действительно нуждается* в нем как в своей главе, защитнике и кормильце. Когда женщина начинает зарабатывать достаточно, чтобы обеспечить себя, когда она находит собственное место в жизни, становясь независимой от мужа, она перестает испытывать в нем нужду. Для него это серьезная утрата. Его мужская потребность видеть нужду в нем как в мужчине настолько сильна, что когда потребность в нем исчезает, он может усомниться в самом смысле своего существования. Такая ситуация может повлиять на его отношение к жене, поскольку его романтические чувства отчасти возникли из ее потребности в защите, укрытии и обеспечении.

3. Он должен превосходить женщину в исполнении своей мужской роли. Мужчина обычно осознает необходимость более эффективного исполнения этой роли по сравнению с женой. Однако может возникнуть угрожающая ситуация, когда женщина добивается больших успехов на его поприще, когда она занимает более высокое положение, больше зарабатывает или преуспевает во всем том, что требует приложения свойственных мужчинам сил, навыков или способностей.

Несостоятельность общества

К сожалению, мы видим, как эти извечные принципы нарушаются в современном обществе. Женщины вторглись в мир мужчин. Мы имеем поколение работающих матерей, конкурирующих с мужчинами в достижении больших результатов, более престижных должностей и высокой зарплаты.

Дома тоже не все в порядке. Женщина берет на себя функцию руководителя и пытается все делать по-своему. Почти исчезла жена, умеющая безоговорочно доверять мужу, подчиняющаяся его руководству и готовая опереться на его руку. Женщина исполняет многие мужские функции сама. Независимость женщин привела к тому, что они перестали испытывать потребность в мужской защите и обеспечении, а это большая утрата для них обоих.

Поскольку мужчина не видит жизненной необходимости в исполнении своей мужской функции, он не видит надобности в себе, а потому не чувствует себя настоящим мужчиной. Когда женщина берет на себя выполнение мужских ролей, она также приобретает мужские черты характера, чтобы полнее соответствовать выполняемой работе. Это значит — меньше женственности, утрата женской нежности и обаяния. Когда она берет на себя свойственную мужчинам ответственность, она начинает испытывать постоянно возрастающий стресс, становится более нервозной и обеспокоенной. Это приводит к утрате умиротворенности, а это очень ценное качество, если она хочет добиться успеха в созидании счастливого дома. Когда она тратит время и силы на выполнение мужской работы, она пренебрегает важными функциями, свойственными именно ей. В результате вся семья оказывается в проигрыше.

Чтобы преуспеть

Чтобы преуспеть, нужно твердо помнить о мужской роли главы семьи, защитника и кормильца. Помните, если вы хотите, чтобы ваш муж был счастлив, он должен *исполнять мужскую роль, чувствовать, что он вам нужен, и превосходить вас в исполнении своей роли.* Пусть он руководит семьей, выполняет мужскую работу по дому и обеспечивает вас всем необходимым. И только в случае крайней необходимости вам можно будет переступить границу между вашими ролями и взяться за выполнение мужской работы.

Когда он исполняет мужскую роль, не ждите от него совершенства. Не придирайтесь по мелочам, не вмешивайтесь в то, как он это делает. Если он пренебрегает выполнением мужской работы, и в результате вы сталкиваетесь с серьезными проблемами, не жалуйтесь. Просто скажите ему: «У меня проблема». Ясно и четко изложите суть проблемы и ее последствия. Затем спросите: «Как ты думаешь, что с этим делать?» Таким образом, вы почтите его как главу семьи, переложите проблему на его плечи и поможете ему ощутить себя нужным. Если он и дальше не возьмется за разрешение проблемы, наберитесь терпения. Изменения не происходят быстро.

Далее начните хвалить его. Исполнение мужской роли нелегкое дело, и я скоро объясню, что я имею в виду. Ваша похвала будет для него самой большой наградой. Будьте щедры на слова благодарности. Для него это больше, чем награда за труд. И, наконец, верно и постоянно исполняйте собственные обязанности по дому. Тогда вы проведете четкую границу между вашими ролями и поможете ему преуспеть в выполнении мужских функций.

Смешение ролей

Когда мужские и женские роли не определены четко, происходит *смешение ролей*. В таком случае женщина отчасти выполняет мужскую работу, а мужчина — женскую. Если подобное положение вещей временное, ничего страшного, но если такое становится образом жизни, семье наносится серьезный вред.

Детям нужно развивать в себе природу, свойственную их полу, и в связи с этим им нужно видеть в своих родителях не размытый, но четкий образ мужчины и женщины, чтобы брать с них пример. Мать демонстрирует свой женский образ, когда исполняет женскую роль. Когда она ходит по дому в женственной одежде, выполняет домашние обязанности, нежно заботясь о детях, нянчась с ребенком, она формирует в детях женский образ. Если она излучает довольство и счастье в исполнении этой своей роли, она рисует детям положительную картину женственности.

Когда отец исполняет мужскую роль в качестве сильного лидера, защитника и кормильца и когда дети имеют возможность видеть его в действии, когда он с готовностью берет на себя мужские обязанности и получает удовольствие от работы, он представляет им благоприятный мужской образ. Если в доме есть четкое различие в мужском и женском образе, мальчики вырастут мужественными, а девочки — женственными.

Но когда все складывается не так, как нужно, когда роли размыты, тогда в семье назревает серьезная проблема. Многие случаи гомосексуальности возникли в домах, где роли мужчин и женщин были размыты. Девочки и мальчики в таких семьях не получили четкого представления о мужском и женском образе, и не могли сформировать идеал, которому они могли бы подражать.

Дети в процессе воспитания должны многому научиться, чтобы стать нормальными, успешными и счастливыми людьми. Но нет ничего важнее для мальчика, чем стать мужественным, а для девочки — стать женственной.

Справедливы ли роли?

Часто женщины, по шею обремененные домашними обязанностями, по шестнадцать часов в день занятые рутиной домашних дел, ставят под вопрос концепцию различия ролей в семье. Они считают, что такое разделение ролей несправедливо, потому что женщинам приходится работать больше и дольше, чем мужчинам. Поэтому, говорят они, мужчины не имеют права приходить домой и отдыхать, в то время как жена продолжает трудиться. Они считают, что мужчины должны помогать им по дому и особенно в деле воспитания детей.

На первый взгляд такое заявление кажется действительно справедливым. Но есть и другая точка зрения по этому вопросу: женская роль, какой бы трудной она ни была, актуальна только в течение примерно двадцати лет. Даже если семья большая, женщина основное бремя забот несет на себе лет двадцать.

Затем ее жизнь преображается. Она обретает свободу и, как правило, много свободного времени. Но мужская ответственность по обеспечению семьи средствами к существованию длится всю жизнь. Даже если ему повезет и он вовремя уйдет на пенсию, он никогда до конца не снимает с себя ответственность за обеспечение достатка в семье. Если вы примете эту точку зрения, разделение труда для мужчин и женщин покажется вам вполне справедливым.

Я предлагаю вам помнить про этот период в двадцать лет. Выполняйте свою работу с радостью и готовностью и не требуйте от мужа слишком многого. Не жалуйтесь, если он вам не помогает, сохраните счастливым свой брак и культивируйте романтические взаимоотношения между вами. В таком случае впереди вас ожидают золотые годы, как это случилось в следующих рассказах.

Большое чудо

Мы с мужем всерьез задумались о разводе в тот период, когда я взялась читать «Очарование женственности». Мы даже старались видеться реже, чтобы не возникло желание вновь поссориться. Мы оба были в жалком состоянии. Нам нужно было подумать также о детях, родителях, его бизнесе и совместно построенном доме, но мы оба дошли до такого состояния, что жить вместе не могли ни при каких условиях.

Тогда я стала практиковать то, что узнавала из книги. Когда начиналась ссора, я бежала в спальню, где хранилась книга, находила в ней какой-нибудь совет, соответствующий нашей конкретной ситуации, затем выходила к нему спокойной и рассудительной. Уже через несколько дней произошли заметные изменения. Мой муж стал смотреть на меня сначала с удивлением, затем с любопытством, а потом и с глубоким почтением. А потом и с любовью. Когда он увидел изменение моего отношения к нему, он тоже стал меняться.

Именно тогда произошло большое чудо, совершенное маленькими усилиями и за такое короткое время. Мы оба испытываем благодарность за мир и гармонию в семье. До сих пор вокруг нас царит мир, а со времени первого прочтения книги прошло почти полтора года. Нам по-прежнему не все нравится друг в друге, но мы научились терпимости и терпению.

Это был год прекрасных перемен для всей семьи за все одиннадцать лет нашего супружества. Мой муж не только стал лучше как муж, но теперь это лучший отец. Наконец у нашего дома появилась твердая опора, на которой можно построить жизнь. Жизнь, о которой мы всегда мечтали. Вот почему я теперь всегда и всем рассказываю об «Очаровании женственности» и дарю эту книгу друзьям, надеясь, что они обретут в ней такое же сокровище, какое нашла я.

Я решила никогда не выходить замуж

Я выросла в семье, где родители не были счастливы в браке. Мама с папой постоянно ругались и ссорились. Очень часто я плакала по ночам, молясь о том, чтобы родители прекратили ссоры и стали бы любить друг друга. В результате несчастливого брака родителей я решила никогда не выходить замуж. Я понимала, что у меня нет знаний, необходимых для создания счастливой семьи. Я также не хотела, чтобы на свет появились дети, живущие в условиях постоянной войны между родителями.

Примерно два года назад я изменила решение относительно своего замужества и мужских и женских ролей в браке. Многие годы я делала все возможное, чтобы отпугнуть от себя ухаживавших за мной молодых людей, но теперь я стала выбирать. Я перестала соперничать с мужчинами и стала более женственной. Я даже изменила специализацию в колледже, выбрав то, что в большей степени соответствовало мне как девушке. Я стала более счастливой, чем раньше. Я полюбила жизнь.

Но что заставило меня так сильно измениться? Моя удивительно проницательная соседка по комнате в общежитии поняла, что с моим отношением к жизни не все в порядке, и дала почитать книгу «Очарование женственности». Мне еще многое нужно усвоить из этой книги, и есть вещи, которые я постоянно забываю, но последний год стал для меня особенно счастливым.

Вот уже почти год, как я замужем за самым чудесным мужчиной на свете. Я не понимаю, как я раньше могла подумать, что мой брак может быть несчастливым. Спасибо Вам от всего сердца. «Очарование женственности» подарило мне самое главное сокровище — моего мужа.

Что касается моих родителей, «Очарование женственности» помогает и им стать более счастливыми в их брачном союзе. Мама прочитала книгу и очень старается исправить взаимоотношения с отцом. Вчера вечером папа купил ей новую кухонную плиту, поскольку она накануне вскользь упомянула, что хотела бы иметь ее. Изменения, происходящие в семье родителей, меня просто поражают. Пусть Бог благословит Вас, и пусть «Очарование женственности» попадет в руки каждой женщины в мире.

Угасающее пламя вновь разгорелось

Мы выглядели образцовой парой со стороны, но на самом деле нас жгло ощущение опустошенности и обиды. Мы не были очень счастливы, но и несчастливыми назвать нас было нельзя. Я уже отказалась от прежней мечты о романтической любви в браке. Однако время от времени я молилась о том, чтобы в застывших и бесцветных отношениях наступили какие-то перемены.

Вскоре после этого одна подруга рассказала мне о книге «Очарование женственности». Я купила эту книгу, и с тех пор постоянно с энтузиазмом рассказываю о ней другим людям. Теперь мой брак не узнать, и мне очень редко приходится вести себя с детской непосредственностью, потому что в наших взаимоотношениях почти не бывает конфликтных моментов. Мой муж относится ко мне с большой нежностью, какой я не видела никогда прежде.

Моя подруга, уже решившая развестись с мужем, взяла почитать мою книгу. Ее муж дал ей один месяц на то, чтобы она продала дом, после чего он должен был уйти. После тринадцати лет совместной жизни он заявил, что больше ее не любит. Она чувствовала себя виноватой, считая, что совершила много серьезных ошибок. Она признавала эти ошибки и готова была серьезно поработать, чтобы спасти брак. Теперь прошло уже несколько месяцев, и хотя не все ее проблемы успешно разрешились, но дела обстоят совсем не так плохо. Я знаю много других случаев в нашем городе, когда советы из книги «Очарование женственности» дали прекрасные результаты. Мы все очень благодарны Вам за это!

Задание

Прочитайте мужу отрывки из Писания, в которых определяются мужские и женские роли в семье (Бытие 3:16, 19). Обсудите вместе с ним следующее: мужские и женские роли различны *по функциям*, но равны *по значимости*. Они *дополняют* друг друга (замок и ключ). В них находит свое выражение *разделение труда*.

Глава 8

Лидер

*Мужчина должен исполнять мужскую роль, чувствовать,
что он вам нужен, и превосходить вас в исполнении своей
роли как глава семьи, или лидер.*

Отец есть глава, президент и предстоятель своей семьи. Он
был назначен Богом на эту позицию, как ясно повествует
Писание. Первая заповедь, данная человечеству, была предназначена женщине: «К мужу твоему влечение твое, и он будет господствовать над тобою». Совершенно очевидно, что наш Создатель решил, что для женщины очень важно знать эту заповедь,
и потому адресовал эти инструкции именно ей.

Апостол Павел сравнивал главенство мужчины над женой с
главенством Христа над Церковью: «Потому что муж есть глава
жены, как и Христос глава Церкви. Но как Церковь повинуется
Христу, так и жены своим мужьям во всем». Петр также повелел
женам почитать мужей и повиноваться им. Он сказал: «Также и
вы, жены, повинуйтесь своим мужьям» (Бытие 3:16; Ефесянам
5:23–24, 33; Колоссянам 3:18; 1 Петра 3:1).

Существует также *логическая* причина, по которой именно
мужчина должен быть лидером. В любой организации для правильной, без сбоев работы должен быть руководитель. Это президент, капитан, управляющий, директор или босс. Таков закон
и порядок. Семья — это маленькая группа людей, и она тоже
нуждается в организации, чтобы предотвратить хаос и анархию.
Не важно, мала или велика семья. И даже если в ней всего два
члена, муж и жена, должен быть один лидер, чтобы в ней воцарился порядок.

Но почему руководить должен именно мужчина? Почему не женщина? Снова прибегая к логике, следует сказать, что мужчина по природе и темпераменту является прирожденным лидером, имеющим склонность принимать решения и стоять на своих убеждениях. Женщина, с другой стороны, склонна к колебаниям. Еще более твердым основанием для выдвижения мужчины на руководящую роль может послужить тот факт, что именно он зарабатывает на жизнь. Если он работает, чтобы обеспечить семью, ему в жизни понадобится юридическое обоснование для этого. Женщины и дети легче приспосабливаются к любым изменениям. Последнее слово по праву принадлежит кормильцу.

Сегодня делается все возможное, чтобы лишить семью главенства мужчины и провозгласить равноправие, при котором мужа и жена по взаимному согласию принимают решения. На первый взгляд это вполне разумная мысль, но в действительной жизни такой вариант невозможен и нереален. Очень немногие решения действительно можно принимать по взаимному согласию. Муж с женой, скорее всего, никогда не договорятся по определенным вопросам. Когда нужно принять решение, кто-то должен взять эту ответственность на себя.

Для достижения взаимного согласия нужно время. Но оно не всегда доступно. Некоторые решения в повседневной жизни приходится принимать очень быстро. Например, взять дочери зонт и отправиться в школу под проливным дождем или отцу отвезти ее в школу на машине. Когда отец сам принимает решение, все проблемы тут же разрешаются. И не важно, промочит дочь ноги или нет, ибо порядок в доме важнее. Но отец должен быть главой семьи не только по причине логичности такого положения. Все дело в исполнении Божьих заповедей, ибо они все даны со смыслом и ради определенной цели.

Права главы семьи, или лидера

1. *Установление семейных правил.* Когда семья правильно организована, в ней имеются определенные правила общего поведения и поведения за столом, правила уборки дома, траты денег, поведения в общественных местах и пользования семейной

машиной. Члены семьи могут принять участие в установлении правил. Разумный отец может созвать семейный совет, чтобы все члены семьи высказали свое мнение. Он может предоставить жене возможность определить правила ведения домашнего хозяйства, поскольку эта тема ей ближе. Но, будучи главой семьи, последнее слово он сохраняет за собой.

Семья — это не демократия, где все вопросы решаются большинством голосов. Семья — это теократия, где слово отца — закон, ибо так установил Бог. В доме главная власть принадлежит отцу, и никакая другая власть в семье не признается. Этот вопрос не подлежит обсуждению. Таков закон и порядок в Царстве Божьем.

Вы можете заявить об определенной власти над детьми, поскольку вы дали им жизнь и заботитесь о них изо дня в день. Вы можете решать вопросы воспитания и наказания детей, их обучения, религиозного вероисповедания и другие важные аспекты. Если вы начнете конфликтовать с мужем по этим вопросам, вы захотите сказать свое решительное слово. Однако вы не правы. Вы действительно должны исполнить священный материнский долг, но вы не можете быть руководителем или лидером в семье. *Ваш муж — это пастырь стада, и бразды правления семьей находятся в его руках.*

2. *Принятие решений.* Отец также имеет право принять *окончательное решение* по вопросам, которые имеют отношение к его личной жизни, работе и семье. Обычно в семье каждый день нужно принимать самые различные решения. Одни из них несущественны, например, взять ли собаку с собой на пикник или оставить дома. Но независимо от простоты проблем решения по ним все равно нужно принимать, и иногда это нужно делать очень быстро. Последнее слово остается за отцом.

Отцу приходится также принимать очень важные решения относительно вложения денег, перемены места работы или переезда в другое место. Такие решения могут потребовать жесткой финансовой экономии или других изменений в жизни. Если муж разумен, он сначала обговорит все эти вопросы с женой, чтобы выслушать ее мнение и привлечь ее на свою сторону.

Интересно отметить, что в библейском рассказе об Иакове, который много лет работал на своего тестя, есть такие слова: «И сказал Господь Иакову: возвратись в землю отцов твоих и на родину твою; и Я буду с тобою». Тем не менее, получив это повеление от Господа, Иаков вызвал Рахиль и Лию в поле и поговорил с ними, чтобы обеспечить себе их поддержку. После того как он объяснил свою ситуацию, Рахиль и Лия сказали ему: «Итак, делай все, что Бог сказал тебе». Теперь у него была их поддержка. Именно это нужно было Иакову, чтобы он со спокойной душой сделал все, что было задумано (Бытие 31). Прочитайте этот отрывок своему мужу. Может быть, ему захочется чаще советоваться с вами по важным вопросам.

Иногда муж ищет поддержки жены, однако не объясняет, в чем дело. Он может подумать, что у нее нет достаточных знаний по данному предмету и она просто ничего не поймет. Или он не может объяснить причины и обосновать свои планы. Может быть, он ведом интуицией. В таком случае не пытайте мужа. Скорее всего, его чувства, а не разум, поведут его в правильном направлении.

В браке муж и жена — это не пара лошадей, которые тянут одну упряжку. Они, скорее, как лук и тетива, как сказал Лонгфелло в своей поэме «Гайавата»:

> *Муж с женой подобен луку,*
> *Луку с крепкой тетивою;*
> *Хоть она его сгибает, но ему сама послушна;*
> *Хоть она его и тянет, но сама с ним неразлучна;*
> *Порознь оба бесполезны.*
> (Перевод И. Бунина)

Роль жены в руководстве семьей

И хотя ваш муж — несомненный глава семьи, вы в руководстве семьей тоже играете очень важную роль. Вы подчиняетесь мужу, поддерживаете его, а иногда играете активную роль, в которой ясно и даже ярко можете выразить себя. Мужу нужна ваша поддержка, и ваши мысли часто ценны для него, если вы правильно их высказываете. На его плечи возложено тяжелое бремя ответственности. Ему нужно руководить семьей, принимать решения, иногда исключительно важные. Всю ответственность за принятые решения понесет только он независимо от последствий. Ваше понимание, поддержка и мысли для него очень важны.

Мумтаз-Махал, женщина, в честь которой был построен Тадж-Махал, играла важную роль в жизни своего мужа и оказывала сильное влияние на руководство страной. Дочь главного министра, она получила хорошее образование, была очень умной и имела достойный характер. Султан Шах-Джахан советовался с ней по многим вопросам, включая чисто специфические темы, относящиеся к управлению страной. Нет сомнений, что она умела очень тонко повлиять на своего мужа, но делала она это так искусно, что муж не чувствовал с ее стороны ни малейший угрозы для себя как правителя Индии. Мир, в основном, не знает о ее огромном вкладе в развитие этой страны. Этому женскому искусству мы учим в данной главе. Первый шаг в достижении этого искусства состоит *в исключении ошибок*. Посмотрите, что в следующем списке относится конкретно к вам:

Совершаете ли вы подобные ошибки?

1. *Руководство.* Держите ли вы в своих руках бразды правления семьей и стараетесь ли все сделать по-своему? Составляете ли важные планы и принимаете ли решения, полагая, что ваш муж должен согласиться с ними? Советуетесь ли вы с ним по семейным вопросам, но так, что всегда последнее слово остается за вами? Зачем вы это делаете? Может быть, вы просто не умеете вести себя иначе или не доверяете суждению мужа, или думаете, что вы справитесь с этими проблемами лучше, чем он?

Противится ли он вашему главенству? Сталкиваетесь ли вы лбами? Может быть, вам трудно подчиниться власти мужа? Или вы считаете, что цель оправдывает средства, и главное — чтобы дело было сделано, пусть даже в ущерб уважению к мужу?

2. *Нажим.* Может быть, вы настаиваете на своем или даже ворчите и раздражаетесь? Может быть, его сопротивление приводит к частым ссорам и спорам? Или он ради сохранения мира

идет на уступки? В таком случае вы добиваетесь своего путем нажима. Скоро ваши дети тоже начнут применять этот метод.

3. *Придирки.* Может быть, вы придираетесь и критикуете планы и решения вашего мужа, потому что боитесь, что он совершит ошибку? Или вы не доверяете его суждению, пристально наблюдаете за ним, чтобы тут же выразить свое одобрение или неодобрение? Не задаете ли вы ему провокационные вопросы с ноткой страха в голосе? Такое поведение выражает ваше недоверие к нему, и у него создается впечатление, что вы не верите в его способность руководить семьей. Женщина должна *не разрушать*, а *созидать* в муже чувство уверенности.

4. *Советы.* Женщина совершает серьезную ошибку, когда дает мужу слишком много советов, слишком много предложений, когда говорит ему, что делать и как делать. Когда муж начинает излагать перед вами проблему, с которой столкнулся, выслушайте его точку зрения и не торопитесь дать совет. Или же подумайте, не торопясь, что можно предпринять в данном случае, а затем вместе обсудите линию поведения. Иначе вы и здесь проявите отсутствие доверия к нему, и у него создастся впечатление, что вы знаете ответы на все вопросы, а значит, вовсе не нуждаетесь в нем и вполне можете справиться в этой жизни без него.

5. *Непослушание.* Повинуетесь ли вы мужу только тогда, когда соглашаетесь с ним, а в случае несогласия поступаете по-своему? Если вы в чем-то уверены, но он не одобряет ваше решение, стоите ли вы на своем? Очень легко повиноваться мужу, когда вы с ним соглашаетесь. Настоящие испытания наступают тогда, когда вы не согласны с ним, но решаете подчиниться. Как поступить в такой ситуации, будет сказано несколько позже.

Как стать послушной

1. *Уважайте его статус.* Уважайте его положение главы семьи и научите своих детей относиться к нему с почтением. Верьте в Божьи принципы, согласно которым Бог поставил его во главе семьи и повелел вам повиноваться ему, как об этом сказано в Библии. Если вам это кажется не совсем справедливым, помните, что Богу виднее, как организовать нашу жизнь.

2. *Выпустите из рук бразды правления.* Не пытайтесь главенствовать в семье. Отдайте мужу руководство делами семьи. Пусть он руководит, а вы просто повинуйтесь ему. Вы удивитесь тому, как хорошо он справляется с проблемами без вас. Тогда вырастет ваша вера в него и его уверенность в себе. После того как вы предоставите ему возможность руководить, он сам наделит вас полномочиями в определенных областях. Этот вопрос вы обсудите вместе.

3. *Доверьтесь ему, как ребенок.* Не беспокойтесь о последствиях принимаемых им решений. Пусть он сам беспокоится об этом. Доверьтесь ему, как ребенок. Такое доверие отличается от нашего доверия Богу, ибо Бог не совершает ошибок, а люди совершают. Дайте ему право на ошибки, доверяйте его мотивам и его суждению. Тогда вы поможете ему расти, ибо только детская доверчивость может помочь мужчине развить в себе чувство ответственности.

Иногда решения вашего мужа будут нелогичными. Его планы могут показаться вам бессмысленными, а суждения — неразумными. Может быть, это и не так, но такой вариант не исключается. Возможно, он действует по вдохновению. Пути Господни тоже не всегда кажутся логичными. Не ждите, что каждое решение, принятое вашим мужем, будет вам приятно или принесет плоды, которых вы ожидаете. Бог проведет его через проблемы ради достижения определенных мудрых, но неизвестных нам целей. Нам всем предстоит пройти через очищающий огонь, и Бог непостижимым образом делает это. Когда ваш муж действует по вдохновению, вам нужно преданно следовать за ним, и тогда, оглянувшись назад, вы увидите руку Всемогущего в своей жизни и будете благодарны за исход дела.

Могут наступить пугающие времена, когда вы захотите довериться мужу, захотите увидеть, что он действует по вдохновению, но не сможете. Вы обнаружите в основе его решений тщеславие, гордыню и эгоизм и убедитесь, что он идет к катастрофе. Если он не захочет слушать вас, что делать? Ответ следующий: если вы больше не можете доверять мужу, вы всегда можете довериться Богу. Он поставил его во главе семьи, а вам повелел повиноваться ему. Вы имеете полное право просить Бога о помощи. *Если вы будете повиноваться мужу и попросите небесного Отца руководить им, все изменится к лучшему самым непостижимым образом.*

4. *Умейте приспосабливаться.* Не будьте упрямы и не настаивайте на своем. Приспосабливайтесь к изменяющимся обстоятельствам. Повинуйтесь мужу и следуйте за ним туда, куда он ведет, приспосабливайтесь к условиям, которые он обеспечивает для вас. Каждая идеальная жена, способная сделать мужа счастливым, обладает этим качеством. Это редкое качество, и оно тем более ценится мужчинами. Чтобы быть гибкой и податливой, нужно быть бескорыстной, больше думать о нем, чем о себе, и ставить свой брак на первое место, выше всего остального. *И когда вы пускаете свой хлеб по водам, он в свое время вернется к вам с маслом.* Короче, следуйте вот какому правилу:

Чтобы быть гибкой, нельзя иметь *предвзятое, жесткое мнение* относительно того, чего вы хотите от жизни, где и в каком доме вы хотите жить, какого экономического уровня или образа жизни вы хотели достичь и какие планы строите относительно детей. Вполне приемлемо иметь заранее предрешенные вопросы, но нельзя их считать неизменными. Ваше жесткое мнение может вступить в конфликт с мнением мужа, его планами, которые он вынашивает, чтобы преуспеть в исполнении мужской роли.

В молодости у меня были неизменные, жесткие понятия. После замужества я хотела непременно жить в белом двухэтажном доме, построенном на одном акре земли с высокими шелестящими деревьями на заднем дворе, и чтобы подвал был забит бочками с яблоками. Дом должен был стоять на окраине города с населением примерно в двадцать тысяч человек. Зимой я хотела видеть снег, а летом — зеленые поля. Однако со временем я обнаружила, что эта мечта во многом мне мешала, и мне трудно было приспособиться к обстоятельствам своей реальной жизни. Когда я отказалась от этих жестких установок, мне стало намного легче, как и мужу со мной.

Чтобы быть гибкой, *сделайте свои мечты транспортабельными* и носите их всегда с собой. Примите решение быть счастливой независимо от обстоятельств — на вершине горы или в пылающей жаром пустыне, в нищете и в изобилии. Если вы сосредоточитесь на успехе в своем доме, очень легко сделать мечты транспортабельными.

5. *Будьте послушной.* Слушайтесь советов и назиданий мужа, и вы сослужите себе добрую службу. Очень важно *качество* послушания. Если вы повинуетесь, но в то же время с неохотой делаете свои дела и жалуетесь, вы далеко не уйдете. Но если вы повинуетесь с готовностью, с духом радостного послушания, Бог благословит вас и ваш дом и даст вам гармонию во взаимоотношениях с мужем. Ваш муж по достоинству оценит ваше поведение и смягчится, видя ваш податливый дух.

Жена, отказывающаяся повиноваться советам или повелениям мужа, вносит серьезную дисгармонию в свой брак. Более того, так вести себя нельзя. Поскольку Бог поставил мужа главой, мятежное поведение жены — это грех. Поэтому когда жена противится мужу, она утрачивает Божий Дух. Тема послушания более полно будет раскрыта в этой главе несколько позже.

6. *Будьте в глазах детей единым фронтом с мужем.* Даже если вы с мужем не достигли взаимного согласия, для детей будьте единым фронтом. Никогда не восстанавливайте детей против отца, надеясь таким образом вызвать к себе их расположение. Это вызовет у мужа гнев, и он может повести себя жестко по отношению к ним. Он не захочет уступить детям, если вы будете ходатайствовать за них. Но если вы вместе с мужем будете заодно, он станет намного уступчивее, как ясно видно из следующего примера.

Дотти

Дотти хотела поступить в один колледж, но отец не разрешил. Мама была на стороне Дотти. Они настаивали и уговаривали отца, но он был непреклонным. Дотти пришла ко мне за советом. Я объяснила ей вышеизложенный принцип и посоветовала матери встать на сторону отца. Затем Дотти нужно было сказать отцу приблизительно следующее: «Я уважаю твою позицию главы семьи и сделаю все, что ты велишь, но мне так хочется учиться в этом колледже». Она последовала моему совету буква в букву. Мама перестала ворчать на мужа и встала на его сторону независимо от его окончательного решения. Дотти сказала все, что я ей велела, и каковы результаты? Когда он почувствовал их поддержку, он разрешил ей поступить в выбранный ею колледж. Вот так просто.

7. *Поддерживайте его планы и решения.* Иногда вашему мужу нужно не только ваше подчинение, но и поддержка. Может быть, ему нужно принять решение, за которое он не хочет нести всю ответственность. Он может захотеть, чтобы вы помогли ему в этом. В таком случае вам нужно будет вникнуть в его планы, чтобы убедиться, что вы готовы их поддержать. Если можете, окажите ему необходимую поддержку. Если не можете, объясните свою позицию так, как предлагается в следующем пункте. Он будет благодарен вам за то, что вы выразили свое мнение. Если он будет настаивать на своем, все равно можете выразить свою поддержку, даже если вы с ним не согласны. Можно поддержать не его планы, но его право принимать решения. Можете сказать приблизительно следующее: «Я не согласна с твоим решением, но если ты уверен в своей правоте, делай, как считаешь нужным, я поддерживаю тебя». Немного позже в этой же главе мы поговорим на эту тему подробнее.

8. *Объясните свою позицию.* Пока я перечисляла качества, свойственные послушной жене. Нужно уважать его статус, отпустить бразды правления, доверять ему, быть гибкой, послушной, с готовностью поддерживать его, даже если вы не соглашаетесь с его мнением. Однако бывают моменты, когда нужно *выразить свою позицию*. Ваше понимание обсуждаемой темы может оказаться для мужа ценным, как и ваше мнение. И не важно, просит он вас высказать ваше мнение или нет, честно — и в случае необходимости настойчиво — выскажитесь по этому поводу. Не нужно настаивать на своей позиции, но высказать ее вы должны. В подобных разговорах следует придерживаться следующих правил.

Во-первых, прежде все обдумайте сами. Вы должны быть уверены в своей позиции. Если вы хотите о чем-то просить или предложить, задайте себе вопрос, не руководствуетесь ли вы корыстными побуждениями, честно ли это, не проявление ли это эгоизма, или, может быть, вы просто хотите навязать мужу свое мнение. В случае несогласия с планами мужа попытайтесь понять, почему это происходит. Может быть, вы чего-то боитесь, или и здесь можно говорить о проявлении эгоизма с вашей стороны? Если вы поразмышляете о собственной мотивации, обсуждаемая идея станет для вас более четкой. Или же вы станете еще более уверенной в своей позиции. Многие женщины упускают этот важный момент размышления над собственными идеями, полагая, что этим должен заниматься муж. Он же, в свою очередь, может быть просто не расположен обдумывать ваши идеи. Тогда он заупрямится или категорически откажется от ваших предложений. Если вы уверены в разумности своих доводов, тогда обязательно нужно высказаться и перейти к следующему шагу.

Далее, нужно об этом молиться. Благодаря молитве все для вас станет намного яснее. Вы либо укрепитесь в своих убеждениях, либо увидите в них серьезные недочеты. Если в своих рассуждениях вы увидите ошибки, откажитесь от самой идеи и больше о ней не думайте. Если вы не уверены, продолжайте молиться и размышлять на эту тему. Если на молитву вы получите положительный ответ, переходите к следующему шагу.

Подойдите к мужу с уверенностью. Не тушуйтесь. Будьте непоколебимы. Говорите ясно и, если потребуется, твердо. Скажите ему, что вы все обдумали и молились по этому поводу. Теперь вы просите его тоже подумать и помолиться об этом. После этого доверьтесь Богу. При объяснении своей позиции выполняйте рекомендации относительно того, как женщинам нужно приступать к мужьям с советами.

Совет жены

Мужчина хочет видеть жену рядом не только для поддержки, но и для совета. Султан Шах-Джахан обращался к своей жене Мумтаз-Махал за советом, а Дэвид Копперфилд многое поверял Агнес. После женитьбы на Доре ему не с кем было посоветоваться. «Иногда мне хотелось, — признавался он, — чтобы моя жена была мне советчиком с характером сильным и решительным и обладала способностью заполнить пустоту, которая, казалось мне, возникала вокруг меня». Все хорошие жены являются для своих мужей советчицами, наставницами и лучшими друзьями.

Женщины обладают особым, уникальным женским даром *проницательности* и *интуиции,* которые помогают им дать мужу здравый совет. Только жена, как никто другой, умеет видеть в перспективе жизнь мужа. Вы ближе к нему как никто другой, но не так близки к его проблемам, как он сам. Он стоит к ним слишком близко, а потому его понимание собственных проблем может быть искаженным. Вы видите их намного лучше. Вы стоите всего на шаг или полшага дальше от центра его жизни. Вы смотрите шире, и ваше видение яснее. Вы беспокоитесь о нем больше, чем кто-либо другой на всем белом свете, и готовы принести ради него любую жертву. И хотя вы можете знать меньше, чем другие люди, ваш совет может оказаться более надежным, чем советы других людей.

Вот какие требования предъявляются к хорошим советчикам: прежде всего, прекратите раздавать *советы* или *предложения* как *ежедневную* пищу. Это может утомить каждого. Он просто перестанет вас слышать. Сберегите свои советы на случай, когда он попросит вас высказаться или когда наступит очень ответственный момент. Если ваши советы будут редкими, он будет прислушиваться к ним с большей охотой.

Далее, прекратите все видеть в негативном свете. Отбросьте сомнения, страхи и тревоги, иначе ваш совет может причинить только вред. Хорошие советчики — это люди, всегда мыслящие позитивно. Они осторожны, но не допускают никаких негативных мыслей. Если вы заметили в себе склонность к мыслям в негативном русле, прочитайте хорошую книгу о силе позитивного мышления.

Затем хороший советчик всегда может посоветовать человеку нечто стоящее. Развивайте свой характер, приобретайте мудрость, углубляйте философию жизни. Расширяйте познания о жизни и о том, что происходит вокруг вас. Станьте бескорыстным человеком, который с готовностью делится с теми, кто находится рядом с ним. Если вы станете хорошим человеком, муж будет доверять вам и искать ваших советов. Но если вы человек ограниченный и сосредоточенный только на себе, вам нечего будет предложить ему. Женщина, не обладающая сокровищами внутри себя, не сможет быть хорошей советчицей. Делясь советом с мужем, соблюдайте следующие правила.

Как женщина должна давать совет мужчине

1. *Задавайте наводящие вопросы.* Самый утонченный способ дачи совета состоит в наводящих вопросах, например: «Ты раньше представлял себе разрешение таких вопросов этим способом?» или «Ты не подумал о такой возможности?..» Ключевым словом в таких вопросах является слово «ты». Муж может сказать: «Я уже думал об этом» или «Нет еще, но подумаю». В любом случае он воспримет эту мысль как собственную и обдумает ее, не чувствуя при этом никакой угрозы со стороны.

2. *Слушайте.* После наводящих вопросов выслушайте его. Время от времени проявляйте знаки внимания к его словам, чтобы он продолжал говорить, и затем опять внимательно слушайте. Во время всего разговора больше слушайте и поменьше говорите. Хорошие советчики отлично осознают, как важно внимательно выслушать человека, прежде чем дать ему совет. Лучше приберечь совет к концу разговора. Иногда умная женщина вообще ничего не советует. Она подведет мужа к тому, что он сам ответит на все свои вопросы.

3. *Поделитесь своим пониманием.* Когда вы будете делиться своей точкой зрения, скажите: «Мне кажется…», «я чувствую…», или «насколько я понимаю…», ибо таким образом вы покажете свое восприятие данной ситуации. Он не станет спорить с вашими чувствами или восприятием. Не говорите такие фразы, как «Я думаю» или «я знаю». Он может воспротивиться тому, что вы *думаете* или *знаете.*

4. *Не стремитесь доказать, что вы знаете больше него.* Не стремитесь показать, что вы мудры, все знаете или превосходите

мужа своим интеллектом. Не пытайтесь проявить себя экспертом в его области и не надейтесь, что он оценит ваш незаурядный ум. Не задавайте слишком много наводящих вопросов и не слишком часто используйте слово «почему». *Если он совершил ошибку, а вы все это время знали, что нужно было делать для ее избежания, поражаясь тому, что он этого не знает,* ваше самодовольство его только возмутит.

5. *Не играйте роль матери.* Присущая вам материнская природа и милостивое отношение могут заставить вас почувствовать себя в роли его матери. Не смотрите на него, как на маленького мальчика, за которым нужен глаз да глаз. Его не нужно защищать от невзгод и ответственности, о нем не нужно беспокоиться, как беспокоятся о ребенке.

6. *Не разговаривайте с ним, как мужчина с мужчиной.* Не говорите жестко, как это принято у мужчин, то есть не ставьте себя на один уровень с ним. Не говорите, например, такого: «Давай примем какое-нибудь решение» или «Почему бы нам еще раз не просмотреть этот вариант», или «Думаю, я поняла, в чем наша проблема». Предоставьте ему возможность занимать доминирующее положение, чтобы он видел, что в нем как в лидере нуждаются и ценят в этом качестве.

7. *Не ведите себя так, будто вы смелее, чем он.* Если вы даете мужчине совет по вопросу, который вызывает в нем страх, не совершайте ошибку, а именно не демонстрируйте больше смелости, чем он. Предположим, он хочет начать новый бизнес, сменить работу, попросить у начальства повышения заработной платы или попытаться внедрить новую идею. Он нервничает и страшится последствий своего шага, поскольку его затея может потерпеть провал.

Если вы смело скажете: «Чего ты колеблешься?» или «Тебе нечего бояться», вы проявите тем самым больше мужской смелости, чем он. Вместо этого скажите: «Эта идея мне кажется удачной, но мне немного страшно. Ты уверен, что действительно хочешь сделать это?» Такая кротость может склонить его к проявлению мужской смелости, и тогда он скажет: «Все не так страшно. Думаю, я справлюсь». Когда мужчина видит в женщине боязливость, в нем пробуждается естественная для него мужская смелость.

8. *Не высказывайте непреклонного мнения.* Когда вы даете мужу совет, не высказывайте непреклонного мнения. Такого рода точка зрения вызовет оппозицию и приведет к спорам, а вы потеряете свою женственность и будете выглядеть, словно пытаетесь заставить его принять ваш совет.

9. *Не настаивайте, чтобы он поступил по-вашему.* Пусть он выслушает ваш совет, но не оказывайте на него никакого давления. Предоставьте ему свободу выбора. Пусть лучше мужчина сделает все по-своему и ошибется, чем оказать на него давление и причинить вред вашим взаимоотношениям.

Послушание

Теперь давайте более подробно рассмотрим одно из самых важных требований для успешного лидерства вашего мужа. Речь пойдет о вашем послушании ему. Первый закон Небес требует *послушания,* поэтому этот закон должен быть главным в каждом доме. Он является фундаментом всякого хорошо обустроенного дома, успешной семьи и благополучной жизни детей. Жена — ключ к успеху в этом вопросе. Когда она являет собой образец послушания своему мужу, дети обязательно последуют этому примеру. Это принесет не только сиюминутную пользу, но и окажет далеко идущие последствия во всей жизни семьи.

С другой стороны, когда жена отказывается повиноваться своему мужу, она показывает собственным детям образец мятежного духа, которому ее дети тоже последуют. Они сделают вывод, что они не обязаны никого слушаться, если им самим этого не хочется. Они решат, что всегда есть какие-то обходные пути. Когда такие дети выходят в мир, им трудно повиноваться закону, высшей власти, преподавателям в школе или институте или начальству на работе. Проблема мятежной молодежи берет свое начало дома, где мама не желала повиноваться мужу или не проявляла уважения к его власти.

Английский сатирик Норткоут Паркинсон исследовал причины студенческой революции 1970-х годов, которая произошла в Америке, и во всем обвинил женщин. Он заявил лос-анджелесской аудитории, что проблема американских колледжей берет свое начало в неуважении к власти, которая зародилась еще дома: «Общее движение, как я думаю, начинается с женской революции. Женщины потребовали право голоса и равных с мужчинами прав, перестали подчиняться контролю со стороны мужей. В результате, они потеряли контроль над собственными детьми». Мистер Паркинсон сказал, что в его детстве в викторианскую эпоху «слово отца было законом, и самой большой угрозой матери было ее обещание „все рассказать отцу“. Сегодня мать не может сказать детям подобное, потому что сама отказалась подчиниться власти мужа в семье».

С другой стороны, женщины, неукоснительно подчиняющиеся своим мужьям, демонстрируют почтение и уважение к их статусу в семье, показывают пример послушания своим детям, и они следуют такому примеру. Несколько лет назад я поехала в гости к дочери, и в это же время к ним зашел погостить мой сын, который учился в университете неподалеку. Они разговаривали, а я слушала. Вдруг в их разговоре мое внимание привлекла одна фраза.

Пол сказал Кристине: «Когда мы были детьми, мне и в голову не приходило ослушаться отца, а тебе, Кристина?» Дочь ответила категорически: «Нет, никогда я даже и мысли не допускала ослушаться отца!» Я прервала их разговор вопросом: «Почему вы не могли ослушаться отца?» Они ответили сразу: «Ты была ключом к нашему послушанию, мама, потому что ты всегда слушалась папу, даже если это было очень трудно!»

В то же мгновение мне на память пришел один случай, который произошел за несколько лет до того. Мы в течение нескольких лет планировали путешествие к озерам Флориды. Дети отмечали числа на календаре, желая приблизить дату отъезда в этот отдаленный штат. Когда время подошло, мы купили новый микроавтобус, и с радостью отправились в долгожданный путь.

Когда мы прибыли в южную Флориду, мы купили жареных цыплят и сели под индийской смоковницей, а наши дочери играли на гитарах. Муж отошел на несколько минут, чтобы позвонить сыну, который в то время служил в Швеции миссионером. У него начались проблемы со здоровьем, и нас это немного беспокоило. Когда муж вернулся, у него на лице было странное выражение. «Нам нужно вернуться в Калифорнию, — сказал он. — Сын заболел, и его отсылают домой».

На тот момент я не приняла всерьез его слова, потому что я оптимистка. Я поговорила с мужем, советуя ему пригласить сына к нам во Флориду. Я полагала, что ему это пойдет на пользу. Мне казалось, что я его убедила, после чего мы все забрались в машину и направились к озерам. Посреди ночи я проснулась от того, что мы ехали на север, направляясь в Калифорнию.

В течение долгого времени в присутствии детей я пыталась уговорить его вернуться во Флориду. Я была уверена, что все делаю правильно. Я знала, что в возвращении не было никакой необходимости и что дети будут сильно разочарованы. Помню, насколько сильным было искушение взять и просто *выйти из машины*. Но я этого не сделала. Я осознавала границы дозволенного и, наконец, отступила. Дети молча наблюдали за мной и запомнили этот эпизод на всю жизнь. Они понимали, как это было трудно для меня.

Теперь я увидела ту сцену еще яснее. Я думала, что они сильно пострадают от разочарования и прерванное путешествие оставит в их душе шрамы на всю жизнь. Но представьте себе намного больший вред, который я могла причинить детям своим примером мятежного поведения. Я напомнила тот случай Полу и Кристине и спросила, были ли они разочарованы прерванным путешествием. «Нет, — сказали они, — мы поняли, что должны пожертвовать своими желаниями ради благополучия одного из нас». Наш сын выздоровел, и все закончилось благополучно, но он тогда был на волосок от гибели. Я действительно могла допустить серьезную ошибку.

Проблемы в руководстве семьей

1. *Когда жена боится провала мужа*. Жены во всем мире всегда с опаской смотрят на планы или решения мужей, потому что боятся стать свидетелями их неудач. Женщинам приходится

рассчитывать либо на успех, либо на неудачу. Ни один человек ни разу не достиг успеха, не решившись пойти на риск. Невозможно добраться до вершины горы, образно говоря, не пойдя на риск. Собственно, история успехов соткана из многих неудач. Возьмем, к примеру, историю успеха Авраама Линкольна.

Когда он был молодым человеком, он участвовал в выборах в законодательные органы штата Иллинойс и потерпел поражение. После этого он взялся за бизнес и тоже потерпел неудачу, и в течение семнадцати лет отдавал долги своего незадачливого партнера. Занявшись политикой, он попал в Конгресс, но и там потерпел фиаско. Затем он попытался попасть в отдел землевладения в США, но успехов на этом поприще не добился. Он стал кандидатом в Сенат США и опять проиграл. В 1856 году он стал кандидатом на пост вице-президента, но и тут ему не повезло. В 1858 году он проиграл выборы в Дугласе. Тем не менее он все же достиг самого большого успеха в общественной жизни. Большую часть этого успеха можно приписать его жене Мэри Тодд, которая постоянно говорила: «Когда-нибудь он станет великим человеком».

Жена представляет собой ключ к успеху своего мужа. Если она беззаветно поддерживает его решения, какими бы они ни были, он сможет пережить допущенные ошибки и пойдет дальше. В противном случае она станет причиной того, что он проживет всю свою жизнь в тени. Мужчины, которые могли бы совершить великие дела в своей жизни, так и остались в тени только потому, что они не нашли поддержки своих жен на *рискованной* дороге к успеху.

2. *Когда жена бунтует.* Страх перед возможной ошибкой или неудачей может спровоцировать женщину на бунт. Христианский автор Орсон Пратт пишет по этому поводу следующее:

«Женщине никогда не следует ориентироваться на свое суждение в противовес мнению мужа, ибо, если ее муж планирует сделать что-то хорошее, но ошибается в своей оценке, Господь благословит ее готовность последовать совету мужа. Бог поставил его главой семьи, и хотя он действительно может ошибиться в своей оценке, Бог не станет оправдывать жену в случае, если она непослушна его указаниям и наставлениям. Грех непослушания намного серьезнее, чем ошибки, совершенные в поиске решения. По этой причине она будет осуждена за то, что противопоставила свою волю воле мужа… Будьте послушны, и Бог все обратит вам во благо: в Им назначенное время Он исправит все ошибки мужа… Жена же, отказываясь повиноваться совету мужа, потеряет Дух Божий».

3. *Когда муж теряется в сомнениях.* Бывает ли, что ваш муж колеблется, будучи не в состоянии прийти к определенному решению? Если он по природе слишком осторожен, смиритесь с этой чертой его характера и научитесь жить с этим. Однако он может быть движим страхом, что вы его не поймете. Обычно муж боится, что его решение повредит благосостоянию семьи. Например, человек хочет продолжить обучение, однако боится, что его учеба станет бременем для финансового положения семьи. В таком случае можно поддержать его в таком желании, сказав, что вы готовы пойти на связанные с этим жертвы.

Или другой вариант. Ваш муж может бояться, что его решение повлечет за собой сокращение финансового обеспечения или утрату престижа. Он с радостью взялся бы за осуществление своих планов, но ему недостает для этого смелости. Если вы увидите, что его страхи необоснованны, помогите ему обрести уверенность в себе и помогите принять нужное решение.

4. *Когда муж не хочет руководить.* Может быть, вы сами хотите, чтобы ваш муж взял на себя руководство семьей. Вы мечтаете о крепкой руке, на которую вы могли бы опереться, но ваш муж отступает с позиций лидера. В этом случае жена может расстроиться и взять на себя руководство семьей из чувства долга. Что сделать, чтобы у мужа возникло желание занять позицию главы семьи?

Во-первых, читайте отрывки из Писания, в которых о нем говорится как о лидере. Рассуждайте вместе с ним о том, что в семье должна быть одна голова. Именно мужчина наделен всеми необходимыми для этого качествами, а не женщина, к тому же вы не хотите быть главой семьи. Пусть он знает, что вы нуждаетесь в нем как в лидере, осознанно взявшем на себя эту ответственность. Предложите ему свою помощь и поддержку. После этого займитесь своими домашними делами и делайте их хорошо. Таким образом вы ясно проведете черту, разделяющую зоны ответственности между вами и вашим мужем.

5. *Когда он уводит детей в сторону.* Если ваш муж вносит разврат в семью, если он побуждает детей лгать, красть и вести аморальный образ жизни или делать другие нечестивые дела, вы имеете моральное право увести их из такого дома, прочь от этого дурного влияния. Если у вас детей нет, вы имеете точно такое же право уйти самой.

Однако если он просто слабый человек и по причине слабости только оступился и уже не придерживается тех же высоких моральных принципов, что и вы, если он пренебрегает духовными ценностями или иным образом проявляет слабую человеческую натуру, наберитесь терпения и постарайтесь сохранить свой брак.

Награда

В доме, которым руководит муж, всегда царит порядок. Там меньше споров и разногласий, но больше гармонии. Когда он берет руководство на себя, он растет в своей мужской ипостаси. У него развиваются такие черты, как твердость, решительность, уверенность в себе и чувство ответственности. Когда жена отходит от руководящей позиции, она становится более спокойной, меньше беспокоится и суетится, может посвятить себя домашним делам и преуспеть в этой области.

Дети, выросшие в семье, где слово отца — закон, питают уважение к власти, учителям в школе, лидерам в церкви и руководителям во всех сферах общества. В мире, где руководят мужчины, можно наблюдать меньше криминала и насилия, меньше разводов и случаев гомосексуализма. Браки в таком обществе счастливее, счастливее семьи, а значит, и сами люди. Если бы система патриархата могла осуществиться в более широком масштабе, мы бы жили в мире, основанном на законе и порядке. На примере следующих случаев, взятых из жизни, можно увидеть, какая награда ожидает тех, кто следует этим принципам и выполняет советы, данные в книге «Очарование женственности».

Моя жизнь стала иной

За несколько недель я поняла свою истинную роль жены, матери и чада Божьего, основанную на Писании. Мой дух воспротивился культуре, которая диктовала мне, что я должна отстаивать мои права и роли. Слава Богу! Теперь я свободна.

Мой первый брак закончился разводом. Со вторым мужем я живу вот уже тринадцать лет. В течение тринадцати лет я воевала за равные права с мужем. Я требовала, скандалила и, что хуже всего, унижала моего драгоценного мужа, настаивая, чтобы все было по-моему. Я никак не могла понять, почему он не относится ко мне с нежностью. В конце концов моя борьба за равные права утомила нас обоих, и мы оба перестали контролировать дом, в результате чего потребности и нужды обоих не находили удовлетворения.

Однажды у меня появилась возможность начать новые библейские уроки по четвергам, и на той же неделе началось изучение книги «Очарование женственности». После молитвы Бог мягко побудил меня начать посещать классы по «Очарованию женственности». В результате этого моя жизнь стала иной. Вот какие изменения произошли в ней:

1. На годовщину нашей свадьбы мой муж всегда дарил мне нелепые и даже глупые открытки. А мне всегда хотелось получить что-то сентиментальное. Я говорила ему об этом, но ничего не менялось… Но однажды я получила от него самую прекрасную открытку, которая пробудила во мне самые нежные чувства! Мы оба плакали, когда я читала ее.

2. Мой муж работает на правительство и круглые сутки должен находиться в состоянии готовности. Он редко возвращается домой раньше половины восьмого вечера. Я умоляла, кричала, плакала и устраивала сцены по этому поводу, но он никогда не приходил домой раньше. Но однажды в день годовщины нашей свадьбы он пришел домой на два часа раньше, и с тех пор уже несколько раз приходил домой раньше. Если он находится неподалеку от дома, то приходит домой на обед, чего не делал никогда прежде!

3. Прежде мы никогда не отдавали десятину, поскольку он был против этого, и мы были по уши в долгах. Мы решили, что обязательно начнем давать десятину, как только выберемся из долгов. Правильно? Нет! Когда мы получили возврат суммы с подоходного налога, я предложила дать десятину, поскольку мы благословлены финансами и здоровьем, но он отказался. Перед этим разговором я молилась и говорила Богу, что знаю его ответ заранее, а потому я молила Бога, чтобы Он помог мне сдержаться и не комментировать его отказ с тем, чтобы Сам Бог воздействовал на него (для меня это реальное чудо). Когда он отказался, я сказала: «Как ты решил, так и будет».

Несколько недель спустя женщина, которая владеет кафетерием в нашей общине, пришла в нашу церковь рассказать о том, какие чудеса Бог творит в ее бизнесе. Ее рассказ тронул нас за живое. Потом один наш друг рассказал о том, как Бог благословил его семью за верность в даянии десятины. Когда мы пришли из церкви, муж заявил, что мы дадим десятину из денег, которые нам возвратили с подоходного налога. Из этой десятины половину мы дали на кафетерий, а половину — церкви на развитие миссионерской деятельности. Представляете! Тогда Бог обещал мне, что через полгода мы освободимся от всех долгов, и Он держит Свое обещание!

Теперь наш брак соответствует замыслам Божьим. Бог открывает мне духовные уши, чтобы слышать Его слово, и посылает мне прекрасную женщину, автора «Очарования женственности», которая доносит до меня это Божье слово. Наконец-то я освободилась от непосильного бремени и ответственности, которую сама взвалила на свои плечи. В подчинении мужу я нахожу ощущение безопасности, комфорт и покой. Уже через несколько дней занятий по книге «Очарование женственности» мой муж комментировал мое поведение *каждый день*. Он спрашивал: «Что с тобой?», «Что происходит?», «Ты почему такая смирная?» или «Ты что-нибудь сегодня купила?» Наконец, в восторге от моей *новой природы*, он однажды развел руками и сказал: «Иди и купи себе, что хочешь. Купи все, что пожелаешь. Иди и покупай». Мы оба рассмеялись! Слава Тебе, Иисус!

Что такое небеса на земле

Мое письмо длинное, но каждое слово в нем исходит от сердца, преисполненного благодарности. Книга «Очарование женственности» стала для меня самой ценной книгой после Библии. Эта книга, как и моя Библия, изменила мою жизнь и продолжает приносить нам мир и гармонию по мере осуществления на практике принципов, которые я из нее почерпнула.

Я замужем восемнадцать лет. Семнадцать из них были штормовыми годами. Мы с мужем очень любили друг друга, но наш брак всегда был суматошным. Мы были либо счастливы, либо глубоко несчастны вместе. Мы спорили о каждой мелочи, и все заканчивалось тем, что мы говорили друг другу жестокие и обидные слова. Наша любовь переживала либо пиршество, либо голод, и со временем голодных периодов становилось все больше.

Мы оба — люди с сильной волей. Думаю, мы все время неосознанно мерялись силами, чтобы посмотреть, кто одержит верх, кто скажет последнее слово в споре и выиграет. Я по натуре живучая и не уступлю ни в чем, если считаю себя правой. Поэтому естественно, что я всегда стояла насмерть за свои идеи и принципы, чаяния и надежды. Может быть, я по глупости одержала много побед своим языком, но эту войну я почти проиграла, потому что утратила самое драгоценное — мир и гармонию в семье, а также любовь и уважение мужа и детей.

В результате я впала в сильную депрессию, практически разочаровавшись в самой жизни. Так где же небеса на земле, о которых я так много слышала? Почему в одних семьях супруги живут спокойно, а в других громыхают грозы? Я пришла в уныние и испытывала смертельную усталость. После того как я уже в сотый раз подумала о разводе с этим несносным человеком, я совершенно случайно наткнулась в христианском магазине на книгу «Очарование женственности». Я принесла ее домой и стала буквально глотать главу за главой. Она произвела на меня такое сильное впечатление своими благочестивыми принципами, которые даже я могла легко осуществлять на практике. В ней говорилось не только о том, *что делать,* но и главное — *как* это делать, а также как *правильно* выражать свои чувства. Кроме того, все советы в этой книге были эффективными и полезными.

Итак, эта книга буквально открыла мне глаза на мои проблемы! Я думала, что все делаю правильно, когда на самом деле я делала все с точностью до наоборот. Например, я никогда не хвалила мужа, потому что боялась, что он станет слишком самоуверенным. Я думала, что моим долгом было держать его в смирении. Я не могла принимать его таким, каким он является, потому что была уверена, что он может стать еще лучше.

В попытке изменить его я перепробовала все, начиная с открытой критики и ворчания и заканчивая ледяным молчанием. Конечно, он становился все хуже и хуже, и ссорились мы все чаще и чаще. Я так старалась изменить его, концентрируясь на его ошибках и недостатках, что даже перестала замечать все то доброе, что в нем было. Естественно, что я не могла позволить ему быть главой и лидером *без моей* помощи и руководства. А вдруг он совершит непоправимую ошибку?

После прочтения «Очарования женственности» я очень скоро поняла, как неправильно я себя вела и как много мне нужно молиться и трудиться с тем, чтобы измениться *самой.* Мне с трудом даются откровения, касающиеся сердца, но понемногу я все же стала осуществлять на практике эти принципы. Теперь, оглядываясь на прошедший год, я вижу реальные изменения в моем поведении и отношении к мужу. Я поняла, что только истинно смиренная женщина может быть по-настоящему женственной, и мне это дается нелегко. С моим экспансивным характером мне до сих пор бывает трудно выразить свой гнев по-детски, но я продолжаю работать над собой в этом направлении.

Однако мои усилия по осуществлению этих принципов окупились сторицей. Благодарю Бога и автора этой книги. Она открыла мне глаза, и я увидела истину о себе и наших взаимоотношениях в браке. Действуя по принципам данной книги, я сохранила свой брак и семью. Через четырнадцать лет семейной жизни я наконец узнала, что такое небеса на земле, и теперь я не хочу потерять этого блаженства.

Когда я сказала мужу, что принимаю и ценю его таким, какой он есть, и стала хвалить его мужские качества, он раскрылся, как прекрасная роза. Когда я сказала ему, как я благодарна ему за то, что он заботится о семье и обеспечивает нас всем необходимым, несмотря ни на что, он засиял, как весеннее солнце. Когда я сказала, что понимаю, что ему иногда приходится говорить мне твердое «нет», и что я уважаю его за его непреклонную позицию в принципиальных вопросах, он глубоко и с облегчением вздохнул, словно с его плеч свалился многотонный груз. Его взгляд красноречиво говорил: «Наконец-то она встала на мою сторону».

Мы, женщины, не понимаем, как сильно влияет на мужей наше поведение. Мы действительно обладаем силой созидать или уничтожать их, и о! насколько же лучше созидать наилучшее в мужьях своим пониманием и любовью, позволяя самим себе тоже становиться лучше.

Мой муж просто поражал меня глубокомысленными и щедрыми комментариями относительно моего изменившегося поведения. Он сказал: «Мне нравится, что происходит в нашем доме. Ты намного прекраснее и драгоценнее для меня теперь, чем восемнадцать лет назад. Я не женился бы ни на какой другой женщине». Это говорил человек, который некоторое время назад был так зол на меня, что готов был уйти из дома куда угодно.

Я не ожидала никаких подарков за свое поведение. У нас двое детей-подростков, дом и всего одна зарплата, поэтому деньги приходится тратить разумно. Однако мой муж начал проявлять свою благодарность не только на словах, но и в виде подарков. Он снова стал приглашать меня в рестораны или заказывал ужин на дом по вечерам, когда я чувствовала себя слишком усталой, чтобы готовить. Однажды он пришел домой с записью Моцарта, так как знает, что я люблю музыку этого композитора. Он купил очень дорогое кресло-качалку, чтобы мне было удобнее сидеть и смотреть телевизор. Но и это не все, он отремонтировал наш камин, чтобы я могла наслаждаться его живым огнем, удобно устроившись у очага. В нашем доме давно не было так уютно и комфортно.

Однажды вечером, когда мы сидели у камина, он с гордостью показал мне свои новые фотографии. Я сказала, что он скоро превзойдет самых великих фотографов мира. Он умиротворенно засмеялся и посмотрел на меня таким восхищенным взглядом, какого я не видела вот уже много лет. Он сказал, что я самая прекрасная женщина на свете и что он очень сильно меня любит.

Он стал намного нежнее и мягче. Даже если он иногда сердится на меня, все выглядит совершенно иначе. Он стал покладистее и не говорит резких и грубых слов. Он также стал внимательнее и добрее. Я знаю, что он *всегда* был таким, но для того чтобы это обнаружилось и стало явным, мне пришлось научиться любить и понимать его. Теперь я вижу, какие дети растут в крепких семьях, где руководит отец, в противоположность семьям, где такого руководства нет. Спасибо тебе, «Очарование женственности». Пусть Господь обильно благословит твое служение.

Как позволить мужу руководить и как следовать его руководству

1. Уважайте его положение.
2. Выпустите бразды правления из своих рук.
3. Доверьтесь ему детским доверием.
4. Будьте гибкой. Ваше мнение не должно быть предвзятым или жестким. Пусть ваши мечты будут доступными и выполнимыми.
5. Будьте послушной.
6. Станьте с мужем единым фронтом.
7. Поддерживайте его планы и решения.
8. Объясните свою позицию.

Как жене дать мужу совет

1. Задавайте наводящие вопросы.
2. Слушайте.
3. Выражайте свои чувства — «мне кажется, я полагаю, мне видится».
4. Не стремитесь доказать, что вы знаете больше его.

5. Не играйте роль матери.
6. Не разговаривайте с ним, как мужчина с мужчиной.
7. Не ведите себя так, будто вы смелее, чем он.
8. Не высказывайте непреклонного мнения.
9. Не настаивайте, чтобы он поступил по-вашему.

Помните: *Пусть лучше мужчина сделает все по-своему и оши-бется, чем стоять на его пути и перечить ему.*

Задание

1. *Если семьей руководили вы.* Если вы всегда старались все делать по-своему, отпустите бразды правления. Скажите мужу, что вы осознаете его Богом данную роль главы семьи и сожалее-ете, что не понимали этого в прошлом. Начиная с этого времени вы будете делать все, чтобы уважать и почитать его положение лидера.

2. *Если он не руководит семьей.* Прочитайте ему отрывки из Писания, приведенные в начале этой главы. Если он соглашает-ся с ними, прочитайте ему «Права главы семьи». Затем скажите ему примерно так: «Я хочу, чтобы ты стал лидером в семье. Если ты возьмешь на себя эту ответственность, я буду поддерживать твои планы и решения, даже если не всегда буду с ними согла-шаться. Я хочу, чтобы ты выполнял мужское предназначение с тем, чтобы я могла выполнять женское».

3. *Если он злоупотребляет властью.* Прочитайте ему исто-рию об Иакове из тридцать первой главы Бытия. Господь по-велел Иакову вернуться в землю отцов, но он сначала призвал Лию и Рахиль, чтобы обсудить с ними этот вопрос и заручиться их поддержкой.

Глава 9

Защитник

*Мужчина должен быть защитником, видеть
потребность в этой своей роли и превосходить женщину
в этом качестве.*

Мужчина был создан защитником жены и детей. Мужчины
сильнее, чем женщины, они имеют более развитую мускулатуру и обладают большей выносливостью. Женщины — более хрупкие создания, они слабее и сотворены для более легкого труда, как более точные машины, которые работают гладко и эффективно, *если используются по назначению.*

От чего нужно защищать женщин

Во все времена женщин нужно было защищать от *опасностей, тяжелой работы и трудностей:*

1. *Опасности.* В ранней истории нашей страны условия, в которых люди были вынуждены жить, делали необходимой мужскую защиту. Опасность была повсюду. Воинственные индейцы, дикие животные и змеи создавали ситуации, которые требовали проявления мужской смелости, силы и способности защитить женщин и детей.

Сегодня опасности другие, но они не менее реальны. Женщины подвергаются опасности похищения и насилия, иногда сопровождающихся жестокостью, которая приводит к смерти жертвы. Опасны злые собаки, змеи, труднопроходимые местности, глубокие ущелья и другие природные условия.

Существуют также *нереальные опасности.* Как ни странно, женщины боятся странных звуков, пауков, мышей и даже собственной тени. Реальна опасность или нет, не важно. Если женщина считает ее реальной, значит, ей нужна мужская защита.

2. *Тяжелая работа*. Женщинам также нужна защита от тяжелого труда, который *превышает их возможности*. Это тяжелый физический труд на полях, подъем и перенос тяжестей, рытье земли и любая другая работа, требующая применения мужской силы, умений и навыков. Защита нужна также и в доме при переносе тяжелых вещей, мебели, окраске, плотницких работах и прочем. Это мужская работа. Женщина вправе ожидать от мужчин помощи в этом. Такая работа вредна для женщин и лишает их мягкости и женственности.

Женщинам также нужна защита от работы, которая не соответствует женскому полу. Например, вождение тяжеловесных грузовиков, строительные работы, дорожные и любые другие виды грязной и трудоемкой работы. Также непригодны некоторые виды канцелярской работы, как, например, должность исполнительного директора, менеджера, полицейского или высшие политические посты.

3. *Трудности*. В повседневной жизни могут возникнуть трудности, требующие мужского вмешательства. Например, финансовые проблемы, агрессивно настроенные кредиторы или конфликтные ситуации с грубыми, жесткими и высокомерными людьми, выставляющими неразумные требования. Женщины в таких ситуациях нуждаются в галантном мужском вмешательстве и помощи. При разрешении подобных вопросов женщины склонны к большей эмоциональности и меньшей объективности, чем мужчины. Мужчины более собранны и обладают ярко выраженной способностью справиться с такими ситуациями.

В мужчинах изначально заложено чувство галантности, они рыцари от рождения. Они обладают *врожденным чувством мужского долга*, побуждающим их защищать женщин. Особенно это видно в чувствах Джона Олдена к Прискилле, когда он сказал: «Я останусь здесь ради нее и своим невидимым присутствием буду парить над ней всегда, защищая, поддерживая ее в слабости». Виктор Гюго тоже выказал это чувство, когда сказал: «Мой долг — держаться рядом с ней, окружить ее своим присутствием, служить ей преградой от всех опасностей».

Защищают ли мужчины женщин сегодня?

Но живы ли сегодня подобные рыцари? Можно ли встретить сегодня в современных мужчинах нежную заботу и защиту, которую проявляли в своем отношении к женщинам Джон Олден и Виктор Гюго? Можно ли увидеть наших мужчин, служащих женщине опорой в слабости, ограждающих и защищающих ее от всех опасностей? Это напоминает романтическое повествование, но, тем не менее, раньше все так и было.

Похоже, рыцарство исчезает в сегодняшнем мире. Мы видим, как женщины без сопровождения ходят по темным улицам, в одиночку ездят на своих и даже попутных машинах на дальние расстояния. Мы видим, как они выполняют грубую и тяжелую работу, поднимают тяжелые предметы, ремонтируют автомобили, меняют колеса, водят тяжелую технику, кроют крыши, выполняют плотницкие и многие другие мужские виды работ.

В мире труда женщины выполняют мужскую работу. Они пилят лес, водят грузовики и взбираются по строительным лесам. Мы видим женщин — полицейских, сталелитейщиков, пилотов и даже инженеров. Женщины ведут войну на полях проблем, сталкиваются с агрессивно настроенными клиентами, кредиторами, разрешают финансовые вопросы и учатся справляться с людьми, которые неправедным путем получают над ними преимущество.

Почему рыцарство отмирает?

Если чувство рыцарства в мужчинах врожденное, почему они сегодня не ведут себя, как рыцари? Ответ очень прост: мужчины перестали быть рыцарями, потому что женщины могут обойтись без рыцарей. Женщины больше не нуждаются в сильных и галантных мужчинах. Мужчины чувствуют долг защищать и проявлять заботу только о тех женщинах, которые в этом нуждаются или хотя бы делают вид, что нуждаются. Когда женщина сама справляется с «мужскими» проблемами, к чему предлагать ей мужскую помощь? Мужчина чувствует себя униженным, когда такую помощь отвергают.

Если рыцари вымерли, то их истребили женщины. Они убили рыцарство тем, что сами стали способными, компетентными и независимыми, умея защитить себя от опасных змей. Они доказали собственной силой и способностями, что им не нужны ни мужская защита, ни мужская забота, поскольку они вполне могут о себе сами позаботиться. Они постоянно и повсюду проявляют свою способность справляться с собственными проблемами, и сами ведут все житейские войны.

Чтобы возродить к жизни рыцарей, женщинам нужно снова стать женственными. Мы должны прекратить выполнять мужскую работу и превратиться в нежных, мягких, зависимых женщин в соответствии с первоначальным замыслом. И тогда мы, женщины, вновь ощутим потребность в мужской защите и заботе. Тогда мужчины с радостью станут проявлять свои рыцарские достоинства. Тема женственности полностью раскрыта в главах, посвященных этому вопросу. Когда вы станете женственной, многие болезненные проблемы исчезнут сами собой, и вы пробудите нежную любовь к себе мужа, как это произошло в следующей истории.

Мой муж дома был никому не нужен

Каждые два-три года мы переезжали, и с каждым переездом у мужа появлялась новая работа, с которой ему нужно было справиться, и он не желал, чтобы семья вмешивалась в его дела. Мы уже привыкли к таким его объяснениям: «Когда я все приведу на работе в порядок, у меня будет больше времени на детей, помощь по дому и отдых».

Я достаточно способный человек, и потому я сама справлялась с детьми, с домашней работой, ремонтом дома и всеми необходимыми мелочами, а также была активна в церкви. Тем временем муж проводил на работе все больше времени. Он стал пить по причине усиливавшегося напряжения (по крайней мере, мы оба так считали). Я критиковала его чрезмерную преданность работе, его пристрастие к выпивке, его привычку к перееданию и, наконец, решилась развестись, поскольку мы вообще перестали разговаривать. Когда он возвращался домой, он обычно бывал нетрезвым, так что разговаривать с ним было в любом случае бессмысленно.

Дети разъехались, и я тоже наконец решила уйти от него, потому что мне было трудно смотреть, как он уничтожает самого себя. Именно в этот момент я случайно познакомилась с книгой «Очарование женственности». Я была буквально шокирована, когда поняла, что все делала неправильно. Я была так способна и независима, что дома мой муж был никому не нужен. В церкви мной все восхищались, потому что я была добрым человеком, готовым откликнуться на просьбу о помощи, а мой муж мной никогда не восхищался, потому что я постоянно его критиковала.

Мне было очень трудно измениться, но я очень старалась, и тогда муж стал приходить домой немного раньше и выпивал теперь он только дома. Через восемь месяцев он совсем перестал пить и не пил целый год. Мы очень счастливы. По вечерам он приходит домой и так рад видеть меня. Каждый день в обед он звонит, чтобы узнать, как дела. В этом году он даже купил рождественские подарки и очень этим гордится.

Правда, теперь он снова выпивает и переедает, но меня это совершенно не беспокоит, потому что это его проблемы. Сначала он таился, потому что я раньше пилила его за это, но однажды я ему сказала: «Меня совершенно не беспокоят твои выпивки, если ты можешь это контролировать». Он так удивился, что ситуация стала легче. Я давала читать эту книгу примерно пятидесяти женщинам. Мы часто обсуждали ее, и я могу с уверенностью заявить, что она помогла многим из них.

Поразительные перемены

На протяжении последних нескольких недель я ходила на занятия по книге «Очарование женственности». Результаты в моей семье просто поразительные. Мы с мужем оба христиане и активно служим в церкви, но, несмотря на это, наш брак быстро распадался. Я понимала, что мне нужна помощь, и тайком от мужа стала посещать психолога, много раз приходила на прием к пастору и, наконец, пошла к специалисту по семейным проблемам. Несмотря ни на что, у меня продолжалась затяжная и глубокая депрессия, которая длилась долгие дни.

Однажды в салоне красоты я встретилась с женщиной, в руках которой увидела книгу «Очарование женственности». Она сказала мне о занятиях по этой книге, и я записалась туда. Там я узнала намного больше, чем мне говорили все профессионалы и консультанты, вместе взятые! Теперь в моем доме происходят поразительные перемены! Мой муж готов сделать для меня что угодно. Впервые за двенадцать лет нашей совместной жизни он сам стал заниматься счетами по дому, взялся за обустройство двора и сада, а теперь хочет внедрить в доме некоторые новшества.

Я всегда с трудом выводила наш пикап со двора (я всегда застревала и потому ненавидела его). Теперь муж его продал, а мне купил симпатичную маленькую машину. Он с большим удовольствием трудится в церкви и вместо того, чтобы жаловаться на мою активность в церкви, говорит, что очень мной гордится! Он талантливый агент по продаже недвижимости, и этот год обещает быть очень прибыльным для нас! Вот его формула жизни: «Успешная церковная жизнь и успешная домашняя жизнь должны в итоге привести к успешной деловой жизни». Я так благодарна автору «Очарования женственности»!

Задание

1. Скажите мужу примерно следующее: «Я так рада, что у меня есть сильный муж, который может защитить меня. Мне было бы трудно прожить в этой сложной жизни без тебя».

2. Когда вам нужно что-то поднять, скажите ему: «Это для меня слишком тяжело. Пожалуйста, помоги мне». Или так: «Не сможешь ли ты применить здесь свою мужскую силу?» Или так: «Любимый, протяни свою мускулистую руку помощи, пожалуйста!»

Глава 10

Кормилец

Мужчина должен быть кормильцем, должен видеть потребность семьи в этой своей роли и превосходить женщину в этом качестве.

Сначала времен мужчина был признанным кормильцем своей семьи. Самая первая заповедь, данная ему, гласила: «В поте лица твоего будешь есть хлеб, доколе не возвратишься в землю, из которой ты взят». Эта заповедь была дана не женщине, но *мужчине*. Женщина должна была *растить детей*. С самого начала функции мужчин и женщин были разными.

Это различие также почиталось традицией, обычаями и даже законодательством. В случае развода мужчины должны платить алименты, таким образом они продолжают обеспечивать семью, чтобы мать могла воспитывать детей. Очень важно исполнять это постановление об обеспечении семьи, не потому что оно установлено законодательством, но потому что так повелел Бог.

Мужчина должен обеспечивать семью и по другой причине: в мужчине заложено *чувство ответственности* за обеспечение семьи, поэтому он *может эффективно* исполнять эту функцию. Он обязательно должен достичь успеха на этом поприще, чтобы его чувство мужского достоинства не было ущемлено, точно так же как и женщина должна преуспеть в роли матери и домашней хозяйки.

Представьте себе мать, которая возится с малышами и налаживает уют в доме, в то время как отец берет на себя преодоление проблем и несет в дом все необходимое для любимых. Не следует воспринимать такую сцену как само собой данное явление, но в этом состоит суть и смысл семейной жизни, и только при наличии такого смысла душа может испытывать неизмеримое удовлетворение. Ничто не сравнимо с такой идиллией.

Мужчина также обладает врожденной потребностью *чувствовать себя нужным* в роли кормильца. Он обязательно должен видеть, что его жена зависит от его финансового обеспечения и поддержки и без него она не справится. Кроме того, в нем также наблюдается врожденная потребность *превосходить женщину* в роли кормильца. Чувство мужского достоинства мужчины может сильно пострадать, если он видит, что женщины лучше, чем он, справляются с работой, более успешно делают карьеру, достигают больших высот на профессиональном поприще или зарабатывают больше. Тем более если его собственная жена превосходит его в подобных областях.

Что мужчина должен делать для семьи

Самое удачное определение того, что должен делать для семьи мужчина, содержится в книге моего мужа «Man of Steel and Velvet» («Человек из стали и бархата»):

«Попросту говоря, мужчина должен обеспечить семью всем необходимым. Это еда, одежда и кров, а также определенные удобства и условия быта… Во все времена все люди соглашались с тем, что когда мужчина женится, он обязуется брать на себя финансовое обеспечение жены и детей. Неспособность мужчины справиться с этой задачей всегда была достаточным оправданием для развода, но даже после развода муж сохранял свой финансовый долг по отношению к семье. Финансовое обеспечение и наряду с ним супружеская верность всегда были двумя обязательными условиями, которые предъявляла женщина к мужу в супружестве. Однако не важно, оговариваются эти условия законом или нет, мораль и священный долг обязывают мужчин соблюдать их, и потребность в них по-прежнему велика.

Совершенно необходимо, чтобы мужчина обеспечил для семьи кров, жилище, отдельное от всех остальных людей. Это очень важно для уединения супругов и для того, чтобы у жены появилась возможность обустроить собственное гнездышко по своему вкусу. Может быть, именно поэтому в самом начале Бог дал особую заповедь вновь организующейся семье: „Потому оставит человек отца своего и мать свою и прилепится к жене своей" (Бытие 2:24). Под давлением обстоятельств может случиться, что мужчина перевезет жену и детей под крышу другой семьи. Такие действия, вероятно, можно назвать оправданными в течение какого-то непродолжительного времени, однако подобное положение вещей противоречит Божьим планам и несправедливо по отношению к жене, если продлится долее необходимого срока.

Муж действительно обязан обеспечивать семью всем необходимым, однако Бог не обязывал его обеспечивать семью роскошью. Женщины и дети не должны жить в неге и роскоши, в окружении всего самого модного и престижного. Муж не обязан работать на строительство дорогого дома, шикарной мебели и других удобств. Что касается образования детей, он должен дать детям базовое образование, но не обязан предоставить им возможность получить высшее образование, музыкальные уроки, обучать детей искусству и культуре. Он может сам пожелать этого, и, может быть, ему это будет в удовольствие, однако обязательным это назвать нельзя.

Обеспечивая высокий уровень жизни, некоторые мужчины превращают себя буквально в рабов, нанося тем самым ущерб самим себе и своим семьям. Иногда мужчины настолько посвящают себя удовлетворению постоянно растущих потребностей семьи, что уже не могут сохранить себя для более высоких ценностей. Такой муж мало времени уделяет жене и детям, не успевает учить их ценностям жизни, тому, как жить, каким стандартам следовать, он не в состоянии построить крепкие семейные узы.

Мужчина также обязан выделить время для себя, для отдыха, повышения своего профессионального уровня и для размышлений. Он имеет также потребность выразить себя вне узкого круга повседневных отношений, внося свой долг в развитие общества. Активность в поместной церкви — очень важная часть такого служения, а равно — гражданская активность в обществе.

Каждый человек обладает талантами, которые нужно развивать на благо другим людям, и с развитием таких способностей мир вокруг нас становится лучше. Нельзя человеку все свое время и силы посвящать делу обеспечения роскошной жизни для узкого семейного круга».

Обязательная ответственность
по обеспечению семьи

Женщина должна понять с *осознанным сочувствием*, что именно мужчина должен взять на себя ответственность за обеспечение семьи. Отличное описание этого можно найти в книге доктора Мэри Робинсон, «The Power of Sexual Surrender» («Сила послушания»), отрывок из которой я предлагаю вашему вниманию:

«Большинство мужчин, вступив в брак, берут на себя огромное бремя, от которого они не могут по совести отказаться, пока живут на этом свете. Совершенно спокойно, без всякой наигранности, во имя любви они отказываются от желанной свободы и взваливают на свои плечи полную социальную и экономическую ответственность за жену и детей.

Представьте себе, женщины, хотя бы на минутку, что вы почувствовали бы, если бы ваш ребенок был лишен многого хорошего из того, что предлагает жизнь, а именно, добротного дома, добротной одежды и необходимой пищи. Подумайте, что вы почувствовали бы, если бы ваш ребенок был голодным. Может быть, такие мысли приходили вам в голову, и вы в тот миг испытывали ужас. Но это мимолетные мысли, женщины не задумываются над такими вещами. Они не несут прямой ответственности, а потому и не думают об этом подолгу.

Но такие мысли, осознанно или нет, постоянно заботят мужчину. Он знает и постоянно, вставая утром и ложась спать вечером, думает о том, что благосостояние, здоровье и даже жизнь его жены и детей зависят от его успехов или неудач. Он осознает, что вся ответственность за семью ложится только на него.

Думаю, не будет преувеличением сказать, насколько серьезно мужчины относятся к этой ответственности и как сильно она их беспокоит. Женщины, если только они по складу характера не близки к мужчинам, редко осознают, как тяжко порой это бремя, ибо мужчины говорят об этом очень мало. Они не хотят беспокоить своих любимых.

Мужчины берут на себя полную ответственность за семью с самых ранних времен. Однако я часто думаю, размышляя о напряженном ритме и экономических проблемах сегодняшнего дня, что современным мужчинам намного труднее разрешать эти вопросы с психологической точки зрения, чем их праотцам.

Во-первых, конкуренция на рынке труда сегодня создает более напряженную ситуацию для отдельно взятого мужчины. Соперничество наблюдается не только в области продвижения и карьерного роста, но даже на рабочих местах. Каждый мужчина знает, что если он споткнется, если снизит темпы в скоротечном беге, его быстро и легко заменит новый работник.

Нет ни одной сферы, где бы мужчина не испытывал мучительного давления и напряжения. Исполнительный директор должен превзойти показатели предыдущего года или показатели своих конкурентов и соперников. Его подчиненные должны убедиться, что он справляется со своей задачей, а он, в свою очередь, внимательно наблюдает за их работой.

Профессионалы в области здравоохранения и юриспруденции, например, по большей части испытывают такое же давление. Если юрист работает на себя, он должен постоянно искать новых клиентов, если он работает на организацию, он постоянно должен работать над собой, чтобы не дать обогнать себя амбициозным коллегам или молодым специалистам, только что окончившим юридическую школу и готовым с запалом молодости вступить в соревнование. Любые неблагоприятные обстоятельства могут повредить или серьезно угрожать врачебной практике доктора. Учитель должен постоянно изучать новые публикации по своей профессии, если он хочет получить продвижение или хотя бы сохранить свое рабочее место.

Нет области, в которой мужчина мог бы рассчитывать на полную экономическую безопасность. Соперничество из года в год, постоянная работа — его удел. Он знает также, что существует вероятность, которую он не в состоянии контролировать. Это безработица, которая может возникнуть в любой момент из-за цикличных взлетов и падений, которые характеризуют развитие экономики».

Чувствуют ли работающие женщины такое же давление, что и мужчины?

Работающие женщины не в состоянии ощутить *такое же* давление, какое испытывают мужчины. Дело в том, что они обладают иного рода ориентацией в мире труда. Мужчина понимает, что он не может уйти с работы с чистой совестью, а у женщины нет такого же чувства обязательного долга. Она может уйти с работы в любой момент и по любой причине, не испытывая *чувства вины*. В связи с этим могут возникнуть неблагоприятные финансовые проблемы, но она не будет думать о себе хуже или чувствовать себя опозоренной в глазах общественности.

С другой стороны, если здоровый мужчина вдруг перестанет работать, это подействует на его самооценку и его образ в общественном мнении. И другие люди, и он сам посчитает себя неудачником, если он не сможет исполнить эту важную роль. Женщина, конечно, испытывает определенное давление, но иначе, чем мужчина. Она испытывает *напряжение со временем*, поскольку играет двойную роль. Мужчина же испытывает *давление морального характера*.

Как ему помочь

Эти мысли не могут помочь вашему мужу. Вы можете только осознать его заботы и испытывать желание что-то сделать для него, чтобы снять напряжение и облегчить его жизнь. Вы даже можете почувствовать побуждение пойти на работу или помогать в его работе. Как ни благородны такие порывы, это не самый лучший выход. Вместо этого лучше сделайте следующее.

1. *Сократите расходы.* Сделайте все возможное, чтобы сократить расходы, чтобы жить по средствам, которые зарабаты-

вает муж, и, будем надеяться, вы даже сможете что-нибудь сэкономить. Тогда вы во многом облегчите его заботы о финансах. Конкретные предложения по этой теме представлены в следующей главе о семейных финансах.

2. *Прекратите требовать, чтобы он проводил с вами больше времени.* Если ваш муж отдает много времени своей работе, после работы ему нужно хорошо отдохнуть и восстановить силы. Вы можете отказаться от запланированных мероприятий, гостей и вечеринок, а также от тех дел, которые вы приготовили для него, чтобы приспособить свою жизнь к условиям, которые диктует его работа.

3. *Играйте женскую роль.* Не нужно помогать мужу в исполнении его долга кормильца, лучше обеспечьте ему дома наилучший комфорт и условия для жизни и отдыха. *Пусть он зарабатывает на жизнь, а вы сделайте эту жизнь стоящей.* Ведите хозяйство таким образом, чтобы дома все шло гладко и все насущные потребности семьи были удовлетворены. Будьте женственной, радостной и сделайте все возможное, чтобы создать дома мирную атмосферу. Такая атмосфера снимет с него напряжение трудового дня, облегчит заботы и таким образом поможет ему преуспеть в качестве кормильца.

4. *Полностью используйте очарование своей женственности.* Когда ваш брак будет без проблем и ваши взаимоотношения будут построены на любви, ему будет легче противостоять стрессовым ситуациям и напряжению на работе. В противном случае, если в браке будут проблемы, его бремя ответственности станет тяжелее во много раз. Если вы сможете сделать это, ваша помощь будет намного более значимой, чем если бы вы сами пошли на работу, чтобы помочь ему прокормить семью.

Его стремление преуспеть на работе

Параллельно желанию обеспечить семью, мужчину постоянно занимают мысли о приобретении на работе *определенного статуса.* Это тоже нужно понимать с *осознанным сочувствием.*

Стремление к высокому статусу заметно во всех мужских особях животного мира. Роберт Ардри в книге «African Genesis»

(«Африканское бытие») утверждает, что в животном мире инстинкт статуса мужской особи для захвата территории сильнее, чем инстинкт продолжения рода. «Порядок приема пищи на птичьем дворе, формирование стаи при перелете диких гусей, иерархия в колонии бабуинов и ранговые различия в стаде слонов представляют собой гораздо большую движущую силу для самца, чем сексуальный инстинкт».

Это стремление к высокому статусу проявляется в мужчине, когда он стремится занять более высокое положение на работе. Не думайте, что его заботят только деньги. Обычно деньги — главный стимул в трудовой деятельности, но стремление к высокому положению тоже представляет собой сильный фактор. Это особенно видно в людях, которые не нуждаются в деньгах, но желают достичь более высокого положения.

Стремление к почетному статусу также проявляется в желании мужчины выиграть игру, закинуть мяч в сетку и показать себя с лучшей стороны рядом с другими людьми. Это желание может побудить его достичь большей вершины, получить золотую медаль или стать президентом компании. Это явно мужская характеристика, которая отсутствует в истинной женщине. Природа женщин не такова, и они не стремятся превзойти одна другую. Мужчина, однако, желает сиять как можно ярче и занять почетное место в мире мужчин.

В какой-то степени это стремление — негативная черта. Было бы лучше, если бы мужчины были движимы чувством любви или желанием служить человечеству. Но мужчины — тоже люди, и это мужское качество имеет определенные достоинства. Стремление к высокому статусу, не смешанное с жадностью и жаждой власти, может побудить мужчин серьезно стремиться к достойной цели, вывести их из неизвестности и дать им возможность оказать влияние и служить человечеству.

Статус в глазах жены

Когда мужчина занял почетное положение, ему приятно слышать похвалы людей, но самое большое удовольствие он получает тогда, когда слышит слова признательности от своей жены.

И хотя он желает быть героем дня для своих друзей и коллег, он все же предпочитает быть героем для своей любимой. Это очень для него важно, и если он не услышит похвалу от жены, он будет глубоко разочарован.

И все же, скольких героев почтил окружающий мир, но не семья? Человек может работать годами ради получения научной степени. Он может добиться почета и признания у друзей, но жена может даже не заметить этого события. Но даже если и заметит, то это может выразиться во фразе: «Давно пора». Или же, если муж получил награду за достойное служение, она может заметить, что на это способен любой другой человек. Или представьте, как больно, если она считает другого человека героем, например, своего брата, отца или любого другого мужчину из ее окружения. И хотя скромные выражения похвалы в адрес других мужчин вполне приемлемы, не расточайте слишком много лестных слов о достижениях других мужчин.

Есть женщины, которые сумели по достоинству оценить заслуги своих мужей, но намеренно удержались от слов похвалы *ради их же блага*. Они боятся, что слишком много добрых слов сделают мужей высокомерными или неподготовленными к возможной неудаче. Таким образом, они предпочитают видеть своих мужей приземленными, не расточая лестных слов об их достижениях.

Отличное качество работы

Мужчина может посвятить себя работе по другим причинам, кроме достижения статуса. Это может быть *отличное качество работы*. Он движим желанием получить удовлетворение и повысить самооценку, что возможно только в случае отлично сделанной работы. Такова работа художника, плотника или музыканта, который получает награду в своем внутреннем чувстве, творя красоту и видимые глазом ценности. Такие люди могут работать с полной отдачей, полностью посвящая себя работе. Это может сильно огорчать жену и детей. Подобный пример мы находим в жалобном письме, которое я получила.

«Мы живем в особом районе, где многие работают на правительство. Это высококвалифицированная работа, и большая часть таких работ — экспериментальные исследования. Интеллектуальная нагрузка здесь велика, конкуренция огромная, а личное удовлетворение громадное. Но у детей нет отца, и у жены — мужа. Короткие мгновения, когда муж дома, мы счастливы, но работа забрала его сердце и душу».

Я могу сказать только одно: мужчины, забывающие себя в работе, забывают в какой-то степени жен и детей. Но это мужчины, которые делают самый великий вклад в развитие нашего общества. Наш мир не мог бы существовать, если бы не было таких людей. Мужчины, которым повезло иметь жен, понимающих их и оказывающих им поддержку, благословлены и способны достичь больших высот. Если вы замужем за таким человеком, считайте, что вам повезло.

Помните: *Лучше иметь десять процентов от стопроцентного мужчины, чем сто процентов от десятипроцентного мужчины.*

Если ваш муж имеет достойную цель, способную дать ему стимул, предоставьте ему свободу *добраться до звезды*. Когда он стремится к цели, его жизнь становится нелегкой. Ему придется много работать и полностью отдавать себя своей работе. Ему нужно *взбираться на вершины гор, пересекать реки и сражаться, чтобы одержать победу*. Помогите ему, поддержите, и вы станете ключевым фактором в его успехе, как это случилось в следующей истории.

Достань звезду

Я сидела на занятиях по книге «Очарование женственности» и слушала, как другая женщина рассказывала, что в прошлом она постоянно указывала мужу на его недостатки, чтобы он не возгордился. Так было пока она не прочитала «Очарование женственности». Но раньше она была уверена, что ее долг заключается именно в подобной критике. Что-то внутри меня встревожилось. Почему эти слова мне так знакомы? И вдруг я все поняла. Это эхом отозвались мои собственные слова, которые, скорее всего, я никогда вслух не говорила, но думала тысячи раз и, даже хуже, была уверена, что это истинная правда. «Я абсолютно уверена, что это мой долг…»

Мой муж, Боб, хорошо известный автор песен и сценариев к фильмам. Как многие творческие личности, он большой мечтатель, и его взор всегда устремлен к звездам. Он полагает, что каждый его новый проект гениален, и его обязательно ждет успех. Я же, со своей стороны, реалистка. В мире нет совершенства… все не может быть гениальным… есть различные степени успеха, говорила я. Обязательно есть другие талантливые картины, есть другие, более популярные песни, и другие, более признанные авторы. В соответствии со своим пониманием долга я постоянно напоминала ему об этом.

Пожалуйста, поймите меня правильно, я никогда не желала ничего плохого мужу. Однако что плохого в том, чтобы нарисовать Бобу реалистичную картину? Если воздушный шар не взлетит слишком высоко, с него будет не так больно падать. Разве я не была предназначена стать для него якорем? Естественно, что я, как могла, помогала любимому осторожно обходить все ловушки и ямы на пути, отрывая его взгляд от звезд и переводя его на бренную землю. До сих пор я искренне верила в это… Но теперь в моей душе зазвенел тревожный колокольчик. Теперь я поняла, какую ужасную вещь я допускала в отношении к человеку, которого люблю и который любит меня. Якорь? Якорь мертвым грузом не позволяет судну двигаться дальше. Я больше не хочу быть тормозом для мужа. И без меня найдется много людей, которые с удовольствием помогут Бобу стоять на месте. Это критики, которым платят за оценку его творческого потенциала, это продюсеры, которые знают, хорош его продукт или нет, и, конечно, аудитория, которая будет или не будет ему аплодировать. Однако нет никаких оправданий для моей критики его творчества, ибо я единственный человек, от которого он ожидает одобрения и восхищения.

В конце той же недели мы пошли на показ его новой картины. Он наблюдал за моей реакцией все время показа. Фильм еще не закончился, когда я сказала, что он действительно талантлив и что я очень горжусь своим мужем. Он расцвел от радости. Позже, когда мы вернулись домой, дети спросили: «Ну, и как?» Он посмотрел поверх их голов прямо мне в глаза и сказал: «Должно быть, это шедевр, вашей маме он понравился». Пусть его критикуют другие, а мой муж по-прежнему мечтает о чем-то прекрасном. Единственная разница, что теперь у него есть жена, которая понимает, что он человек творческий, и не может прикоснуться к звезде, если не дотянется до нее, если будет думать только о ямах и впадинах на своем пути.

Следует также избегать стремления *превзойти* мужа в статусе или достижениях. Никогда не пытайтесь добиться успехов в области, в которой он стремится к признанию, и не пытайтесь затмить его своими достижениями. Если вы добьетесь признания, он почувствует себя униженным и оскорбленным. В этом и заключается, по всей вероятности, проблема многих знаменитых женщин, особенно актрис театра и кино. Если они выходят замуж за творческую личность, которая сумеет затмить их своими успехами, тогда все в порядке, но если муж не в состоянии конкурировать с женой, это может угасить его стремление занять соответствующее положение. Как он может произвести на нее или на других людей впечатление своими слабыми попытками, если она уже достигла почестей на этой земле?

Итак, мужчина имеет священный долг обеспечивать семью. У него имеется врожденная потребность *функционировать* в этой роли, *чувствовать себя нужным* и *превзойти жену* в этом качестве. Все просто идеально, если мужчина — единственный кормилец в семье. Работайте в этом направлении и сделайте эту цель главной. Однако многим женщинам сегодня приходится работать, чтобы помочь мужу в достижении этой задачи. Данная тема обсуждается в главе 21, посвященной работающей жене.

К чему стремится мужчина на работе

1. Обеспечить семье безбедное существование.
2. Добиться определенного положения.
3. Добиться отличного качества в работе.

Задание

Если ваш муж хорошо зарабатывает, скажите ему примерно следующее: «Я высоко ценю твой труд и то, как ты нас обеспечиваешь. Ты взял на себя важную ответственность. Как тебе удается так хорошо с этим справляться?» Таким образом вы поможете ему почувствовать себя успешным кормильцем.

Глава 11

Семейные финансы

М ужчина в качестве главы семьи и ее кормильца и женщина в исполнении своих обязанностей жены и домашней хозяйки делят ответственность за разрешение финансовых
вопросов. Правильное разделение этой обязанности следующее:

Роль мужа:	*Роль жены:*
Финансовое обеспечение	*Бережливость*
Распределение денег	*Согласование планов*
Забота о семье	*Обеспечение мира и уюта в доме*

Как ясно говорится в Писании, муж несет ответственность
за обеспечение семьи. Поскольку он одновременно занимает
лидирующее положение, он должен распоряжаться деньгами и
беспокоиться о них. Поэтому не жена должна зарабатывать, рас-
пределять или беспокоиться о деньгах. Она должна планировать
семейный бюджет, но не нести ответственность за общее руководство доходами.

Как жена вы играете важную роль в успехе семейных финансов. Вы получаете деньги для ведения домашнего хозяйства.
Хорошо распоряжайтесь этими деньгами, используя *женский
дар бережливости*. Вы можете рассчитать ваш уровень жизни не
столько по доходам, сколько по вашему умению тратить деньги.
Будьте бережливы и научитесь покрывать все имеющиеся нужды. Если заработок мужа низкий, вы можете стать ключом к фи-
нансовому успеху семьи, поскольку именно вы можете помочь
создать или разрушить его. Семьи с небольшим доходом иногда

живут лучше, чем люди с большими деньгами, именно благодаря умению их тратить.

Если муж зарабатывает очень хорошо, он может время от времени ставить новые цели. Это может означать изменения в планах. Ваше сотрудничество, готовность пожертвовать в случае необходимости и приспособиться к новым условиям могут быть очень важны для его финансового успеха. В случае если вы не одобрите изменения в его планах, вы имеете право объяснить свои доводы. Однако смотрите, чтобы ваши объяснения не были основаны на эгоизме, как, например, страх перед неудобствами, необходимость пойти на личные жертвы или незначительные неблагоприятные перемены в жизни детей.

Создайте мирную атмосферу дома. Когда дома все в порядке, мысли вашего мужа будут яснее, он будет восстанавливаться быстрее телом и духом и будет готов снова выйти в мир для новых попыток добиться успеха. Когда его домашняя жизнь в норме, он скорее достигнет успеха.

Бюджет жены

Простое разрешение обычных денежных проблем — бюджет жены, в который входят расходы на еду, одежду, домашние принадлежности, личные вещи и то, что постоянно нужно в доме. Сюда не входят такие нечастые покупки, как мебель, бытовые приборы, большой ремонт или перестройка. Бюджет жены следует составлять каждую неделю или месяц. Это должна быть справедливая доля, в зависимости от доходов мужа, но, по возможности, достаточно щедрая, чтобы от этих денег хоть что-нибудь оставалось. Следует позволить жене на ее усмотрение распорядиться этим остатком. Она может его либо отложить, либо потратить по своему желанию, не отчитываясь за них перед мужем. Таким образом ей будет предоставлена личная свобода и стимул к бережливости.

Мужу следует распоряжаться остальными деньгами, расплачиваться ежемесячно по счетам за газ, электричество, телефон, квартиру, страховку, парковку, расходы, связанные с машиной и так далее. Что касается приобретения мебели, бытовой техники и других вещей, то есть нечастые расходы, их нужно планировать вместе в соответствии с уровнем дохода в семье. Вы, конечно же, должны вместе обсуждать расходы, но если муж правильно распоряжается деньгами и может сэкономить, он имеет право преобладающего голоса и последнее слово за ним. Тогда у него будет стимул проявлять старание и увеличить доход.

Когда он размышляет о крупных расходах из сэкономленных денег, ему следует посоветоваться с женой, но нельзя пытаться заставить его делать это. Споры о деньгах представляют собой источник самых болезненных проблем в браке. Вы не обретете радости, если установите контроль за расходованием денег, пожертвовав доверительными отношениями с мужем. Постарайтесь понять, что мужчина работает изо всех сил, чтобы заработать деньги, поэтому вы поступите мудро, если предоставите ему свободу в расходовании сэкономленных денег, конечно, если вы не лишены бюджета на необходимое.

В случае финансовых проблем

В период, когда возникают финансовые проблемы, когда денег явно не хватает на самое необходимое, не пытайтесь восполнить эту нужду, устроившись на работу, но вместо этого подумайте вот о чем:

1. *Сократите расходы.* Вместе с мужем пересмотрите ежемесячные расходы на все то, что вы считаете нужным и обязательным. Сократите расходы везде, где это возможно. На первый взгляд может показаться, что это невозможно, но если задуматься, то сокращение вполне возможно. Может быть, стоит продать машину и выкрутиться. Вам может показаться, что это крайний шаг, однако это не так тяжело, как давление финансовых проблем.

2. *Сократите расходы на развлечения.* Далее, ужесточите свой подход к удобствам и развлечениям, чтобы согласовать расходы с доходами мужа и получить возможность сэкономить какую-то сумму денег. Может быть, будет трудно отказаться от удобств и развлечений, пожертвовав своими желаниями и планами. Рекламные объявления постоянно соблазняют нас купить какие-то

новинки для дома и семьи. Этот соблазн усугубляется мыслью о том, что *это есть у других*. И хотя они могут сулить удобство, комфорт и удовольствие, они несравнимы с миром, который приходит в дом только тогда, когда вы живете по средствам. Незаметные удобства намного увеличивают долю расходов. Составьте список всех своих затрат, и вы увидите, что от многого можно отказаться без особого ущерба для семьи.

Проблемы с материальным обеспечением семьи

1. *Смешение ролей.* Проблема в современном обществе заключается в том, что мужчины и женщины перепутали свои финансовые роли. Некоторые мужчины думают, что их обязанностью является только добывание денег. Они приносят домой зарплату, отдают жене и полагают, что она обязана распределить и разумно потратить деньги. Она платит по счетам и беспокоится о том, как распределить деньги.

Если она в состоянии сэкономить часть денег, что происходит? Ее муж, будучи главой семьи, берет эти деньги и тратит на развлечения семьи или вкладывает их в какое-нибудь предприятие. Все было бы иначе, если бы он сам планировал и расходовал деньги. Тогда он имел бы все основания расходовать сэкономленные деньги по своему усмотрению. Расходование денег неразрывно связано с контролем за семейным кошельком. Если жена планирует расходование денег, тогда она и должна решать вопросы вложений или траты денег.

Смешение ролей происходит также тогда, когда женщины начинают работать, чтобы помочь мужу содержать семью. Поскольку они заняты на работе и беспокоятся о финансовом состоянии семьи, они пренебрегают домашними обязанностями. Их дома приходят в такое запустение, что когда мужчина возвращается домой, он не находит там мира, чтобы отдохнуть и восстановиться. Неудивительно, что ему трудно разрешить денежные проблемы или сделать на работе карьеру.

Поскольку женщины тратят много времени вне дома на работе, стремясь сэкономить время, они приобретают экстравагантные привычки. Еда, одежда и бытовая техника приобретаются с целью сэкономить время, но не деньги. Женское умение бережливости быстро исчезает, а это умение представляет собой основание для чувства безопасности в доме. Как разрешить эти проблемы, широко распространенные в нашем обществе? Ответ прост. Нужно признать распределение финансовых ролей в семье и жить в соответствии с ними.

2. *Стресс для жены.* Когда жена распоряжается деньгами, наступают очень серьезные проблемы. Например, мужчина регулярно приносит домой зарплату, отдает ее своей жене. Она тратит эти деньги правильно до тех пор, пока не появляются новые дети. Ей становится все труднее покупать необходимое, и она начинает испытывать стресс и беспокойство. Тем временем ее муж совершенно спокоен относительно денег. Она пытается объяснить ему проблемы, но он не понимает, потому что не привык думать об этом.

Ему предложили более оплачиваемую работу в другом городе. Когда муж с женой обсудили эту возможность, жена хочет, чтобы он согласился, ибо более высокая зарплата разрешила бы возникшие проблемы, но муж не видит причины менять работу. Он предпочитает остаться на прежней работе, поскольку он привык к ней и чувствует себя комфортно. Поскольку он не вникает в расходование денег, он не понимает возникших финансовых проблем. Это несправедливо. *Когда мужчина отказывается от своей позиции распорядителя денег, он должен отказаться от власти решать денежные вопросы.*

Женщины не предназначены для того, чтобы беспокоиться о деньгах. Этот груз приводит к депрессии, женщины теряют живость и обаяние, а иногда доводят себя до психических и физических болезней. Женщины сильнее переживают по поводу денег, чем мужчины, потому что, не будучи кормильцами, они чувствуют себя беспомощными и не могут увеличить доход семьи. Конечно, они могут начать работать, но таким образом они лишь усугубляют финансовые проблемы. Мужчины тоже беспокоятся о деньгах, но их психический настрой и характер более приспособлены к такого рода заботам, поэтому они могут изменить ситуацию. Если они не зарабатывают достаточно денег, они могут работать более интенсивно, чтобы увеличить доход семьи.

Некоторые женщины по собственному выбору или по настоянию мужа берут на себя расходование денег. Обычно это происходит потому, что они не доверяют мужьям в правильной трате денег и полагают, что сами справятся с этой задачей лучше. Но даже если жена сама выбирает эту роль, она больше потеряет, чем приобретет. Чтобы она могла стать эффективным распорядителем денег, ей придется взвалить на себя ответственность, которая помешает исполнять роль домашней хозяйки. И если она станет успешной в роли финансиста, это будет означать утрату женственности.

3. *Когда мужчина создает неразбериху.* Как разрешить такую проблему? Предположим, вы все время сами распоряжались деньгами, но теперь решили перепоручить это дело мужу, доверив ему распоряжение семейным бюджетом. Он с удовольствием берется за дело, и вы спокойно начинаете заниматься своими проблемами. А что, если он создаст неразбериху в этом вопросе, забудет оплатить счета и все перепутает? Катастрофа. Вы не хотите снова взяться за выполнение этой функции, но что делать? Если в вашем доме создалась подобная ситуация, попробуйте следующее.

Полностью отдайте бразды правления в его руки и совершенно ни во что не вмешивайтесь. Не расстраивайтесь, не проверяйте счета, чтобы убедиться, что он все делает правильно. Или ничего не делает. Если он все перепутал или что-то не сделал, пусть он сам разбирается с последствиями, какими бы они ни были. Только так он научится разрешать эти важные вопросы.

Помните, если вы сами разрешали все проблемы с финансами, у него нет никакого опыта и ему придется приобрести его через практику. Кроме того, если вы ни во что не будете вмешиваться, вы поступите совершенно правильно. Он почувствует свою ответственность за происходящее и будет знать, что если кто-то и должен побеспокоиться о деньгах, то это он. Он увидит, что вам стало легче, и вы чувствуете себя счастливее. Обязательно покажите ему это. Если он увидит, что вы довольны такой расстановкой сил, он будет стараться еще больше и сделает все возможное, чтобы вы были счастливы.

Дети и семейные финансы

Детей нужно оберегать от финансовых проблем. Они еще слишком маленькие, чтобы им беспокоиться о финансовых вопросах, а потому эти проблемы будут выглядеть в их детских глазах до трагизма серьезными. Однако они должны представлять реалистичную картину дохода, чтобы не ожидать от родителей слишком многого. Им следует объяснять, как добываются деньги, как их нужно экономить и тратить. Вот некоторые советы в этой области:

1. *Карманные деньги*. В семьях часто возникают вопросы о карманных деньгах. Следует ли ребенку давать деньги или пусть он сам заработает их? Достаточно надежный вариант разрешения этого вопроса заключается в следующем: пока ребенок еще мал, ему следует выдавать определенную сумму, чтобы он понял ценность денег. Однако когда вы выдаете детям деньги на карманные расходы, не требуйте, чтобы он выполнял работы по дому в качестве ответной услуги. Он должен понять, что выполнение определенной работы по дому — его священная обязанность как члена семьи. Иначе у него возникнет впечатление, что ему обязаны платить за все, что бы он ни делал.

2. *Работа*. Когда ребенок подрастает, ему следует предоставить постоянную работу с оплатой, а выплату карманных денег следует прекратить. Он может выполнять определенный вид работы, но эта работа должна быть дополнением к его обычной работе как члена семьи. Хорошо было бы, если бы эта работа выходила за границы обычной работы по дому, например, разноска газет или услуги в качестве няни с посторонними детьми, или что-либо другое.

3. *Распоряжение деньгами*. Еще важнее научить ребенка распоряжаться деньгами. Вот хорошая формула: с раннего возраста научите его отдавать десятину Господу. Эта десятина должна идти непосредственно в церковь. Из остального пусть половину или *даже больше* он положит на свой банковский счет.

Пусть это будут его накопления на будущее. Эти деньги будут работать на него, даже когда он спит. Из оставшейся половины научите его половину экономить на то, что он желал бы приобрести в недалеком будущем. Он мог бы хранить эти накопления в жестяной или картонной коробке. Если он копит на что-то действительно желанное, это поможет ему почтительно относиться к труду и ценности денег. Остальные деньги пусть положит в свой кошелек на непосредственные расходы по собственному желанию. С таким расчетом он может быть щедрым для себя и других.

Награда

Интересные вещи происходят тогда, когда женщина позволяет мужу распоряжаться деньгами, как это случилось в следующей истории:

Муж буквально взорвался

Поворотный момент в моей супружеской жизни произошел тогда, когда я узнала из книги «Очарование женственности» о раздельных обязанностях мужа и жены. В течение предыдущих шести лет нашей супружеской жизни муж отдавал практически все заработанное мне, чтобы я оплачивала счета и тратила так, как я считала нужным. После третьего дня занятий по книге «Очарование женственности» я приехала домой с готовым решением, что больше распоряжаться семейными финансами я не буду. Я подошла к мужу и сказала, что больше не могу нести на себе ответственность за распределение денег, что он сделает это лучше, что я устала беспокоиться о них и что у меня не получается так хорошо, как получится у него.

Вы знаете, он прямо взорвался: «Так значит, ты не хочешь беспокоиться? Но тебе придется, потому что я этим заниматься не буду. Если ты с этим не справляешься, твоя вина, и значит, тебе нужно научиться этому, вот и все». Он рассуждал еще некоторое время, говоря, что никогда не вмешивался в то, как я трачу деньги и что я с ними делаю. Я уверила его, что теперь я всегда буду советоваться с ним. Он только засмеялся, словно не поверил мне. Я плакала, но он не изменил решения. Он был так сердит, что скинул счета и бумаги с расходами со своего стола.

Затем я достала книгу «Очарование женственности» и попросила его прочитать страницы специально для наших мужей, которые для него открыла. Когда он прочитал первые страницы о роли мужчин, где он должен быть руководителем, защитником и кормильцем, его голос стал мягче, и он стал расспрашивать меня о книге. Я ничего раньше не говорила ему о ней. Потом я почитала ему про семейные финансы и ответственность мужа и жены в этом вопросе. Какое-то время он молчал, а затем на его лице появилась тихая улыбка, и он очень ласково попросил меня принести счета, расчеты и расходную книгу. Он работал с 10.30 до полуночи.

На следующей неделе он дал мне пятнадцать долларов, сказав, что это сэкономленные деньги, и что я могу купить на них, что хочу. Теперь мой муж полностью распоряжается всеми деньгами, и я очень счастлива. Раньше я тратила по несколько часов в неделю, раскидывая деньги по статьям расхода. Мой муж тратит всего несколько минут один раз в две недели, и все держит под контролем. Теперь я прошу у мужа деньги на то, что мне нужно. Я знаю, что он даст мне эти деньги, если мои желания не эгоистичны и если он может позволить эти расходы.

Математические джунгли

Потеряв два дома, одну новую машину и испытав банкротство, я пережила нервный срыв, пытаясь привести финансы в порядок. Мои расчеты были в беспорядке, и я никогда не могла свести воедино приходную и расходную части. Муж ругался, потому что мы тратили больше, чем зарабатывали. Он выписывал чеки на покупку того, что считал нужным, а я беспокоилась об оплате. Затем я прочитала «Очарование женственности». Очень скоро я поняла, что мне незачем беспокоиться об оплате счетов, и тогда я сделала над собой усилие, чтобы прекратить беспокоиться. Теперь, когда на наш адрес приходят счета, я даже не вскрываю конверты.

Недавно к нам в гости пришли друзья. Мы не виделись с ними примерно три года. Жена нашего друга пробыла в нашем доме короткое время и вдруг заметила: «Что с тобой случилось?» Я ответила: «Ничего, я просто немного пополнела». «Нет, не в этом дело, — ответила подруга, — ты стала очень спокойная. Раньше ты все время тряслась».

Тогда я рассказала ей про «Очарование женственности» и про то, что эта книга сделала для меня. Она сказала, что все время мечтала свалить на мужа груз забот о финансах, так что в тот же вечер она сообщила мужу о книге «Очарование женственности» и о том, как нужно вести финансовые дела в семье, после чего попросила взять на себя ответственность за финансы. К ее великому удивлению и радости, он ответил, что как только они доберутся до дому, он попытается это сделать. Так чудесно жить спокойно, не беспокоясь о деньгах и оплате счетов. Теперь у нас с финансами намного лучше, чем раньше. Спасибо тебе, «Очарование женственности», за мудрый совет.

Я пошла на риск

В прошлом я пыталась управлять финансами в семье, поскольку муж не собирался брать на себя эту ответственность. Вы представить себе не можете, насколько он глупо расходовал деньги, покупая мотоциклы и другие предметы роскоши, не задумываясь об оплате счетов и не умея удержать в кармане хоть какие-нибудь деньги. После прочтения «Очарования женственности» я поняла, что должна передать ему распоряжение финансами, несмотря ни на что. Я пошла на риск, но он взялся за это дело с удовольствием. К моему великому удивлению, он просто преобразился. Он ведет себя очень ответственно, стал бережливым с деньгами и развил в себе лидерские качества. Он теперь распоряжается нашими деньгами намного лучше, чем я когда-то.

Задание

Если вы сами ведете финансовые дела в семье и хотите освободиться от этой заботы, прочитайте мужу принципы, представленные в этой главе, и обсудите их вместе. Если он согласен, вы, можно сказать, начинаете новую жизнь. Если нет, скажите ему примерно следующее: «Я больше не могу нести на себе это бремя. Мне тяжело. Тебе не будет это тяжело. Ты мужчина. Пожалуйста, освободи меня от этой ответственности. Возьми на себя этот вопрос полностью». Если он по-прежнему будет отказываться, прекратите этот разговор на время. Подождите, пока вы не примените все принципы «Очарования женственности».

Глава 12

Мужская гордость

Не оскорбляйте его мужскую гордость.

Чем же мужчина гордится? Он гордится своими *мужскими качествами*, которые мы обсуждали выше. У него врожденная гордость мускулистым телом, мужскими привычками, способностями и достижениями. Если какие-либо из перечисленных достоинств слабо развиты или отсутствуют, его гордость попытается скрыть это от окружающих, насколько это возможно. Он также гордится своей способностью быть руководителем, защитником и кормильцем, и весьма болезненно реагирует на обстоятельства, которые не позволяют ему эффективно функционировать в этих качествах. Он также тяжело переживает ситуацию, когда в ответ на свои усилия он не слышит благодарности. Для него так же важен статус в обществе, ибо именно он побуждает его стремиться к достижениям. Но если его статус не признан или не оценен по достоинству или если он не в состоянии добиться определенного положения в обществе, он тоже реагирует болезненно.

Очень важно в этом вопросе понять и запомнить, что *мужская гордость весьма уязвима*. Мужчина не потерпит, если его мужские качества будут *унижены, оскорблены или если над ними будут смеяться или отнесутся с равнодушием*. В таких случаях ему приходится пройти через самые болезненные ощущения и страдания. Отсутствие понимания в этом вопросе приводит к серьезным недоразумениям между мужчинами и женщинами. Сколько раз вы делали легкомысленное замечание в адрес мужа, в ответ на которое звучал резкий выпад, или муж просто отдалялся от вас? Не понимая, какую ошибку вы допустили, вы недоумевали: «Что такого я сказала?» Осознание таких ошибок и умение не допускать их должно войти в программу обучения любой женщины.

Как не задеть мужскую гордость

Никогда не унижайте, не смейтесь и не проявляйте равнодушия к его мужским достоинствам. Никогда не допускайте и мысли, что он не отвечает требованиям, предъявляемым к мужскому полу: в его мужском теле, умениях, способностях или достижениях. Никогда не говорите, что он плохо старается и кто-то другой лучше обеспечивает свою семью. Никогда не говорите, что его мужские функции защитника и кормильца не востребованы и что вы прекрасно можете обойтись без него. Никогда не проявляйте равнодушия к его мужским качествам. Тщательно следите за тем, чтобы вы никогда не превосходили его в качествах, свойственных мужчинам. Применяйте следующие правила:

1. *Его мужское тело.* Вы можете глубоко ранить мужа, если будете насмехаться или проявите равнодушие к любой части его мужского тела, как, например, бороде, волосам на груди, мускульной силе, мужской выносливости или интимной области вашей жизни. Никогда не говорите, например: «Терпеть не могу бороды» или «Зачем Бог дал мужчине волосы на груди?» Если он стоит перед вами с обнаженной грудью и напряженными мускулами, надеясь вызвать в вас восхищение, не проявляйте равнодушия. Никогда не показывайте и не говорите ничего негативного про мужской член или интимную часть вашей жизни.

Более того, мужчина не выносит, если кто-нибудь замечает *отсутствие* у него каких-либо мужских достоинств, если он, например, небольшого роста, хрупкого для мужчины телосложения и так далее. Никогда не советуйте ему развивать мускулы и не сравнивайте его с другими мужчинами, которые выше его ростом или более крепкого сложения. Если у вас есть претензии к интимной области вашей жизни, не обсуждайте эту тему с мужем. Попытайтесь выяснить причину и найти решение, не причинив ему боли и не оскорбив гордости.

Мужчина будет чувствовать себя униженным, если женщина *превзойдет* его в том, что требует проявления мужских качеств или силы, например, в поднятии тяжестей, быстром беге, выносливости, в мужских видах спорта. Когда женщина превосходит мужчину в областях, традиционно считающихся мужскими, она *унижает* его. В таких случаях он перестает чувствовать себя мужчиной.

2. *Мужские умения и способности.* Не унижайте, не проявляйте равнодушия и не старайтесь превзойти его в сфере деятельности, которые требуют мужских умений и навыков. Это относится не только к области его деятельности, но и к плотницкому ремеслу, механике, рыбалке, охоте, мужским видам спорта, математике и всему, в чем мужчина может гордиться своими достижениями. Например, если с вашей машиной что-то случилось и он пытается починить ее, не советуйте ему немедленно вызвать ремонтников. Такое предложение станет признанием вашего недоверия к нему и его способностям, словно он ничего не в состоянии сделать сам. И если в случае необходимости вам приходится выполнить какую-то мужскую работу, не пытайтесь затмить его своими успехами.

3. *Мужские достижения.* Чаще всего мужчины чувствуют себя оскорбленными тогда, когда женщина проявляет полное *равнодушие* к его достижениям. Например, вы когда-нибудь допускали следующие ошибки?

- Он рассказывает о своих последних успехах, а вы зеваете, смотрите в окно или продолжаете читать газету или книгу, или пытаетесь сменить тему.
- Если он вспоминает свои прошлые удачи, вы всем своим видом показываете, как вам неинтересно, или говорите про себя: «Сколько раз можно вспоминать одно и то же?»
- Если он получает награду за свои достижения, вы не проявляете никаких эмоций. Более того, вы намеренно не выказываете никакого восторга, чтобы он не возгордился.
- Если он врывается в дом и начинает рассказывать о своих успехах, вы молча либо словами даете понять, что вы очень заняты и слушать вам просто некогда.

4. *Цель и мечты мужчины.* Еще более чувствителен мужчина к своим будущим достижениям. Когда он уже достиг чего-то, он точно знает, что ему есть чем гордиться. Однако он не может быть уверенным в своих будущих успехах. Поэтому будьте осторожны и не раньте его мужскую гордость: не гасите его мечту, не обливайте ушатом холодной воды его рвение и пыл, не гасите энтузиазм и не выражайте сомнений в его будущих достижениях.

5. *Мужские черты характера.* В предыдущей главе мы говорили о характеристиках, свойственных мужской природе. Это решительность, твердость, агрессивность, в то время как женщина склонна сомневаться, подчиняться и проявлять мягкость. Поэтому не говорите ему, что у него недостает мужского характера или что он склонен к колебаниям и уступчивости.

6. *Его мужская роль.* Ярко выраженный мужчина прекрасно осознает свою роль руководителя, защитника и кормильца. Никогда не говорите, что он не справляется со своими мужскими функциями или что кто-то другой выполняет их лучше, чем он. Никогда не показывайте, что вы сами могли бы справиться с его ролью лучше или что вы вполне можете обойтись без него. Поскольку его основная функция в жизни — обеспечение семьи, в случае вашего недовольства в этой области его гордость пострадает особенно сильно. Поэтому давайте более внимательно вглядимся в этот предмет.

Гордость своей ролью кормильца

Все, что относится к области его работы — его умения и навыки, способности, деньги, успех или достижения, — вызывает его гордость. Он особенно гордится тем, что заботится о своей семье, что семья обеспечена и не страдает от отсутствия комфорта или радостей жизни. Если вы хотите, чтобы он чувствовал себя хорошо, он должен быть уверенным, что успешно справляется со своими мужскими обязанностями кормильца. Женщины обычно оскорбляют гордость мужей как кормильцев в следующих случаях:

1. *Работающая жена.* Если вы работаете вне дома, вы принижаете роль мужа как единственного кормильца в семье. Если вы должны работать, сделайте все возможное, чтобы не ранить его гордость в следующих областях.

- Не говорите, что он без вас не справился бы со своей задачей по обеспечению семьи.
- Не жалуйтесь, как тяжело вам приходится работать или на какие жертвы вам приходится идти из-за работы.
- Не объясняйте всем встречным, что вам приходится работать, потому что семье не обойтись без вашего заработка.
- Не рассказывайте всем подряд, как много вам помогают ваши родители и что без их помощи вы не справились бы.
- Не пытайтесь превзойти мужа в работе, делая все лучше, чем он. Не стремитесь достичь больших высот, не пытайтесь заработать большие деньги.

2. *Сидящая дома жена.* Даже если вы никогда не работали вне дома, остерегайтесь нанести оскорбление его гордости в области обеспечения семьи. Например, никогда не говорите: «Мы не можем себе этого позволить» или «Как хотелось бы чувствовать больше уверенности в завтрашнем дне». Не предлагайте ему пути и способы увеличения дохода и не выражайте восторгов в адрес других мужчин, которые лучше зарабатывают. Не напоминайте ему, как вы экономите и урезаете расходы, чтобы свести концы с концами, как в следующем диалоге:

Том и Мэри (как нельзя разговаривать)

Том (просматривая счета): *«Как много нужно денег, чтобы обеспечить семью!»* (ожидая слов поддержки в свой адрес).

Мэри: *«Ну, что же, это не моя вина! Я во всем урезываю и экономлю, сама шью детям, сама пеку и ничего для себя не покупаю. Другие женщины ходят в салоны красоты и парикмахерские, покупают нарядные платья, а я обхожусь без всего этого»* (надеясь услышать слова благодарности).

Том: *«Ты и вправду ничего себе не покупаешь?»* (надеясь услышать, что она несколько все преувеличила).

Мэри: «*Я делаю все, чтобы помочь тебе. Я готова обойтись без покупок для себя, лишь бы ты не надрывался*» (опять надеясь услышать слова благодарности).

Том: (Внутри него возникает смесь раздражения по отношению к жене за то, что она выставляет его неудачником, да он и начинает себя чувствовать таковым. Он говорит с раздражением.) «*Значит, в твоих глазах я ничтожество, которое не может прокормить семью?*» (Мэри удивлена его гневом и отсутствием благодарности за ее жертвенность).

Вот прекрасный пример отсутствия понимания между полами. Том пожаловался на дороговизну жизни, желая лишь одного: услышать от Мэри слова поддержки. Она восприняла его слова как критику в свой адрес, полагая, что он обвиняет ее в расточительности. Она начинает защищаться, объясняя, что старается быть бережливой, чтобы он знал, что она во всем пытается ему помочь. Тем самым она наносит удар по его мужскому самолюбию.

Далее следует пример того, как нужно было провести этот диалог.

Том и Мэри (как нужно разговаривать)

Том: «*Как много нужно денег, чтобы обеспечить семью!*»

Мэри: «*Да, действительно. Но ты с этим прекрасно справляешься! Должно быть, это тяжелая ответственность обеспечивать нас!*»

Том: (Его самоуважение растет на глазах.) «*Ничего. Правда, бывают тяжелые моменты. Я думаю, и в дальнейшем у нас с этим не будет проблем. Думаю, все будет в полном порядке и дальше!*»

Мэри: «*Как приятно чувствовать себя под твоей защитой и знать, что ты всегда позаботишься о нас!*»

В первом случае Мэри заставила мужа почувствовать себя неудачником, а во втором — героем дня!

А теперь об обычных ошибках, которые допускают женщины

Следующие истории подтверждают тот факт, что иногда женщины неосознанно оскорбляют мужскую гордость своих мужей.

1. *Вложение денег.* Муж поделился с женой идеей о том, как вложить деньги в одно предприятие. И хотя дело было несколько рискованное, прибыль обещала быть очень большой. Он тщательно обдумал деловое предложение и, приняв решение, решил вложить деньги. Но прежде он обратился к жене за поддержкой. Выслушав его план, она сказала: «Ну, что ж, если тебе хочется потерять все деньги, давай, вкладывай!» Это унизительное напутствие сокрушило его гордость и привело в состояние раздражения.

Ситуация действительно *щекотливая.* Действительно, муж *мог* потерять все деньги. Если жена посчитала ситуацию опасной, она должна была открыто поговорить с ним, но при этом по-женски тактично, не задевая его мужской гордости. Она могла сказать приблизительно так: «Звучит заманчиво, и понятно, почему у тебя такие радужные планы. Но у меня почему-то предчувствие, что этому человеку не стоило бы доверять». Муж не стал бы спорить с *чувствами* жены. Прочитайте еще раз главу 8, чтобы вспомнить, как разговаривать по-женски.

2. *Спортивное снаряжение.* У мужа появилась интересная мысль, связанная с приобретением спортивного снаряжения. Он загорелся! Когда он объяснил свою мысль жене, она ласково и мягко сказала: «Давай просчитаем все „за" и „против"». Этот ушат холодной воды, вылившийся на него, мгновенно охладил его пыл, и его энтузиазм угас. Есть другие варианты погашения пыла и рвения: «Давай рассуждать практически», «Приди в себя, пожалуйста». Совсем не обязательно поддерживать идеи, которым вы не доверяете, но помните — если вы погасите энтузиазм мужа, вы оскорбите его мужское достоинство.

3. *Учитель воскресной школы.* Одна женщина поделилась такой историей: «Мой муж преподавал в воскресной школе и справлялся с этой миссией очень хорошо. Однажды я попросила сына посоветовать ему провести часть урока с использованием наглядных пособий. С ноткой угрозы в голосе муж ответил: „В чем дело? Тебе не нравится, как я веду урок?" — „Я просто думаю, что у тебя потом получится еще лучше", — ответила я. Он разъярился, сказал, что я никогда не ценила его по-настоя-

щему, что унижаю его в глазах детей и что с него хватит. Он выскочил из дому, хлопнул дверью и ушел на несколько часов». От ситуации, когда мужчине предлагается учиться преподаванию у собственного сына, он испытал сильное унижение.

4. *Обеденное время.* Женщина размешивала на плите подливку. Пришел муж и стал рассказывать ей о том, что случилось на работе. Взволнованный, он стал объяснять жене, что его начальник, редко раздающий похвалы, похвалил его за работу. Жена в ответ сказала: «Как это здорово! Джимми, пожалуйста, подай мне немного воды», после чего опять занялась приготовлением обеда. Он опять попытался привлечь к себе ее внимание, но она вновь перебила его: «Пойди, скажи девочкам, пусть умоются перед обедом».

Помните, женщины, приготовление обеда свидетельствует о вашей женской добродетели, однако путь к сердцу мужчины лежит вовсе *не через желудок.* Ваша заинтересованность его делами и поддержка в них намного важнее для него. Очень хорошо вовремя накормить семью, но бывают случаи, когда его душа остается голоднее его тела.

5. *Неудача на работе.* Мужчина был расстроен возникшими на работе проблемами. Его жена с любовью попыталась развеять его мрачное настроение. Когда он рассказал, в чем дело, она сразу поняла, что его ждет провал. Желая сыграть роль совершенной жены, она бесстрашно сказала: «Дорогой, не расстраивайся. Если это дело провалится, ничего страшного. Я буду вполне довольна, если ты займешься чем-нибудь поскромнее». Муж резко ответил: «Иногда ты говоришь поразительные глупости».

Но что плохого она сказала? Она предположила, что он потерпит неудачу. Однако ее муж не собирался заниматься вещами «поскромнее», его мечты были возвышенными и смелыми, но согласно ее словам ему не следовало взлетать слишком высоко. Конечно, любой муж должен знать, что его жена преданно примет любые изменения, любые неудачи и с радостью приспособится к изменившимся обстоятельствам. Однако ему хотелось бы считать случающиеся неудачи временным явлением, поскольку *он твердо верит в свой несомненный успех.*

Так что должна была сказать в таком случае жена? Ей следовало сказать следующее: «Ты переживаешь тяжелые дни, но любому успеху предшествуют проблемы, как видно из жизни всех великих людей». Ей не нужно было говорить: «Твое дело не провалится», потому что гарантий абсолютного успеха быть не может. Вы не должны возлагать на мужа слишком большие надежды.

Некоторые женщины инстинктивно знают, что и когда сказать в случаях, когда муж терпит неудачу. Например, у человека возникли серьезные проблемы со сдачей экзаменов в колледже, где он учится. В тот момент, когда он находится в состоянии тревоги и сильнейшего беспокойства, боясь, что не сдаст экзамены, его жена говорит: «Джордж, если ты провалишь экзамены, возможно, ты станешь более великим и удачливым человеком, чем если бы ты сдал эти экзамены». Муж воспринял эти слова как величайшее облегчение и, несмотря на серьезные сложности, сдал все экзамены.

В другом случае человека, служившего в одной компании менеджером, уволили. В момент наибольшего стресса его жена сказала: «Генри, вероятно, это путь к новым возможностям, еще одна ступенька к новым успехам». Он почувствовал такое облегчение, что заплакал. Это увольнение действительно стало путем к новым возможностям, ибо он достиг в десять раз большего, чем положение менеджера небольшой компании. Суть всех этих историй в следующем: первая женщина представила своего мужа маленьким перед лицом грозивших ему обстоятельств. Во втором и третьем случаях жены представляли своих мужей большими и сильными, способными справиться с любыми обстоятельствами.

6. *Руководитель самодеятельного театра.* Руководитель театрального кружка попросил жену заняться костюмами к спектаклю. Долгие часы она шила, надеясь, что муж будет доволен ею. Вместо этого она видела лишь растущее недовольство. Однажды вечером он сказал: «Я тебя совсем не интересую. Тебя интересуют лишь костюмы». Удивленная и обиженная, она не поняла его реплики.

Ее вина заключалась в том, что она полностью погрузилась в костюмы, не интересуясь его пьесой. Она упустила возможность понаблюдать за его талантами режиссера, организатора и драматурга. Зарывшись в костюмы, она решила, что успех пьесы зависит только от ее усилий и что муж не сможет обойтись без нее. Ему же было больно видеть ее равнодушие к его талантам и успеху. Таковы печальные последствия недопонимания, существующего между мужчинами и женщинами.

Кто причинил ему боль?

1. *Его прошлое.* Подрывная деятельность ущемленной гордости может брать свое начало с детства. Может быть, когда он был еще подростком, только что появившаяся редкая бородка вызвала насмешки со стороны братьев и сестер. Даже мама могла смотреть на нее с пренебрежением. Так же насмешливо могли отнестись к его идеям и мыслям. Но самым жестоким могло быть школьное окружение, где молодые люди, желая превознести себя, всячески унижали своих товарищей по классу. Учителя тоже нередко делают унизительные замечания.

2. *Окружение на работе.* На работе мужчины часто страдают от жестокого унижения их чувства собственного достоинства. В некоторых компаниях способности работников подвергаются сомнениям, практикуются язвительные и острые замечания. Некоторые работодатели находят удовольствие в садистском принижении своих подчиненных. В борьбе за свое положение люди стараются дискредитировать друг друга. Очень часто кредиторы или клиенты позволяют себе едкие замечания. Начальники высмеивают своих работников. В высшей школе обычно унижают гордость студентов и подрывают в них веру в себя, чтобы избавиться от слабых. Та же политика наблюдается в армии.

3. *Его жена.* Как мы уже видели, жена часто играет роль человека, который жестоко унижает чувство мужского достоинства язвительными замечаниями или равнодушным отношением. Поскольку муж общается с женой постоянно, именно жена оказывает на него особенно заметное влияние, во благо или на раз-

рушение его личности. А теперь давайте посмотрим, как разрушительно воздействует на человека оскорбленная гордость.

1. Унижение

Самый непосредственный результат ущемленной гордости — *боль унижения* от острых, едких или насмешливых слов. Таким образом жена задевает самую чувствительную часть его натуры. Это самое неприятное чувство, и женщина, которая причиняет эту боль, становится ненавистной для мужчины. Неудивительно, что он проявляет по отношению к ней холодность или гнев. Кроме чувства унижения могут возникнуть следующие проблемы:

2. Отчуждение

Под отчуждением мы не имеем в виду сдержанность или робость. Робость вообще редко присуща мужчинам, в то время как каждый человек может отдалиться от другого, испытать отчуждение и уйти в себя. Когда чувство собственного достоинства ущемляется снова и снова, мужчина выстраивает защитную стену отчуждения, за которой пытается спрятаться от боли и дальнейших унижений. Так он уходит в себя.

Когда ваш муж отдалился от вас, значит — у вас появилась проблема. С одной стороны, у него имеется постоянная потребность видеть в глазах жены восхищение. Когда он видит восхищение, у него растет чувство уверенности в себе и он ощущает себя настоящим мужчиной. Поэтому он стремится доверить жене свои чувства, поделиться своими благородными делами и порывами, тайными чаяниями в надежде увидеть в ее глазах восхищение. С другой стороны, он боится этого. Почему? Потому что не хочет вызвать насмешку или равнодушие. Это унижает его чувство мужского достоинства.

Ничто так не пугает мужчин, как возможность выглядеть в глазах других глупцом. Поэтому он подавляет в себе стремление вызвать восхищение. Он может отбросить защитную оболочку отчуждения и раскрыть перед другими людьми свое сокровенное только в том случае, если он будет абсолютно уверен, что его идеи встретят полное понимание и восхищение, а не презрение или равнодушие. Но даже в этом случае малейший намек на недопонимание или неуважение вдребезги разобьет его надежды и загонит его за стену напускной сдержанности.

Чтобы понять природу отчуждения, возьмем, к примеру, молодую девушку, которая вызвала молодого человека на откровенность, и он поделился с ней своими мечтами и тайными надеждами. Когда он начинает обнажать более тонкие черты своего характера, у нее появляется прекрасная возможность признать его мужские качества и достоинства. Но если в этот момент она зевком или равнодушным взглядом в окно покажет отсутствие заинтересованности, он съежится, как от удача бичом. Может быть, он впервые в жизни осмелился выразить свои сокровенные чувства. Если в этот важный момент девушка проявит равнодушие и не сумеет показать значимость этого для себя, он решит, что у нее каменное сердце. В будущем он не станет рисковать и не поделится с ней ничем. Он спрячется за защитной стеной сдержанности.

Такое можно сказать о любом мужчине. Его потребность в восхищении, как бы велика она ни была, не заставит его сбросить привычное одеяние сдержанности, кроме исключительных ситуаций. Но даже в таких случаях он быстро спрячется под ее защиту, если только не предоставить ему возможность без страха и риска купаться в лучах полного и безоговорочного понимания и симпатии. Одна характеристика кажется диаметрально противоположной другой. А вместе они составляют проблему, трудноразрешимую для интеллекта любой женщины.

Иногда мужчина замолкает и вообще перестает разговаривать. Значит, он полностью ушел в свою раковину. Туда он забирается самостоятельно, запирает за собой дверь, наглухо задвигает шторы, делая невозможным любое с ним общение. Это вполне обычное для мужчины явление. Чем выше уровень человека, тем больше он склонен уходить в себя, когда чувство его мужского достоинства оскорблено.

В идеальном браке не должно быть никаких защитных стен или отчуждения. Мужчина должен чувствовать себя комфортно, выражая себя без страха быть униженным. Он должен быть уверенным, что его всегда поймут и отнесутся к нему с искренним уважением. Если вы видите в своем муже отчуждение, примите меры к тому, чтобы разрушить эту стену. Если не можете этого сделать, у него возникнет искушение искать понимание у другой женщины, которая захочет восполнить и удовлетворить эту величайшую мужскую потребность.

Как разрушить стену отчуждения

Когда мужчина прячется за стену сдержанности, вы можете заглянуть за нее и спросить: «Ты почему молчишь?» или «Почему ты мне ничего не рассказываешь?» Разрушьте эту стену, сделав следующее:

1. *Примите его.* Опять это — первый шаг. Когда вы не обращаете внимания на его недостатки и видите в нем только лучшие стороны, он начнет больше доверять вам, с большей готовностью станет делиться с вами сокровенными мыслями и чувствами.

2. *Никогда не уничижайте его.* Следите за тем, чтобы не совершать ошибок, которые будут способствовать тому, что он еще глубже будет уходить в свою защитную скорлупу. То есть не допускайте тех ошибок, которые вынудили его спрятаться за стену сдержанности. Вам нужно полностью отказаться от всех унижающих его достоинство замечаний, проявления равнодушия, иначе его отчуждение станет вашей постоянной проблемой.

3. *Восхищайтесь им.* Ваше щедрое и искреннее восхищение станет самым эффективным средством, которое поможет вам вернуть его доверие и разрушит стену сдержанности.

4. *Не критикуйте других людей.* Если вы критически относитесь к другим людям, постоянно концентрируясь на их недостатках, он не раскроет вам свои тайные мысли, боясь критического или презрительного отношения с вашей стороны. Не говорите ему о своей низкой оценке других людей, не проявляйте презрения, зависти или ревности по отношению к другим людям. Не нужно рассматривать никого под микроскопом. Даже если вы не одобряете слова или поведение окружающих, найдите что-нибудь хорошее в их характере или их побуждениях. Чем больше

критичности вы проявите, тем меньше захочет ваш муж стать объектом вашей уничтожающей критики. Он должен быть уверен в том, что его откровенность вызовет доброжелательное и восхищенное отношение, а не шквал критики.

5. *Умейте находить в других людях что-то доброе.* Если вы будете видеть в других людях хорошее, муж будет уверен, что и в нем вы тоже увидите в первую очередь добрые стороны. Когда он станет делиться с вами своими сокровенными мыслями, он не побоится вызвать в вас насмешку или презрение. Ищите в каждом что-то хорошее и находите для них добрые слова. Таким образом вы разовьете в себе милосердный характер, который поможет ему снять с себя защитную сдержанность.

6. *Умейте хранить чужие тайны.* Никогда и никому не поверяйте секреты, которые вам доверили другие. Если вы раскроете чужие тайны, ваш муж решит, что вы не сможете также сохранить и его секреты и таким образом выставите его на посмешище или проявите равнодушие, чего он, естественно, постарается избежать. Он может доверить вам свои тайны только в том случае, если будет полностью уверен в вашей способности сохранить их. И даже если он уверен, что вы искренне восхищаетесь им, у него не может быть гарантии, что другие будут испытывать те же чувства, если вы начнете делиться с ними его тайнами. Он не станет рисковать своей безопасностью.

Когда он перестанет таиться за защитной сдержанностью и начнет раскрываться перед вами, надеясь увидеть в ваших глазах восхищение, не думайте, что с его страхами покончено раз и навсегда. Продолжайте вести себя в соответствии с приведенными советами. Все это время следите за тем, чтобы с полным пониманием выслушивать и принимать все, что он поверяет вам. Иначе он больше не станет ничем делиться с вами.

Если вы с первого раза с одобрением примете то, что он вам доверит, в следующий раз он опять решится поделиться с вами сокровенным. И так до тех пор, пока, при условии, что ваша реакция его ни разу не разочарует, — он не научится делиться с вами всеми своими мыслями, идеями и надеждами. Потребность в восхищенном одобрении для него слишком важна, и потому он обязательно и постоянно будет приходить к вам за новыми порциями поддержки и одобрения.

Помните, однако, что причины его сдержанности лежат в прошлом, и при первом же тревожном признаке критического отношения или равнодушия они могут возникнуть вновь, даже если вы критичны только по отношению к другим людям. Поэтому вы можете понять, как трудно бывает женщине со слабым и критическим характером сделать все, чтобы ее муж начал открыто говорить, не боясь возникновения чувства отверженности.

3. Притупившиеся чувства

Когда мужское достоинство унижается в течение долгого времени, мужчина начинает защищаться от боли и унижения путем ожесточения. Он перестает обращать внимание на оскорбления. Его чувства становятся притупленными.

В книге доктора Эдриты Фрид «Ego in Love and Sexuality» («Личность в любви и сексуальности») также говорится о притуплении чувств. Доктор Фрид утверждает, что опасность здесь кроется в следующем. Когда люди становятся нечувствительными к боли, они теряют восприимчивость также к радости и удовольствиям. «Мы очень дорого расплачиваемся за добровольное притупление чувствительности, ибо, если оно облегчает боль, оно также понижает нашу способность испытывать радостные и приятные чувства и реагировать на радостные обстоятельства. Бесчувственность, как неразборчивый серп, срезает цветы вместе с сорняками».

Человек, переставший чувствовать боль унижения, отделяет себя от радости бытия. Он больше не чувствует обиды, но он также не чувствует красоты летнего дня, не испытывает радости от смеха детей и не проявляет ответной реакции на любовь со стороны жены. Его сексуальное влечение тоже понижается, и он даже может стать импотентом.

4. Лживость

Человек с обостренным чувством собственного достоинства иногда испытывает искушение солгать. Например, если ему грозит неудача, его страх перед предстоящим унижением может вынудить его скрыть правду, говорить ложь или даже взвалить вину за случившееся на кого-нибудь другого. Поскольку его гордость особенно страдает от отношения к нему жены, он представит ей, скорее всего, самую искаженную картину происшедшего. Это приведет к новым проблемам, как, например, в следующем случае.

Мужчина, столкнувшийся с опасностью неудачи в бизнесе, боялся сказать всю правду своей жене. Поскольку он скрыл от нее важные факты, она ошибочно полагала, что ее муж невиновен, и потому потребовала возмещения убытков с других лиц, оказавшихся в этой ситуации, поставив тем самым мужа в очень неудобное положение. Но зачем он обманул ее? Из-за мужской гордости. Он боялся произвести на нее дурное впечатление. И хотя все люди, как правило, стараются избежать разглашения информации о своих неудачах, там, где задействована мужская гордость, проблема становится особенно острой.

Но если человек не может скрыть правду, он пытается оправдать свои ошибки, обвинив в происшедшем обстоятельства, других людей и даже свою жену. Иногда мужчина в попытке защитить свое достоинство приводит любые доводы и аргументы. Но чем больше он пытается скрыть правду, тем более противоречивыми становятся его аргументы и реальные факты.

Вы можете помочь мужу не прибегать ко лжи осознанием того, что его гордость может пострадать перед лицом надвигающейся неудачи. Помните, что ваше мнение о нем имеет для него самое большое значение. Дайте ему понять, что вы всегда примете и поймете его, даже в самых неблагоприятных обстоятельствах. Если вы полностью доверитесь его мужскому характеру, он безбоязненно откроет перед вами любую правду.

5. Когда мужчина сам себя недооценивает

В этом случае мужчина осознанно и намеренно уничижает себя, акцентируя внимание на своих слабостях, ошибках и неудачах. Но почему он это делает? Он это делает тогда, когда его чувство мужского достоинства ущемлено или же когда он надеется, что его разуверят в этом и окажут поддержку в трудную минуту. Единственное, чего он хочет, когда уничижает себя, это увидеть так необходимое ему восхищение. Он надеется, что когда он унизит себя, кто-нибудь не согласится с ним и начнет разуверять его в этом. В ответ на подобное поведение скажите ему слово ободрения, но пусть ваши слова хвалы не будут расточительными. Иначе у него войдет в привычку уничижать себя в надежде услышать слова поддержки. Ищите другие пути и способы оценить его и выразить свое восхищение, и таким образом развить в нем мужские качества.

Ваша ответственность за его мужское достоинство

1. *Не причиняйте ему боль.* Следите за тем, чтобы не оскорблять его чувство мужского достоинства и никогда не согрешать в этом. Когда он возвращается с поля битвы из окружающего мира, а дома встречает презрение или равнодушие, его доверие к вам будет подорвано, а чувства к вам изменятся.

2. *Исцелите его раны.* Исцелите раны мужа, нанесенные ему другими людьми. Станьте для него добрым ангелом, тем, кто восстановит все то, что было разрушено другими. В таком случае вы станете незаменимым условием его счастья и сделаете большой вклад в его жизненный успех. Никто и никогда не сможет заменить вас в функции исцеляющего бальзама, который поможет ему идти дальше по жизни.

Если вы не сможете справиться с этими функциями, если вы будете продолжать причинять ему боль и обиду, не умея помочь и поддержать его в трудный час, вы разрушите его самого и его чувства по отношению к вам. Женщина находится в сложном положении, поскольку она может либо созидать, либо разрушать мужчину в соответствии с тем, как она относится к его мужскому чувству собственного достоинства.

Когда вы видите, как болезненно он относится к любому ущемлению его мужской гордости, вам нужно особенно следить за тем, что вы говорите. Нельзя *распускать язык* и говорить все, что придет на ум. Не следует изливать перед ним сердце, как это делают перед духовным наставником. Нужно сдерживать чувства и исповедь, которые могут ранить его чувствительную гордость. Но если вы уже научились разговаривать на созидание, а не разрушение, вы можете вести с ним доверительные беседы и ощущать близость, которая характеризует женщину, созданную как *кость от кости его и плоть от плоти его*. Вы построите мост через разделяющую мужчин и женщин пропасть, как это случилось в следующей истории.

Отказался от плавания

Когда я пошла на занятия по книге «Очарование женственности» мой муж был в плавании в океанографической научно-исследовательской экспедиции в регионе Перу. Вся его жизнь проходила в экспедициях. В течение последних пяти лет его отлучки длились более обычных полутора месяцев, и они всегда объяснялись его профессиональным увлечением, и все наши друзья-мужчины завидовали его интересному образу жизни.

Что касается меня, я стала подумывать о преимуществах и недостатках развода. Все аспекты моей жизни стали принимать негативный оттенок. Мне становилось все труднее следить за домом и четырьмя детьми, к тому же дети все чаще стали меня раздражать. По мере роста моего недовольства я перестала радоваться даже тому времени, которое муж проводил дома. Я стала чувствовать пугающую ненависть по отношению к мужу. Раньше я не испытывала ненависти ни к кому в жизни.

И несмотря на то, что мы пережили много серьезных штормов, наш брак двигался к распаду, и мы оба чувствовали, что никак не можем хоть как-то помешать этому. Мы даже стали говорить об этом. Бывают ли у других подобные проблемы? Я была уверена в обратном. Я просто не могу понять мужчин!

На занятиях по книге «Очарование женственности» я получила первый шок, который выбил меня из привычной колеи мыслей. Впервые в жизни в поисках виноватого я осмелилась заглянуть внутрь себя, не пытаясь взвалить вину на кого-то извне. В честном исследовании я обнаружила нечто (неизвестное мне прежде), что сияло ярко, как неоновая вывеска. Мой муж много раз пытался сказать мне многое из того, о чем говорится в «Очаровании женственности», но я не слушала. Кроме того, я постепенно вспомнила, что все то время, когда мы оба были довольны и счастливы в браке, я невольно и неосознанно следовала учению, изложенному в «Очаровании женственности».

Снова и снова я видела перед собой целую череду собственных ошибок. Теперь я только удивляюсь тому, что этот умный и яркий человек не оставил меня раньше. Я плакала, вспоминая, сколько унижений и оскорблений я нанесла ему. Как много женщин по причине непонимания продолжают причинять боль мужчинам, которых они, как они полагают, любят.

Я стала писать ему письма, применяя в них принципы «Очарования женственности» и, насколько могла, исправляя свои ошибки. Я также разговаривала с ним по телефону и, благодаря моему изменившемуся отношению я немедленно почувствовала теплую реакцию мужа. Немного позже в разговоре по телефону он даже назвал меня «дорогая».

В одно из своих писем он вложил брошюру об экспедиции, в которой он на тот момент находился. Она была очень интересной, и в ней рассказывалось о пике его карьеры. И хотя я в течение двадцати трех лет мечтала, чтобы он оставил плавание и стал жить со мной и детьми, мне стало совершенно ясно, что я не имею никакого права просить его отказаться от работы, в которой он находит такое глубокое удовлетворение. Я сказала ему об этом в своем следующем письме.

К моему удивлению, в ответном письме он написал, что далеко не все удовлетворяет его в работе. Он давно не находит ничего восхитительного в том, что кажется таковым другим. Но самое удивительное было то, что он увольнялся и возвращался к нам навсегда! Сейчас он покупает в районе Вашингтона ферму, где мы будем постоянно жить. Теперь в письмах он пишет: «Скорее бы наступил июнь». Это месяц, когда он возвращается домой.

Великая Китайская стена

Я чувствовала сильную депрессию, и меня уже ничто не радовало. Я не видела ни смысла, ни цели в жизни и казалась самой

себе чем-то незначительным. Я пыталась выйти из этого состояния, напоминая себе, что у меня двое детей и что я должна вы-
растить их хорошими людьми. Но прежние радости уже не пле-
няли меня. Я сидела за шитьем или вязанием, надеясь получить
хоть каплю удовольствия, которое раньше получала от работы,
но напрасно: я была совершенно опустошенной.

Теперь я оглядываюсь назад и понимаю, когда и с чего начались все мои беды, но тогда я была в полной растерянности.
До появления первого ребенка мы с мужем были женаты десять
лет. Наш брак был обычным, как у всех, ни проблемы, ни трудности не были неразрешимыми. Почти все время я работала и
была довольна своей жизнью. Затем появились двое детей, и в
разгар строительства дома нашей мечты я вдруг заболела. Я испытывала страшное чувство беспокойства, которое меня мучило
полтора года. Начались бесконечные посещения врачей, которых
я пыталась убедить, что со мной что-то не в порядке. Но они ничего не могли найти.

Наконец, в отчаянии, чувствуя, что здравомыслие меня покидает, я прошла трехмесячный курс лечения у психиатра. Я узнала, что у меня эмоциональный криз. За время лечения мой
врач сумел меня убедить в том, что я вышла замуж за незрелого
и эгоистичного тирана (совершенная ложь). Он убедил меня в
том, что я была права, а муж был не прав.

В результате этого я решила, что мои проблемы коренятся
в прошлом, и попыталась переделать мужа. Я преуспела в этом.
Он действительно изменился, и из любящего, мягкого и понима-
ющего превратился в раздражительного, нетерпеливого и необ-
щительного тирана, который делал настолько непривычные для
него вещи, что сам не мог объяснить, как это у него получалось.
Мало-помалу, придирки за придирками, обвинение за обвине-
нием я выстроила огромную непроходимую стену отчуждения,
которую только можно вообразить. Я построила такую стену
отчуждения, по сравнению с которой Великая Китайская стена
выглядит детской игрушкой.

Когда эта стена отчуждения встала между нами, я стала
уничтожать мужа, вместо того чтобы разрушить стену. В ответ

он стал грозить разводом, впадал в ярость, и некогда счастливый человек стал испытывать такую депрессию, что я временами стала бояться, что он может покончить с собой. Конечно, я считала себя правой. Я даже сказала ему, что это необходимая фаза наших взаимоотношений и что ему нужно поскорее пройти через нее.

Я частенько спрашивала его, почему он меня не ценит. Я была идеальной женой. Ха! Годами я содержала в порядке и чистоте дом, детей, но ничего не могла поделать со своим мрачным настроением, унынием, депрессией, ибо почти никогда я не чувствовала себя хорошо. Меня может понять только та женщина, которая, как и я, все силы прилагала к тому, чтобы заслужить одобрение мужа и ради этого шла на все мыслимые жертвы.

Однажды, когда я, как обычно, рассказывала одной своей подруге о своем горе и несчастьях, она дала мне почитать «Очарование женственности», сказав при этом: «Пожалуйста, обрати особое внимание на внутреннее умиротворение и достойный характер». Я прочитала книгу, но она мне показалась слишком глубокой. Я подумала, что никогда не смогу стать такой женщиной. Я попытаюсь, решила я, но вряд ли у меня получится.

Но теперь я могу заявить, что я никогда не смогла бы сделать этого без помощи нашей руководительницы на занятиях по книге «Очарование женственности». Это изумительная женщина. Я стала жить принципами книги, и вскоре стена отчуждения стала разваливаться. «Очарование женственности» спасло наш брак и сделало моего мужа опять счастливым человеком. Я теперь снова радуюсь жизни и делаю все возможное, чтобы в повседневных заботах не забывать советов «Очарования женственности».

Он стал другим человеком

Мы с мужем были женаты шесть лет, и у нас было двое детей. Когда я забеременела последним ребенком, мой муж резко охладел ко мне и стал проявлять равнодушие. Он сказал, что не любит меня и что я для него словно мать. У него появилась другая женщина. После рождения ребенка я подала на развод, и мы разъехались. Но разводиться мой муж не хотел.

Мы пошли в консультацию за советом, и консультант объяснил, в чем проблема, но не мог предложить никакой помощи. Прожив раздельно в течение трех месяцев, мы снова сошлись для полугодовой попытки. Мы оба чувствовали себя друг без друга ужасно. Мы выросли в религиозных семьях и активно служили в поместной церкви, когда все это случилось.

За время совместной попытки все шло относительно неплохо, но не было ощущения уверенности и, в любом случае, все было не так, как я ожидала. Я не чувствовала нежности, которую хотела видеть и в которой так отчаянно нуждалась. Я не чувствовала себя любимой. Я понимала, что наш брак держится на тонких нитях, и не знала, что делать. Я чувствовала себя беспомощной и постоянно думала о том, что муж может найти себе другую женщину.

В это время я услышала об «Очаровании женственности». В первый же раз, когда я попробовала применить принципы этой книги, я увидела, как лицо мужа засияло, и я почувствовала по отношению к себе нежность, хотя и едва заметную. Раньше мы очень мало общались, но когда я стала восхищаться им и проявлять сочувственное понимание, о котором говорится в книге, он просто преобразился. У него исчезла защитная броня, и теперь он рассказывает мне обо всех проблемах и относится ко мне с огромной нежностью. Это просто чудесно. Я всегда мечтала о таком, но ничего подобного в наших взаимоотношениях раньше не было. Чем больше я восхищаюсь им, тем больше любви к себе испытываю.

Теперь внутри меня царит мир и покой. Я не боюсь, что он оставит меня и уйдет к другой женщине, потому что от меня он получает восхищение и любовь, в которой испытывает настоятельную потребность, а я в ответ получаю любовь, в которой так отчаянно нуждалась раньше.

Чувствительная мужская гордость

1. Мужское тело.
2. Мужские умения и навыки.
3. Мужские достижения.

4. Мужские цели и мечты.

5. Мужские черты характера.

6. Мужская роль.

Задание

1. Не уничижайте, не принижайте его и не проявляйте равнодушия к его мужским качествам.

2. Если он отгородился от вас стеной отчуждения, предпримите конкретные шаги для ее разрушения.

Глава 13

Сочувственное понимание

Чтобы быть сочувствующей и понимающей женой, вам нужно понять, с чем мужчина сталкивается в своей жизни. Если вы приняли советы «Очарования женственности» близко к сердцу, вы уже достаточно хорошо представляете себе это. Вы уже проникли в его затаенные мужские потребности и чувства. Вы поняли, как серьезно он относится к своему долгу обеспечивать семью, как настоятельно стремится достичь определенного положения и как обострено у него чувство мужского достоинства. Это понимание поможет вам осознать его тревоги, заботы и напряжение. Осознавая все это, вам нужно набраться терпения, научиться прощать его и еще лучше адаптироваться к обстоятельствам. Тогда вы вступите на новый уровень понимания. А теперь давайте посмотрим, смогли ли вы отказаться от старых привычек и превратились ли в сочувствующую, все понимающую жену.

Бесчувственная жена

Если раньше у вас недоставало сочувствия, вы, наверное, демонстрировали его отсутствие самыми разными способами. Возможно, вы жаловались, когда муж опаздывал к обеду, уединялся, не горел желанием общаться с детьми, не проявлял рвения делать что-то по дому, был скуп на деньги или подолгу задерживался на работе. Вы устали долгими часами ждать его после работы. Это всегда для меня было загадкой. Если мужчина не играет со своими детьми, придя с работы, это совсем не значит, что он их не любит, поскольку он весь день работал для того, чтобы обеспечить их и жену.

Сочувствующая жена

Позвольте мне нарисовать портрет сочувствующей жены, которая понимает трудности внешнего мира, в котором живет и трудится ее муж. Когда он сердится или раздражается, она осознает, что это происходит по причине напряжения и давления, которое он испытывает у себя на работе. Ее сочувствие дает ей возможность простить его несдержанность. Если он опаздывает на обед, она соизмеряет неудобства, которые он ей причинил, с тем, что приходится переживать ему, и потому считает свои проблемы незначительными. Ее муж в таком случае, придя домой, не окунается в новую волну проблем, а находит домашний покой и комфорт.

Каждый день он приходит домой, где его ждет теплая улыбка, и никогда — проблемы. Она не позволяет детям одолевать его жалобами сразу, как только он вошел в дверь, или виснуть на нем, пока он не восстановил своих сил после трудового дня. Они приветствуют отца, и она уводит его в спальню, где он может отдохнуть и переодеться. Она обкладывает его подушками, снимает с него обувь и уговаривает немного полежать и отдохнуть. Она дает ему этот период тишины и покоя, прежде чем он выйдет к остальной семье. Он работает, чтобы обеспечить и защитить ее, и, поступая так, она тоже защищает и ограждает его.

Если он не готов починить забор или покрасить кухню, она старается понять, что эти работы кажутся исключительно важными для нее, но совсем незначительными для него по сравнению с той ответственностью, которая на него возложена. Она также понимает, что когда он возвращается с работы, он должен восстановить свои силы для следующего трудового дня. Работы по дому кажутся второстепенными по сравнению с восстановлением его тела и духа. Его сочувственное отношение делает ее терпеливой по отношению к его нежеланию выполнять работы по дому.

Если он не приглашает ее на торжественные приемы и общественные мероприятия, она старается понять и это его решение. Конечно, она сидит целыми днями дома, и ей нужно отвлечься от монотонной работы. Но его нужды важнее, и потому ему нужно отвлечься от своей напряженной работы. Появление в общественных местах с женой не даст ему расслабиться, по крайней мере он так считает. Сравнивая свои потребности с нуждами мужа, она решает отдать предпочтение его потребности развеяться.

Может быть, она хочет приобрести какие-то предметы убранства или мебели, чтобы сделать дом еще более уютным и привлекательным. Но она просит мужа купить только то, что они могут себе позволить на данный момент. Все эти вещи значат для нее достаточно много, но здоровье и счастье мужа значат еще больше.

Она вполне сочувствует его желанию двигаться вперед и планировать будущее, а это означает — увеличение расходов и уменьшение возможностей на данный момент увеличить заработок. Она делает все, чтобы сэкономить деньги. Она не возражает, когда муж решает вложить деньги с тем, чтобы получить прибыль. Если она не соглашается с его планами инвестировать деньги, она честно выражает свое мнение, но ее несогласие смягчается ее сочувственным отношением к его мотивации.

Ей действительно трудно бывает тогда, когда муж проводит много времени на работе, стараясь достичь успеха. В связи с этим он мало уделяет внимания жене и детям, а потому на плечи жены возложена большая доля ответственности за их воспитание и заботы о доме. Жена, а иногда и дети, могут посчитать это признаком отсутствия интереса и даже любви отца к семье. Дом и семейная жизнь, являющиеся средоточием их существования, кажутся для отца второстепенными по сравнению с его успехами. Но сочувствующая жена так не думает. Она понимает, что муж так действует не потому, что не любит семью, но, напротив, потому что *любит и заботится о ней*. Он постоянно думает о насущных нуждах семьи, как и о будущем, и хочет обеспечить благосостояние семьи в будущем.

Женщина с таким отношением не чувствует себя забытой. Дети, как правило, перенимают отношение матери. Если она не думает, что отец пренебрегает детьми, то и они так думать не будут. В такой семейной атмосфере муж очень быстро придет к успеху. Он живет в обстановке комфорта, покоя и уверенности, которые необходимы для того, чтобы он работал с полной отдачей. Если он всегда находит у жены понимание, вы можете быть уверены, что он будет спешить домой каждый раз, когда у него возникнет такая возможность. Только так можно привлечь мужа домой, на свою сторону, но не силой и не скандальными требованиями исполнить свой долг.

Иногда муж проводит много времени вне дома по другим причинам. Вместо того чтобы работать ради благосостояния семьи, он тратит время на развлечения, посещение спортивных мероприятий или на общение со своими друзьями. В таком случае пренебрежительное отношение к семье не находит оправдания. Но даже здесь сочувствующая жена не станет обвинять в этом мужа. В поисках ответа на эту проблему она будет исследовать себя, чтобы выяснить, не отвратила ли она мужа в прошлом своим бесчувственным отношением. Если она решит относиться к мужу с сочувствием и пониманием, в котором он так нуждается, он, скорее всего, утратит всякий интерес к посторонним занятиям и поймет, что самое большое удовольствие его ожидает в кругу семьи. Однако жена никогда не сможет привести мужа домой силой, но только созданием уютного домашнего очага, куда он сам придет по решению своей воли.

Мы говорили о потребности мужа в понимании его ответственности в деле обеспечения семьи, его стремления к определенному положению и его ранимой мужской гордости. Но вот в какие моменты ему особенно нужно будет ваше искреннее сочувствие.

1. Когда муж дома расслабляется

Бремя забот на работе и стремление к высокому статусу объясняет тот факт, почему мужчины так часто дома расслабляются, почему они бывают сердитыми, нетерпеливыми, раздражительными и не желают помочь жене по дому. Домашние заботы могут показаться им незначительными по сравнению с нагрузкой, которую они испытывают на работе. Мужья могут игнорировать жену и детей. Женщины говорят: «Мой муж прекрасно относится к посторонним людям, а к собственной семье он так относиться не может». Все дело в том, что он просто устает прекрасно относиться ко всем, и ему иногда нужно расслабиться, и в семье он не боится показаться плохим, надеясь, что домашние его поймут и простят. В книге Флориды Скотт Максвелл «Women and Sometimes Men» («Женщины, а иногда и мужчины») автор так объясняет эту тенденцию мужчин расслабляться дома.

«Одним из поразительных парадоксов в жизни женщин можно назвать ситуации, когда муж приходит к ней для того, чтобы стать обыкновенным человеком, не прилагая усилий, чтобы произвести хорошее впечатление. Поэтому женщине часто приходится помнить о его лучших сторонах и принимать его таким, какой он есть здесь и сейчас. Может быть, она и хотела бы им восхищаться, но ей трудно увидеть его стороны, достойные похвалы. Она видит, как он в изнеможении приходит домой, она понимает его потребность расслабиться и принимает его всем своим существом, но она с большим сожалением расстается с надеждой увидеть его величие. Она желает видеть его превосходство, но ей приходится столкнуться с его ничтожностью».

2. Когда он в отчаянии

Тенденцию падать духом можно считать довольно распространенной среди мужчин. Не важно, богат мужчина или беден, образован или нет, очень немногие из них умеют избежать этого неприятного переживания. На самом деле самые образованные, самые талантливые и энергичные мужчины склонны страдать от упадка духа более всего. У Авраама Линкольна были периоды депрессии, когда он просто сидел, молчал или читал газеты. Однажды в такой момент он написал: «Я самый несчастный из всех живущих на земле людей». Большая часть ответственных мужчин испытывают периоды упадка духа и сил, все мужчины переживают периоды депрессии, периоды, когда им особенно нужно сочувственное понимание.

Понимая природу мужчин в современном мире, мы можем осознать, почему они впадают в уныние. Мы живем в ненадежное, но очень требовательное время. Люди беспокоятся о деньгах, работе, детях и будущем. Стремясь достичь успеха, человек может потерять нечто большее, чем та позиция, ради которой он так старается. Или же от него слишком многого требуют. Существуют требования, которые он не может выполнить, проблемы, которые он разрешить не в состоянии, или бывает, что просто день выдался неудачный.

Женщина обладает властью развеять этот мрак и полностью изменить его настроение. Но она должна знать, *что делать* и, главное, *чего не делать*. Если она преуспеет, она может послужить ему в самом важном деле. Помните, одна из функций женщин — *распространять вокруг себя радость, проливать свет на мрачные дни. Ну, разве это не великое служение?*

Как выразить искреннее сочувствие?

1. *Страдайте вместе с ним.* Не задавайте слишком много вопросов, попытайтесь понять, что он переживает. Разделите с ним его чувства. Страдайте вместе с ним. Совсем не обязательно понимать причину его проблем, но важно попытаться понять его боль и выразить в связи с этим сочувствие. Можете сказать приблизительно следующее: «Бедненький ты мой, бедненький... Дорогой ты мой. Ты сейчас чувствуешь себя ужасно, но помни, этот темный час пройдет». Вселите в его сердце надежду на то, что впереди его ждут солнечные дни.

2. *Созидайте его.* Не важно, в чем проблема, выражайте непреклонную веру в его сильные стороны. Выражайте похвалы в адрес его достоинств и восхищайтесь его мужественностью. Пусть он знает, что вы по-прежнему верите в него и его способности.

3. *Не преуменьшайте его проблемы.* Не говорите, например, таких слов: «Здесь не о чем беспокоиться», «Ты просто выдумал все свои проблемы» или «Жизнь не так сложна, как тебе кажется». Не советуйте ему *считать благословения,* говоря, например, такое: «Вспомни о том, за что ты можешь быть благодарным». Такого рода замечания проявляют отсутствие сочувствия и вынуждают его почувствовать стыд за то, что он позволил себе так опуститься, другими словами, если бы он был сильным чело-

веком, он повел бы себя иначе. Конечно, иногда нужно бывает пересчитать благословения, но сейчас вам нужно *проявить сочувствие*. Мысли о благословениях еще сильнее подчеркнут его нынешнее незавидное состояние. Его поведению будет трудно найти оправдание.

4. *Не пытайтесь сами разрешить его проблемы.* На первых этапах его проблем не пытайтесь давать советы или предлагать свою помощь в разрешении проблем. Все это он оценит несколько позже. Сейчас он нуждается только в словах сочувствия, вашей признательности за его старание и вашей готовности простить ошибки, которые привели его к провалу.

5. *Не заразитесь его мрачным и унылым настроением.* Постарайтесь не поддаться его настроению. Сохраните живость духа и особенно оптимистичный настрой. Но не проявляйте слишком бурной веселости, иначе это послужит признаком отсутствия у вас сочувственного отношения к его страданиям. Он хочет ощущать рядом с собой ваше плечо.

Не ждите мгновенного изменения его настроения. Дайте ему время на восстановление. Даже если он ничего не говорит, можете быть уверены, что он оценил ваше сочувствие и оно помогло ему. Тем временем, каждый раз, когда он будет проявлять признаки уныния и отчаяния, продолжайте выражать сочувствие.

Интересно отметить, что когда в уныние впадает женщина, она хочет увидеть совсем другую реакцию. Ей тоже, конечно, хочется видеть сочувственное отношение, но ей нужно все же несколько больше, чем мужчине. В трудное время женщина ищет в мужчине руководство и водительство. Он ее руководитель и защитник, а значит, помощник и советчик. Иначе обстоит дело с мужчинами. *Он ищет не совета, как бы сильно он в нем ни нуждался, но ее сочувствия, утешения и восстановления уверенности в самом себе.* В этом заключается еще одна разница между мужчинами и женщинами.

3. Когда он терпит неудачу

Мужчина ищет сочувственного понимания особенно тогда, *когда он терпит неудачу.* Это время может быть мучительным для мужчины не столько из-за самой неудачи, сколько из-за чувства унижения, которое он испытывает. Его чувство достоинства, как никогда раньше, поставлено под сомнение в глазах мира и особенно в глазах жены. Он прежде всего стремится обеспечить и защитить свою семью. Если ему приходится понизить уровень жизни семьи, он с болью в сердце осознает, что ему придется столкнуться с унижением и дискомфортом. Жена, которая с сочувственным пониманием относится к неудачам мужа и приспосабливается к изменившимся обстоятельствам, не имеет себе равных.

Муж может до конца не оценить свою жену, пока не пройдет испытания неудачей. Его поражение становится для нее золотым шансом, ибо тогда она может показать свою истинную ценность. Когда женщина *с сочувственным пониманием и силой благородного характера* встречает подобные кризисы, ее муж начинает боготворить ее и любить, как никогда раньше. В эссе «Жена» Вашингтона Ирвинга можно найти иллюстрацию того, как жена встретила кризис мужа с ангельским совершенством. Я привожу это эссе полностью.

Жена

Мой близкий друг Лесли женился на красивой и очаровательной девушке, которая была воспитана в богатой обстановке. Правда, у нее не было наследства, но мой друг был богат и радовался возможности потакать любому ее желанию, удовлетворяя изысканный вкус и капризы, которые делают женский пол таким таинственным. «Ее жизнь, — говорил мой друг, — должна быть похожа на сказку».

Даже разница в их характерах производила гармоничное сочетание: он был романтиком и достаточно серьезным человеком, а она излучала жизнелюбие и радость. Я часто замечал безмолвное восхищение, с которым он смотрел на нее в компании, и оттого ее радостная сила делала ее еще пленительнее. И тогда среди шумных оваций она поворачивалась к нему, словно ища его одобрения и принятия.

Когда она опиралась на его руку, ее тонкая фигура прекрасно контрастировала с его высокой мужской фигурой. Влюбленный и доверительный взгляд, которым она смотрела на него, казалось, вызывал в нем волны триумфальной гордости и заботливой нежности, словно он испытывал безграничную любовь к своему очаровательному бремени именно из-за ее беспомощности. Никогда раньше пара влюбленных не становилась на усыпанный цветами путь раннего и благополучного брака с более радужными перспективами блаженства.

Однако именно несчастья моего друга поставили его собственность под угрозу. Они прожили всего несколько месяцев, когда по стечению некоторых обстоятельств он потерял все свое имущество и остался почти нищим. Какое-то время он скрывал происходящее и ходил с измученным лицом и разбитым сердцем. Его жизнь превратилась в агонию и, что было труднее всего, ему приходилось сохранять улыбку в присутствии жены, ибо он не мог заставить себя сообщить ей эту душераздирающую новость.

Она, однако, проницательным взором любви видела, что с ним не все в порядке. Она заметила его изменившееся поведение, приглушенные вздохи, и ее было не обмануть слабыми и вялыми попытками изобразить веселье. Она приложила все свои жизнеутверждающие силы и уговоры к тому, чтобы вернуть его к счастливому состоянию, но тем самым она вонзала стрелу еще глубже в его душу. Чем больше он видел достоинств, ради которых можно было любить ее, тем более мучительной была мысль о том, что очень скоро он сделает ее несчастной.

Немного времени спустя, думал он, улыбка исчезнет с ее лица, песня растает на ее устах, а печаль погасит искры в глазах. Счастливое сердце, которое теперь легко бьется в груди, отяжелеет под грузом несчастий и забот, как это случилось с ним. Наконец однажды он пришел ко мне и рассказал всю ситуацию тоном глубочайшего несчастья.

Выслушав его, я спросил:

— Твоя жена знает об этом?

Он разразился слезами.

— Ради Бога, — вскричал он, — если ты жалеешь меня, не упоминай о жене, мысли о ней буквально сводят меня с ума.

— Но почему нет? — спросил я. — Она должна узнать об этом рано или поздно. Ты не сможешь сохранить это в тайне от нее. Слухи могут дойти до нее и испугать ее намного сильнее, чем если бы ты сам поделился с ней случившимся, ибо сострадание любимых способно смягчить самые страшные вещи. Кроме того, ты лишаешь себя ее утешения, и не только этого, ты также ставишь под удар единственную связь, которая соединяет ваши сердца, — полное единение мыслей и чувств. Очень скоро она поймет, что тебя гложет какая-то тайна, а истинная любовь не терпит никакой скрытности. Она почувствует себя ущемленной и огорчится хотя бы потому, что от нее скрыты печали того, кого она любит.

— О мой друг! Подумай, какой удар я нанесу будущим перспективам, самой ее душе, сказав, что ее муж теперь нищий, что ей придется отказаться от всяческих удобств в своей жизни, удовольствий общества, уйти со мной в нужду и безвестность! Сказать ей, что я увел ее от жизни, где она могла бы продолжать сиять и радовать глаз окружающих, восхищать сердца людей! Как она сможет жить в бедности? Она выросла в богатстве и изобилии. Как она воспримет безвестность? Она была идолом общества. О, эта новость разобьет ее сердце! Она разобьет ее сердце!

Набравшись терпения, я, наконец, убедил Лесли отправиться домой и рассказать эту печальную историю жене. На следующее утро я с нетерпением ожидал результатов. Расспросив его, я выяснил, что он раскрыл жене свою тайну.

— Как она отнеслась к этому?

— Как ангел! Казалось, она почувствовала облегчение, потому что бросилась мне на шею и спросила, по этой ли причине я в последнее время выглядел таким несчастным. Но бедная девочка! — добавил он. — Она не понимает, какие изменения мы должны пережить в связи с этим. Она представляет нищету абстрактно, она читала о бедности только в поэзии, где нищета связана с темой любви. Пока она не чувствует никакой нужды, она не испытывает недостатка в привычных удобствах или изяществе.

Когда мы столкнемся с конкретным опытом отвратительной бедности, с ее нуждой и унижением, тогда начнутся настоящие испытания.

Через несколько дней он зашел ко мне вечером. Он продал свой дом и купил небольшой домик в пригороде, в нескольких милях от города. Весь день он был занят перевозкой мебели. В новом доме требовалось немного вещей, да и те были скромными.

Теперь он возвращался домой, где жена весь день занималась обустройством. Я сильно заинтересовался тем, как идут дела в этой семейной истории, и поскольку уже был вечер, я вызвался проводить его до дому. Мой друг устал от забот дня, и когда мы шли, он опять впал в мрачные раздумья.

— Бедная Мэри! — наконец сказал он с глубоким вздохом.

— А что такое? — спросил я. — С ней что-нибудь случилось?

— Что! — сказал он, бросив на меня нетерпеливый взгляд. — Разве это не трагедия, попасть в презренное состояние, переехать в этот жалкий дом, быть вынужденным тяжко трудиться в этом ужасном окружении?

— Так значит, она ропщет на изменения?

— Ропщет! Она вся сияет радостью и добрым юмором. Мне кажется, она пребывает в более счастливом состоянии, чем когда-либо раньше. Она проявляет любовь, нежность и умиротворение!

— Удивительная девушка! — воскликнул я. — Ты называешь себя бедным, мой друг, но ты никогда раньше не был так богат, ибо никогда раньше ты не знал таких безграничных сокровищ, коими ты обладаешь в этой женщине.

— Да, мой друг, и если наш первый день в этом доме закончится благополучно, я думаю, я успокоюсь. Но это действительно первый день испытаний. Она переехала в скромное жилище, она работала весь день, устраивая жалкое имущество. Она впервые познала усталость домашнего труда. Она впервые смотрит вокруг себя на дом, в котором отсутствует элегантность и почти нет удобств. И теперь она, должно быть, сидит усталая, измученная и в плохом настроении, размышляя о печальных перспективах будущей жизни в нищете.

В этой картине была большая доля вероятности, и я не мог возражать другу, и потому дальше мы шли молча. Свернув с главной дороги на узкую аллею, с обеих сторон которой густо росли лесные деревья, создавая атмосферу уединения, мы подошли к дому. Он был достаточно скромный, приятного деревенского вида. Одна сторона дома была увита дикой лозой, и я увидел несколько горшочков с цветами, со вкусом поставленных у дверей и на газоне перед домом.

Маленькая калитка открыла нам доступ к извилистой дорожке, которая привела к кустам у дверей. Когда мы подошли к дому, мы услышали звуки музыки. Лесли схватил меня за руку. Мы остановились и прислушались. Это был голос Мэри, которая пела с трогательной простотой, которую ее муж особенно в ней любил. Я почувствовал, как рука Лесли дрожит в моей руке. Он ступил вперед, чтобы лучше слышать, и под его ногами хрустнул гравий.

В окне тут же показалось сияющее, красивое лицо, потом оно исчезло, и послышались легкие и быстрые шаги, и к нам навстречу вышла Мэри. Она была одета в прелестное белое деревенское платье, а прекрасные волосы украшало несколько полевых цветов. На щеках горел свежий румянец, и вся она сияла улыбкой. Я никогда не видел ее такой красивой.

— Мой дорогой Лесли, — вскричала она, — я так рада, что ты наконец пришел. Я все высматривала тебя, выходила на дорожку и ждала тебя. Я поставила стол под красивым деревом на заднем дворе, я собрала чудесную клубнику, я знаю, ты ее очень любишь, и у нас есть замечательные сливки, и все так здорово и так спокойно здесь! О! — вскричала она, беря его под руку, с сияющей улыбкой глядя ему в лицо. — О, мы так будем здесь счастливы!

У бедного Лесли не выдержали нервы. Он прижал ее к груди, обвил ее руками и целовал снова и снова. Он не мог говорить, и из глаз его лились слезы. Потом он часто уверял меня, что хотя обстоятельства с тех пор складывались для него очень успешно и его жизнь действительно стала счастливой, он никогда не испытывал большего блаженства, чем в тот момент.

Применяя эту историю к себе, помните, что, может быть, вам придется смириться с менее романтическим окружением, чем домик в лесу. Может быть, это будет холодная комната в огромном городе или хижина в пустыне. Но радостная адаптация к новым условиям усилит любовь к вам мужа и его признательность.

Сочувственное понимание

В широком смысле понятие сочувственного понимания означает:
1. Его нужды и чувства.
2. Его тревоги и беспокойство в обеспечении ваших нужд.
3. Его стремление к успеху.
4. Его стремление к продвижению.

Конкретные периоды, когда он особенно нуждается в вашем сочувственном понимании:
5. Когда он расслабляется дома.
6. Когда он впадает в уныние или отчаяние.
7. Когда он терпит поражение и неудачи.

Задание

1. Чтобы проявить сочувственное понимание его роли в деле обеспечения семьи скажите примерно так: «Я начинаю понимать тяжелую ответственность, которую ты несешь на себе, чтобы обеспечить меня и детей. Я готова тебе помочь, чем могу, чтобы облегчить тебе жизнь». Может быть, он захочет обсудить пути и способы вашей посильной помощи.

2. Если он упал духом, последуйте нашим советам и проявите искреннее сочувствие.

Глава 14

Взрыв эмоций

А теперь я хочу обсудить одну поразительную проблему, которая может возникнуть, когда вы начнете осуществлять принципы нашей книги. Когда жена начинает прилагать усилия к тому, чтобы изменить конфликтную ситуацию в семье, применяя в жизни принципы «Очарование женственности», у мужа может проявиться специфическая реакция в ответ на неожиданные изменения в поведении жены.

В таких случаях муж, вместо того чтобы испытывать любовь и благодарность, начинает сердиться и проявляет по отношению к жене явно враждебные чувства. Почему он так делает? Все дело в том, что до сих пор он боялся выразить свой гнев. Перед лицом проблем в браке он понимал, что должен подавлять гнев и раздражение, чтобы сохранить семью. Его решение нельзя назвать мудрым, просто он считал это необходимостью. Человек с принципами, любящий детей, сделает все возможное, чтобы сохранить семью.

Но когда жена начинает применять свое очарование женственности, он чувствует, что происходит что-то непонятное. Он больше не может сдерживать тревожные чувства и перестает бояться, что его слова вызовут семейные проблемы. Затем однажды все его негативные чувства, которые он долго скрывал, прорываются наружу.

Если вы уже столкнулись с подобной ситуацией, позвольте ему до конца выразить свои чувства. Вам нужно, собственно, дать ему возможность выговориться свободно и полностью. Не допускайте ошибку, не защищайте себя, не оправдывайтесь и не отвечайте резкостью на резкость. Нужно сидеть молча и спокойно, принимая и даже соглашаясь с ним, говоря: «Да, я знаю, ты прав». Но когда он выразит все свои негативные чувства, он испытает облегчение и такую любовь и нежность, которые он не испытывал никогда раньше. И если он чувствовал отчужденность, возможно, она выльется вместе с выражением его чувств, как это случилось в следующей истории.

Ответная реакция

После того как я стала применять принципы «Очарования женственности», мой муж стал выглядеть счастливее, но это длилось месяца три или четыре. Потом напряжение стало нарастать. И вот однажды вечером произошел взрыв чувств. Казалось, все запрятанные им чувства вылились наружу, и в то же самое время стены отчуждения и сдержанности тоже рухнули. Произошло это драматическим образом и очень забавно. Теперь он рассказывает мне, что никогда раньше он не был так счастлив, и я чувствую себя так же. Даже друзья замечают эти перемены, и спрашивают, действительно ли я чувствую себя настолько счастливой, насколько выгляжу.

Я по-настоящему почувствовала дух очарования женственности и глубокое счастье, которое ее принципы могут дать в жизни любого человека. Сегодня мой муж целых три часа просто разговаривал со мной, рассказывая о себе, своем прошлом, делясь своими мечтами. Теперь я знаю много больше того, что узнала за прошедшие десять лет совместной жизни. Он также сказал, что до нашего примирения готов был развестись и давно ушел бы, если бы не дети.

Он вылил все свои чувства наружу

Весь день я чувствовала себя необыкновенно счастливой, но когда муж вернулся домой, он был мрачнее грозовой тучи. Я решила не поддаваться его настроению. Я ублажала его, как могла, и побуждала его к разговору. Он же хотел отдохнуть, так что я отправилась готовить обед.

Когда я позвала его на обед, он сидел, низко склонив голову, а щеки были мокрыми от слез. Нежно и ласково я спросила его: «Дорогой, расскажи мне, в чем дело». Вдруг он разрыдался, и вся его прежняя сдержанность улетучилась. Он потерял веру в женщин в результате предыдущего несчастливого брака. Наружу вылилась вся его боль, вся ненависть к женщинам вообще и страх перед будущим. Он раскрылся передо мной полностью. С того вечера наша любовь стала расти и дошла до того, что мой муж, крепко обнимая меня, говорит, что невозможно найти лучшей жены, чем я.

Самое мрачное время в моей жизни

Мы с мужем были женаты почти двадцать два года. Я всегда считала наш брак удачным. Мы пережили обычные взлеты и падения, и я была уверена, что мы проживем до конца вместе. Все это время я сама управляла деньгами и дорого заплатила за это. Я постоянно находилась в депрессии, постоянно беспокоилась и тревожилась, мрачное настроение, а с ним и навязчивые идеи всякого рода меня не покидали. Кроме того, я работала учительницей и выполняла все работы по дому. Муж приходил с работы, ел и садился смотреть телевизор. В его обязанности также входил двор и уход за домашними животными.

Я начала ворчать и выражать недовольство по поводу того, что на меня возложено слишком много забот и что он должен мне помогать. Своим нытьем я могла иногда заставить его сделать что-нибудь, но делал он все с большой неохотой. Мы начали обвинять друг друга и жестоко критиковать. Я ходила в центр психологической помощи, чтобы справиться с навязчивыми страхами, после чего мое поведение стало еще более агрессивным и требовательным. Мне казалось, что брак представляет собой обоюдное соглашение из расчета пятьдесят на пятьдесят, и я требовала, чтобы муж помогал все больше. Все чаще в наших разговорах стало появляться слово «развод», хотя я думала, что мы только пугаем друг друга.

Однажды мы пошли с друзьями на вечеринку, после которой я почувствовала себя невыносимо одиноко. Муж проявлял ко мне холодную внимательность, и впервые я почувствовала настоящий страх. Впервые в жизни я почувствовала, что муж меня больше не любит. В течение нескольких месяцев я пребывала в депрессии и тревоге. После работы меня хватало только на то, чтобы приготовить ужин, поесть и лечь спать. Я стала часто и беспричинно плакать и жалеть себя. Иногда я приходила в спальню в слезах, надеясь, что муж утешит меня. Он подходил, гладил меня по голове и начинал разговаривать со мной. Но мне хотелось не этого. Я жаждала близости, которой между нами не было.

Однажды ночью я опять разрыдалась. Он попытался меня утешить. Я сказала, что мы отдаляемся друг от друга и мне от этого становится страшно. На следующий день он сказал: «Ты оттолкнула меня, и теперь я не уверен, что люблю тебя». Я была напугана донельзя его словами. Я католичка, и в соответствии с программой контроля рождаемости я настаивала на частом воздержании от интимной жизни. Ему никогда не нравились эти методы.

Вскоре после этого я пошла на операцию по перевязыванию труб. Хоть я и католичка, но не хочу потерять мужа из-за этих проблем. Обычно мы с ним спали два раза в месяц. Муж пытался отговорить меня от этой операции, сказав, что не нужно идти против убеждений. Он добавил, что в любом случае уже поздно, что он чувствует себя импотентом и уже ничего не хочет.

Я все равно сделала операцию, вопреки всему надеясь, что однажды он вновь полюбит меня. В тот ужасный день, когда мне сделали операцию, ко мне в больнице подошла одна странная женщина. Я еще не отошла от наркоза, когда она заговорила со мной. Я не понимала, кто она такая и что делает в моей палате. Наконец она объяснила, что в течение последних девяти лет она была любовницей моего мужа! Мир вокруг меня распался на части, и со мной началась истерика. Кто угодно, но только не мой благочестивый и чудесный муж-католик. Только не он. Это было самое мрачное время в моей жизни. Никогда за всю свою жизнь я не могла и заподозрить, что муж мне изменяет.

Ко мне в палату пришел священник, который стал уговаривать меня простить мужа. Потом пришел муж. Он выглядел потрясенным и сказал: «Дорогая, все было совсем не так, как ты думаешь». Он объяснил, что стал встречаться с этой женщиной, потому что я его оттолкнула. Я никак не могла поверить, что муж мне изменяет. С того рокового дня он не виделся с ней. Мне очень трудно простить этот ужасный грех, хотя я и сказала, что прощаю его и не хочу, чтобы он ушел от меня. Он тоже не хотел развода.

Мы стали посещать консультацию по вопросам брака и семьи, и нам это немного помогло, но настоящую надежду я обрела только после прочтения книги «Очарование женственности». Я пошла в библиотеку, надеясь найти что-нибудь, что помогло бы мне вновь вызвать к себе интерес мужа. Я просто была уверена, что Бог приготовил мне какую-то путеводную нить.

Я стала читать «Очарование женственности» и все плакала и плакала, осознавая ошибки, которые я совершила в своей жизни. Я стала выполнять задания из книги, но мой муж почти на них не реагировал. О, я готова была избить себя за те годы, когда не восхищалась им и так глубоко ранила его мужскую гордость. Я все чаще стала выражать свое восхищение мужем. Я вкладывала записки в его завтраки со словами восхищения и писала, как сильно я его люблю. Он очень осторожно реагировал на эти знаки внимания, но комплименты мои принимал. Я отчаянно пыталась не жалеть себя и не думать о той женщине, но это было очень трудно. Когда я чувствовала приближение депрессии, я перечитывала «Очарование женственности», и мне становилось лучше.

Однако мне не терпелось поскорее увидеть результат моих усилий. О, как я хотела, чтобы он крепко обнял меня и сказал, как сильно он меня любит. Это желание было таким глубоким, что у меня от него все болело внутри. Он действительно обнимал меня и легонько целовал в губы. Мы спали вместе, но духовной близости не испытывали. Я очень внимательно слушала, когда он разговаривал со мной, хвалила и восхищалась им, стараясь не переборщить. Он открыто обсуждал со мной дела на работе и всегда рассказывал, что там происходило.

Однажды вечером он впервые раскрылся до конца. Когда он только ухаживал за мной, его представления и надежды на наш брак были очень высокими. Потом все это рухнуло, поскольку все произошло не так, как он ожидал. Он вспомнил, как я ударила его по лицу грязным памперсом только потому, что он не помог мне перепеленать ребенка. Он сказал, что готов был убить меня и никогда не простит мне того унижения.

Потом он вспомнил, что я не позволила его племяннику жить с нами какое-то время, потому что не хотела, чтобы он нарушил наше уединение. Этот племянник был сыном его дяди, которого он любил, как отца. Дядя во многом помогал моему мужу, когда он был еще подростком, давал ему деньги, советовал, как поступать в том или ином случае, приютил его на время нашей помолвки, так что муж смог накопить деньги на свадьбу. Я не позволила племяннику жить с нами, и мужу пришлось извиняться и объясняться со своим дядей.

После всего этого разговора он лег спать. За ночь он несколько раз крепко обнимал меня и прижимал к себе. Утром он обхватил ладонями мое лицо, поцеловал и сказал, что очень любит меня. Все это случилось после того, как долго сдерживаемые чувства впервые вылились наружу. В течение трех месяцев он еще раза два или три изливал передо мной накопившиеся чувства. В течение двадцати одного года он накапливал в себе гнев и обиду, а теперь полностью освободился от этого груза. Каждый раз, когда он вспоминал прошлое и выливал все свои обиды передо мной, я сидела молча, внимательно слушала его и смотрела прямо на него. Я полностью следовала советам из книги «Очарование женственности» и в ответ на его излияния говорила, что очень сожалею о случившемся. Трудно поверить, сколько горечи и обиды он хранил в себе так много лет.

Три года я каждый день плакала. Моим единственным утешением было «Очарование женственности» и еще одна книга — «Божье призвание». Я также слушала духовную музыку. Я стала читать другие христианские книги и Библию, молиться по утрам и вечерам.

В течение последующих трех лет меня преследовала и изводила еще одна женщина. Она могла позвонить в любое время, и начинала сквернословить и ругаться. Она звонила мне даже в школу. Однажды она пришла ко мне в школу, чтобы о чем-то спросить моего директора. Иногда она проходила мимо нашего дома, махала мне рукой и корчила рожи. Я так сильно расстраивалась, что уходила к себе в комнату, навзрыд плакала в подушку или начинала бить ее. В такие моменты дети бывали дома, и я не хотела, чтобы они видели, как мне больно.

Мое влечение к мужу тоже претерпело изменения. Когда я поняла, что он меня не любит, меня потянуло к нему еще сильнее, но он ко мне остыл. В нашем случае наши сексуальные взаимоотношения были *очень* важными. В постели мой муж чувствовал себя зрелым и сильным мужчиной, но когда я отказывала ему (а это раньше происходило часто), он ощущал себя брошенным и ненужным.

С момента моей операции прошло восемь лет. Могу честно сказать, что то памятное событие стало поворотным в моей жизни. Если бы та женщина не пришла ко мне в больницу, мы с мужем уже давно бы развелись. Но Бог был истинно с нами. Он взял тот черный день и обратил нашу жизнь к Себе.

Мы с мужем теперь счастливы и довольны. Он чувствует себя любимым, нужным и достойным. Я тоже чувствую себя любимой! Я больше не ворчу и ни на что не жалуюсь. Мы пережили долгую и трудную борьбу, но плоды победы того стоили. Мой муж теперь делится со мной своими самыми сокровенными мыслями. Мы обсуждаем с ним все проблемы. Иногда мы срываемся, но когда остываем, мы говорим друг другу, в чем *собственно* проблема, и не пытаемся заставить друг друга догадываться, почему мы испытываем гнев.

Уверенность мужа в себе выросла в сто раз. Его уже дважды повышали по службе, и за выдающиеся достижения на работе он получил награду. Теперь он ведущий руководитель, и люди, работающие с ним, уважают его и восхищаются им. Дома он взял на себя воспитание детей, оплату счетов и всю тяжелую физическую работу. Он не позволяет мне поднимать тяжести, потому что, как он говорит, это мужская работа. Его взаимоотношения с детьми просто прекрасны. Он открыто говорит им, что любит их, и они отвечают ему взаимностью. Теперь мы очень счастливая, любящая семья.

Каждый раз, когда в женском окружении мы заговариваем о семейных проблемах, я рассказываю женщинам о том, что узнала из «Очарования женственности». Многие из молодых женщин, однако, с ее принципами не соглашаются. Они считают, что брак — это договорные взаимоотношения из расчета пятьдесят на пятьдесят. Мне больно за них, потому что я знаю, на что они обрекают себя со временем. Я, как и раньше, покупаю «Очарование женственности» и дарю женщинам, которые, как я знаю, попали в беду. Спасибо тебе, «Очарование женственности». Как видишь, моя жизнь изменилась. Больше по-старому мы жить не будем.

Понимание мужчин. Заключение

Подойдя к концу раздела, посвященного пониманию мужчин, мы видим, что нам нужно много им отдавать. Мы должны не обращать внимания на недостатки мужей, ценить их достоинства и поставить мужа на первое место в своей жизни. Нам нужно подчиниться его власти и авторитету, давая ему право ошибиться в своих суждениях. Хорошая жена по достоинству ценит его обязанность обеспечить семью и старается помочь ему в этом своим бережным отношением к деньгам, живя по средствам. Кроме того, мы должны приложить все старания, чтобы не ранить его мужское достоинство. Если вам кажется, что от вас требуется много, а награда мала, помните, *когда вы пускаете свой хлеб по водам, он в свое время вернется к вам с маслом.*

По мере применения этих принципов ваш муж начнет испытывать к вам любовь и нежную привязанность. Как сказала одна женщина: «Наш брак расцвел, как пышный цветок, который был выставлен на солнце после долгой, холодной и мрачной зимы». Когда мужчина почувствует свою свободу, когда увидит, что его принимают, понимают и уважают как мужчину, в нем проснется любовь. Но помните, не следует ожидать материального вознаграждения, например, новых платьев, новой стиральной машины или шикарной ночной сорочки. Все это, как правило, возникает как побочное преимущество, а принципы «Очарования женственности» обещают вам не вещественную награду, но крепкие взаимоотношения и нежную, романтическую любовь. Свидетельства такой награды вы можете найти в конце каждой главы. Вот еще несколько из них:

Я думала, он не похож на других мужчин

Книга «Очарование женственности» спасла наш брак. Она стояла на моей книжной полке и сохранилась в течение десяти лет во время всех наших переездов. Я даже не помню, как она ко мне попала. Но прошлой осенью ко мне пришел мой брат, и пока я была чем-то занята, он взял ее с полки, открыл и прочитал одну главу. Когда я вернулась в комнату, брат сказал: «Вот это да, книга действительно хороша. Автор совершенно прав и в том, и в этом».

Я взялась читать ее, полагая, что она ничем не поможет в наших взаимоотношениях с мужем, потому что ни одна книга до этого не могла дать умный совет относительно того, как можно с ним ладить при таком его характере. Я думала, он такой уникальный и не похож на других мужчин. Но в процессе чтения книги я стала думать иначе, а потом стала применять ее принципы в своей жизни.

Через восемь месяцев в наших взаимоотношениях произошли удивительные перемены. Теперь я могу назвать себя женой, какой я всегда хотела быть, а его — мужем, о котором всегда мечтала. Муж советует мне делиться знаниями из этой книги с другими женщинами. Три мои сестры, у которых в семье начались серьезные проблемы, тоже взялись за изучение этой книги. Мне бы хотелось, чтобы каждая женщина приобрела эту книгу и стала применять ее принципы в своей жизни. Если в нашем современном мире равноправия полов женщины признали бы эти принципы женственности, какие прекрасные изменения могли бы произойти в нашем обществе!

Наш брак был не таким уж плохим

Когда я впервые попала на занятия по книге «Очарование женственности», я не была готова к тем изменениям, которые впоследствии произошли в моей жизни. Начнем с того, что наш брак был не таким уж плохим, поэтому я не представляла, что в нем можно исправить. Кроме того, еще до брака я прочитала книгу «Очаровательная девушка» и применяла все ее советы во время помолвки и в первое время нашей семейной жизни.

На занятиях, однако, я увидела, как далеко за прошедшие четыре года я отошла от образа идеальной женщины. Я узнала, что медовый месяц кончается не потому, что он «у всех кончается», но что я сама привела его к концу попытками помочь мужу жить правильно. Я постоянно предлагала ему самые благие советы, начиная от его образования и заканчивая карьерой и финансовыми вопросами. А он, со своей стороны, постоянно игнорировал мои советы или противился им, что в результате приводило к отчуждению и обидам.

И хотя мы любили друг друга, мы уже не радовались общению друг с другом, как раньше! Но самое забавное, что я искренне полагала, что во всем этом виноват только мой муж и что если бы он следовал моим советам, мы по-прежнему были бы счастливы. Кстати сказать, я относила наш брак к разряду от счастливого до очень счастливого. Исключительно счастливый брак казался мне недосягаемой мечтой или сказкой, так что я не могла поверить, что он возможен в реальной жизни.

Когда я неожиданно стала снова восхищаться мужем и принимать его таким, какой он есть, он отнесся к этой перемене достаточно скептически. Он сказал: «О, это у тебя пройдет через пару недель». Собственно, думаю, что примерно с месяц он вообще не воспринимал ничего из того, что я говорила, потому что такие слова были для меня не характерны.

Поворотный момент в нашем браке произошел тогда, когда я сделала нашему двухлетнему сыну книгу под названием «Мой папа». Я использовала их совместные фотографии, а также те, на которых он выполнял какую-то мужскую работу. Я наклеила их на страничках из альбома, сделала заголовки к ним и написала, как много папа работает, какие у него *сильные мускулы* и какой он у нас умный и талантливый. Затем я покрыла каждый лист прозрачной калькой. Когда мой муж увидел этот альбом, глаза у него стали буквально мокрыми. Он сказал: «Это действительно здорово, ты такая творческая натура... Думаю, у каждого ребенка должен быть такой альбом, чтобы он представлял, для чего существуют папы...» Я ответила: «Да, мы это понимаем, и я действительно очень ценю все то, что ты для нас делаешь».

С тех пор он стал другим человеком. Он наконец поверил, что я восхищаюсь им от чистого сердца. С тех пор наш брак и вправду исключительно счастливый. В последнее время он работает за городом и приезжает домой только на выходные. В предыдущие годы я тратила подобные выходные на жалобы, обижаясь на него за то, что так мало вижу его. Но в этом году наши выходные стали медовым месяцем. Он буквально рвется домой, и мы проводим целые вечера в искреннем и счастливом общении.

Он чувствует сильное влечение ко мне, и часто говорит о том, как он счастлив. Он приносит мне небольшие подарки и сюрпризы, и мне абсолютно не на что жаловаться.

Недавно он особенно порадовал меня своими планами на отпуск. Он и раньше знал, что я люблю путешествовать на машине и что я давно хотела съездить в Миссури (где мы с ним познакомились). Каждый год я просила его об этом, но он отвечал: «Ты знаешь, я не люблю путешествовать. Если мы и отправимся куда-нибудь, то только на самолете, но я тем не менее вообще никуда не хочу ехать». В этом году я ни слова не говорила об отпуске. Однажды ни с того ни с сего он сказал: «А почему бы нам в мае не съездить в Миссури?» Я чуть не подпрыгнула от радости. Забывшись, я собралась помочь в планах. Я сказала: «Мы можем полететь, и затраты будут приблизительно такими же». Но он ответил: «Нет, я хочу поехать на машине. Мы никогда не ездили в отпуск на машине. Ну, как, согласна?»

Жизнь стала скучной

Мы с мужем были женаты одиннадцать лет, и я думала, что мы счастливы. Большую часть времени я проводила одна с четырьмя детьми, а у него был свой бизнес, и я думала, что так все и должно быть. Мы были вместе только по воскресеньям, и эти дни всегда были скучными и утомительными. Я знала, что мужу еще скучнее, чем мне, но я не знала, что с этим делать. Потом все стало так плохо, что он решил по воскресеньям работать.

Затем неожиданно появилась другая женщина. Он стал встречаться с ней, уходил из дому, а потом возвращался. Так продолжалось приблизительно два года, когда я приобрела книгу «Очарование женственности». Я пыталась жить по ней, но это было почти невозможно, поскольку я видела его очень редко, а разговаривали мы еще реже.

Через полгода после знакомства с этой книгой я решила, что мне нужно подать на развод, потому что я считала, что такая ситуация вредна для детей, они слишком много знали. Когда я сообщила о своем решении мужу, он сказал, что не верит мне, но может уехать из дома в любой момент. И только через месяц он стал спрашивать, что ему сделать, чтобы помириться с нами, и тогда я стала изливать на него содержимое «Очарования женственности» в больших и щедрых порциях. Я сказала, что если он оставит другую женщину, у меня будет шанс снова показать ему свою любовь. Мы начали встречаться, и он практически все время проводил со мной. Через три месяца я забрала свое заявление о разводе, и он вернулся домой.

Он снова и снова повторяет, что никогда не предполагал, что может быть так счастлив со мной. Он сказал, что когда просил разрешения вернуться домой, он был готов оставить другую женщину, но взамен приготовился вести скучную и унылую жизнь в семейном кругу. Он говорит, что я такая же бесхитростная и сладкая, какой была раньше, но что во мне в то же время появилось много новых и чудесных качеств. Недавно я дала эту книгу моей маме, и она сама удивляется тому, какие изменения происходят в их взаимоотношениях с папой, а женаты они сорок шесть лет. Кстати, та самая «другая женщина» из моей истории теперь пытается разрушить семью наших друзей, и я только что дала эту книгу жене этого нашего друга. Молюсь о том, чтобы она использовала возможность применить принципы «Очарования женственности» в своей жизни на благо семьи.

Глава 15

Внутреннее умиротворение

В нутреннее умиротворение — *это счастье духа, это состояние безмятежности, покоя и душевный мир.* У Агнес был
такой спокойный, безмятежный и умиротворенный дух.

Внутреннее умиротворение поможет вам перенести все тяготы жизни со спокойствием и уравновешенностью. Это не
значит, что в жизни у вас не будет проблем и разочарований,
просто у вас будет сила преодолеть и разрешить эти проблемы
уверенно и спокойно. Внутреннее состояние счастья особенно
важно для мужчин. Я знаю по крайней мере двух мужчин, которые посреди бурь проблемного брака и помыслить не могли
о примирении, пока их жены не обрели внутреннего умиротворения.

Когда мужчина осознает, что его жена несчастлива, он будет ей сострадать и сочувствовать, если это добрый человек. Он
попытается ей помочь и взбодрить. Однако мужчины не любят
этого состояния в женщинах. Они считают это значительным недостатком. Они полагают, что женщина должна обладать внутренним счастьем, чтобы *распространять вокруг себя радость и
освещать своим светом мрачные и темные дни.*

Но что делает людей несчастливыми? Это чувство возникает
внутри человека в результате слабости характера, неудач, греха,
неспособности выполнить свои обязательства и как следствие
сосредоточенности на себе. Мы *несчастливы,* когда делаем что-
то неправильно, когда не можем поступать так, как надо, или
каким-то образом нарушаем вечные законы жизни. Мы становимся *счастливыми* тогда, когда *преодолеваем свои слабости, ис-
полняем свой долг, отказываемся думать только о себе и живем*

в гармонии с вечными законами жизни. Мы обсудим эти пути к счастью позже, а пока давайте подыщем определение разницы между счастьем и удовольствием.

Счастье против удовольствия

Слово «удовольствие» происходит от слова «довольство». Когда мы испытываем удовольствие, наши органы чувств испытывают довольство, наши глаза, нос, уши, рот и остальные органы чувств удовлетворены. Однако имеются хорошие и дурные удовольствия.

Хорошее удовольствие нам доставляют такие полезные вещи, как солнечный свет, дождь, цветы, сытная еда, смех маленьких детей, прекрасная музыка, красивые произведения искусства, полезный отдых и другие благотворные для жизни вещи. Мы получаем удовольствие от красивой одежды, удобных домов, приятного сада, удобной и красивой мебели и таких современных удобств, как пылесос и стиральные машины. Они обогащают жизнь, но приносят скорее чувство довольства, а не счастья. Это доказано людьми, для которых доступны все мыслимые удовольствия, но которые, тем не менее, *счастья не знают.*

Дурные удовольствия берут свое начало в грехе и приносят только вред, а не добро. Это сексуальная распущенность и невоздержанность, пошлая литература, порнографические фильмы, вредная еда, алкоголь, курение, азартные игры и разгульная жизнь. Они разрушают тело и дух, и от них следует полностью отказаться. Другие источники дурных удовольствий — это любые виды излишества, изобилие материальных богатств и удовольствия, которые приводят к пустой трате времени.

Счастье коренным образом отличается от удовольствий. Если удовольствия происходят от вещей, которые удовлетворяют чувства, то счастье может возникнуть даже от неприятных испытаний. Женщина, желающая испытать счастье материнства, сначала проходит через родовые муки, а потом взваливает на себя долгую и изнуряющую ответственность по воспитанию детей. Отец испытывает усталость и боль труда, чтобы обеспечить своих любимых всем необходимым.

Посвящение высоким целям сопряжено с борьбой и противостоянием. Но с ними приходят новые радости, и не только радость достижений, но и радость силы, обретенной в борьбе и испытаниях. Иногда счастье приходит как последствия страданий, печали и боли. Удовольствия можно почерпнуть и в грехе, в то время как радость возникает в результате борьбы с грехом. Никто, живущий в грехе и черпающий удовольствие в нечестии, не может быть счастлив.

И хотя счастье может быть построено на неприятных переживаниях и даже на боли и страдании, ощущение самого счастья противоположно чувству страдания. Счастье — это глубокое духовное чувство, это сочетание мира, радости и безмятежности. Но даже эти понятия не в состоянии точно передать значение этого слова. Описать чувство счастья всегда было трудно.

Когда апостол Павел пытался объяснить вечное блаженство, ожидающее верных, он сказал: «Написано: не видел того глаз, не слышало ухо, и не приходило то на сердце человеку, что приготовил Бог любящим Его» (1 Коринфянам 2:9).

То же можно сказать и о земном счастье. Мы не можем осознать его великолепие, не испытав его на себе. Но когда мы его испытываем, его нельзя перепутать ни с чем. Но как обрести внутреннее умиротворение? Что нужно сделать, чтобы достичь внутреннего счастья?

Как обрести внутреннее счастье

Иногда можно слышать такое утверждение: «Люди настолько счастливы, насколько они решили быть счастливыми». И хотя в таком позитивном отношении есть определенная доля истины, такое заявление нельзя назвать истиной. Злой человек не может стать счастливым только потому, что решил стать таковым. Собственно говоря, никто не может обрести внутреннее умиротворение, внезапно решив быть счастливым. Внутреннее счастье — это чувство, которое нужно заработать.

Генри Драммонд однажды сказал: «Никто не может обрести радость, просто попросив себе немного. Радость — один из самых спелых плодов христианской жизни, и, как любой другой плод, он должен созреть». Роберт Ингерсолл сказал следующее: «Счастье — это росток, цветок и созревший плод добрых и благородных действий. Это не дар от Бога. Его следует заработать».

Внутреннее счастье приобретается исполнением вечных законов. Существуют духовные законы, управляющие счастьем так же, как есть законы, управляющие вселенной. Люди бывают *счастливы*, потому что следуют законам, на которых строится счастье. И когда они *несчастливы*, это происходит от нарушения этих самых законов. Каждый человек, исполняющий Божьи законы, может обрести внутреннее счастье. Чтобы стать по-настоящему счастливым, делайте следующее:

1. Исполняйте домашние обязанности

Если вы хотите быть счастливыми, то в первую очередь следует преуспеть в этом стремлении *дома* в служении мужу в качестве понимающей жены, преданной матери и домашней хозяйки. Через успех в этой области вы обретете гармонию с вечными законами, что неминуемо приведет вас к счастью. Вы можете полностью не осознавать, что *голубая птица счастья* находится в четырех стенах вашего дома. Естественно, что для обретения счастья дома нужно будет *приложить усилия*. Вам нужно быть готовыми *пройти два поприща*, то есть делать больше, чем с вас требуется. Если вы исполняете только то, что вы обязаны исполнять, не ждите большой награды.

Если вы не достигнете успеха дома, вы неизбежно пожнете *несчастье*. Когда вы нарушаете вечные законы, вы обязательно пострадаете от последствий этого нарушения. Для женщины неудача в браке означает неудачу в жизни вообще. Даже если вы потерпели неудачу только в одной сфере своей жизни, в собственном доме, вас можно назвать неудачницей. Вы должны преуспевать во всех трех сферах выполнения своих обязанностей — как жена, мать и хозяйка дома, и тогда можете рассчитывать на награду.

2. Развивайте свой характер

Счастье возникает в результате праведной жизни и развития благородного характера. Вы можете убедиться в этом, наблюдая за людьми, которые действительно *счастливы*. Это честные, бескорыстные, добрые, ответственные люди, живущие по высоким моральным стандартам. С другой стороны, *несчастливые* люди так или иначе эгоистичны, ленивы, безответственны и недисциплинированны. Несчастные люди имеют склонность к аморальному образу жизни, это нечестные, жадные, жестокие и, в любом случае, люди с темным характером. Греховность ведет к депрессии, нервозности и психическим заболеваниям.

Радостно осознавать, что современная психиатрия в своих усилиях избавить людей от болезней духа обращается к религии. Доктор Дж. А. Хэдвилд, один из ведущих психиатров Англии, сказал: «Я убежден, что христианская религия обладает огромной силой, способной дать человеку гармонию, умиротворение в разуме и уверенность в душе, ибо именно перечисленные состояния могут дать здоровье большому числу психически больных». Библия обещает: «Тот, у которого руки неповинны и сердце чисто, кто не клялся душою своею напрасно и не божился ложно ближнему своему, — тот получит благословение от Господа и милость от Бога, Спасителя своего».

Борьба со слабостями и грехами дается нелегко. Грех вызывает зависимость, а потому его можно расценивать как своего рода рабство. Когда мы начинаем бороться с грехами, всегда есть опасность вернуться к старым, порочным привычкам. Преодоление греха приносит внутреннее счастье не только потому, что преодолена сама привычка, но и потому, что человек в этой борьбе приобрел силу духа, которая дает новую, дотоле невиданную радость. В следующей главе мы поговорим о конкретных слабостях, которые нам нужно преодолеть, и силе, необходимой для развития благородного характера.

3. Служите другим людям

Если вы хотите быть счастливой, обязательно *нужно заняться чем-то достойным*. Благотворительная деятельность вне дома может во многом обогатить вас. В первую очередь вы должны служить своей семье, но вы также должны послужить и другим людям ради усовершенствования общества. Если вы ограничитесь служением узкому семейному кругу, сосредоточившись на *своих* детях и *своем* хозяйстве, ваша жизнь тоже станет узкой, а счастье ограниченным.

Доктор Макс Левин, психиатр из Нью-Йорка, сказал: «Я говорю не как священник, но как психиатр. Не может быть эмоционального здоровья там, где отсутствуют моральные стандарты и чувство социальной ответственности». Когда вы несете на себе бремя общества и стараетесь помочь окружающему миру стать лучше, в качестве компенсации вы обретете чувство внутреннего умиротворения.

4. Занимайтесь творческим трудом

Знаете ли вы, что работа своими руками, созидание красивых и полезных вещей созидает одновременно и ощущение внутреннего мира? Не думайте, что у вас внутри нет необходимой для этого силы. Борис Бали, бывший декан факультета изобразительного искусства в Университете Темпла, сказал: «Я уверен, что каждый человек обладает творческим порывом к созиданию прекрасного, и этот порыв можно вызволить наружу и использовать с соответствующим вдохновением, а подавление его приводит к неспособности адаптироваться к окружающей среде». В психиатрических лечебницах обычно лечат тем, что дают пациенту возможность что-то сделать своими руками.

Дома тоже можно применить творческие способности в приготовлении еды, шитье, украшении дома и заботе о саде. Нет ничего творческого в том, чтобы просто скопировать чьи-то идеи в украшении дома, в использовании чужого рецепта, потому что это творческие способности другого человека. Творческие возможности можно использовать в области искусств, скульптуры, музыки, создании книг, проектировании, разрешении проблем и практически в каждой сфере нашего бытия. Вы проявляете свои творческие способности, когда предлагаете свои оригинальные идеи или делаете нечто хорошее или красивое в соответствии со своим представлением.

Когда вы созидаете нечто *достойное* или *прекрасное*, как, например, редкое произведение искусства, музыки или литературы, внутреннее счастье преображается в глубокое душевное удовлетворение. Когда мы рассуждаем о великой радости, которую испытывает человек в результате своих скромных созидательных усилий, представьте, как, должно быть, чувствовал Себя Бог, когда сотворил землю и, посмотрев на творение Своих рук, воскликнул: «Хорошо!»

5. Примите себя такой, какая вы есть

Чтобы быть счастливой, примиритесь с собой и дайте себе право на обычные человеческие слабости и ошибки. Не падайте духом из-за совершенных ошибок. В процессе становления ангелом вы пока остаетесь в человеческом обличии и потому склонны совершать ошибки в своем суждении. Вы можете совершать глупости, можете оставить на включенной плите сковороду с котлетами, можете глупо потратить деньги, разбить дорогую вазу, потерять что-то или опоздать на встречу. Не нужно расстраиваться из-за этого. Не позволяйте себе волноваться по мелочам и лишать себя мира и покоя. Нельзя быть слишком жесткой к себе. Если вы прощаете других людей, научитесь прощать и себя.

Любой бизнесмен заранее готовится к возможной неудаче в бизнесе. Подготовьте и вы себя к тому же. Говорите себе, что каждый год, каждую неделю и даже каждый день вы совершите какие-нибудь ошибки или примете неразумные решения. Отправляясь за покупками, помните, что можете допустить покупку ненужной вещи. Мы все учимся на собственном опыте, а это значит, что мы совершаем ошибки. Однако принятие себя не означает полное удовлетворение собой, потому что вы не можете довольствоваться тем, какая вы есть. Если вы не станете исправляться и совершенствоваться, вы заблокируете свой рост и прогресс.

6. Цените простые радости

Чтобы быть счастливой, нужно ценить простые радости жизни, такие, как дождь, солнечный свет и свежевыстиранное, вкусно пахнущее белье. Но счастливой вас делают не эти маленькие радости, а ваша способность ценить их. Ниже приведено сравнение между женщиной, которая находит счастье в маленьких радостях жизни, и той, для счастья которой требуется намного больше этого.

Благодарная женщина будет довольствоваться водой из жестяной чашки, в то время как для полного счастья другой женщине понадобится тонкий фарфор. Одна женщина будет рада отдыху на ящике на заднем дворе под теплым весенним солнцем, а другой женщине этого покажется мало, и она потребует плетеную мебель в уютном внутреннем дворе. Благодарное сердце будет радоваться пению птицы, шелесту листьев или тишине большого леса. Другая найдет радость только в ложе оперного театра. Одной будет радостно при мысли о том, что у нее есть простое одеяние, а другая живет ради дня, когда она пойдет на Пятую авеню, чтобы приобрести себе очередное платье. Одна будет счастлива, отправляясь прогуляться в парк с малышом, а другая видит себя только в пышности великосветских приемов. Первая будет рада самому скромному домику, а другой нужен великолепный современный особняк, обязательно с красивым пейзажем вокруг. Одна женщина получит удовольствие от свежего запаха дождя, а другой нужны только французские духи. Благодарная женщина, умеющая радоваться простым вещам, окружающим ее, всегда обнаружит рядом с собой источник этой радости.

7. Ищите знание и мудрость

Знание находит дверь к счастью, а мудрость открывает ее. Знание идет первым, а затем приходит применение знания, а это и есть мудрость. Поиск мудрости должен быть самым главным стремлением нашей жизни, и приобретенная мудрость — наше бесценное сокровище. Эта мысль выражена в священном Писании (Притчи 3:13–18):

«Блажен человек, который снискал мудрость, и человек, который приобрел разум, — потому что приобретение ее лучше приобретения серебра, и прибыли от нее больше, нежели от золота: она дороже драгоценных камней; никакое зло не может противиться ей; она хорошо известна всем, приближающимся к ней, и ничто из желаемого тобою не сравнится с нею. Долгоденствие — в правой руке ее, а в левой у нее — богатство и слава; из уст ее выходит правда; закон и милость она на языке носит; пути ее — пути приятные, и все стези ее — мирные. Она — древо жизни для тех, которые приобретают ее, — и блаженны, которые сохраняют ее!»

Если знание может принести счастье, тогда отсутствие знания приносит несчастье. Эта мысль выражена доктором Абрахамом Маслоу, психологом: «Знание, проницательность, истина, реальность и факты — это самые мощные целебные лекарства… Если знание может исцелять, тогда отсутствие знания может приводить к болезни… Мы должны очень серьезно отнестись к тому факту, что слепота приводит к болезням, а знание исцеляет. Лжет старая поговорка, которая утверждает, что „не повредит то, чего ты не знаешь“. Истина заключается в противоположном. Человеку вредит именно то, о чем он не знает. Властвует над вами именно то, чего вы не знаете, а знание дает вам способность управлять собственной жизнью». Хороший пример тому — брачные отношения. Люди, несчастливые в браке, не имеют ни знания, ни мудрости. Когда они приобретают знание и применяют его, они обретают счастье.

Должен ли муж любить жену?

Если вам кажется, что вас не любят, вы можете подумать, что вам для полного счастья не хватает именно любви мужа. Любовь мужа действительно важна для счастья женщины в полном понимании этого слова, но не столь важна для ощущения *внутреннего счастья*, о котором я говорю. Собственно, прежде чем муж сможет полюбить вас по-настоящему, вам нужно обрести внутреннее умиротворение. Мужчины по всему миру уходят от своих жен именно потому, что их жены несчастливы.

Если вы обрели внутреннее счастье, но ваш муж вас все равно не любит, значит, чего-то недостает. *Такое счастье полным не назовешь.* Хорошим примером тому может послужить Агнес Уикфилд. Она была спокойной, и дух ее был умиротворенным, но на протяжении почти всей истории она не была счастливой женщиной. Дэвид Копперфилд часто замечал на ее красивом лице признаки печали, не понимая, что то было свидетельство невостребованной любви. Одного компонента счастья не хватало в ее жизни, но умиротворенный дух от этого не пострадал.

Как влияют на счастье другие люди и обстоятельства?

Другие люди — ваш муж, дети, родственники и друзья — могут во многом способствовать вашему счастью, как и благоприятные обстоятельства. Но этот компонент совсем не обязателен. Если этого преимущества в вашей жизни нет, если другие люди не способствуют вашему счастью, или если обстоятельства сложные, не падайте духом. Вы можете быть счастливой, осуществляя в своей жизни правильные принципы. Если вы обретете счастье без помощи других людей и обстоятельств, это лишь докажет, что вы смелый, благородный и сильный человек.

Как обрести счастье

1. Выполняйте свои обязанности по дому.
2. Развивайте характер.
3. Служите другим.
4. Занимайтесь творческой работой.
5. Примите себя такой, какая вы есть.
6. Радуйтесь простым вещам.
7. Приобретайте знание и мудрость.

Задание

Оцените себя, чтобы определить, ощущаете ли вы внутреннее счастье. Если нет, то в какой сфере жизни и чего вам не хватает? Еще раз просмотрите эту главу, чтобы понять, как приобрести внутреннее умиротворение.

Внутреннее счастье — это духовное качество, которое придется заработать победой над слабостями и стремлением идти вверх, трудясь над усовершенствованием своего характера. Этот устремление можно сравнить с плаванием вверх по течению. Оно приобретается в результате приложения больших усилий и в преданности своему долгу.

Глава 16

Достойный характер

Мужчины хотят иметь женщин с хорошим характером, которых они могли бы поставить на пьедестал и чтить с великим уважением. Они хотят, чтобы женщина была не просто хорошей, но и лучше их самих. Они надеются, что она будет добрее, терпеливее, сможет больше прощать, не будет эгоистичной и сможет проявить больше твердости в принципиальных вопросах. Если мужчина безрассудный, критичный или слабый, он легко простит себе все эти недостатки. Однако он ожидает от женщины ангельского характера и качеств, полагая, что она должна быть выше таких изъянов.

Иногда мужчина пытается поколебать пьедестал, на который возведена женщина, считая, что она сделала что-то неправильно. Он может делать это намеренно, чтобы убедиться в том, что она действительно достойна, и ему это не кажется. Другими словами, он ее испытывает. Но какое разочарование постигнет его, если она понизит стандарты, опустится до его уровня, и какая радость, если она останется непоколебимой. Если она останется стоять на пьедестале, значит, она стоит на своем законном месте.

Когда мужчина видит в женщине *прекрасный характер*, этот факт оказывает на его чувства к ней очень сильное влияние. Прекрасным примером тому может послужить героиня из классического романа «The Little Minister» сэра Джеймса Бэрри («Маленький священник»). Бэбби была красивой цыганкой с очаровательными манерами, но Гэвин, маленький священник, считал ее дикой и даже злой. Он полюбил ее только тогда, когда увидел ее заботливое отношение к одинокой старушке. Об этом рассказывается в следующем эпизоде.

Бэбби

Преподобный Гэвин Дишарт и доктор Макквин приехали в дом Нэнни Уэбстер, чтобы забрать ее в дом престарелых. Нэнни страдала от убогости обстановки, в которой она жила, но ей было больно отрываться от дома. Когда мужчины терпеливо и мягко стали убеждать Нэнни поехать с ними, открылась дверь и в комнату вошла Бэбби.

— Здесь тебе не место, — резко сказал Гэвин, когда Нэнни, слишком расстроенная, чтобы соображать, упала к ногам цыганки.

— Они увозят меня в дом престарелых, — рыдая, сказала старушка, — не отдавай им меня, не отдавай.

Цыганка обняла ее и поцеловала в опавшие щеки… Никто за долгие годы не целовал Нэнни, но не подумайте, что она была слишком бедна или слишком стара, чтобы быть безразличной к молодым рукам, обнявшим ее. Говорят, что женщины не могут любить друг друга, но это неправда. Женщина не относится к разряду недоразвитых мужчин, она нечто лучшее, и Гэвин и доктор поняли это, когда увидели, как Нэнни прижалась к девушке, ища защиты. Когда цыганка с пылающими щеками повернулась к двум мужчинам, она казалась матерью, вставшей на защиту своего ребенка.

— Как вы смеете, — закричала она, топнув ногой, а они задрожали, как злоумышленники…

Она повернулась к Нэнни:

— Моя бедная, моя дорогая, — сказала она нежно, — я не позволю им забрать тебя. Она торжествующе взглянула на священника и доктора, как человек, заставший их за исполнением злого умысла.

— Уходите, — сказала она, грациозным жестом указывая на дверь.

Тогда Гэвин сказал цыганке твердым голосом:

— Ты имеешь благие намерения, но поступаешь жестоко с бедной женщиной, вселяя в нее надежду, осуществить которую не в состоянии. Сочувствие — это не еда и не постель, но именно в них она нуждается.

— А вы, живущие в роскоши, — парировала девушка, — отсылаете ее в дом для престарелых, чтобы она там получила желаемое. Я думала о вас лучше.

Двое мужчин, слабо защищая свои позиции, подхватили сумки Нэнни и пытались подтолкнуть ее к двери.

— Мы подождем тебя, Нэнни.

— Да, да, я иду, — сказала Нэнни, отпуская от себя цыганку, — мне нужно идти, девочка. Не огорчайся из-за меня.

— Нет, ты никуда не пойдешь. Это они уходят отсюда, — сказала Бэбби, — идите, господа, и оставьте нас.

— Ты сможешь обеспечить Нэнни? — презрительно спросил доктор.

— Да, — ответила Бэбби.

— А откуда возьмешь деньги? — спросил доктор.

— А это мое дело и Нэнни. Уходите отсюда, оба. Она больше ни в чем нуждаться не будет. Смотрите, сама мысль о том, что вы уйдете, возвращает жизнь ее лицу.

Милосердие Бэбби по отношению к Нэнни превратило презрение Гэвина в любовь. Теперь он видел перед собой другую женщину, которой можно было доверять. Раньше он видел в ней только праздную девушку, дикую и беззаботную. Теперь это была женщина с душой и сердцем, и ее рука была протянута к бедным. Гэвин всегда считал себя милосердным человеком, но милосердие Бэбби превзошло его отношение к нуждающимся. Мы узнаем о других прекрасных качествах Бэбби в следующей главе.

Кэтрин

В книге «Captains and the Kings» («Капитаны и короли») автор описывает воздействие ангельского характера на эмоции мужчины. Во время Гражданской войны друг напротив друга остановились два поезда. Джозеф Армо был сильным человеком со сдержанными чувствами, который, казалось, вообще не замечал женщин. Когда поезд напротив остановился, он выглянул из окна и увидел нечто такое, что привлекло его внимание и пленило мужское сердце.

Молодая женщина в чепце и переднике выпрямилась у постели молодого человека, за которым она ухаживала, и на ее щеках были слезы… Казалось, она была без сил от усталости. Она стояла, немного ссутулившись, а в руках у нее была окровавленная повязка. Голова ее была высоко поднята, в глазах отсутствующее выражение, сквозь которое проглядывало столько боли… Но ее усталость, ее сутулость, ее явно угасшее молодое жизнелюбие, передник из грубой ткани и чепец не могли скрыть стройности ее тела и красоты лица…

Джозеф выпрямился и внимательнее всмотрелся в ее лицо. Она не собиралась уступать усталости. Через минуту она пойдет дальше выполнять свое дело. С ней заговорил солдат, которого Джозеф видеть не мог, и ее стройное тело опять склонилось над ним. Ее лицо было преисполнено жалости, оно дрожало от сочувствия и живой озабоченности. Потом военный поезд тронулся…

Джозеф открыл окно. Он смотрел на отдаляющиеся огни поезда, который приближался к товарной станции, и вдруг ему захотелось выпрыгнуть из вагона и побежать за уходящим поездом. Таким горячим, таким настоятельным, таким бурным было это желание, таким стремительным и пылким, что он потерял рассудок, холодный апломб и натренированный дисциплиной самоконтроль. Но даже находясь в буре чувств он в недоумении спросил себя, что именно так поразило его. Он удивлялся и поражался своим чувствам.

Дело было не в красоте девушки, поразившей его, ибо он видел девушек красивее и моложе, и в полном расцвете… Он видел более радостных, а эта девушка не была радостной ни в коей мере. Он видел девушек более женственных, но их невозможно было сравнивать с этой молодой женщиной, готовой служить и утешать с таким спокойным достоинством, таким бескорыстным состраданием, таким решительным желанием.

«Я потерял рассудок, — подумал он и заставил себя спокойно улечься, — что для меня может значить женщина, которую я никогда больше не увижу». Затем при одной мысли об этом он почувствовал отчаяние, глубокую печаль, беспощадное стремление и, к своему ужасу, желание.

Прежде чем мужчиной овладеют такие глубокие чувства, женщина должна приобрести характер, который вдохновит его на такие чувства. Вы можете подумать, что подобные наставления к вам не относятся. Всю жизнь вы воспитывали в себе добродетельные качества. Вы честны, добры и великодушны. И вообще, вы обладаете прекрасным характером. Эти добродетели действительно важны, но характер состоит не только из добродетелей. Дора была доброй, честной и великодушной девушкой, но Дэвид никогда не любил ее по-настоящему. Существует много добродетелей, однако важнее всего следующие.

1. Самоконтроль

Чтобы достичь успеха в жизни, нужно научиться контролировать себя, выполнять принятые на себя обязательства, уметь распоряжаться временем и деньгами, контролировать собственные мысли и слова, сдерживать желания, воспитывать чувства, преодолевать искушения и достигать поставленных целей.

Величайший человек в истории, поставивший перед Собой самую трудную цель, прежде всего прочего занялся подготовкой Себя к этой миссии. Иисус Христос не начинал Свою миссию до тех пор, пока не побывал в пустыне, где Он постился в течение сорока дней и ночей. За это время Он преодолел искушения сатаны и таким образом одержал над Собой победу, необходимую для исполнения Своей миссии.

Когда вы принимаете решение усовершенствовать свою жизнь или достичь достойной цели, возникает сопротивление в виде сомнений в себе, отчаяния и искушения отступить. Нужно научиться воздержанности, чтобы преодолеть сопротивление и двигаться вперед к намеченной цели. Вот ключи, способные помочь вам научиться самоконтролю:

1. *Самооценка.* Чтобы преодолеть сомнения, которые удерживают вас от достижения цели, научитесь высоко ценить себя.

Если вы знаете, кто вы и какую ценность представляете собой в глазах Бога, вы начнете ожидать от себя большего, станете более уверены в себе и вам легче будет контролировать себя. Вы должны видеть в себе *положительный образ*, чтобы развить в себе нерушимое чувство собственного достоинства.

2. *Пост и молитва*. Это значит воздержание от всякой пищи и питья на определенный отрезок времени. Если вы будете делать это регулярно, то молитвенного поста в течение суток будет достаточно. Когда вы контролируете физические потребности тела, дух будет в большей степени настроен на Бога. Сопровождайте пост молитвой и просите у Бога духовной силы для достижения поставленных целей.

3. *Тренируйте волю*. Чтобы добиться полного самоконтроля, нужно также тренировать свою волю. Например, каждый день делайте одно или более из упражнений, предложенных ниже:

а) *делайте что-нибудь, что вам не нравится делать* — принимайте холодный душ, выполняйте физические упражнения или ешьте здоровую пищу, которая вам не нравится;

б) *делайте что-нибудь трудное* — сложную работу, сядьте на диету или трудитесь над выполнением сложной задачи, или прекратите пить кофе, есть конфеты и т.п.;

в) *поставьте перед собой конкретные задачи* — вставайте в половине пятого, выполняйте конкретные виды работ в точно заданное время и т.д.

4. *Будьте непоколебимы*. В дополнение ко всему этому вам нужно набраться *решимости*. Постоянно помните о поставленной цели и решительно выполняйте ее. Никому не позволяйте отвлекать или поколебать вас, или заставить попусту тратить время. Наберитесь решимости делать то, что *необходимо* делать. Таким образом вы достигнете цели и овладеете искусством самоконтроля.

2. Бескорыстие

Бескорыстие — это готовность отказаться от собственных удобств или преимуществ ради благополучия других людей. В истинно бескорыстном поступке должен быть элемент жертвы. Это отказ от удовольствия, комфорта, преимущества или материального вознаграждения, или действия, которые повлекут для вас волнение или неудобство ради блага кого-то другого.

Существуют действия, которые можно посчитать бескорыстными, но на самом деле они таковыми не являются. Это, например, отказ от вещи, которая вам, по сути, не нужна, или поступок, который вам не доставляет ни хлопот, ни издержек. Это могут быть добрые дела, но бескорыстными их назвать нельзя. Добрый поступок бывает бескорыстным тогда, когда он требует самоотдачи или жертвы. Например, вы отдаете другому человеку то, что вам самому очень нравится или в чем вы сами нуждаетесь, но что другому человеку нужнее, чем вам. Либо это ситуация, когда ваша помощь другому человеку доставляет вам много хлопот, волнений или неудобств.

Бескорыстие отличается от милосердия в следующем: милосердие продиктовано чувством любви и заботы о других людях, и это чувство побуждает нас действовать в нужный момент. Бескорыстие не обязательно продиктовано любовью. Оно может быть добродетелью, которую человек признает в качестве своего морального долга или принципа, которого он придерживается. Бескорыстие — это первый шаг в развитии чувства милосердия в том смысле, что оно помогает нам отказаться от сосредоточенности на себе и сфокусироваться на нуждах других людей.

3. Милосердие

Милосердие — это наивысшая, самая благородная и сильная форма любви и заботы, которую мы проявляем к другим людям. Оно не имеет границ и доступно представителю любой нации, религии и культуры. В милосердии отражается чистая любовь нашего небесного Отца к каждому из нас. Милосердие — главная цель каждого истинного христианина и тех, кто искренне ищет Бога. Милосердие побуждает нас служить нуждающимся. Однако *служение* не всегда продиктовано чувством милосердия. Люди могут служить из чувства долга. Тогда такое служение нельзя назвать делами милосердия. Апостол Павел объяснил это в Первом послании к Коринфянам (13:3): «И если я раздам все имение мое и отдам тело мое на сожжение, а любви [в оригинале: милосердия] не имею, нет мне в том никакой пользы».

Добродетельная жена, о которой повествуется в Притче 31, была милосердной. В первую очередь она удовлетворяет нужды своих домочадцев: «Она встает еще ночью и раздает пищу в доме своем и урочное служанкам своим. Задумает она о поле, и приобретает его; от плодов рук своих насаждает виноградник. Препоясывает силою чресла свои и укрепляет мышцы свои. Она чувствует, что занятие ее хорошо, и — светильник ее не гаснет и ночью. Протягивает руки свои к прялке, и персты ее берутся за веретено. *Длань свою она открывает бедному, и руку свою подает нуждающемуся*».

Вы в первую очередь должны исполнить свой долг перед домашними своими, создав счастливую семью и домашний очаг. Но, кроме этого, вы также должны послужить миру, удовлетворив насущные нужды ближних. Мы все отвечаем за разрешение проблем в обществе, в котором живем. Достигшие успеха и нравственно благополучные должны помогать менее удачливым и слабым. Ничто так не обогащает жизнь женщины, ничто не делает ее более совершенной женщиной и прекрасной матерью, чем ее заботливое отношение к другим людям вне семейного круга. Вот три ключа к милосердию:

1. *Сострадание.* Научитесь ценить человеческую жизнь. Каждый человек — это чадо Божье, наделенное высочайшим достоинством. Когда вы видите другого человека в депрессии, унынии или в страданиях, проявите к нему любовь и позаботьтесь о его благосостоянии. Такое чувство сострадания заставит вас сделать что-то ради блага этого человека. Это и есть дела милосердия.

2. *Понимание нужд других людей.* Выясните, в чем *реально* нуждаются другие люди. Нет никакой заслуги в том, чтобы давать людям или служить им тем, что им не нужно, не удовлетворяя в то же время их реальные потребности. Таким же образом выясните, *когда* им нужна помощь. Не подведите их в час, когда они в ней так нуждаются.

3. *Жертва.* Когда нуждающийся человек оказывается в кризисной ситуации, ему может понадобиться ваш личная жертва.

Часто человек не может ждать, поэтому помощь ему нужно оказать вовремя. Может быть, для этого вам потребуется прекратить работу и перестроить свое расписание. Но помните: служение другим людям *практически всегда сопряжено с личными неудобствами*.

Либо вам придется пожертвовать комфортом, какими-то вещами, деньгами или похлопотать и поволноваться ради человека, оказавшегося в нужде. Часто приходится слышать такие замечания: «Надеюсь, вас это не побеспокоит» или «Надеюсь, это не причинит вам больших неудобств». На самом деле мы должны желать претерпеть неудобства и беспокойство ради блага других людей. Готовность жертвовать временем, деньгами или личным комфортом для людей, оказавшихся в нужде, — совершенно необходимое качество в делах милосердия.

Однако, оказывая милосердие, вы не должны забывать собственную семью и ее нужды, хотя на какое-то время вы можете отвлечь свое внимание от нее ради других людей. Другие члены вашей семьи тоже могут пойти на жертвы, помогая вам оказывать помощь нуждающимся. Пусть они тоже учатся жертвовать. Таким образом и они научатся творить дела милосердия. Вовлекая их в дела милосердия, вы научите их *Евангелию любви*.

В истории «Little Women» («Маленькие женщины») Луизы Мей Элкотт приводится пример семейного милосердия. В рождественское утро одна семья приготовила вкусный завтрак из любимых продуктов. В тот самый момент, когда стол был уже накрыт, их мама вернулась после посещения бедных. В одной бедной семье люди заболели, и им очень нужна была еда. Мама попросила дочь помочь ей собрать завтрак, положить его в корзину и отнести этой семье. Разочарованные девочки неохотно выполнили поручение матери. Внеся свой вклад в эту жертву, они поняли истинное значение милосердия.

Миссис Картер

Однажды моя маленькая дочь стала жаловаться на то, что я уделяю очень много времени одному важному делу. Она сказала: «Почему ты не можешь быть, как миссис Картер? Она все время находится рядом с детьми». На минутку мне стало больно, я остановилась и задумалась о том, что я делаю. Затем я подумала о миссис Картер. Она действительно была преданной матерью. Она устраивала детям самые красивые дни рождений во всей округе и самые пышные праздники на Рождество. Дети посещали разные занятия, поэтому она постоянно развозила детей на занятия и с занятий. Везде, где проводились какие-то мероприятия, ее дети принимали участие. Ее преданность семье не вызывала никаких сомнений. Я тоже хотела бы больше времени посвящать своей семье, как миссис Картер. Но я была уверена, что мое служение другим людям было не менее важным.

Поэтому я поговорила с моей маленькой дочкой и объяснила ей смысл милосердия. Я рассказала ей о трех матерях: мать А любила своих детей, но уставала от семейных забот. Она считала, что вполне заслуживает небольшой отдых от детей, и потому долгие часы посвящала посещению магазинов, игре в гольф и поездкам за город. Дети иногда чувствовали себя одинокими и покинутыми, но они знали, что мама их очень любит.

Мама Б тоже очень любила своих детей. Большую часть времени она проводила вместе с ними. Она устраивала самые красивые дни рождений для них и самые лучшие праздники на Рождество. Она возила их в разные места, играла с ними, водила их на прогулки, или они вместе ездили на велосипедах (я говорила о миссис Картер).

Мама В, объяснила я дочери, тоже любила своих детей, но она также любила и чужих детей. Она также хотела помогать другим людям в разрешении их проблем. Она проявляла заботу о своих детях, тратила на них много времени и многое делала для их блага. Но она также уделяла какое-то время другим людям, помогая им. Затем я спросила свою дочь, какая из матерей жила христианской жизнью. Она сразу поняла значение милосердия и с тех пор поддерживала меня в благотворительной деятельности, иногда добровольно идя на значительные жертвы.

Самый большой враг милосердия — наш эгоизм, слишком большая сосредоточенность на самих себе и своем собственном. Мы слишком много думаем о *своих* детях, *своем* доме, *своем* муже и *своих* проблемах. Но вокруг нас много людей, находящихся в отчаянных обстоятельствах. Они нуждаются в нашей руке помощи, наших деньгах, слове мудрости или моральной поддержке. К примеру, я получила письмо от одной мамы, которая вспоминала тяжкие дни в прошлом:

«Оба наших ребенка в раннем детстве часто болели. Болезни сопровождались высокой температурой. У нашей маленькой дочери была болезнь глаз, и она чуть не умерла от высокой температуры и сильных судорог. После этого я боялась оставлять детей одних. Мы с мужем отчаянно нуждались хотя бы в небольшом отдыхе, но ни его, ни моя мать не хотели остаться с нашими детьми, боясь ответственности. Мы не могли позволить себе нанять опытную няню, а на молоденькую сиделку я не могла положиться». Очень немногие готовы последовать повелению апостола Павла: «Носите бремена друг друга».

4. Смирение

Смирение — это свобода от гордости или высокомерия. Смиренный человек осознает свои добродетели, таланты и преимущества, но понимает также свои слабости, ошибки и ограничения. Он не превозносится, но и не уничижает себя. Он оценивает себя правильно.

Когда вы смиренны, вы не думаете, что вы лучше, умнее или удачливее, чем другие люди. Вы можете быть лучше в одном, но хуже в другом. И хотя у вас могут быть способности, таланты и достижения, которыми вы честно можете гордиться, вы пока не тот, каким можете или должны быть. Каждому человеку всегда есть чему поучиться или что исправить в себе.

Наш Спаситель показал нам совершенный пример смирения. Он был избранным и безгрешным Сыном Божьим и преодолел все искушения, но жил среди людей и ел с грешниками. Его ученики поклонялись Ему, но Он не превозносился над ними, не демонстрировал Свое превосходство. Более того, в великом смирении Он преклонился перед ними, омыл им ноги и вытер их полотенцем, которым был препоясан. Этим жестом Он показал, что на самом деле означает смирение.

Смирение также можно понять через сравнение с высокомерием или гордыней. Высокомерие — это необоснованное чувство превосходства и неспособность видеть собственные слабости и ограничения. Этот недостаток можно увидеть в следующих областях жизни:

1. *Мирские богатства.* Люди, обладающие большим имуществом и деньгами, часто испытывают от этого гордость. Женщины, прекрасно и изысканно одевающиеся, имеющие дорогие машины и живущие в роскоши, склонны чувствовать себя выше других женщин, у которых всего этого нет. Некоторые богатые находят удовольствие в демонстрации своих сокровищ перед неимущими. Они испытывают дьявольское удовольствие, унижая других и тем самым возвышая себя в собственных глазах. Прославление себя в материальных богатствах, которые обречены на тлен, — это высокомерие, которое указывает на серьезный нравственный и духовный недостаток.

2. *Знание.* Еще одним источником гордости могут быть знания специалистов с высшим образованием, людей, владеющим какими-либо умениями и навыками, способностями, достигших чего-нибудь или обладающих природными дарами и талантами. Осознание этих даров или достижений само по себе неплохо, но чувство превосходства, возникающее в результате этого, плохо, и указывает на отсутствие смирения.

Люди умные и хорошо образованные редко гордятся своими знаниями и не превозносят себя. Как правило, они достаточно скромны. Они понимают, что хотя и обладают знаниями, но существуют другие сферы знаний, в которых они несведущи или которые пока не открыты человечеству. Они стоят между прошлым и будущим. Они понимают величие ушедших людей и вклад тех, кто появится в будущем. Знание в будущем преуменьшит современные достижения. Так что люди, обладающие знаниями, живут с осознанием своего вклада и собственных ограничений. Другие люди обладают в некоторых областях бо́льшими познаниями, чем они. Их знания, какими бы обширными они ни были, ограничены какой-то одной конкретной сферой.

3. *Праведность.* Женщины склонны проявлять высокомерие, гордясь своей праведностью. Например, они проявляют усердие в том, чтобы жить чистой, полезной жизнью, руководствуясь высокими стандартами, преодолевая собственные слабости. Когда вы сравниваете себя с другими людьми, которые, как вам кажется, не стараются жить святой жизнью, у вас возникает искушение почувствовать свое превосходство. Довольно трудно в такой ситуации проявить смирение.

Чтобы преодолеть подобные тенденции, напоминайте себе, что вы не можете судить о достоинствах других людей или своих собственных. Другие люди могут показаться вам слабыми или безответственными, но они могут быть достойными людьми. У них могут быть скрытые качества, которые не видны на поверхности или еще не были испытаны на практике. Подумайте об их прошлом. Может быть, они не видели в лице родителей достойный пример для подражания или не получили правильного воспитания. Если бы у них были такие же возможности, как у вас, может быть, они стали бы лучше вас.

Бог категорически осуждает гордость. Мы читаем в Притчах (6:16–19): «Вот шесть, что ненавидит Господь, даже семь, что мерзость душе Его: глаза гордые, язык лживый и руки, проливающие кровь невинную, сердце, кующее злые замыслы, ноги, быстро бегущие к злодейству, лжесвидетель, наговаривающий ложь и сеющий раздор между братьями». Интересно отметить, что Бог называет гордость мерзостью наряду с ложью, злыми замыслами и даже убийством.

Знаете ли вы, что смирение может исцелить склонность к осуждению и критический настрой? Когда вы смиряетесь перед Богом, когда вы осознаете свою человеческую слабость и несовершенство, вы уже не испытываете желания критиковать других людей и постоянно напоминаете себе, что хотя их недостатки могут быть достаточно серьезными, они превосходят вас в каких-то других аспектах жизни. Мы намного больше похожи друг на друга, чем нам может показаться. Истинное смирение характеризуется терпением, прощением, принятием и благодарностью. С такими качествами уже невозможно критически относиться к другим людям.

Истинное смирение — один из самых важных элементов достойного характера. Все истинно великие люди были смиренными и скромными личностями, несмотря на свое положение или выдающиеся дары. Они видели себя в истинном свете, признавали свое величие и в то же время осознавали свои слабости и ограничения. Никто не может быть настолько великим или благим, чтобы не иметь нужды в смирении.

5. Ответственность

Ответственность означает принятие на себя обязательств с *готовностью держать отчет за проделанную работу*. Например, если вы собираетесь работать секретарем, вам будет дана определенная работа и, предположительно, вы возьмете на себя *ответственность* за ее выполнение. Кроме того, предполагается, что вы выполните эту работу *хорошо* и *вовремя*. Человек либо обладает чувством ответственности, либо нет. Это добродетельная черта его характера, один из его нравственных принципов.

Примените это качество к идеальной жене и домохозяйке. Она берет на себя ответственность за ведение домашнего хозяйства, то есть приготовление пищи, покупки, уборку, стирку и воспитание детей. Она, как многие женщины, может получать удовольствие от домашней работы. А что если ей эта работа не нравится? Станет ли она оправдывать нежелание исполнить свой долг или найдет человека, который будет выполнять эту работу вместо нее, чтобы она могла заниматься тем, что ей нравится? Дело не в том, нравится ей эта работа или нет. Она берется за нее с *чувством ответственности*, понимая, что ее нужно выполнить и что это ее святая обязанность. Не важно, насколько неприятен или утомителен для нее этот труд, но ей нужно закатать рукава и приняться за работу без слова жалобы.

Кто более ответствен за благополучие ребенка, как не мать? Если вы нанимаете для него няню или отдаете в ясли, наемные работники не возьмут на себя ответственность за воспитание вашего ребенка, не станут учить его манерам, формировать характер или вкладывать в него веру в Бога. Это входит в сферу ответственности матери.

Но кто несет больше ответственности за чистый, уютный дом, как не жена? Она может попросить помочь ей в этом детей или других людей, но ответственность за чистоту и порядок лежит на ней. Неспособность справиться с этой задачей указывает на слабость ее характера. Нежелание выполнять эту работу является *серьезным нарушением* ее долга. Единственным исключением можно считать случаи, когда женщина серьезно больна или психически неуравновешенна. Только тогда следует предпринять какие-либо меры.

Это острое чувство ответственности должно распространяться, помимо дома, и на общество, школу или церковь. Когда вы принимаетесь за работу в какой-то организации, возьмите на себя *ответственность за ее исполнение.*

6. Прилежание

«Все, что может рука твоя делать, по силам делай» (Екклесиаст 9:10).

Прилежание означает *настойчивость* или стремление делать дела *тщательно и старательно.* Прилежание означает качественный труд. Противоположностью этого качества можно назвать *лень, небрежность, беспечность* или *равнодушие.*

В женской работе существует определенное качество. Некоторые женщины делают хорошо все, за что ни возьмутся. Если вы попросите их принести на церковную благотворительную распродажу кастрюлю, то можете быть уверены, что они принесут хорошую вещь. Шьют ли они стеганое одеяло, работают ли няней или преподают в воскресной школе, можете рассчитывать на них, надеясь, что они хорошо выполнят свое дело. Так же ответственно они подходят к работе по дому, потому что у них есть качество характера, называемое *прилежание.*

На другой, полярной стороне стоят женщины ленивые и беспечные. Они делают плохо все, за что ни возьмутся. Они не могут прошить ровную строчку, испечь хороший хлеб или булочки. К своим домашним обязанностям они относятся так же. Возьмитесь за дверную ручку, и она окажется липкой, грязное белье высится у них горой, в раковине горы грязной посуды, в ее доме невозможно найти нужную вещь.

Между этими двумя крайностями находятся женщины, вполне прилично справляющиеся со своими обязанностями. Они честно стараются исполнить самые важные вещи и не жалуются на трудности. Однако остерегайтесь посредственности. Есть опасность делать ровно столько, сколько положено. Поэтому старайтесь делать все как можно прилежнее. Именно прилежание приносит в вашу жизнь успех и радость.

7. Терпение

Терпение означает способность переносить трудности или боль *без жалоб*, готовность вынести все тяготы и стрессовые ситуации со *спокойной стойкостью*. Если у вас что-то не получается, вы *терпите и спокойно ждете, не проявляя недовольства, не теряя присутствия духа из-за препятствий, отсрочки или неудачи*.

1). *Терпение в отношениях с людьми*. Нет более эффективной школы, где можно научиться терпению в общении с людьми, чем собственный дом и собственная семья. Маленькие дети, например, могут прилепить жвачку к волосам, разлить суп, вымазать свою обувь и поссориться друг с другом. Подростки оставляют свою комнату неубранной, часами сидят на телефоне и не едят то, что им готовят. Муж опаздывает на обед или не выполняет свою долю работы по дому. Чтобы выработать терпение в общении с семьей, воспринимайте проблемы как неотъемлемую часть своей жизни, не удивляйтесь и *не возмущайтесь ими*. Вместо того чтобы акцентировать свое внимание на проблемах, *не придавайте им большого значения*. Например, маленькая девочка пролила лак для ногтей на свою постель и прибежала к маме в слезах. Вместо того чтобы расстроиться, мама терпеливо сказала: «Ну, ничего, бывает и хуже».

2). *Терпение в исполнении своих обязанностей*. Мы также научаемся терпению в своей работе по дому, готовя еду трижды на дню, занимаясь стиркой, которая никогда не кончается, уборкой, которая повторяется изо дня в день. Дом — это прекрасная школа для развития терпения, ибо, когда вы снова и снова выполняете свою работу, вы вырабатываете терпение. Женщины, которые пренебрегают своими домашними обязанностями или выполняют их небрежно, жалуются или вовсе отказываются делать это ради карьеры на работе, как правило, нетерпеливы.

3). *Сдержанность в желаниях.* Чтобы достичь определенной цели или удовлетворить желание, тоже нужно терпение. Может быть, вы мечтаете о красивом доме, другой мебели, новой одежде или отдыхе всей семьей. Все это на данный момент может оказаться невозможным или доступным лишь через какое-то время. Нужно много терпения, чтобы экономить, планировать или жертвовать чем-то ради долгосрочной цели. Мудры те люди, которые *имеют терпение ждать.*

Или, может быть, вы хотите выделить какое-то *время для себя*, для развития своих талантов или удовлетворения каких-либо своих интересов. Если вы работаете на семью, вам может показаться, что у вас никогда свободного времени не будет. Вы хотите иметь его *сейчас*. Но если вы хотите все делать одновременно, одновременно выполняя функции жены, матери, домашней хозяйки и делая что-то вне дома, вы будете испытывать дефицит времени и лишите себя радости служения семье. *Это немудро.* Когда дети вырастут и разъедутся от вас, все ваше время будет в полном вашем распоряжении. Как сказал Шекспир: «Насколько бедны люди, не имеющие терпения ждать».

Когда у вас появится время, вам все равно нужно будет терпение, чтобы достичь высоких целей. Вы сможете развивать свои музыкальные способности, может быть, начнете писать или создавать произведения искусства. Помню, я наблюдала за одной женщиной, которая вязала чудесный коврик вытянутыми петлями. Я спросила, сколько времени уйдет на его завершение. «Около года», — ответила она. Я, не задумываясь, сказала: «У меня не хватит терпения начать то, что я не смогу закончить через пару дней». Примерно через год после того разговора я задумала написать эту книгу. Мне пришлось набраться терпения, потому что на ее написание ушли бесконечные месяцы и даже годы.

Учитесь терпению, размышляя о сотворении человечества, создании великих кафедральных соборов, скульптур, картин, музыкальных и литературных произведений, энциклопедий и словарей. В трудах людей прошлого нам оставлено богатое наследие. Сегодня мы можем видеть большие мосты, сложные системы шоссейных дорог, современные технологии и достижения науки, способные ошеломить своей грандиозностью. Все это совершалось с великим терпением.

Учитесь терпению, наблюдая за тем, как природа достигает своих целей. В известняковых пещерах можно увидеть причудливой формы сталактиты, созданные капельками воды, стекавшей с потолка в течение столетий. Сколько времени нужно для того, чтобы вырос дуб или гигантских размеров сосна? Или сколько времени ушло на образование узких теснин и каньонов в горах Колорадо?

4). *Солнечные дни.* В жизни бывают разочарования, периоды уныния и даже горя. Всегда помните, что вы не одиноки. Каждый человек переживает мрачные дни. Наберитесь терпения, *дайте этому времени пройти* и надейтесь, что скоро наступят солнечные дни.

8. Нравственная стойкость

Нравственная стойкость — это *решимость делать то, что правильно даже в том случае, если это решение вызовет неприятные или болезненные последствия,* например критику, унижение, потерю друзей, денег, положения и даже нанесение телесных повреждений. Одно дело согласиться с нравственными принципами, и совсем другое — быть стойким в осуществлении этих принципов в практической жизни. Нам нужна нравственная стойкость в следующих сферах:

1). *Моральные стандарты и цели.* Верность принципам и целям часто требует от нас нравственной стойкости. В пример можно привести молодого человека, который отказывается пить, курить, участвовать в нечестивых мероприятиях и смотреть грязные фильмы. Когда друзья начинают оказывать на него давление, ему нужно большое мужество, чтобы ответить отказом.

Молодая женщина может принять решение воздерживаться от сексуальных отношений до брака, но ради сохранения молодого человека может пойти на уступку. Взрослые люди не настолько поддаются воздействию своих сверстников, но и они не защищены от этого.

Одним из прекрасных примеров нравственной устойчивости может послужить Иосиф, которого братья продали в Египет, как об этом рассказывается в Библии. Оторванный от отчего дома в возрасте семнадцати лет, он попал в рабство к египтянам. Благодаря усердию и верности он стал в доме Потифара главным управителем. Но когда жена хозяина стала соблазнять его, он не побоялся пожертвовать ее благосклонностью, и ему хватило нравственной устойчивости отклонить ее предложение. В результате он попал в тюрьму.

Нам часто нужна моральная устойчивость, чтобы достичь важной цели. В качестве примера можно привести домашнее воспитание детей. Вы можете быть уверены в значимости своих планов, но не все разделяют ваши взгляды. Вы можете столкнуться со значительной оппозицией со стороны школы или других родителей, которые не хотят причинять себе лишнего беспокойства. Если вас волнует отношение к вам других людей, вам понадобится вся ваша моральная устойчивость, чтобы настоять на своем.

Нравственные принципы вам нужны даже как домашней хозяйке. Вы можете захотеть стать более собранной или проводить больше времени с детьми. Но когда другие люди начнут отвлекать вас, занимая ваше время, или если вам позвонят по телефону, вынуждая тратить драгоценные минуты на пустые разговоры, вам нужно будет набраться смелости, чтобы сказать «нет» и прекратить общение, не боясь обидеть позвонившего. Ваша цель должна значить для вас больше, чем мнение о вас других людей.

Если кто-то подолгу задерживает вас у телефона, нужно твердо сказать: «Простите, что перебиваю вас, но мне нужно идти». Если кто-то настаивает на своих планах, которые вы не считаете важными, можете сказать приблизительно следующее: «Мне нужно заняться другими делами» или «Простите, но у меня есть срочное дело».

2). *Защита своих убеждений.* Нравственная принципиальность может также понадобиться для защиты ваших убеждений, особенно если они непопулярны или противоречат мнению других людей. Речь может идти о религии, политических взглядах, подходе к воспитанию, расовых принципах или любых других вопросах, которые могут привести к неприятным последствиям. Мы все знаем, как ранние христиане твердо держались своих убеждений перед лицом жестоких преследований и даже смерти. Человечество всегда сражалось и погибало, защищая принципы, в которые верили люди.

3). *Защита обиженных.* Предположим, невиновный человек стал объектом слухов и клеветы, его порочат и делают жертвой несправедливости. Всегда легче стоять в сторонке. Зачем вмешиваться в дела другого человека? Такое вмешательство может привести к нежелательным последствиям и даже испортить вашу репутацию. Действительно, нужно иметь нравственную смелость, чтобы вступиться за доброе имя обвиняемого.

Я не предлагаю вам без необходимости вступать в споры и дела других людей, но если ваш голос может помешать творить несправедливость, тогда наберитесь нравственной смелости, чтобы заступиться за обижаемого. В классической литературе тому есть много примеров. В «Отверженных» Виктора Гюго самая драматическая история произошла тогда, когда Жан Вальжан набрался смелости, для того чтобы открыть свое истинное имя беглого каторжанина, чтобы спасти невиновного человека, которого собирались повесить.

4). *Признавать собственные ошибки.* Смелость также понадобится и в том случае, когда вы совершили безнравственный поступок. Иногда последствия признания в таких проступках могут быть серьезными. Это унижение, позор, наказание, штраф и даже тюремное заключение. Подобная история стала сюжетом классического произведения «Алая буква» американского писателя Натаниэла Хоторна. Преподобному Артуру Динсдейлу не хватило смелости исповедать свой грех с Эстер

Принн, в результате чего он дошел до моральной и физической деградации. Если вы совершили безнравственный поступок, наберитесь смелости признать совершенный грех и очистить себя перед Богом и людьми, несмотря на последствия. Это только несколько случаев, где нам понадобится нравственная смелость. Помните, что более всего нам нужно будет смелости тогда, когда речь идет о *правильном* и *истинном с преодолением страха перед последствиями.*

9. Честность

Для успешной и высоконравственной жизни исключительно важным качеством является честность. Практически всех нас с детства учили основным нормам честности, так что мы знаем, что нельзя красть, обманывать и клеветать. Однако если мы не нарушаем эти запреты, нас нельзя назвать честными людьми, потому что можно быть нечестным и нарушая очень тонкие нравственные требования.

Незаметные на первый взгляд нарушения сводятся к тому, что человек говорит неправду о возрасте ребенка, возвращает в магазин купленную вещь, находя различные, не соответствующие действительности оправдания, старается купить товар по оптовым ценам обманным путем. Такой человек незаконно переписывает видео и аудиокассеты, использует для себя лживые оправдания, преувеличивает факты, не торопится возвращать деньги или товар, который попал к нему по ошибке, не дает истинного объяснения своим ошибкам или поведению. Мы нечестны всегда, когда пытаемся *обмануть других людей или пытаемся произвести ложное впечатление, даже если используем для этого особый тон голоса или приподнятую бровь.*

Тонкие формы обмана обычно имеют место тогда, когда речь идет о деньгах, когда мы боимся унижения или какихлибо неудобств. Чтобы побороть в себе склонность к любым формам обмана, нам следует *повысить нашу систему ценностей.* Говорите себе, что честность дорого обходится, но *она того стоит.* Будьте готовы заплатить за нее цену деньгами, дискомфортом или даже унижением. Примите решение жить честной жизнью независимо от цены. *Делайте только то, что правильно, и не думайте о последствиях.* Какими бы ни были последствия, честность вознаграждается в тысячи раз, вы приобретаете силу характера и вносите в успех своей жизни огромный вклад.

10. Целомудрие

Целомудрие означает сексуальную чистоту, отказ вступать в какие-либо интимные взаимоотношения, кроме законного брака, нежелание иметь нечистые мысли или поступать нечестно. *Непристойность* означает блуд, супружескую измену, гомосексуализм и любые сексуальные акты вне законных связей. *Блуд* — это интимные взаимоотношения неженатых людей, а *супружеская измена* — это вступление женатого человека в сексуальную связь с кем-то другим. *Гомосексуализм* означает сексуальную связь двух людей одного пола.

Сексуальная аморальность — проблема древняя, она относится к началу времен. Пророки во все века выступали против этого преступления, называя его *мерзостью* и предупреждая о грозных последствиях такого греха. Люди продолжают вести непристойный образ жизни и в современном обществе, но появилась новая опасность: сторонники скверны требуют, чтобы общество признало их грехи как *приемлемый образ жизни*.

В наш век появились люди, которые утверждают, что нет ничего плохого в сексуальной аморальности, если двое взрослых людей выражают свое согласие на это. Они обвиняют общество в том, что оно пытается вызвать в них чувство вины, и требуют признания их греховной практики, чтобы облегчить боль обиженной совести. Они игнорируют вред, который они тем самым причиняют и себе, и обществу.

Вред сексуальной аморальности

1). *Грех в глазах Бога.* «Не прелюбодействуй» было написано на каменных скрижалях, данных сынам Израилевым. Это повеление много раз повторяется в Писании. Сексуальная распущенность считалась серьезным грехом, который в определенный период развития человечества наказывался смертью. В глазах Бога этот грех остается по-прежнему очень серьезным.

2). *Распущенность отвлекает.* Сексуальная распущенность отвлекает человека от работы, а женщину — от ее преданности семье. Когда ее интересы и силы сосредоточены на аморальном, она уже не способна достойно выполнять свой долг. В результате она не способна достичь успеха во многих областях жизни.

3). *Испорченные отношения.* Связи, установленные вне брака, могут привести к испорченным отношениям и разрушению семьи. Были случаи, когда несколько семейных пар организовывали сексуальные оргии, в результате чего многие семьи распадались. Таким образом многим людям был нанесен огромный вред.

4). *Психические болезни.* Мы все живем под действием духовных законов, которые установил Сам Бог. Когда мы совершаем аморальный поступок, мы вступаем в противоречие с духовными законами, в результате чего у нас возникает чувство вины и нервно-эмоциональный срыв. В связи с этим я опять хочу привести высказывание доктора Макса Левина, психиатра, которого я упоминала в предыдущей главе: «Не может быть психического здоровья при отсутствии высоких нравственных стандартов».

Когда человек совершает аморальные поступки в течение определенного времени, его совесть черствеет и чувство вины приглушается. Очерствевшая совесть уничтожает самые тонкие, самые благородные элементы человеческого духа. Когда совесть человека перестает тревожить его, она уже не действует как предупреждающий сигнал. Человек погрязает в других соблазнах, впадая в один грех за другим.

5). *Утрата Духа Божьего.* Люди, совершающие аморальные поступки, отдаляются от Бога и утрачивают Дух Божий. Отчуждение от общения с небесным Отцом — ужасающая утрата. Дух Божий необходим абсолютно всем нам для водительства и достижения успеха в жизни, для помощи в принятии мудрых решений, разумного планирования и правильного суждения. Когда мы утрачиваем Дух Божий, мы обречены на блуждание по темным путям этой жизни в полном одиночестве. Тогда во всех сферах жизни нас могут ожидать только неудачи.

6). *Вечное наказание.* В Первом послании к Коринфянам (6:9) читаем: «Или не знаете, что неправедные Царства Божия не наследуют? Не обманывайтесь: ни блудники, ни идолослужители, ни прелюбодеи, ни малакии, ни мужеложники… — Царства Божия не наследуют». Как сказано в Книге пророка Малахии (3:5), Иисус Христос в день Своего второго пришествия «будет скорым обличителем чародеев и прелюбодеев». Не совсем понятно, почему Бог особенно ненавидит сексуальные грехи, но в Своих возвышенных целях Он неуклонно следует этим твердым принципам.

7). *Падение народов.* И вновь я цитирую из книги моего мужа «Man of Steel and Velvet» («Человек из стали и бархата»): «Величайшей угрозой для любой нации является безнравственность и особенно сексуальная распущенность. Как Самсон сдвинул столбы в языческом храме, до основания уничтожив и храм, и находящихся в нем людей, так и распущенность приводит к ослаблению, а затем и к полному уничтожению всей цивилизации. Сексуальная распущенность была главной причиной распада Римской империи, Греции, Персии, Вавилона, Содома и Гоморры, других городов и цивилизаций. Сегодня именно она в особенной степени угрожает Америке, как и другим странам, вытесняя по своей глобальности остальные проблемы. Собственно, именно она вызывает остальные проблемы. Следует всеми силами бороться против безнравственности и бежать от нее, как от величайшего врага человечества, хотя бы ради любви к родине и любви к жизни. Она может отнять у нас все самое любимое и дорогое».

Эта тема имеет самое непосредственное отношение к греху порнографической литературы, чувственной музыки, порнографических фильмов и пьес. Все это тоже вносит хаос и разрушение в человеческий дух. Люди, раскрывающие свою душу для воздействия эротического влияния, преступают духовные законы и вносят в себя диссонанс. Если прекрасная музыка, литература и искусство способны оказывать на человечество благоприятное воздействие и облагораживать наш дух, то дурная литература, музыка и искусство оказывают на него разрушающее действие.

Этим я завершаю наш разговор о качествах характера. Есть и другие добродетели, присущие человеческому характеру. Мы перечислили самые главные. Для того чтобы изучать эту тему дальше, осознайте основные слабости человеческой натуры, свойственные всем людям, все человеческие недостатки, которые задерживают наш прогресс, не позволяя нам радоваться миру, счастью и успехам.

Человеческие слабости

В данном разделе я хочу обратить ваше внимание на определенную категорию человеческих слабостей, а именно, слабостей, свойственных верным. Под верными я имею в виду добрых людей, которые ходят в церковь, платят десятину, ведут честную, порядочную и нравственную жизнь. Это не блудники, они верны своим супругам и любят детей. И все же верные имеют определенные недостатки, которые вызывают проблемы и мешают им достичь успехов во многих областях жизни. Вот самые распространенные слабости:

1. Лень.
2. Эгоизм.
3. Отсутствие дисциплины.
4. Критическое отношение к другим людям.
5. Неспособность во всем полагаться на Бога и зависеть от Него.
6. Жадность.
7. Высокомерие.

Существуют общечеловеческие слабости, присущие всем нам. Если вы задумаетесь над этим, вы увидите, как эти качества способствуют возникновению многих проблем и удерживают нас от успеха в наиболее важных сферах повседневной жизни.

Как формировать достойный характер

Достойный характер приобрести можно так же, как приобретается все достойное, а именно *усердием и старанием*. Но что касается характера, невозможно достичь сколько-нибудь заметных успехов без ежедневной молитвы. Цели слишком высоки, а силы зла слишком могущественны, чтобы мы могли достичь успеха без водительства и силы Духа Святого. Вы можете стать хорошим пианистом, теннисистом или оратором одним своим трудом, но формирование благородного характера без помощи Святого Духа — вещь невозможная.

Когда вы приглашаете Святого Духа в свою жизнь, вы одновременно, сами того не осознавая, приобретаете сопутствующие добродетели. Апостол Павел обещал нам: «Плод же духа: любовь, радость, мир, долготерпение, благость, милосердие, вера, кротость, воздержание». Вот почему люди, обращающиеся к Богу, меняются так быстро и уже *не чувствуют расположения к злым делам*.

Можно ли приобрести хороший характер?

Не думайте, что прекрасный характер — вещь недосягаемая. Характер человека можно изменить и преобразить. Он по определению должен развиваться и расти. Мы до конца не знаем, что есть в нашем характере. В большей или меньшей степени наш характер — это зона, до конца не исследованная. Мы хорошо знаем только те качества, которые лежат на поверхности, однако мы воображаем, что знаем себя. Когда наступает кризис, когда мы остаемся один на один с серьезными проблемами, или когда с нашими любимыми случаются несчастья, или же на нас ложится нешуточная ответственность, из глубины нашего естества появляются такие качества характера, о которых ни мы, ни другие люди даже не подозревали.

«Но, — скажете вы, — я обыкновенный человек с существенными недостатками. Я не могу мечтать о том, чтобы быть *воплощением различных добродетелей*. Я никогда не надеялась со своим обычным характером вызывать в людях особое почтение». Но действительно ли вы далеко отстоите от такого почтения? Может быть, вы в прошлом ничего не сделали, что заслуживало бы столь высокое уважение, но как знать, что вы сможете сделать в будущем.

Посмотрите на миллионы обычных женщин, которые стали самыми выдающимися мамами в мире. Или вспомните жен, в которых их мужья черпали вдохновение, помогавшее им достичь успехов и величия. Когда-то они были обыкновенными молодыми женщинами, в которых никто из посторонних не мог увидеть благородства характера. Позже они *стали* великими матерями и женами. В каждой из нас есть семена прекрасного характера, нужно только поверить в себя и работать ради его формирования.

Княжна Марья

В классическом романе «Война и мир» есть пример исключительно добродетельной женщины. Княжна Марья жила со своим престарелым отцом, который вел себя настолько грубо, что Марья каждое утро крестилась и молилась, прежде чем приветствовать отца. Каждый день он преподавал ей геометрию. «…И видно было, что она ничего не понимает и боится, что страх помешает ей понять все дальнейшие толкования отца, как бы ясны они ни были… У княжны мутилось в глазах, она ничего не видела, не слышала, только чувствовала близко подле себя сухое лицо строгого отца, чувствовала его дыхание и запах, и только думала о том, как бы ей уйти поскорей из кабинета и у себя на просторе понять задачу.

Старик выходил из себя: с грохотом отодвигал и придвигал кресло, делал усилие над собой, чтобы не разгорячиться, и почти всякий раз горячился, бранился, а иногда швырял тетрадь. Княжна ошиблась ответом.

— Ну, как же не дура! — крикнул князь…

Княжна Марья возвратилась в свою комнату с грустным, испуганным выражением, которое редко покидало ее и делало ее некрасивое, болезненное лицо еще более некрасивым…»

Отец старился, и с ним было все труднее, но княжна Марья терпела все это со спокойным духовным смирением, не обвиняя его, но по-прежнему любя. Позже, когда она думала, что он умирает, она села у окна, пытаясь представить, что значит почувствовать себя свободной от его гнета, но затем упрекнула себя за такие нечестивые мысли.

У Марьи были большие, лучистые глаза, но невзрачное лицо и тяжелая поступь. Из-за ее печального болезненного вида мужчины не чувствовали к ней влечения. Она думала, что никогда не выйдет замуж, но вдруг ее жизнь приняла неожиданный оборот.

Во время войны, когда они были вынуждены бежать, слуги отказались помочь ей. Она оказалась в трудном и даже опасном положении. Она обратилась в находившийся поблизости полк за помощью. Командир полка Николай Ростов услышал о ее просьбе и пришел на помощь. Княжна Марья сидела беспомощно в большой гостиной, когда туда вошел Николай.

«Увидав его русское лицо и по тому, как он вошел, и по первым сказанным им словам признав за человека своего круга, она взглянула на него своим глубоким и лучистым взглядом и начала говорить обрывавшимся и дрожавшим от волнения голосом. Ростову тотчас представилось что-то романтическое в этой встрече. „Беззащитная, убитая горем девушка, одна, оставленная на произвол грубых, бунтующих мужиков! И какая-то странная судьба толкнула меня сюда“, — думал Ростов, слушая ее и глядя на нее. „И какая кротость, благородство в ее чертах и выражении!“ — думал он, слушая ее робкий рассказ... У Ростова слезы стояли в глазах. Княжна Марья заметила это и благодарно посмотрела на Ростова тем своим лучистым взглядом, который заставлял забывать некрасивость ее лица».

И далее.

«Она протянула ему свою тонкую нежную руку и заговорила голосом, в котором первый раз звучали новые, женские, грудные звуки. Мадемуазель Bourienne, бывшая в гостиной, с недоумевающим удивлением смотрела на княжну Марью. Сама искусная кокетка, она не могла бы лучше маневрировать при встрече с человеком, которому надо было понравиться... Ежели бы княжна Марья в состоянии была думать в эту минуту, она еще более чем мадемуазель Bourienne удивилась бы перемене, происшедшей в ней...

В первый раз вся та чистая, духовная, внутренняя работа, которою она жила до сих пор, выступила наружу. Все ее внутреннее недовольство собой, работа ее страдания, стремление к добру, покорность, любовь, самопожертвование, — все это светилось теперь в этих лучистых глазах, тонкой улыбке, в каждой черте ее нежного лица.

Ростов увидал все это так же ясно, как будто он знал всю ее жизнь. Он чувствовал, что существо, бывшее перед ним, было совсем другое, лучшее, чем все те, которых он встречал до сих пор, и лучшее, главное, чем он сам…

Николай был поражен той особенной, нравственной красотой, которую он в этот раз заметил в ней. Это бледное, тонкое, печальное лицо, этот лучистый взгляд и главное — эта глубокая и нежная печаль, выражавшаяся во всех чертах ее, тревожили его и требовали его участия».

После того как они поженились, Марья стала вести дневник, в котором «записывалось все то из детской жизни, что для матери казалось замечательным, выражая характер детей или наводя на общие мысли о приемах воспитания. Это были большею частью самые ничтожные мелочи; но они не казались таковыми ни матери, ни отцу, когда он теперь в первый раз читал этот детский дневник… Николай оставил книжку и посмотрел на жену. Лучистые глаза вопросительно (одобрял или не одобрял он дневник?) смотрели на него. Не могло быть сомнения не только в одобрении, но в восхищении Николая перед своей женой.

„Может быть, это не нужно было делать так педантически; может быть и вовсе не нужно“, — думал Николай, но это неустанное, вечное, душевное напряжение, имеющее только целью нравственное добро детей, восхищало его. Ежели бы Николай мог сознавать свое чувство, то он нашел бы, что главным основанием его твердой, нежной и гордой любви к жене было всегда это чувство удивления перед ее душевностью, перед тем, почти недоступным Николаю, возвышенным, нравственным миром, в котором всегда жила его жена.

Он гордился тем, что она так умна, и хорошо осознавал свое ничтожество перед нею в мире духовном, и тем более радовался тому, что она своей душою не только принадлежала ему, но составляла часть его самого.

— Очень и очень одобряю, мой друг, — сказал он со значительным видом...

Душа графини Марьи всегда стремилась к бесконечному, вечному и совершенному и потому никогда не могла быть покойна. На лице ее выступило строгое выражение затаенного, высокого страдания души, тяготившейся телом. Николай посмотрел на нее: „Боже мой, что с нами будет, если она умрет, как это мне кажется, когда у нее такое лицо", — подумал он и, встав перед образом, стал читать вечерние молитвы».

Черты характера

1. Сдержанность и умение контролировать себя.
2. Бескорыстие.
3. Милосердие.
4. Смирение.
5. Ответственность.
6. Усердие.
7. Терпение.
8. Нравственная устойчивость.
9. Честность.
10. Целомудрие.

Задание

Проведите исследование своего характера. Перечислите сильные и слабые стороны.

Глава 17

Идеальная жена

То такое идеальная жена? Во-первых, это хорошая домохозяйка. Она содержит дом в чистоте и порядке, у нее хорошо воспитанные дети, она готовит вкусную еду и в ведении домашнего хозяйства ей всегда сопутствует успех. Во-вторых, ее отличает отношение к своим обязанностям. Она относится к ним как к священному долгу. Она считает свою работу делом огромной важности и исключительно высоких целей. Поскольку она высоко чтит свою работу, любит свою семью и служит ей, семья, в свою очередь, любит ее и уважает. Она царит в своем доме, приносит славу своей работе домашней хозяйки.

Качества идеальной жены

Идеальная жена служит и проявляет верность и понимание как жена, преданность как мать и успешно справляется с домашними обязанностями. Она отлично владеет искусством приготовления пищи, прекрасно шьет, занимается уборкой, управляет домашним хозяйством, заботится о детях, мудро распоряжается деньгами и умеет придать дому красоту. Она не только выполняет все эти обязанности, но выполняет их *хорошо*, и не только выполняет свой долг, но и делает много больше этого.

Она *хорошо распоряжается временем и ценностями*. Может быть, она не самая лучшая домохозяйка в городе или не самая лучшая повариха. Все зависит от ее способностей. Но ее нельзя назвать идеальной женой, если она все свое время посвящает уборке дома, забывая о нуждах семьи, или, напротив, часами играет с детьми, забывая о своих обязанностях по дому. Она умеет правильно распределить время и потому успевает все.

Идеальная жена накладывает *отпечаток женственности* на все, к чему ни прикоснется. Красивые занавески, корзина с фруктами, мягкие подушки, коврик у дверей, цветы, декоративные тарелки над перекладиной, веселые обои — все это делает дом уютным местом. Отпечаток женственности виден и на кухне. Веселая скатерть, красивая посуда и вкусные запахи. Мужчины всегда с тоской вспоминают запахи на маминой кухне, домашний хлеб, жареный лук, булочки с корицей и тушеное мясо.

Ее дом также *согрет духовным теплом*. Она все освещает своим теплым светом. Именно она делает свое жилище домом, наполняет его пониманием, любовью и счастьем. Она главная фигура в доме, его сердце и древо жизни. Идеальная жена излучает тепло. Ее присутствие освещает дом, при ее приближении всем становится хорошо. Она проходит мимо, и всем становится теплее, она останавливается рядом — и все довольны. Идеальная жена распространяет вокруг себя радость, освещает мягким светом мрачные, темные дни. Без матери и жены дом становится пустым помещением. Каждый мужчина нуждается в ее теплом присутствии после трудового дня, в ней нуждаются дети, возвращаясь со школы. Дом должен быть для человека крепостью, источником комфорта, понимания и любви.

Идеальная жена *с удовольствием выполняет свои обязанности по дому*. Она считает свою работу в доме самым главным делом своей жизни. Ее самый большой вклад в благополучие общества — созидание счастливого брака, счастливой семьи и воспитание хороших детей. Если она хорошо выполняет эти обязанности, ее труду нет цены. Никакой успех несравним с успехом домостроительства, и не бывает хуже, чем неудача в этом деле.

Она также *черпает счастье в своем труде домашней хозяйки*. Она не устает от любимого дела. Она не пытается угнаться за мужчинами или сделать себе карьеру вне дома. Ее слава — *уважаемый муж, счастливые дети и общее благополучие в доме*. Она может служить обществу и другими средствами, но ее дом для нее главное. В заключение можно сказать, что идеальная жена обладает следующими качествами:

1. Хорошо выполняет свою работу, не ограничиваясь исполнением только лишь долга.
2. Она хорошо распоряжается деньгами и временем.
3. Ее присутствие накладывает отпечаток женственности на все, что она делает.
4. Она согревает своим теплом весь дом.
5. Она уважительно относится к своей работе.
6. Она счастлива от своей роли и находит в ней удовлетворение.

Как найти счастье в домашней работе

Важным качеством идеальной жены можно назвать ее способность находить радость и удовлетворение в своей работе. Это удовлетворение возникает в результате *ее отношения* к работе, ее способности *контролировать свою жизнь* и *упорства в труде*, как об этом говорится ниже:

1. *Работа бывает нудной.* Следует честно признать тот факт, что не всякая работа бывает приятной. Приходится выполнять и приятную, и неприятную работу. Существуют виды работ, которые не могут принести радость, по крайней мере, вам. Воспринимайте такую работу следующим образом: у каждой работы бывает нудная, неинтересная часть. Вспомните труд земледельца, врача, продавца, секретаря или учителя. Определенная доля их работы нудна и утомительна. Трудно найти радость в перемене пеленок младенцам, уборке туалетов, мытье полов, но *можно найти счастье в успешном завершении поставленных задач.*

Многие наши обязанности можно назвать *источником настоящей радости.* Забота о детях, приготовление вкусных блюд, уборка дома могут быть приятным занятием. Некоторые женщины получают огромное удовольствие от мытья полов, окон, стирки, глажения белья и уборки туалетов. Собственно, мало какая работа на самом деле действительно неприятна, но если она таковой вам кажется, посмотрите честно в глаза фактам и согласитесь, что определенная доля любой работы не доставляет людям удовольствия.

2. Не берите на себя слишком много обязательств. Если вы хотите получить удовольствие от домашней работы, не начинайте сразу много дел вне дома. Больше всего времени уходит на постоянную работу вне дома, помощь мужу в его делах или выполнение мужского труда по дому, например, работа во дворе, окраска помещений или ремонт, планирование расходов или ведение расходной книги.

Кроме того, сократите время посещения различных мероприятий, клубов, занятий, классов и уроков. Это все очень интересно и полезно в случае, когда у вас много свободного времени, но если ваше время ограничено, придется отказаться от слишком насыщенных планов ради домашних дел.

Кроме того, время можно потратить на пустые разговоры по телефону, просматривание рекламных журналов, просмотр телевизионных программ, большие объемы шитья или консервирования. Такого рода дела могут отнять у вас драгоценное время, так что на самое главное у вас времени может не остаться. В подобных случаях трудно получить удовольствие от работы. Когда со временем у вас плохо, вы торопитесь, чтобы все успеть в срок, и тогда удовольствия и радости от работы не получить.

Понаблюдайте за маленькими девочками, играющими в дочки-матери. Они никогда не торопятся выполнить свою работу. Они кладут кукол в колыбельки, ласково подтыкают кукол одеялами со всех сторон, качают и, когда заканчивают, вынимают куклу из кроватки и начинают все сначала. То же самое они проделывают с кукольным набором чайной посуды, накрывают на стол, потом убирают и снова накрывают. Сомневаюсь, что малышки получили бы удовольствие, если бы все время поглядывали на часы. Думаю, что в женщине по природе заложена радость от домашней работы, как и в маленьких девочках, и только неумелое планирование отнимает у нас эту радость.

Если вы думаете: «У меня нет времени играть в дочки-матери, как маленькой девочке», задайте себе вопрос: «Но что важнее моей *домашней работы и радости, которую она может дать?*»

Может быть, вы задействованы в важном служении. На какое-то время это служение может быть главным делом вашей жизни. Оценивайте каждое дело мерой важности, но всегда помните о своих домашних обязанностях и считайте их самым главным для себя.

3. *Пройдите второе поприще.* Чтобы найти радость в работе, *делайте ее хорошо.* Эту доктрину две тысячи лет назад преподал нам Иисус Христос, когда сказал: «Кто принудит тебя идти с ним одно поприще, иди с ним два». Когда человек идет второе поприще, или выполняет больше того, что обязан сделать, он снимает с работы тяжелое бремя и кажется, будто она делается легко и радостно. Может быть, Иисус именно это имел в виду, говоря: «Иго Мое благо, и бремя Мое легко».

Многие женщины не находят радости в домашнем труде, потому что идут только одно поприще. Они выполняют только то, что обязаны выполнить, только чтобы отчитаться за выполнение. Они кормят и одевают семью, поддерживают в доме чистоту и порядок, но не больше. Их обеды готовятся быстро и незамысловато, и они в любое время готовы отвлечься от домашней работы на что-то другое. Женщины, которые стремятся только исполнить свой долг, никогда не получат радости от домашнего труда. Чтобы получить радость в чем бы то ни было, нужно пройти второе поприще. Именно этому учил Иисус, когда сказал: «Сберегший душу свою потеряет ее; а потерявший душу свою ради Меня сбережет ее».

Основные принципы правильной организации домашнего хозяйства

Разница между хорошей и плохой домохозяйкой состоит в следовании правильным принципам. Вот основные правила, выполнение которых поможет вам сделать свой дом чистым, не загроможденным и хорошо организованным:

1. *Сосредоточьтесь.* Управление домом требует внимательности и сосредоточенности. Невозможно мечтать о чем-то, пытаться разрешить свои проблемы и в то же время хорошо выполнять работу. Можно мечтать и одновременно гладить

белье, мыть окна или посуду, но, как правило, большая часть работы требует мысленного напряжения и ваших рук, особенно во время приготовления пищи и организационной работы. Отвлекитесь от других мыслей и сосредоточьтесь на работе, которую вы должны выполнить. Когда речь идет о недостатках в ведении домашнего хозяйства, проблема обычно заключается в лени.

2. *Сделайте жизнь проще.* Невозможно стать хорошей домашней хозяйкой, если в вашем доме слишком много вещей, а именно, лишняя мебель, посуда, ненужные вещи, старые бумаги и журналы, игрушки, предметы, украшения и фамильные ценности. Они полезны лишь тогда, когда ими пользуются или когда они служат украшением дома. Когда они лежат мертвым грузом, они мешают, и потому от них следует избавиться. Для большей пользы нужно оставить в доме только те вещи, которые семья использует. Все остальное загромождает дом и мешает жить.

Если ваш дом загром가жден лишними вещами и если вы хотите привести его в надлежащий вид, первым делом *нужно избавиться от того, чем вы не пользуетесь.* Выделите один день специально для того, чтобы *очистить дом от всего лишнего и ненужного.* Принесите большие картонные коробки. Напишите на них: *выбросить, отдать, убрать, отложить, не знаю.* Сделайте беглый осмотр всех ваших шкафов, комодов и чуланов. Оставьте только то, что, *как вы знаете,* вам нужно, а все остальное разложите по коробкам. Осмотрите также вещи, стоящие на открытых полках, на столах, и все то, что висит на стенах. После осмотра всего дома сделайте следующее:

- Сначала избавьтесь от коробок с надписью *выбросить.*
- Поставьте коробки с надписью *убрать* на антресоли, в подвал или в чуланы.
- Поставьте коробки с надписью *отдать* в багажник своей машины.
- Сложите вещи в коробки с надписью *отложить.* Если их слишком много, поставьте коробки в угол и в последующие дни снова просмотрите их содержимое.

- Поставьте коробки с надписью *не знаю* в гараж, на чердак или в подвал, и в удобное время еще раз переберите вещи. После повторного осмотра оставьте вещи, судьбу которых вы решить не можете, в коробках еще на полгода. Если к концу этого периода они вам не понадобятся, вы убедитесь, что они действительно не нужны, и вам будет легко отдать их кому-нибудь другому.

В процессе избавления от лишних вещей помните, что вещи должны быть или *полезными*, или *красивыми*. Оставьте только те полезные и красивые вещи, которые будут служить вашим нуждам. Другими словами, бокалы полезны, и миксер полезен, но в хозяйстве не нужны два миксера и сорок бокалов. Лучше иметь меньше, чем слишком много. Что касается красивых картин или других декоративных предметов, ограничьтесь теми, которые подчеркивают красоту вашего дома. Слишком большое количество предметов искусства только загромождает дом и делает его уродливым. Относительно фамильных реликвий и действительно ценных вещей, предметов, которые навевают воспоминания, оставьте их, если хотите, но если они обременяют, а не обогащают вашу жизнь, то хранить их тоже не стоит.

3. *Расставьте все по местам.* Чтобы в доме был порядок, *у каждой вещи должно быть свое место.* На кухне каждая тарелка, каждый бокал, чашка или сковорода должны иметь свое место. То же относится к крему для обуви, ножницам, канцелярским товарам, шнуркам, газетам и журналам. Сделайте в чуланах достаточное количество полок, корзин и крючков. Обеспечьте себя комодами или даже поставьте под кровать большие ящики и коробки. Когда у каждой вещи будет свое место, сделайте следующее: всегда ставьте вещь точно на то место, откуда вы ее взяли, и приучите всю семью делать то же самое. Когда все в вашем доме будет таким образом организовано, вы сможете найти любую нужную вам вещь даже ночью, в полной темноте.

Очень удобен большой чулан размером с небольшую комнату, по стенам которого развешаны полки. Полки также можно развесить в подвале, на чердаке, в гараже или же сделать небольшую пристройку к дому специально для этих целей. В эти укромные места можно класть вещи, которыми вы не пользуетесь на данный момент. Это могут быть предметы одежды вне сезона, старая обувь, ткань, нитки, различные лоскуты, новогодние украшения, фамильные реликвии и картины.

4. *Определите виды работ и их очередность*. Во-первых, перечислите работу и свои обязанности, которые вы выполняете *постоянно*: приготовление еды, стирка, уборка, покупка продуктов питания, уроки музыки у детей, штопка, посещение магазинов, еженедельная тщательная уборка. После этого *составьте план* с определением конкретного времени для каждого вида занятий. Далее перечислите дела, которые вы делаете *время от времени*, например, встречи, телефонные разговоры, общественные мероприятия, покупки для семьи, генеральная уборка, шитье, прогулки. Чтобы заранее планировать работу и различные мероприятия, используйте *ежедневники*.

5. *Установите приоритеты*. Установите *мудрые* приоритеты. Главное поставьте на первое место. Чтобы определить приоритеты, перечислите семь самых важных обязанностей, затем рассортируйте их по степени важности. Посоветуйтесь с мужем и детьми и попросите их высказать свое мнение. Например:

Список приоритетов:
- Моя внешность.
- Своевременное приготовление еды.
- Порядок в доме.
- Стирка и глажение.
- Насущные покупки.
- Дополнительные обязанности.

Естественно, что главным приоритетом в семье будет маленький ребенок. Маленькие дети должны занимать в списке приоритетов самое важное место. В дополнительные дела входят посещение врача, школьные события, вылазки на природу, музыкальные уроки детей и так далее. При наличии маленьких детей в семье иногда приходится жертвовать какими-то пунктами в дополнительном списке, а мужа просить купить в магазине продукты. Если вы справитесь с делами из списка приоритетов, считайте, что вы выполнили самые важные вещи.

Далее, составьте второстепенный список. Это уборка дома, мытье окон, уборка в гараже, шитье, посещение магазинов, игры с детьми, время для себя и другие дела. Потом сделайте еще один список для редких дел: это генеральная уборка по случаю важных событий, ревизия чуланов и комодов, покупка одежды в связи с переменой времени года, украшение дома к празднику.

Чтобы справиться с приоритетными делами, избегайте долгих разговоров по телефону, которые крадут ваше драгоценное время, долгих часов за шитьем или чтением книг, просмотров телепередач и бесцельных хождений по магазинам. Можно оправдать таким образом проведенное время, потому что каждой женщине это нравится. Все это так, но если вы хотите стать идеальной женой, вам придется пойти на определенные жертвы.

6. *Работа.* Однако если вы не хотите работать, ваша сосредоточенность, избавление от лишних вещей, правильная организация и осознание приоритетов будут совершенно бесполезными. Хорошее ведение домашнего хозяйства требует *старания и упорства,* как и любые достижения. Единственный способ успешного ведения домашнего хозяйства состоит в следующем. Вы надеваете фартук, засучиваете рукава и принимаетесь за работу. Но это так чудесно — готовить пищу, убираться и руководить хозяйством, ведь это самое полезное и плодотворное дело в мире.

7. *Создавайте мужу уют и комфорт.* При всем старании в домашних делах сделайте жизнь мужа комфортной. Помните, *дом для него должен быть его крепостью.* Пусть он вешает пиджак на спинку стула, пусть ложится на застеленную кровать, пусть оставляет на своем рабочем столе беспорядок, кладет свои очки на комод, а туфли у кровати. Это не значит, что вы должны смотреть сквозь пальцы на беспорядок и пренебрежительное к вам отношение, но пусть он расслабится и почувствует себя дома комфортно. Такая линия поведения свойственна идеальной жене.

Например, один мужчина женился на очень требовательной женщине, приученной к идеальному порядку. Она неустанно ходила за ним по пятам, убирая вещи, поправляя подушки и коврики и повсюду наводя порядок. Он, наконец, просто устал от такого напряжения, развелся с ней и женился на женщине противоположного склада. Новая жена была хорошей хозяйкой, но разрешала ему расслабиться и почувствовать себя комфортно. Сравнивая этих женщин, он однажды сказал: «Мне кажется, что я снял узкие, жесткие, натиравшие мне ноги туфли и надел мягкие и удобные домашние тапочки». Конечно, детям нельзя позволять пользоваться такими же привилегиями, что и отец. Они должны подчиняться вашим требованиям и инструкциям.

Материнство

Идеальная жена находит большое удовольствие в материнстве. Это природный инстинкт, свойственный любой настоящей женщине. Этому не нужно учить, потому что это *врожденное* ее качество. Такой были Рахиль и Анна из библейских историй. Обнаружив, что они бесплодны, они воззвали к Господу, умоляя Его дать им детей. Это была их внутренняя потребность, стремление удовлетворить имевшийся в них природный инстинкт.

Истинная женщина инстинктивно стремится *заботиться* о своих детях. Она кормит их и охраняет их покой. Движимая инстинктом и думая об их физическом благополучии, она старается правильно кормить их, моет и охраняет от опасности. Она никогда не позволит им ходить голодными, не даст им мерзнуть и не оставит без защиты, и сделает все, что в ее силах, чтобы предотвратить несчастья. Она гордится их чистотой и опрятностью, манерами и умом. Она учит их быть счастливыми, хвалит их и ободряет, давая пищу уму и телу.

Как на все это смотрит мужчина? Мужчины уважают женщин, которые находят радость в материнстве. Мужчина может страшиться такой ответственности и даже выразить нежелание иметь больше детей, но он не будет восторгаться женщиной, которая не понимает радости материнства. Насколько неженственно звучат, например, такие слова из уст женщины: «О, я опять забеременела». Мужчины восторгаются женщинами, которые хотят иметь детей и посвящают себя заботам о них, и не важно, чем им придется в таком случае пожертвовать.

Приготовление еды

Для многих мужей и детей еда — исключительно важный аспект жизни. Представьте себе, что они чувствуют, когда голодные и уставшие возвращаются домой после трудового дня и знают, что могут рассчитывать на сытный и вкусный обед. Они открывают дверь и чувствуют запах свежевыпеченного хлеба, жареного лука, вкусного супа, поджидающего их на плите. Все это создает в доме неповторимую атмосферу любви и уюта. Совсем не обязательно подавать на стол изысканные блюда. Но очень важно, чтобы еда была приготовлена *вовремя*, и чтобы она была *сытной и вкусной*.

Из всех домашних обязанностей после забот о маленьких детях главным является приготовление еды. Все остальное может подождать. Еда нужна каждый день. Чтобы преуспеть в этом, выделите на приготовление обедов *достаточное количество времени*. Для приготовления хорошего обеда нужно время. Не позволяйте себе готовить на скорую руку. Вместо того чтобы уделять много времени *сервировке*, лучше займитесь *приготовлением обеда*. Также важно, если возможно, украсить стол красивой скатертью.

Многие женщины не умеют хорошо готовить. Они готовят второпях, делая акцент на скорости приготовления. Их цель состоит в том, чтобы как можно быстрее освободиться от кухонных дел, поэтому они выбирают скорые блюда. Они предпочитают замороженные полуфабрикаты, готовые салаты, замороженное тесто, консервы, макаронные изделия и другие виды легких и быстрых блюд. Но что еще хуже, некоторые семьи почти не готовят, предпочитая перекусы.

Женщины выбирают легкий выход в виде быстрых блюд, потому что не хотят развозить грязь на кухне. Но для чего тогда кухня? Не для того, чтобы на нее любоваться, а для упорного труда и приготовления пищи. У идеальной жены могут быть повсюду расставлены кастрюли и сковородки, пар на окнах, посуда в раковине и мука на лице, но в результате — хороший домашний обед, средоточие семейной жизни.

Домашнее платье

Многие современные женщины не понимают значения термина *домашнее платье*, поэтому я объясню, что это такое. Домашнее платье — это очаровательное хлопчатобумажное платье, удобное для работы, обычно предназначенное для ношения вместе с фартуком. Используйте его для достижения карьеры идеальной жены. В той или иной степени это ваша форма или удостоверение личности. Когда вы дома носите женственные, выглядящие по-домашнему платья и фартуки, ни у кого из домашних не возникнет сомнения относительно того, кто вы для них — а именно королева домашнего хозяйства.

Домашнее хозяйство — дело характера

Может быть, вы никогда об этом не задумывались, но содержание дома в чистоте, приготовление еды и управление домашним хозяйством — это дело характера. Женщина, не справляющаяся с этими делами, выказывает слабость своего характера по следующим параметрам.

1. *Сосредоточенность на себе.* Плохое управление домашним хозяйством обычно указывает на эгоцентризм, ибо женщина слишком много думает о собственном комфорте и удовольствиях, много времени уделяет разговорам по телефону, чтению журналов и книг, ничегонеделанию, хождению по гостям вместо того, чтобы поработать для блага и комфорта собственной семьи.

2. *Отсутствие организованности.* Бог, являясь образцом совершенства, показывает нам Свое творение, шедевр организованности и системы, начиная от человеческого тела и заканчивая планетами в небесах. Он сказал, что Он не есть Бог неустройства. Он есть Бог порядка и мира. Неспособность следовать этому извечному примеру доказывает отсутствие характера.

3. *Отсутствие знания.* По причине недостатка знаний невозможно хорошо вести домашнее хозяйство. Это объяснимо в ситуации с новобрачной, но если она не пытается учиться, это

показывает отсутствие у нее желания заботиться о семье, а значит, и отсутствие характера. Такую женщину можно сравнить с мужчиной, который не обеспечивает семью и не намерен учиться для того, чтобы обрести способность зарабатывать больше. Если вы не в состоянии приобрести больше знаний, обратитесь к Богу за помощью. Библия учит нас: «Если же у кого из вас недостает мудрости, да просит у Бога, дающего всем просто и без упреков, — и дастся ему» (Иакова 1:5).

4. *Отсутствие чувства ответственности.* Одной из причин плохого ведения домашнего хозяйства является отсутствие чувства ответственности или неспособность женщины взять на себя выполнение работы, свойственной ее полу. Как мы говорили в главе о характере, острое чувство ответственности — это добродетель. Когда этого чувства у женщины нет, это дефицит ее характера.

5. *Лень.* Это тоже недостаток характера, который выражается в отсутствии прилежания и усердия. Кроме того, женщина, которая не заботится о своей семье из-за лености, показывает отсутствие любви к своим близким, отсутствие желания обеспечить им комфорт.

Не делайте свою жизнь ограниченной

Среди удачливых домашних хозяек существует тенденция концентрировать все свое внимание на семье и таким образом ограничивать сферу своих интересов, кругозор и способность иметь свою точку зрения на окружающий мир. Такая женщина перестает развиваться. Друзья, знакомые и даже собственный муж могут почувствовать утомление и даже скуку при общении с ней. Не ограничивайте себя собственной семьей, но проявляйте интерес к жизни вне семьи. Держите глаза открытыми и научитесь слушать. От людей можно узнать много нового и интересного. Держите руку на пульсе текущих событий, старайтесь быть в курсе того, что происходит в окружающем вас обществе и мире. Читайте как можно больше. Постарайтесь развить в себе интерес к людям.

Не только домашняя хозяйка

Если вы успешно справляетесь с обязанностями домашней хозяйки, у вас найдется время и для того, чтобы удовлетворить свои интересы вне дома, развить свои таланты и служить другим людям. Это обогатит вашу жизнь, сделает вас еще более интересным человеком, более эффективной хозяйкой, женой и матерью. Такая многосторонняя жизнь расширит ваши горизонты и не позволит вам быть ограниченным человеком. Конечно, в списке приоритетов семья должна стоять на первом месте, но вы можете одновременно быть частью окружающего мира. Однако не следует принимать участие в вещах, которые занимают слишком много времени, предъявляют к вам слишком жесткие требования или отвлекают вас от выполнения обязанностей по дому. Самое страшное для вас — желание выйти на работу или сделать карьеру. Вот несколько достоверных историй, в которых говорится о награде, которую может получить идеальная жена:

Я была уверена, что семья распалась

Никогда бы не подумала, что какая-то книга способна спасти мой брак, но через два месяца после прочтения книги «Очарование женственности» я поняла, что это начинает происходить в моей жизни. Я была уверена, что моя семья уже распалась. Мы не могли даже находиться рядом друг с другом. Мы так часто и так сильно ссорились, что чувствовали себя измотанными и несчастными в течение долгих дней после ссор, не зная, когда произойдет очередной взрыв эмоций. Мы несколько раз заговаривали о разводе, но ради детей решили остаться вместе. Мы оба чувствовали себя чрезвычайно несчастными.

Я решила пойти на работу, подумав, что, может быть, это будет выходом из нашей сложной ситуации. Какое-то время дела пошли лучше, но через девять месяцев я поняла, что процесс отчуждения усугубился. Что касается меня, я просто перестала заботиться о доме и детях. Я не могла видеть себя в зеркале, потому что мне не нравилось то, что я там видела. Глубоко внутри себя я все время что-то искала. Я не понимала, чего я хочу. Хочу ли я быть свободной? Я так устала от супружеских проблем, детей, работы и прочего. Все было плохо. Теперь, когда я вспоминаю все это, я только удивляюсь тому, что муж не ушел от нас сразу. Думаю, он чувствовал себя примерно так же, как и я.

Я решила бросить работу и попыталась наладить жизнь, насколько это было возможно. Я совершенно не осознавала, что предмет моих исканий все время находился рядом, на расстоянии вытянутой руки. Мне все опротивело и, должно быть, всем это было видно, потому что однажды моя подруга сказала мне, что ходит на занятия по книге «Очарование женственности», чтобы понять, как стать женственной и пленительной.

Я тоже пошла на эти занятия, и в первый же вечер, прослушав преподавателя, я подумала: «Какой же я была глупой в течение долгих лет, в течение фактически шестнадцати лет!» Я готова была отшлепать себя за превознесение собственной праведности, поскольку я все время считала, что мои проблемы возникли по причине неправильного поведения и отношения ко мне моего мужа. Я решила все свои силы направить на применение принципов этой книги в своей жизни.

К своему великому изумлению, я очень быстро обнаружила, как прекрасно быть обворожительной женщиной. За первые же три недели я увидела изменения в самой себе, а затем и в муже. Стали происходить поразительные вещи. Я постоянно твержу себе: «Эти принципы действительно работают! Трудно поверить, но это так!» Теперь мы намного проще и быстрее разрешаем любую возникшую проблему. Все выглядит совсем не так страшно как раньше.

Я заметила также, что теперь мне очень нравится жить и нравится все, что окружает меня. Мне нравится быть женой, матерью и хозяйкой в доме. Мое отношение к жизни полностью изменилось, так же как и отношение моего мужа. Теперь, когда у нас возникает проблема, которая грозит взрывом эмоций, я просто иду к мужу, обнимаю его, говорю, что люблю его очень сильно и что все у нас будет очень хорошо. Вы представить себе не можете, как положительно это действует на него. Я уверена, что для него очень важно знать, что я беспокоюсь и думаю о нем и стараюсь быть мягкой и женственной.

Я могла бы рассказывать часами о том, каких успехов мы добились. Но одно я знаю наверняка. Если вы думаете, что есть вещи важнее, чем счастливый брак, мир и довольство в счастливом доме, почитайте «Очарование женственности». Спасибо Тебе, дорогой Господь, за то, что Ты дал мне в руки эту книгу.

Он хотел видеть дома женщину

В день свадьбы я была самой счастливой женщиной в мире. Мой муж был сильным, смелым и благородным, и я была рада, что мои самые смелые мечты исполнились. Но очень скоро все пошло прахом. Всего через год после свадьбы мы собрались разойтись. Он стал жить в отдельной комнате нашего дома, а нам с сыном досталась остальная часть. Мы не разъехались окончательно только потому, что мужу было не по карману содержать два дома.

Помню, однажды вечером он сказал печальным голосом: «Я хочу видеть дома женщину». Мне стало больно, но я на самом деле не поняла, что он имел в виду. Помню, я подумала тогда: «Как бы я хотела знать, как стать хорошей женой». Я действительно не имела ни малейшего представления о том, что с этим делать.

Вскоре после этого разговора в нашем книжном магазине я увидела книгу «Очарование женственности». Удивительно то, что у меня хватило денег на покупку этой книги, хотя на тот момент мы жили очень бедно. Трудно описать, что я почувствовала, когда прочитала эту книгу в первый раз. Могу сказать только, что она «говорила к моему сердцу». Меня не нужно было убеждать в правдивости ее истин. За год применения этих принципов в своей жизни могу засвидетельствовать о следующих переменах.

Радость материнства. В то время я была беременна третьим ребенком и испытывала глубокую радость от этого. Однажды вечером я сидела босиком и, должна сказать, что ноги у меня достаточно большого размера. К тому же у меня большие косточки на пальцах ног, короче, мои ноги нельзя назвать привлекательными. Вдруг муж покинул свое кресло, упал на колени и, не вставая с колен, прошел по всей комнате. Дойдя до меня, он поцеловал мои ноги! Очевидно, мое безмятежное состояние на тот момент глубоко затронуло его. И мои некрасивые ноги сделали это умиротворение для него особенно значимым.

Вспоминаю еще один случай. Наш дом выглядел неважно и нуждался в ремонте. Я переживала из-за состояния нашего дома. Однажды, прибегнув к детской и непосредственной манере разговора, я спросила мужа: «Ты не дашь мне немного денег на ремонт дома?» Он улыбнулся и ответил: «Хорошо, а тебе хватит двухсот долларов?» Я ответила в той же детской манере: «О нет, двухсот не хватит. Мне нужно две тысячи». (У нас тогда не было необходимых кухонных принадлежностей и других дорогостоящих предметов обихода. Но я также знала, что муж получил очень хорошую прибыль.) К моему удивлению, муж сказал: «Хорошо, когда тебе нужны деньги?» Вскоре после этого разговора он настоял на покупке машины для меня, чтобы я могла свободно передвигаться. Помню, я тогда почувствовала себя такой любимой и нужной.

Еще одно примечательное событие произошло тогда, когда по делам службы ему пришлось работать вдали от дома в течение почти полутора лет. Он был вынужден согласиться на эту работу, а я, честно говоря, беспокоилась о том, как его отсутствие подействует на наши отношения. На этот раз мне помогли другие принципы этой удивительной книги. *Я дала ему понять, что он нам нужен, и всегда поддерживала его в том, что он считал необходимым.* Когда я объяснила ему на словах, как сильно мы нуждаемся в нем, я поняла, что это действительно так. Как я смогу жить, *не опираясь на его сильную руку?* Он уверил меня, что будет звонить и регулярно приезжать домой. Он в точности исполнил все свои обещания.

Мой дорогой муж, беспокоясь о нас, звонил каждый день (кроме дня, когда по договоренности я должна была сама позвонить ему), интересуясь, как идут у нас дела. Он звонил каждый день в одно и то же время, поэтому мы никогда не волновались и не тревожились в ожидании. Его звонки были сильным утешением во время его отсутствия, и всякий раз, когда мне нужен был его совет, я могла поговорить с ним. Кроме того, он постоянно приезжал на выходные. Он подсчитал, что за это время наездил примерно двадцать четыре тысячи миль. Для человека, который не любит долгие поездки, это воистину акт героизма. С помощью «Очарования женственности» я стала *настоящей женщиной, которую он хотел видеть дома.*

Однако даже через двенадцать лет применения принципов «Очарования женственности» книга остается для меня серьезным авторитетом, требующим внимательного и серьезного отношения. С некоторыми проблемами я до сих пор борюсь. Это, например, избыточный вес. Я по-прежнему с обидой и гневом вспоминаю свое детство, которое прошло в грязном и уродливом доме, хотя мама получала вполне приличные деньги. Я воспринимала ужасную еду и грязь как отсутствие любви, и в подростковом возрасте это осознание привело меня к бунту. Я стала принимать наркотики и вести распутный образ жизни, и в день свадьбы я была беременна. Но благодаря книге «Очарование женственности» я не только обрела счастливый брак, о котором не смела мечтать. Стремление стать *женственной* привело меня ко Христу. Спасибо Вам за доброе слово, в котором таится огромный дар.

Качества идеальной жены

1. Хорошо выполняет свою работу.
2. Хорошо распоряжается временем и ценностями.
3. Накладывает отпечаток женственности на все, к чему прикасается.
4. Согревает дом своим теплом.
5. Уважительно относится к своему положению в доме.
6. С радостью и довольством исполняет свою роль.

Как найти счастье в роли домохозяйки

1. Примите нудную часть домашнего хозяйства как неизбежность.

2. Правильно планируйте и распределяйте свое время.

3. Идите второе поприще.

Задание

1. Перечислите по степени важности шесть основных своих обязанностей. Спросите мнение мужа и детей по этому вопросу.

2. Перечислите свои сильные стороны в выполнении домашних обязанностей.

3. Перечислите свои слабые стороны. Работайте над ними.

4. Прочитайте в Библии: Притчи 31:1–31.

Часть 2

Человеческие качества

Женственность

Лучезарное счастье

Крепкое здоровье

Детская
непосредственность

Человеческая сторона в женщине восторгает, удивляет, обвораживает и пленяет мужчину. Она рождает в нем желание защитить и укрыть ее.

Чтобы стать идеальной женщиной в глазах мужчины, нужно обладать не только ангельскими качествами характера, о которых мы уже говорили, но и чисто человеческими. Следующие главы мы посвятили исследованию человеческих качеств и того, как их приобрести.

Женственность. Введение

Что такое женственность?

Женственность — это нежное и мягкое качество, которое проявляется во *внешности, манерах и природе* женщины. Женственная натура производит впечатление *мягкости и деликатности*. В ней чувствуется дух *очаровательного послушания и зависимости* от мужчины, который о ней заботится и защищает ее. В ней нет ничего мужского, нет свойственной мужчинам агрессивности, соперничества, компетентности, бесстрашия, силы и *способности самой справиться со своими врагами.*

Женственность обвораживает мужчин, поскольку она являет собой резкий контраст с их силой и жесткими мужскими качествами. Когда мужчина видит этот контраст, он чувствует себя на фоне слабости женщины особенно сильным и мужественным, и это осознание своей мужской силы и способностей — самое радостное чувство из всех, какие он может испытывать.

Женственность пробуждает в мужчине самые нежные и романтические чувства. Когда женственность исчезает, его романтические чувства тоже исчезают. Он может уважать и ценить женщину, утратившую женственность, но прежних чувств он испытывать уже не будет.

Мягкая женщина естественным образом ориентирована на проявление женских качеств. Она гордится тем, что она женщина, она с радостью исполняет роль жены и матери и стремится сделать своих домочадцев счастливыми. Ее карьера сосредоточена на доме. Ее радость состоит в исполнении повседневных обязанностей. Ее слава — в высоком статусе ее мужа и счастье детей.

Разделите женственность на две категории — *внешнюю* и *внутреннюю.* Внешняя женственность имеет отношение к внешности и *манерам* женщины, в то время как внутренняя состоит в *женской природе* и ее *ориентации на исполнение женской роли.*

Женственность приобретается *подчеркиванием разницы* между собой и мужчиной, а не акцентом на вашем сходстве. Это относится к *женской внешности, манерам, природе* и *женским ролям.* Во второй части мы исследуем *женские роли в противовес работе женщины вне дома* и посмотрим, как такая работа влияет на женственность.

Глава 18

Женственная внешность

Приметной характеристикой женственной натуры является *пристальное внимание женщины к своей внешности*. Она строго следит за волосами, лицом, фигурой и одеждой. Она всегда выглядит привлекательной, насколько это возможно. Это свойственно ее природе. Идеальная женщина, однако, не уделяет слишком много внимания своей внешности. Она не проводит бесконечные часы перед зеркалом, забывая об основных своих обязанностях. Она посвящает свое время семье и домашнему хозяйству, не забывая в то же время выглядеть привлекательной.

Замечательный пример женщины, которая управляет делами в своем хозяйстве, не забывая также о своей внешности, представлен в лице добродетельной жены, о которой повествуется в Притче 31. Она поднимается до восхода солнца и принимается за домашние дела. Она прядет шерсть и лен, и *с охотою* работает своими руками, протягивает руки свои к прялке, и персты ее берутся за веретено, от плодов рук своих она насаждает виноградник. Длань свою она открывает бедному, и руку свою подает нуждающемуся. Вся семья ее одета в двойные одежды, она делает покрывала и продает.

Кроме того, она умеет найти время и для себя: «Она делает себе ковры; виссон и пурпур — одежда ее». Пожалуйста, обратите внимание, во что она одета. Ковры — это тонкая и изящная работа, прекрасные узоры, сотканные в ткани. Виссон — самая нежная ткань из всех известных. Пурпурный цвет также важен, ибо показывает, что эта женщина придает достаточно большое значение своей внешности и стремится выглядеть хорошо.

Как выглядеть женственной

Чтобы выглядеть женственной, *подчеркивайте разницу между собой и мужчиной*. Носите одежду и используйте материал, который никак нельзя ассоциировать с мужчинами и который резко контрастирует с мужской одеждой. Мужчины никогда не носят ничего пушистого, кружевного или прозрачного. Поэтому используйте по возможности именно такой материал. Мужчины редко обращают внимание на последнюю моду, поэтому внимательно следите за различными нововведениями. Привыкая выглядеть женственно, следите за выполнением следующих правил:

1. *Ткань.* Избегайте таких тканей, как твид, узор «в елочку», грубую шерстяную ткань, грубую хлопчатобумажную ткань, шотландку, полоски и все то, что обычно носят мужчины. Однако все это можно использовать в одежде, характеризующейся женственным стилем, цветом или кроем. Иначе мужчины не заметят, насколько вы женственны! Они ничего не станут делать, чтобы осознать разницу между своей природой и вашей.

Носите мягкие или шелестящие хлопчатобумажные ткани, мягкие или тонкие шерстяные изделия, тонкое полотно и все остальное шелковое, мягкое и женственное. Исключительно женские виды тканей это шифон, кружева, бархат, атлас, ангорская шерсть и тонкая кисея. Постарайтесь использовать эти ткани для своего гардероба. Носите их, когда нужно будет выглядеть особенно женственной.

2. *Цвет ткани.* Женские цвета — пастельные, мягкие, чистые и насыщенные, даже когда речь идет о черном цвете. Избегайте тусклых цветов, которые носят мужчины, как, например, коричневые, серые и зеленые цвета, и их оттенки. Однако эти цвета можно использовать в мягкой ткани, женственном стиле или покрое.

3. *Покрой одежды.* Выбирая рисунок ткани, следите за тем, чтобы это был *хороший рисунок.* Избегайте всего кричащего, цветастого или свойственного дурному вкусу. Рисунок ткани не

должен затмить саму женщину. Расцветка ткани должна предполагать в женщине мягкость, скромность и женственность.

4. *Стиль.* Избегайте строгого стиля или любого намека на мужские виды одежды, как, например, брюки, мужского типа жилеты и пиджаки, манжеты на пуговицах и жесткие воротники. Этот стиль можно использовать, однако, при пошиве одежды из женственных видов ткани с соответствующей расцветкой. К исключительно женственному стилю можно отнести пышные юбки, кружевные манжеты, оборки и складки. Используйте этот стиль с соответствующей тканью. Даже самое обычное, простое платье будет женственным, поскольку оно не будет напоминать предмет одежды из мужского гардероба.

5. *Брюки.* Может ли женщина носить брюки? Брюки — *не самая женственная одежда.* Однако их носить можно, если они пошиты из женских видов ткани в женском стиле и их цвет вам идет. Женственного вида верх, женские аксессуары и прическа могут сгладить негативный эффект. Если вы коренастого телосложения, следите за тем, чтобы брюки не были очень узкими. Пусть они будут несколько свободными. Грубую хлопчатобумажную ткань и другие виды ткани, любимые мужчинами, рекомендуется носить только очень молоденьким женщинам.

6. *Покрой.* Покрой может придать самой простой одежде мягкость и женственность при помощи различных кружев, лент, яркого шарфика, вышивки, бус и косы.

7. *Аксессуары.* Не носите сумочек, которые напоминали бы мужские портфели, и мужского вида туфли. Носите мягкие шарфы, цветы и ювелирные украшения.

8. *Внешность и макияж.* В течение многих веков женщины завивали волосы, натирали щеки румянами, подкрашивали глаза и приобретали духи. Они следили за чистотой тела, волос и одежды. По традиции женщины отвоевывали себе право ухаживать за собой и следить за внешностью.

Сегодня женщины, по сути, такие же. Они тратят много времени, денег и сил на то, чтобы выглядеть привлекательными. Очень важна для женщины прическа. Женщины следят за чистотой тела, как никогда раньше. Они наряжаются, время от времени поглядывают на себя в зеркало, чтобы поправить прическу или макияж. Орудием их труда являются расчески, щетки, бигуди, заколки, фены, химическая завивка и широкая палитра косметики и парфюмерии.

Женщине свойственно с вниманием относиться к макияжу и прическе, ибо таким образом вы подчеркиваете свои природные дарования и привлекательность. Ваш муж может заметить, а может и не заметить этого, он может не сделать вам комплимента, но *если вы не станете следить за собой*, он *обязательно* обратит на это внимание. Он хочет, чтобы вы выглядели хорошо. Но хочет ли он, чтобы вы нравились всем мужчинам? Да, если только он не очень ревнивый человек или если в нем не сильно развито чувство собственника.

9. *Скромность.* Еще одной характеристикой женственности можно назвать скромность. Несмотря на пристрастие мира к оголенной груди и коротким юбкам, нормальные мужчины не уважают женщин, которые обнажают свое тело на публике. Скромно прикрытым должно быть не только тело, но и *нижнее белье.* Мужчины не любят, когда на женщинах видны трусики, бретельки от бюстгальтеров или просвечивает нижнее белье. Представители всех высших форм цивилизации всегда были скромными. Скромность сочетается с интеллектом и благородством.

На что способна женская внешность

Когда вы одеваетесь женственно, и когда вы ухожены, ваша самооценка повышается. Вы чувствуете себя более уверенной. Вы становитесь более женственной в походке, жестикуляции, манере сидеть и поведении вообще. Внешняя женственность формирует женственные манеры.

Женственная внешность вызывает в мужчинах благоприятную реакцию. Когда вы выглядите женственной, муж будет больше обращать на вас внимания, посчитает вас более привлекательной, проявит больше уважения, как это видно из следующих историй.

Муж меня не узнал

Очарование женственности настолько чуждо моей натуре, что мне было трудно применить его принципы в своей жизни. Я всегда очень громко говорила, всегда была очень нетерпимой и властной. Во мне женственности было не больше, чем в любом мужчине. Но я больше не хотела оставаться такой. Мы с мужем разошлись. Теперь я поняла, почему это произошло. Но тогда не понимала. Больше всего от этого страдали дети. Мой старший тогда был подростком, и наш развод буквально раздавил его. Муж ушел к распутной женщине, уволился с работы, полностью подчинившись ее капризам. Я не понимала происходящего.

Затем одна моя подруга дала мне «Очарование женственности». Прочитав книгу, я отпустила волосы, отрастила ногти, похудела на двадцать фунтов и купила себе платья. Я всегда была коренастой и коротко стригла свои гладкие, темно-каштановые волосы. Теперь я осветлила волосы, как в молодости, и сделала себе новую женственную прическу.

Когда муж пришел навестить детей, он меня даже не узнал. Мы вместе с детьми стали применять по отношению к нему принципы «Очарования женственности». Самое забавное, что все, что я говорила ему, было правдой. До этого я не понимала, что имела в его лице. Он действительно был чудесным человеком. Просто раньше я никогда ему об этом не говорила.

Через неделю он оставил ту распутную женщину. Она ему больше не была нужна. Теперь мы очень счастливы, как и наши дети. «Очарование женственности» спасло столько жизней и браков. Думаю, жизнь моего мужа стала лучше, а мне наше примирение пошло только на пользу.

Я перестала работать, и теперь мы много времени проводим вместе. Я не знаю никакого другого учения, которое могло бы так круто изменить жизнь людей и принести столько счастья в их семьи. Я хочу от всего сердца поблагодарить автора этой книги. Мы все — ее должники.

Я купила женственные платья

Я не умею хорошо выражать свои чувства, но я обязательно должна сказать, как «Очарование женственности» изменило мою жизнь. Мы с мужем поженились, когда были очень молодыми. Я так хотела быть хорошей женой, такой, о каких пишут в романах. Я хотела быть пленительной, мягкой и любящей. Но я выросла в семье, где мама ненавидела домашнее хозяйство, приготовление еды, возню с детьми, словом, всю женскую работу. Я не знала, как мне стать хорошей женой, потому что в своей семье я не видела такого образца. Я не вписывалась в мир моей матери или в мир женщин, ратующих за равные права с мужчинами. Я смотрела на брак со страхом и надеждой.

Я хотела выйти замуж, но хотела также, чтобы все окружающие люди чувствовали любовь, господствующую в нашей семье. Я не хотела такой семьи, какие были у наших соседей и друзей, где жены указывали мужьям, как им жить и что делать, постоянно кричали и скандалили, требуя, чтобы все было по их воле. Я хотела не просто совместной жизни мужчины и женщины под одной крышей. Однако мне казалось, что такой брак бывает только в детских сказках.

Потом я встретила моего будущего мужа. Он был молод, но у него были хорошие качества, и вскоре он завоевал мое сердце. Я подумала, что с таким молодым человеком можно создать семью, о которой я мечтала. Горя нетерпением стать женой, хозяйкой и матерью, я создала семью. Через несколько месяцев я забеременела как раз в то время, когда поняла, что все мои надежды рушатся.

Муж большую часть времени проводил с друзьями. Когда он бывал дома, он все время пил, кричал на меня и бил. Он никогда не просил меня что-то сделать, он приказывал. Я его боялась и почти ненавидела, но я выросла в семье, где принято было отвечать за свои решения. Мне некуда было идти, тем более что я вот-вот должна была родить ребенка. Я чувствовала себя беспомощной, обманутой и раздавленной. Но почему такое случилось с нами?

Когда ребенок родился, муж стал меняться, и я снова отчасти увидела человека, которого когда-то полюбила. Он был потрясающим отцом, но отношения между нами не изменились. Он по-прежнему бил меня и приходил домой очень поздно. Так продолжалось четыре с половиной года. Я ненавидела свой брак, ненавидела свое материнство и ненавидела мужчин. Я хотела развода. Мои мечты о счастливой семье остались пустыми. Я так старалась быть хорошей женой, но почему у меня ничего не получилось?

Однажды в газете мне попалась статья о книге «Очарование женственности». В ней описывалась именно такая семья, о которой я так долго мечтала! Может быть, ну просто может быть, такое действительно бывает? Может быть, эта книга поможет мне понять, что делать? Я надеялась, что она станет ответом на мои молитвы. Надежда была так сильна, что я тут же помчалась в магазин и купила книгу за несколько недель до начала занятий по ней. Как только я начала читать ее, я поняла, что она является ответом на мои молитвы! И я решила начать жить по книге сразу.

Все это время я винила в неудачном браке своего мужа. Как я была не права! Мало-помалу я стала изменяться *сама*, не пытаясь изменить его. Я купила несколько новых платьев нежного цвета с пышными юбками, отрастила ногти, сделала завивку. Это был внешний декор. Теперь мне нужно было изменить свой внутренний мир. Я стала смотреть только на положительные качества мужа. Он был хорошим отцом, щедрым и нежадным на деньги, усердным работником и хорошим лидером. Я могла бы продолжать перечислять его положительные качества, и я это сделала, но уже *в лицо ему*.

Когда по утрам я просыпалась, я старалась представить все то доброе, что произойдет грядущим днем. Я смотрела на полевые цветы и красивый восход. Я думала о тех мелочах, которые помогут мне сделать мужа счастливым. Например, я готовила определенное блюдо, которое он любит, или писала любовную записку, в которой говорила, какие его слова или поступки сделали меня счастливой. Когда он хотел поговорить, я забывала *про все на свете* и слушала его, даже если приходилось прекращать приготовление обеда или какие-то дела по хозяйству. Я делала и другие вещи, стараясь показать ему всегда и во всем, что я принимаю его таким, какой он есть, в качестве мужчины и главы семьи.

На данный момент я живу принципами «Очарования женственности» вот уже полтора года, и просто трудно поверить, что мы все те же люди и все та же пара. Он берет меня с собой на пикники, на рыбалку и почти всюду, куда идет. Иногда мы просто выезжаем на прогулку или ходим по магазинам, приценяясь к будущим покупкам. Раньше он никогда не покупал мне подарков, даже на дни рождения и Рождество, а теперь я получаю подарки просто потому, что он любит меня. Он получает удовольствие, покупая мне платья или делая покупки для дома. Можете себе представить, мы уже подумываем еще об одном ребенке, о котором и речи быть не могло полтора года назад! Благодаря тебе, «Очарование женственности», я не мечтаю о прекрасном, теплом и полном любви браке, я живу в нем!

Чтобы выглядеть женственной

Подчеркивайте разницу между собой и мужчиной в следующих аспектах одежды и внешности:

1. Фактура ткани.
2. Цвет ткани.
3. Рисунок ткани.
4. Стиль одежды.
5. Брюки.
6. Покрой одежды.
7. Аксессуары.
8. Уход за собой/макияж.
9. Скромность.

Задание

Сшейте или купите женственное платье и фартук. Добавьте к нему женственные детали (ленту или бусы). Сделайте женственную прическу и, если вы краситесь, старательно наложите макияж. Понаблюдайте за реакцией мужа. Отметьте положительную реакцию в своем любовном дневнике.

Чтобы ваша внешность стала женственной, очень важно помнить, что вы должны производить общее благоприятное впечатление. Не обязательно носить оборки и кружева, но обязательно нужно создать резкий контраст между собой и его мужскими качествами и характеристиками.

Глава 19

Женственные манеры

Женственные манеры — это движения женского тела, поступь, разговор, жестикуляция, звук голоса, мимика и смех женщины. Женственные манеры привлекают мужчину, потому что они резко отличаются от мужских, сочетающих в себе силу и твердость. Дэвид Копперфилд был очарован Дорой. Его пленило и то, как она гладит лошадей, и как прижимает цветы к лицу. «У нее был восхитительный голос, самый веселый смех и самые приятные, обворожительные манеры».

Исключительно важна внешность женщины, как уже говорилось в предыдущей главе, но если ваши манеры не отличаются женственностью, положительного эффекта не будет, а напротив, все это будет выглядеть даже смешно. Например, если женщина одета в нежное, женственное платье, но все ее движения резки и говорит она отрывисто, то такое сочетание будет противоречивым. Мы встречали женщин, одетых в самые женственные платья, но эти платья плохо сидели на них, и сами женщины выглядели в них неестественно. Они не могли вести себя так, чтобы платье соответствовало им. Это *профессора в шифоне, медведи в кружевах* или *деревянные столбы в кисейном платье*.

Маргарет и Герард

В классическом романе «The Cloister and the Hearth» («Монастырь и домашний очаг») Чарльза Рида рассказывается о том, как женственные манеры очаровали молодого человека. Маргарет с отцом стояли у обочины, когда проезжавший мимо Герард остановился, чтобы помочь им. Они собрались продолжить свой путь.

«Герард не мог завязать ленты так, как завязала их Кэтрин, его мать. Маргарет, какое-то время украдкой наблюдая за его усилиями, предложила свою помощь, ибо в ее возрасте девушкам нравится быть недоступными и мягкими, веселыми и нежными поочередно… Затем светлая головка с пышной короной золотисто-каштановых кудрей ласково склонилась над лентами. И пока он смотрел восхищенным взглядом, две белые нежные ручки деликатно играли с упрямыми лентами, формируя их мягкими, воздушными прикосновениями.

Затем небесный трепет коснулся невинного молодого человека, и перед ним смутно промелькнул новый мир чувств и ощущений. Маргарет невольно продлила эти новые, тонкие эмоции, ибо для ее пола было бы неестественно торопиться со священным туалетом.

И вот, когда нежные пальчики наконец подчинили себе непослушные концы узла, она не успокоилась, пока движениями, свойственными женской руке, не округлила ладонь и мягко прижала ее к центру узла, словно сладко и ласково поцеловала узел рукой, говоря ему „будь умницей и не развязывайся!“

— Вот как это было, — сказала Маргарет и отошла назад, чтобы еще раз осмотреть свою работу, а затем взглянула вверх, чтобы найти одобрение своему мастерству. Она получила его сполна в виде долгого взгляда, полного такого восхищения, что опустила глаза и залилась краской».

Научитесь женственным манерам, подчеркивая ими *не сходство*, но *разницу* между собой и мужчинами. Поскольку мужчинам свойственны сила, твердость и тяжелая поступь, то вы должны быть нежной, деликатной и легкой. Используйте это в своей походке, разговоре, жестикуляции и с достоинством несите себя по жизни.

1. Руки

Избегайте резких, грубых движений. Не машите руками и старайтесь не использовать их в качестве выразительного средства. Никогда не стучите по столу в подтверждение своей точки зрения. Никогда не хватайтесь за перила кафедры проповедника или оратора. Никогда и никого не хлопайте по спине. Научитесь пожимать руки мужчинам. При пожатии никогда не сжимайте ладонь мужчины, независимо от того, насколько вы рады видеть его. Рукопожатие должно быть нежным, но твердым.

2. Походка

Старайтесь не ступать тяжело и не делать длинных шагов, как это делают мужчины. Не пытайтесь копировать походку моделей. Их поступь высокомерна и неженственна. Ходите легко, грациозно, естественно, держа ноги прямыми. Чтобы походка получилась *легкой*, представьте, что вы весите всего пятьдесят килограммов. Попросите кого-нибудь заснять вас на видео. Тогда вы будете иметь наглядное представление о том, что вам нужно исправить в своей походке.

3. Голос

Если вы учитесь правильно ходить и использовать руки, у вас появится также желание изменить голос, чтобы привести его в соответствие с новыми манерами. Если вы видите, что голос портит общее благоприятное впечатление, то вам нужно будет изменить его.

Не разговаривайте слишком громко. Не нужно, чтобы в вашем голосе сквозила мужская деловитость или демонстративное бесстрашие. Ни одному мужчине не понравится грубый, громкий или вульгарный тон у женщин, точно так же как женщинам не нравится жеманный тон у мужчин. Никому из мужчин также не нравится невнятное бормотание, тусклый, монотонный голос, звучащий речитативом, потому что за голосом слышится такой же неинтересный и унылый характер.

Ваш голос должен быть чистым и изменчивым. Если у вас проблемы с голосом, запишите его на звуковой ленте. Если ваш голос дребезжит или звучит сухо, может быть, вы спите с открытым ртом. В таком случае вы могли повредить голосовые связки. Если вы не в силах преодолеть эту привычку, повесьте на ночь в комнате мокрое полотенце. Дребезжащий голос может также быть следствием питания всухомятку. Курение, кстати, наносит сильный вред голосу.

Чтобы улучшить качество голоса, начните читать или разговаривать вслух наедине с собой. Если вы чувствуете, что язык, губы или щеки напряжены, положите в рот мелкие камушки. Читая самой себе с выражением, используйте самые разные чувства и эмоции: энтузиазм, восторг, серьезность, изумление, любовь и сострадание. Повышайте и понижайте голос, чтобы он звучал выразительно. В юмористической части рассказа вкладывайте в свой голос смешливые нотки, в грустных — делайте голос грустным. Отличным материалом могут послужить старые сказки, поскольку в них рассказывается о добре и зле, радости и печали. Полчаса в день должно быть вполне достаточно, если этим заниматься регулярно в течение одного месяца.

Есть очень много хороших книг, которые помогут вам в работе над голосом.

4. Смех

Старайтесь не смеяться громко и раскатисто, как это делают мужчины. Не открывайте широко рот, не закидывайте голову, не хлопайте себя по бедрам, не хохочите, не превращайте смех в истерическое веселье, не фыркайте, то есть не делайте ничего грубого или вульгарного. Если избегать этих крайностей, тогда ваш смех будет приятным и не будет ни пугать, ни раздражать.

5. Воркование и мурлыканье

Когда женственная особа находится рядом с мужчиной, которого любит, она иногда начинает ворковать и мурлыкать. После того как Дора вышла замуж за Дэвида Копперфилда, она стала разговаривать с ним, *как маленький ребенок*. Пожалуй, каждая женщина с врожденным женским кокетством в разговоре с любимым мужчиной интуитивно прибегает к такой манере речи.

Когда женщина чувствует желание поворковать, она подавляет его, не желая выглядеть глупо. Но когда мы занимаемся малышами, эта тенденция проявляется еще более естественно. Вы замечали, что когда женщины разговаривают с младенцами, они издают самые разные нежные звуки? Это и есть сюсюканье или детский лепет. Мужчинам это может понравиться, особенно когда такая речь обращена к малышам.

6. Обворожительная томность

Томность — это спокойное и умиротворенное состояние, которое испытывает кошка, улегшаяся перед камином. Томность на ощупь подобна бархату. Временами каждая женщина может испытывать это *обворожительное* состояние. Противоположностью томности можно назвать нервозность или возбуждение, когда люди кусают ногти, звенят ключами, мнут носовые платки или запускают пальцы в волосы. Чтобы выглядеть женственной, отвыкайте от таких привычек.

7. Выражение лица

Старайтесь не морщиться, не допускайте жесткого выражения глаз, не кусайте губы и не опускайте уголки губ. Выражение женского лица должно быть мягким, нежным, приятным и освещенным теплым взглядом.

Выражение лица берет свое начало в характере человека. Если у вас мягкий характер, вы легко и естественно придадите своему лицу выражение нежности и мягкости. С другой стороны, если характер у вас жесткий, критичный и нетерпеливый, вам трудно будет скрыть эти черты, и они непременно проявятся в вашем лице.

Если ваша проблема заключается именно в этом, начните работать с характером. Примите для себя здоровую философию жизни, основанную на моральных ценностях. Научитесь принимать людей, прощать их и быть с ними терпеливыми. Ключом к такой перемене сердца может послужить смирение, ибо именно через эту добродетель мы научаемся принимать, прощать и не осуждать других людей.

Пока вы работаете над характером, постарайтесь *следить* за выражением своего лица. Это, в свою очередь, поможет вам формировать свой характер и делать его мягким. Лицо исполняет роль учителя для характера, напоминая ему о необходимо-

сти прощать и проявлять терпение. Но невозможно тренировать себя в этом направлении долгое время, если вы продолжаете
осуждать окружающих и относитесь к ним недоброжелательно.

8. Женские разговоры

Следите за тем, чтобы ваши разговоры были женскими.
И, главное, *не говорите слишком много*! Практически все женщины очень много говорят. Следите за тем, чтобы ваш разговор *не вращался только вокруг вас* — ваших детей, мужа, дома,
ваших проблем и успехов. Такие темы становятся ужасной
скукой для окружающих. Не задавайте тон в разговоре. Каждый раз, когда кто-то начинает новую тему, не пытайтесь вернуть разговор в старое русло к тому, что интересует вас. Не
говорите о вещах малозначительных, которые не дают пищу
ни уму ни сердцу.

Не допускайте в разговоре грубостей, вульгарных слов, резкости, критики или категоричного суждения. Следите за тем,
чтобы ваши замечания были мягкими, добрыми, преисполнен-
ными любви. Если вы говорите о несчастьях другого человека,
проявите к нему сострадание и заботу. Не делайте таких недоб-
рожелательных замечаний, как, например: «Ну что ж, он вполне
заслужил такое», «Ему следовало предположить такой конец».
Используйте любую возможность, чтобы защитить человека,
чтобы найти в себе сострадание и понимание.

Старайтесь не обсуждать людей, которые вам не нравятся,
иначе вы впадете в искушение сделать недоброе замечание о
них. Строго следите за тем, что вы хотите сказать, прежде чем
вы вступите в разговор. Избегайте тем, которые могут вызвать
жаркие споры. Избегайте негативных замечаний. Ваши разговоры должны отражать вашу мягкость, терпение, прощение, понимание, терпимость к чужому мнению и любовь.

В разговоре с детьми не ждите особых случаев, чтобы проявить к ним нежность. Когда ваш малыш проходит мимо, по-
гладьте его по головке и скажите ему что-нибудь хорошее. Возьмите маленькую дочку на руки и скажите: «Я всегда хотела такую
малышку, как ты». Или обнимите старшего сына и скажите ему:

«Я горжусь тобой». Постоянно питайте их своей нежностью. Они станут к вам ближе и помогут вам обрести мягкую женственность.

9. Благородство

Одним из признаков женственной натуры является благородство, или утонченность, которая предполагает *хорошее воспитание*. Это значит, что женщина тактична, учтива, дипломатична, внимательна к другим, понимает чувства окружающих. Она высоконравственна, обладает хорошим вкусом и великодушием. Утонченная женщина старается не обидеть другого, никогда не допустит грубости, невежливости, необдуманного замечания, жесткости или вульгарного слова.

Чтобы быть утонченной, никогда и никого не перебивайте, не начинайте обсуждение темы, которая может ввести присутствующих в смущение, не пытайтесь задавать тон в разговоре или перевести разговор на себя. Никогда не отзывайтесь о других людях с пренебрежением. Никогда не выражайте своей точки зрения откровенно, жестко и резко, даже если вы чувствуете себя правой. Если вы видите, что затронули вопрос, который ставит другого человека в неловкое положение, будьте обходительны и быстро перемените эту тему.

Никогда не пользуйтесь вульгарным языком и не рассказывайте грубых и пошлых шуток. Никогда не ковыряйтесь в носу, не чешитесь и не сморкайтесь при людях. Никогда не гладьте мужа по спине, по голове и не ласкайте его при людях. Такие вещи при посторонних свидетелях выглядят как признак совершенной *невоспитанности*. Не обсуждайте неприличные или пошлые темы. Если подобные вещи не к лицу мужчинам, то в женщинах они выглядят отталкивающе.

Оттачивайте благородство в своей одежде, прическе и макияже. Украшайте свой дом со вкусом, продумайте подбор мебели и посуды. Формируйте хороший вкус в живописи и музыке. Никогда не игнорируйте приглашений на общественные мероприятия. Их следует с благодарностью принимать или отклонять либо по телефону, либо по почте.

Еще один признак утонченности: будьте вежливы с каждым, кто встречается вам на пути, независимо от возраста, финансового или социального положения. Каждый человек достоин уважения. Чем выше ваше уважение к людям вообще, тем выше уровень вашей воспитанности. Высокомерное отношение человека к другим людям показывает отсутствие в нем почтительности, которая свойственна всем воспитанным людям. Ваша невоспитанность выдаст себя быстрее всего в вашем пренебрежительном или равнодушном отношении к другим людям.

Чтобы подтвердить свою доброжелательность, никогда не делайте людям больно. Никогда, например, не проявляйте равнодушия к их мнению и не отзывайтесь пренебрежительно об их словах или действиях, особенно в том, что они считают для себя важным. Проявляйте чуткость по отношению к их чувствам, мнению, достижениям, идеям, традициям, религиозным обычаям и образу жизни.

Если, например, вы встретились со старушкой, которая всю свою жизнь почтительно относилась к преданиям и традициям, не оскорбляйте ее чувств, не пытайтесь попрать священные для нее устои. Или если вас угостили обедом, которым хозяйка втайне гордится, не обижайте ее отказом от добавки или каким-нибудь другим образом не покажите своего недовольства угощением.

Если вы находитесь в гостях у людей, чей образ жизни не одобряете, не нужно проявлять своего пренебрежительного отношения к ним шумным поведением или жаркими спорами. С другой стороны, если хозяйка старается, как может, развлечь гостей, доставьте ей удовольствие и повеселитесь сами. Высший признак воспитанности заключается в вашей способности проявить искреннюю радость в общении с людьми и вашем почтительном и уважительном отношении к их образу жизни.

Кроме того, научитесь уважать энтузиазм других людей. Например, если человек рассказывает вам об интересной поездке, которую он собирается совершить, и при этом волнуется в предвкушении ожидающих его приключений, не угашайте его пыл своим скучным видом и тоскливым выражением глаз. Но, что еще хуже, не делайте негативных замечаний, которые могут вовсе охладить его пыл, замечаниями о том, как дорого может обойтись ему эта поездка или что все это явная глупость. Напротив, разделите с ним его энтузиазм. Или если он восторгается куском пирожного за столом, не портите ему аппетита, сообщив, что вы «терпеть не можете такие пирожные».

Еще одним признаком невоспитанности можно назвать повышенную и даже бесстыдную требовательность по отношению к другим людям. Речь идет о случаях, когда вы предъявляете к людям *определенные претензии*, не задумываясь о том, чего им будет стоить удовлетворение ваших прихотей. Так иногда ведут себя молодые люди, когда приходят в гости к своим друзьям и просят, чтобы их накормили, дали одежду, какие-то вещи и даже деньги. Бывают случаи, когда такие просьбы оправданны, но обычно подобные просьбы нервируют и раздражают.

Тигровый ус

Женщина с нежным и мягким характером может приручить самого свирепого мужчину, о чем гласит старая корейская легенда.

Юн Ок пришла к старому мудрецу за советом. Она рассказала ему следующее: «Речь о моем муже, о мудрец, — сказала она. — Он очень дорог мне. В течение последних трех лет он был на войне. Но после своего возвращения он почти ни с кем не разговаривает. Когда я с ним заговариваю, он будто не слышит меня. Но если и говорит, то говорит грубо. Если я готовлю его любимые блюда, он отталкивает их и сердито покидает комнату. Иногда, когда он должен был бы работать на рисовом поле, я вижу его сидящим на вершине холма и смотрящим вдаль, на море. Мне нужно зелье, — сказала молодая женщина, — чтобы он стал любящим и ласковым, каким был раньше». Мудрец велел ей принести ус живого тигра, из которого он мог бы сделать для нее волшебный напиток.

Ночью, когда муж уснул, Юн Ок крадучись вышла из дома. В руке у нее был горшок риса, политый мясным соусом. Она пошла на то место у склона горы, где, как все знали, жил тигр.

Стоя вдалеке от пещеры тигра, она держала в руках горшок с рисом, приглашая тигра выйти и поесть, но тигр не пришел. Каждую ночь она приходила на то место, но каждый раз она подходила к тигру на несколько шагов ближе. И хотя тигр не выходил на ее призыв, он постепенно стал привыкать к ней.

Однажды она приблизилась к тигровой пещере на расстояние брошенного камня. На этот раз тигр вышел, прошел несколько шагов и остановился. Они посмотрели друг на друга при свете яркой луны. На следующую ночь произошло то же самое, но на этот раз они стояли так близко друг к другу, что она заговорила с ним тихим, успокаивающим голосом. На следующую ночь, внимательно посмотрев в ее глаза, тигр съел принесенную ею еду. На следующую ночь тигр уже ожидал прихода Юн Ок, стоя на тропинке у пещеры.

Прошло почти полгода со времени ее первого визита к пещере. И, наконец, однажды ночью, погладив голову животного, она сказала: «О щедрое животное, мне нужно получить от тебя один ус. Не сердись на меня, пожалуйста». И она вырвала у него один ус.

Юн Ок прибежала к мудрецу с тигровым усом, крепко зажатым в ладони. Мудрец внимательно исследовал этот ус, после чего выбросил его в огонь. «Юн Ок, — сказал старик. — Можно ли назвать мужчину более свирепым существом, чем тигр? Неужели ему труднее ответить на доброту и понимание? Если твое терпение и нежность могли вызвать у дикого и кровожадного животного чувство доверия, ты вполне можешь сделать то же самое с собственным мужем».

Не обязательно быть красивой, чтобы быть женственной

Не нужно быть красивой, чтобы обладать всеми чарующими качествами женственности. Существуют тысячи совершенно обыкновенных женщин с некрасивыми чертами лица и несовершенной фигурой, которые стали привлекательными для мужчин только потому, что являются образцом женственности. С другой стороны, существуют также тысячи женщин с красивыми лицом и фигурой, которые, не умея преодолеть в себе мужские черты характера и грубость манер, не в состоянии произвести положительное впечатление на мужчин. Если женщина мягкая, нежная, радостная и если она относится к окружающим ее людям с любовью, если она чиста и нравственна, кто станет искать в ней черты классической красоты? Независимо от ее внешней красоты или форм для большинства мужчин она покажется образцом женственности. Она для них будет писаной красавицей!

Даже если женщина настолько невзрачна, что игнорировать этот факт невозможно, мужчины все равно увидят в ней привлекательность. Может быть, они не назовут ее красавицей, но они оценят ее живость, проницательность, обаяние, изысканность, приятность, веселость и все остальное, что так влечет к себе мужчин. Часто такие женщины бывают особенно обворожительными и умеют привлечь к себе здравомыслящих и зрелых мужчин, для которых красота без женственности не имеет смысла. Часто именно из такой женщины получается прекрасная жена, рядом с которой любая красавица становится серой и непривлекательной.

Поэтому пусть отсутствие у вас красоты вас не обескураживает. Но если вы красивы, то этот факт не должен служить для вас ложным успокоением. Присутствие или отсутствие красоты не играет большой роли в обретении истинной женственности. И, как всегда, свидетельством правдивости этого утверждения могут послужить письма женщин, которые поверили в него.

Я была высокой и угловатой

Прежде чем я узнала об «Очаровании женственности», я была ужасно несчастливым человеком. Я раньше даже не была уверена, хочу ли я замуж, потому что вокруг себя я видела много распавшихся союзов. Я не была уверена, что вообще смогу сохранить брак и тем более стать счастливой женой.

Я была агрессивной, независимой, честолюбивой и, ко всему прочему, высокой и угловатой. Но «Очарование женственности» помогло мне осознать, что я мыслю неправильно. Я поняла, что мне нужно стать обворожительной женщиной.

Мой муж осознал свои мужские качества в большей степени благодаря применению мною принципов «Очарования женственности». Он утверждает, что я сделала его таким счастливым, что он иногда даже не знает, что с этим делать. Я уверена, что каждая женщина должна познакомиться с книгой, которая однажды изменила такого человека, как я, превратив меня в мягкую и женственную натуру. Многие женщины просто не понимают, что они потеряли!

Для меня открылся целый мир

Я вышла замуж в восемнадцать лет, потому что тогда я думала, что я уже достаточно взрослая, чтобы стать хорошей женой. Было чудесно осознавать себя молодой и уверенной в себе особой. Но с годами я стала догадываться, что мне, пожалуй, стоит кое-чему подучиться. Мы жили вполне счастливо, несмотря на иногда случавшиеся ссоры и споры.

Весной прошлого года мне рассказали про «Очарование женственности», и передо мной открылся новый мир. Я с радостью стала применять принципы, изложенные в этой книге, в своей жизни и делала все возможное, чтобы сделать мужа счастливым. Я сама стала намного счастливее, чем раньше, и небесная любовь стала казаться вполне достижимой реальностью.

Но однажды я сорвалась. Я смотрела телевизор, когда в дом ворвались дети и стали кричать, а мой муж в это время пытался что-то сказать мне. Я забыла про обворожительность и про то, что нельзя кричать в ответ, и громким криком приказала всем «заткнуться». Они заткнулись! Муж вскочил с места и вышел из дому. Поняв, что я натворила, я пошла за ним, но он дал мне понять, что не желает со мной разговаривать. Я тем не менее села к нему в машину.

Я извинилась перед ним и с небывалым усердием стала применять все, что узнала из книги. За полчаса я сделала то, на что раньше уходили целые дни, и мы провели вместе чудесный вечер, катаясь по пустыне, общаясь и занимаясь любовью.

Я чувствую огромную благодарность к автору «Очарования женственности» за тот вечер, потому что он стал последним в нашей совместной жизни. На следующий день муж попал в страшную аварию. Я сидела рядом с его постелью, надеясь и молясь, и испытывая радость оттого, что мы расстаемся не в обиде и не в ссоре. Все время, пока он был жив, я применяла уроки «Очарования женственности» и говорила ему, как много он для нас сделал, каким он был сильным и мужественным человеком и как сильно я его люблю. Он прожил месяц. Теперь я вдова с нежными и теплыми воспоминаниями и благодарностью за несколько особенных, необычных месяцев, в которые мы познали обоюдную радость. Спасибо тебе, «Очарование женственности», за все.

Женские уловки и секреты

Я выросла на ферме и работала наравне с мужчинами на огороде, в саду, выполняя всю необходимую работу. У меня никогда не было воздушных женственных платьев, и я не думала, что это мне нужно. Духи, лак для ногтей, тушь для ресниц и дамское белье было предназначено для городских модниц, которые не годились ни на что полезное или которые всего лишь помогали своим мужьям.

Я вышла замуж, надеясь со временем сделать из мужа что-нибудь более или менее пригодное для жизни. Я надеялась, что он оценит мои старания. Он вырос с властным и жестким отцом и потому без ропота принял мой командный тон. У него, собственно, никогда не было возможности стать самим собой, учитывая, что сначала он жил с отцом, а потом со мной. Я считала себя ответственной за его дела и поступки, и он со мной соглашался.

Я взяла на себя ответственность за финансовые и церковные дела. Он легкомысленно тратил деньги на то, что ему нравилось, бездумно выписывал чеки и влезал в долги. Его семья не была религиозной, как моя. Я пыталась заставить его ходить в церковь, и он ходил, но мне было стыдно за его унылое и скучное лицо. Он не отказался от некоторых дурных привычек, от которых перед свадьбой обещал отказаться. Несмотря на все это, мы жили, в общем, неплохо. Мы любили друг друга и считали, что проблемы эти вполне обычные. Однако наши ссоры становились все более частыми и буйными.

Главным камнем преткновения были деньги, вернее его отказ давать мне то, что, как я считала, принадлежит мне по праву.

Беспокойство по поводу денег состарило меня раньше времени. Он отказался подыскать хорошую работу после того, как его уволили с подходящей должности. Я пыталась жить на то малое, что оставалось от его зарплаты, после вычета денег «на карманные расходы» и выписанных чеков. Я смело расправлялась с кредиторами и даже оставила троих маленьких детей и пошла на работу.

Но пока я работала, он тратил кучу денег на собачью еду, мороженое, колу, угощение для друзей, ремонт машины, бензин и так далее, так что мы уже были не в состоянии расплачиваться за дом, и в результате задолжали почти три тысячи долларов. Все шло к разводу. Я планировала уйти от него, как только дети пойдут в школу.

Примерно в это же время он стал активно участвовать в скаутском движении, по моему настоянию. Скоро он не говорил ни о чем другом, кроме как о скаутах. Он так много времени проводил с ними, что мы его почти не видели. Он нарушал обещания и ради скаутских походов отказывался ходить со мной на праздник и с детьми на пикник.

Раз в неделю я ходила на спевку хора, и в первый вечер моих занятий муж обещал остаться дома, покрасить полы на заднем крыльце. Вернувшись домой, я увидела троих скаутов, которых он пригласил покрасить полы, чтобы они получили скаутский нагрудный значок за покраску полов. Они не только выкрасили полы, но и заляпали краской все стены. Вид у крыльца был ужасный, и я рассвирепела!

На следующий день моя подруга рассказала мне про «Очарование женственности». Теперь я уверена, что без этой книги мы с мужем уже давно разошлись бы. Сегодня мой муж — совершенно другой человек. Я никогда не была так счастлива. Свобода, принятие, хвала, женственность, женские уловки и любовь — это все мои секреты. Мне очень нравится быть женственной и обаятельной. Я чувствую себя довольной и удовлетворенной.

Теперь у мужа прекрасная работа, она ему нравится, и за одну неделю он зарабатывает столько, сколько раньше зарабатывал за полмесяца. Его любовь и уважение ко мне удвоились. Они проглядывают во всем, что он ни делает. Он ведет себя, как влюбленный студент-романтик. Он делает мне подарки, помогает мне по дому (иногда), и наша жизнь полна любви. Я даже мечтать не смела ни о чем подобном.

Пикники и загородные прогулки

У женщин есть склонность забывать про свою женственность на пикнике или загородной прогулке. Отчасти это происходит из-за одежды. Брюки и обыденная одежда способствуют тому, что перестаешь сдерживаться и задумываться о своем поведении. Женщины хлопают мужчин по спине, свистят, громко кричат и разговаривают, шумно хохочут, заглатывают еду, сидят с раздвинутыми ногами или закидывают ногу на ногу, как мужчины, гогочут над анекдотами и, когда пьют, сильно закидывают голову назад. Будьте осторожны на таких вечеринках и не забывайте о женственности и манерах.

Чего нельзя делать женственным натурам:

1. Следите за тем, чтобы ваши руки не делали резких или грубых движений, и не подражайте манере мужчин в жестикуляции.

2. Следите за тем, чтобы ваша поступь не была тяжелой, и не делайте длинных шагов.

3. Следите за тем, чтобы ваш голос не был громким, твердым, деловым, слишком уверенным или монотонным. Не мямлите и не говорите на одной ноте.

4. Не смейтесь очень громко, не допускайте вульгарной манеры в выражении радости.

5. Не допускайте выражения лица, которое может предположить такие чувства, как гнев, обида, горечь, отвращение или упрямство.

6. Не участвуйте в разговорах, в которых допускается грубость, горечь, критика, нетерпимость, легкомыслие, вульгарность или недоброжелательность.

7. Не ковыряйте в носу, не чешитесь, не сморкайтесь на публике (вытирать нос можно).

8. Не гладьте мужа по спине при посторонних, не гладьте его по голове и не ласкайтесь к нему.

9. Не имейте привычки хлопать людей по спине.

10. Не разговаривайте громко, не свистите и не кричите.

11. Не следует громко хохотать над анекдотами.

12. Нельзя заглатывать пищу или есть неряшливо и с чавканьем.

13. Не запрокидывайте голову, когда пьете.

14. Не сидите с раздвинутыми ногами и не закидывайте ногу на ногу.

Что должна помнить женственная натура

1. Руки.
2. Походка.
3. Голос.
4. Смех.
5. Воркованье и мурлыканье.
6. Обворожительная томность.
7. Выражение лица.
8. Манера вести разговор.
9. Воспитанность.

Задание

Проанализируйте свои манеры и определите степень женственности. Определите свои слабые стороны и поработайте над ними хотя бы неделю. А еще лучше месяц.

Глава 20

Женственная природа

Женской природе свойственна *слабость, мягкость* и *деликатность*. Женственная натура склонна быть *доверчивой, легко приспосабливаемой, пугливой, с нежными чувствами по отношению к простодушным и страдающим* душам. Кроме того, такую женщину характеризует *готовность к подчинению* и *зависимость* от заботы и защиты мужчин. В ней нет мужской агрессивности, тяги к соперничеству или бесстрашия, нет властности, мужской силы или свойственных мужчинам способностей.

Женская природа ярко подчеркивает разницу между мужчинами и женщинами, усиливая их влечение друг к другу. Мы должны испытывать благодарность за эту разницу и стараться всеми силами сохранить ее. В течение поколений различные культуры признавали и высоко ценили эту разницу.

Женская природа пробуждает в мужчине рыцарские чувства по отношению к женщине, его интуитивное стремление защитить ее и обеспечить. Не думайте, что рыцарские качества в мужчинах воспринимаются ими как тяжелое бремя. *Одно из самых приятных чувств, какие может испытывать настоящий мужчина, заключается в осознании своей власти использовать мужскую силу для защиты женщины. Лишите его этого чувства превосходящей силы и способностей, и вы лишите его главной мужской отличительной черты. Мужчина получает удовольствие, защищая и охраняя женщину, зависимую женщину. Чем сильнее, чем мужественнее и серьезнее мужчина, тем привлекательнее для него эта черта.*

Как себя чувствуют мужчины в присутствии сильных и независимых женщин?

Что происходит, когда обычный мужчина сталкивается с уверенной в себе, интеллектуальной, способной конкурировать с ним женщиной, явно независимой и не нуждающейся в помощи, которую может предложить мужчина? Что, если она в состоянии нанести ему поражение в области его профессиональных интересов? Он просто перестанет чувствовать себя мужчиной. В присутствии такой силы и способностей в женщине он почувствует себя пустым и никчемным подобием мужчины. Это одно из самых неприятных и унизительных чувств, какие может испытать мужчина, так что женщина, вызвавшая это чувство, станет для него отвратительной.

Мужчина не может получить ни радости, ни удовольствия, защищая или обеспечивая женщину, которая явно и очевидно способна обойтись без его помощи. Он получит радость и удовлетворение только с той женщиной, которая нуждается в его мужской заботе или по крайней мере даст понять, что нуждается.

Как чувствует себя мужчина в присутствии женственной и зависимой натуры?

Когда мужчина оказывается в присутствии нежной, мягкой, доверчивой и зависимой женщины, он тут же чувствует свою силу и потребность защитить и оградить это хрупкое и нежное создание от всяких невзгод. В присутствии слабой женщины мужчина чувствует себя сильнее, компетентнее, больше, мужественнее, чем раньше. Чувство силы и власти — одно из самых ярких и радостных из всего, что он может испытать. Явная потребность женщины в заботе и защите затрагивает его самые благородные чувства.

Амелия

Прекрасной иллюстрацией *женственной натуры* служит Амелия из «Ярмарки тщеславия»: «Людей, составлявших узкий круг знакомых Амелии, раздражала восторженная реакция на нее представителей противоположного пола. Почти все молодые люди, увидев ее, влюблялись, хотя, несомненно, не могли бы объяснить, почему это происходило. Она не была яркой или остроумной, не была очень мудрой или особенно привлекательной. Но где бы она ни появлялась, она повсюду и везде производила впечатление и очаровывала каждого мужчину так же постоянно, как постоянно вызывала в своих соперницах пренебрежение и чувство скептицизма. Думаю, что очаровывала она, главным образом, своей „слабостью", некой „готовностью подчиниться" и „мягкостью", которая задевала в мужчинах, с которыми она встречалась на пути, их стремление защитить слабых».

Миссис Вудро Вильсон

В письме к своей жене Элен президент Вильсон писал: «Каким источником силы и утешения во времена сомнений является для меня опора и уверенность в лице моей несокрушимой и совершенно очаровательной жены с ее самообладанием, всегдашней готовностью к действиям, неизменным бесстрашием, быстрой и действенной мыслью. Тебе свойственно очарование и женственная грациозность, но нет ничего от распространенной среди женщин компетентности, жесткости, проницательной резкости или властности и несокрушимого мнения. Большая часть компетентных женщин — ужасные монстры».

Способные и независимые женщины, которыми мужчины восхищаются

Иногда можно встретить способных и компетентных женщин, которыми мужчины восхищаются, несмотря на их муже-подобные качества. Такие женщины могут быть талантливыми в области руководства, у них могут быть гениальные идеи об организации бизнеса или работы в промышленности. Пусть вас не смущает такое отношение мужчин к этим женщинам. Их восхищенное отношение вовсе не означает, что они находят ее привлекательной. Нет сомнений, они восторгаются ею, как восторгались бы мужчиной и его выдающимися талантами и способностями.

Есть много самых разных женщин, которые обладают большой притягательной силой и которыми все, включая мужчин, восхищаются. Восхищаются их великим и сильным характером. Однако такие женщины никогда не смогут превратить восхищение мужчин в любовь. Одна такая женщина, учительница воскресной школы, иллюстрирует своим свидетельством эту ситуацию.

Ее личный магнетизм и благородный характер привлекал многих молодых людей, которые начинали учиться в ее классе. Тысячи людей самого разного возраста приходили к ней на лекции. Несмотря на всеобщее уважение и восхищение, никто из мужчин даже помыслить не мог о том, чтобы искать ее благорасположения. Никому и в голову не приходило попытаться завести с ней беседу на интимные темы или представить ее в качестве *маленькой девочки*, которую нужно оберегать и защищать.

Мы все знаем здоровых, очаровательных и радостных женщин, которыми мужчины восторгаются, но не считают их обворожительными. Все дело в том, что в таких женщинах не видно слабости и потребности в мужской защите. Они слишком сильны и независимы, чтобы возбудить в мужчинах рыцарские чувства. Способность *защитить себя* просто убивает очарование во многих деловых женщинах, добившихся карьерного роста. Именно эта потребность в защите позволяет некоторым *безмозглым куклам* очаровать способного и умного мужчину, который достоин был бы получить более благоразумную спутницу.

Мужчина мечтает в первую очередь об ангелоподобной женщине, которой он мог бы восторгаться и, во-вторых, о беспомощном создании, которое он хотел бы обнять крепкими руками, лелеять и защищать всю свою жизнь. Восхитительные женщины, о которых мы только что говорили, отвечают первому требованию, но не второму. Поэтому женщина обязательно должна соответствовать не только первому, но и второму условию.

Но что делать, если вы сильная, крупная и независимая женщина с уверенным характером или просто в чем-то превосходите мужчин? Можно ли произвести впечатление нежной, доверчивой, деликатной и зависимой женщины? Во-первых, габариты женщины не имеют никакого отношения к природе женственности. Не важно, какого вы размера или какими способностями обладаете, вы можете произвести впечатление хрупкой и беззащитной, если станете следовать определенным правилам. Не важно, какая вы на самом деле, но важно, как вы будете выглядеть в глазах мужчин.

Когда крупные женщины привлекают маленьких мужчин?

Иногда приходится видеть небольшого мужчину, сочетавшегося узами брака с крупной женщиной. Интересно отметить, что она не кажется ему крупной, потому что она сумела произвести на него впечатление маленькой. Такой мужчина вполне может называть свою жену «моя девочка». В его глазах она выглядит, несмотря на свои габариты, деликатной и нежной. Дав ему понять, что она без него ни с чем не справится и потому полностью зависит от него, она сумела завуалировать свою крупную фигуру.

Характеристики женской природы

1. *Слабость*. Женская природа характеризуется *слабостью, мягкостью и деликатностью* по сравнению с силой и твердостью, свойственной мужской природе. Однако сказанное не означает слабости в отрицательном смысле этого слова, то есть слабости характера или отсутствия нравственной устойчивости.

2. *Послушание*. Женская природа склонна к *послушанию, доверчивости и легкой приспосабливаемости* к изменяющимся обстоятельствам. Однако женственная натура также склонна быть уступчивой, поэтому из нее получится хороший спутник или ведомый партнер. Для нее вполне естественно повиноваться руководящей силе мужа.

3. *Зависимость*. Женскую зависимость можно определить как *потребность женщины в мужской заботе и защите*. Ей нужна сильная рука, на которую она может опереться, кормилец, который обеспечит ее, и защитник, рядом с которым она может

почувствовать себя в безопасности. Почему? Потому что она слабое и хрупкое существо и потому что вся ее жизнь ориентирована на дом и семью. Она все силы отдает дому, устраивая в нем гнездышко для маленьких деток и замок для своего короля. Если она хочет преуспеть в своей карьере домохозяйки, ей придется посвятить все свое время и силы работе в этом направлении. Поэтому ей нужен мужчина, который будет работать много и напряженно, обеспечит и защитит ее и детей от всяких невзгод.

4. *Мягкость.* Женственные натуры склонны проявлять нежные чувства к беспомощным, беззащитным и страдающим. В них легко просыпаются такие чувства, как жалость или сострадание. Эмилия из «Ярмарки тщеславия» — типичный пример таких нежных чувств: «она способна была плакать над мертвой канарейкой, над мышкой, невзначай пойманной котом, над развязкой романа…»

Многие женщины стыдятся своих нежных чувств и стараются скрывать их. Сколько раз вы читали роман или смотрели фильм с трагическим концом, и изо всех сил старались сдержать слезы? *Никогда не пытайтесь заглушить нежные чувства в присутствии мужчин.* Выражение нежности сердца действует на них обезоруживающе.

5. *Боязливость.* Женственные личности имеют природный страх перед грозными обстоятельствами, в то время как мужчины не боятся опасностей, особенно если они контролируют ситуацию. Мужчины иногда специально говорят женщинам об опасности, чтобы посмотреть, испугаются ли они. Например, одному человеку нравилось вести свое судно в опасные места и кренить его на одну сторону. Его жена была в ужасе, но, несмотря на это, он делал это снова и снова. Она спросила меня: «Зачем он это делал, если знал, что я этого так боялась?» Я ответила: «Он делал это, потому что ты боялась, а он не боялся».

Женщины также боятся *нереальной опасности,* как, например, молнии, грозы, странных звуков, пауков, мышей и даже собственной тени, к великому изумлению мужчин. Мужчинам нравится это женское качество, потому что в случае проявления такой слабости они чувствуют себя еще сильнее. Если женщина закричит от страха перед пауком или прыгнет на стул при виде мыши, он почувствует себя сильным и бесстрашным и будет смеяться над ее страхами, и успокаивать ее. Конечно, интереснее, когда мужчина спасает женщину от тигра, а не от мышки, потому что в этом случае он чувствует себя еще сильнее.

Женственные натуры боятся даже ходить по запруженным народом улицам. Когда такая женщина подходит к перекрестку, она еще теснее прижимается к мужчине, крепко держит его под руку, ожидая, что он сам поведет ее через дорогу. Мужчина же не чувствует раздражения, напротив, он высоко ценит такое доверительное к себе отношение и свою способность защитить жену.

Как пробудить в себе зависимость от мужа и женскую природу?

Некоторые моменты в данном разделе будут повторением того, о чем мы говорили раньше. Однако в предыдущих главах мы сосредоточили свое внимание на *мужчинах*, их потребности ощущать себя нужными, исполнять свои функции и превосходить женщин в аспектах, свойственных мужчинам. Но теперь мы все свое внимание направим на *вас* и на то, что следует сделать, чтобы развить в себе женственность.

1. *Выработайте в себе женское отношение*. Расстаньтесь с ощущением в себе мужской силы, мужских способностей, соперничества или бесстрашия и приобретите чувство беззащитной зависимости от мужчины. Пусть он знает, что вы нуждаетесь в его помощи, что вы цените его и что вам в этой жизни без него не справиться. Приспособьтесь к его жизни и его обстоятельствам. Откажитесь от деловитости, желания контролировать его, командовать и подчинитесь восхитительному духу послушания.

2. *Откажитесь от выполнения мужских видов работ*. Вы никогда не станете настоящей женщиной, если не откажетесь от мужской работы. Для этого в первую очередь вам нужно решить, от чего вы должны отказаться. Хотите ли вы бросить работу? Может быть, вы готовы переложить на плечи мужа оплату счетов, финансовые расчеты, физическую работу во дво-

ре, покраску, мелкий ремонт и другие виды работ, требующие мужских рук?

Когда вы определитесь с тем, от чего вы готовы отказаться, поделитесь с мужем своими соображениями. Попросите его взять на себя все эти виды работ. Обсудите с ним каждый пункт так, чтобы не осталось никакого недопонимания. Объясните ему, что *вы нуждаетесь* в его помощи и в том, чтобы он выполнял эту тяжелую для вас работу, и тогда вы сможете полностью посвятить себя исполнению женских обязанностей. Также объясните, что когда вы делаете такую работу, вы перестаете чувствовать себя женщиной и вам хотелось бы освободиться от нее, чтобы вернуть ощущение женственности.

Если он согласится на это, передайте ему все эти виды работ *полностью*. Не волнуйтесь о последствиях этого шага. Если он не станет делать эту работу, не жалуйтесь и не пытайтесь оказывать на него давление, не заставляйте его делать эти дела. Теперь это его проблема. Может быть, он никогда не возьмется за нее, пока вы не оставите его в покое. Если его халатное отношение к этим обязанностям провоцирует вас на действия, попытайтесь понять его. То, что вам кажется важным, может не иметь для него большого значения по сравнению с тем бременем, которое он несет на работе вне дома. Если вы будете настаивать на мелких делах по дому, вы проявите ограниченное, эгоистическое отношение, лишенное сострадания и понимания.

Если же он откажется выполнять мужскую работу по дому, не поднимайте из-за этого шума. Делайте то, что *в ваших силах*, и оставьте то, что может потерпеть. Продолжайте жить по принципам «Очарования женственности», и его отношение к этим проблемам изменится. Немного позже можно будет подойти к нему с тем же вопросом.

3. *Если вам приходится выполнять мужскую работу.* Если вам все же приходится выполнять его долю работы в доме, делайте ее *по-женски*. Не нужно демонстрировать мужскую компетентность в выполнении мужской работы. Если вам нужно починить печь, заделайте трещину в трубе или выделите деньги на ее починку, но сделайте все это *по-женски*. Ваш муж вскоре поймет, что вам

нужна его мужская помощь. Если вы прекрасно справляетесь с проблемами без него, он никогда не придет к вам на помощь. Вы всю свою жизнь будете делать мужскую работу.

4. *Будьте послушны мужу.* Слово *послушание* означает подчинение высшей власти или предоставление другим людям возможности решать и судить. К противоположным понятиям относится упрямство, бунт или непослушание. Чтобы развить в себе женственные качества, подчинитесь главенству мужа *в очаровательном духе послушания.* Это одно из самых прекрасных качеств женственности, и именно им определяется успех в браке.

Когда вы что-либо обсуждаете с мужем или любым другим мужчиной, никогда не выражайте *категорического мнения,* которое может привести к жарким спорам, поскольку это продемонстрирует отсутствие в вас женственности и в глазах мужчин будет выглядеть оскорбительным. Мужчина с радостью выслушает мнение женщины и ее защиту своей точки зрения, но будет чувствовать себя оскорбленным, если она будет настаивать на своем и он не сможет переубедить ее даже с помощью здоровой логики. Это называется упрямством и противоположно уступчивости. Лучше уступить точке зрения мужчины, чем выиграть в подобных спорах. Этот вариант более свойствен истинным женщинам. Я не говорю, чтобы вы уступали в вопросах *нравственных убеждений.* Тут нужно стоять до конца.

5. *Не подавляйте в себе чувство страха.* Не подавляйте в себе природного чувства страха перед опасностями. В случае опасности вам нужна мужская защита. Либо, в крайнем случае, покажите, что вы в ней нуждаетесь.

6. *Не подавляйте в себе проявления нежных чувств.* Как мы уже говорили, не подавляйте в себе чувств по отношению к обездоленным и страдающим людям. Не пытайтесь сдерживать подступающие слезы. Дайте волю своим чувствам. Такая чувствительность в женщинах привлекательна.

7. *Не пытайтесь превзойти его.* Чтобы сохранить свою женственность, не соперничайте с мужчинами в том, что требует применения мужских способностей. Например, не пытайтесь достичь больших успехов в спорте, поднятии тяжестей, беге или

ремонте оборудования и техники. Не соперничайте с мужчинами в трудовой карьере, высокой зарплате, достижении высоких почестей. Не будьте конкурирующей стороной в ученых степенях и званиях или в чисто мужских дисциплинах. Вполне приемлемо превзойти мужчину в области филологии или общественных наук, но беда, если вы окажетесь успешнее в математике, химии или точных науках. Не пытайтесь продемонстрировать большие, чем мужчина, познания в области мировых событий, политики, космических программ, науки и промышленности. Не пытайтесь превзойти их в том, что исконно считается мужской сферой применения сил.

8. *Тактично побуждайте его заботиться о вас и защищать.* Пусть он открывает перед вами двери, придвигает стулья и помогает надеть пальто. Если он не делает этого, может быть, вы сами действуете слишком торопливо. В следующий раз вам нужно будет вложить ему в руки свое пальто и повернуться к нему спиной, чтобы облегчить для него эту задачу. Попросите его открывать крышки консервов и банок. Ограничивайте свои просьбы вещами, в которых женщинам нужна помощь мужчин, и не просите делать того, с чем женщина сама может прекрасно справиться. И всегда, всегда благодарите его.

9. *Живите в рамках женской роли.* Лучше всего можно развить женственность дома, поскольку там вы действуете в роли жены, матери и хозяйки. Это самая идеальная мастерская, в которой можно приобрести все необходимые черты женственности.

Добрая надежность

Слабость в женщинах привлекательна для мужчин, однако соблюдение золотой середины еще ценнее. Мужчина всегда должен быть уверен в том, что со всей вашей беспомощной зависимостью от него, со всей вашей потребностью в его защите и заботе внутри вас обязательно скрыта *способность достойно встретить критическую ситуацию.* Он должен знать, что если произойдет нечто непредвиденное, вы проявите женскую смелость, силу, терпение и способность разрешить сложную проблему и что в этом случае вы не окажетесь беспомощной. Такое качество в женщинах можно назвать *доброй надежностью*. Оно должно быть внутри вас, в вашем характере, и муж должен осознавать наличие в вас этого качества.

Многие женщины в испытаниях показывают, что этого качества в них нет. Но если есть, то ей повезло. Возьмем, к примеру, молодую вдову, оставшуюся с несколькими малыми детьми. Она начинает жизнь, полную тягот и борьбы. Она падает, встает и идет дальше, страдает и работает, чтобы прокормить и поставить на ноги детей. Когда она терпит поражение, она не хнычет. Принимая свою судьбу как данность, она стискивает зубы и начинает все сначала.

Не важно, какую боль и муки она терпит, не важно, как много ей приходится работать, у нее всегда найдется улыбка утешения для ее малышей. Не важно, как сильно она устает, но если она видит хотя бы малейшую опасность, грозящую ее детям, она полностью забывает свою усталость. Посмотрите на вдов вокруг, и вы увидите многих, кого можно было бы сравнить с небесными ангелами. Эта добрая надежность — результат благородного характера, которому свойственна любовь, вера, терпение и решимость.

Что пробуждает в мужчине женственная природа

Когда женщина становится более женственной, у мужчины возникает желание заботиться и оберегать ее. Чем больше он будет посвящать себя заботам о ней, тем больше будет расти его *любовь и нежность* к ней. Это верно по отношению к любому человеку, который заботится и ограждает другого человека от невзгод. Мы склонны любить тех, кому мы служим. С другой стороны, когда мы пренебрегаем людьми, за которых несем ответственность, мы перестаем их любить.

Например, мать, которая прекращает заботиться о своем ребенке, может полностью перестать его любить. Вот почему некоторые матери бросают своих детей. Точно так же когда мужчина не заботится о жене, он перестает ее любить. Поэтому очень важно, чтобы вы развивали в себе женственную природу и чтобы муж *хотел* заботиться о вас, что-то делать ради вас и в результате почувствовал к вам еще большую любовь.

Вы относитесь к мужу так же. Вы готовите для него вкусную еду, стираете его одежду, следите за тем, чтобы он бережно относился к своему здоровью. Вы утешаете его, проявляете понимание и сочувствие. Вы его по-своему, по-женски, оберегаете и защищаете. Вы стараетесь помешать другим людям воспользоваться его щедростью и добротой. Вы стараетесь сделать все, чтобы его безрассудная смелость не повредила его безопасности, а чисто мужское равнодушие к мелочам не привело к беде. Ваша преданность мужу усиливает вашу любовь к нему и нежность.

Помните, мужчина не станет предлагать свою заботу и защиту до тех пор, пока женщине это не нужно. Поэтому для того, чтобы пробудить в нем преданную заботу и усилить любовь, вам следует развить в себе *женственность*. Награда за женственность очевидна в тысячах свидетельств, которые присылают на наш адрес самые разные женщины. Вот одно из них.

Почему он меня полюбил

Мы сидели рядом друг с другом, когда муж увидел книгу «Очарование женственности», взял ее и пролистал. Он увидел страницу, на которой говорилось о нежности, и сказал, что полюбил меня именно из-за этого. Можете представить себе мою внутреннюю радость, ликование и удовлетворение, когда я услышала эти добрые слова, учитывая, что никогда раньше мой муж на эти темы не разговаривал и не объяснял, почему он меня любит. Потом он сказал, что он видит ту же нежность в нашей дочери, которой исполнилось два с половиной года.

Мы были как два полюса

Я никогда и ни в чем не зависела от мужа. Я закончила колледж, а у моего мужа было только среднее образование. У меня был острый и проницательный ум. Он думал медленно, более методически. Мы оба достигли больших успехов на работе. Когда мы поженились, мы оба были совершенно независимы друг от друга. Кроме того, когда мои родители поняли, что я выпрашиваю у мужа каждый цент, они сделали меня независимой *и в финансовом вопросе*. Поскольку у меня вообще не было никакой зависимости от мужа, эта часть «Очарования женственности» давалась мне с трудом.

Муж зарабатывал много денег, но большую часть из них тратил на себя. Он всегда говорил, что не хочет оставить после своей смерти ни цента для кого-нибудь другого, и доказал это тем, что аннулировал страховку в тот же день, когда узнал, что у него рак. В доме он жил под лозунгом: «Если Лиза делает правильно, это ее долг; если она делает неправильно, это ее проблема». Так что мы оба не были счастливы в браке. Однако мы остались верны друг другу и не хотели разводиться.

У него была интересная работа, и мы ездили по всему миру. Мы оба создали для себя хорошую жизнь — каждый свою. Мы жили в одном доме, спали в одной кровати, с сексом у нас все было в порядке, но мы были как два разных полюса — ни общих интересов, ни общения. Он редко делился со мной своими мыслями и никогда не интересовался, чем я живу. Когда я пыталась поговорить с ним, он резко отвечал: «Меня это не интересует».

Затем я пошла на занятия по книге «Очарование женственности». Я взялась за эти принципы *всерьез*. Все, что знала, я стала применять в жизни. Я делала все, что предлагалось в «Очаровании женственности» независимо от того, соглашалась я с этим или нет. Иногда я чувствовала себя совершенной дурочкой. Много сил мне пришлось положить на то, чтобы стать доверчивой и зависимой, хотя мне было страшно по-настоящему довериться мужу.

А теперь я скажу вам, что у меня получилось. Муж, который за год до этого был скрягой, резким, критичным и властным мужланом, превратился в мягкого, внимательного и любящего человека. Несовершенного человека, но все равно это было просто чудо. Этот человек, который не хотел, чтобы его жене что-нибудь досталось в случае его смерти, теперь расплатился за приобретенный в кредит дом и оформил для меня очень приличную пенсию. Он приносит мне кофе в постель. Мы много общаемся и делимся друг с другом всеми мыслями, планами и мечтами. Я верю, что настоящее чудо произошло тогда, когда я почувствовала себя зависимой от него.

Отклик из Пекина

Я китаянка, и мне под тридцать. Однажды в книжном магазине я увидела книгу «Очарование женственности» и взяла ее в руки. Прочтя аннотацию к книге на задней стороне обложки, я тут же без колебаний купила ее, хотя такая покупка ошеломила моих друзей, потому что книга обошлась мне в половину моей месячной зарплаты.

Прочитав всю книгу, я могла только сожалеть, что не знаю английский в совершенстве, чтобы достаточно ясно изложить вам, что чувствует китаянка, учитывая разницу в культуре, образовании, нравственных устоях и так далее. Могу сказать только одно, спасибо Вам огромное, дорогая миссис Анделин. Вы подарили чудесный мир всем женщинам в этой стране, отчаянно стремящимся обрести любовь, нежность и счастье, которое они вполне заслужили. Вы подарили мир и гармонию этим встревоженным и усталым сердцам и дали им также уверенность в себе. Как бы мне хотелось увидеть Вас своими глазами и поговорить с вами лично.

До прочтения Вашей книги я была одной из женщин, которые полагают, что мужчины ценят наши способности, упорство, твердость характера, наши установки относительно того, что делать можно, а чего нельзя. Особенно, как я думала, они восторгаются нашей способностью делать карьеру, и любят нас, потому что мы не безмозглые куклы, пользуемся равными с ними правами и даже в чем-то лучше их, поскольку превосходим их в работе.

Мне раньше очень нравились три умных молодых человека, и, как я думаю, они тоже хорошо ко мне относились. Я была обыкновенной, нормальной девушкой, и у меня была блестящая перспектива карьеры. Однако все три молодых человека с разными объяснениями отвергли меня в качестве невесты. Мне было больно, и я ощущала полную растерянность. Я не понимала, однако, реальную причину произошедшего. Я была готова любить и быть любимой, но никто из тех, кто мне нравился, не хотел любить меня. Вплоть до вчерашнего дня я страстно искала любовь и осуществление давней мечты, не зная, однако, где ее найти.

Но сегодня я рада сообщить Вам, что я знаю, что мне делать. Я готова идти вперед, оснащенная ангельскими качествами женственности. Конечно, я понимаю, что такие перемены не произойдут быстро и легко. Но я абсолютно уверена, что с Вашей книгой, которая поведет меня по этому пути, я преуспею, и мой возлюбленный будет любить меня. Я по-прежнему верю, что я неповторимая и особенная и вполне заслуживаю красивой любви.

В заключение я прошу Вашего разрешения на перевод Вашей книги на китайский язык, потому что в Китае огромное население и примерно половину всех жителей составляют женщины. Мы, китаянки, тоже имеем право, если захотим, достичь успеха и счастья в семейной жизни, ибо оно зависит от счастья и успеха наших мужей. Нам просто нужно знать, что делать. Я хочу перевести Ваши книги с тем, чтобы еще большее количество истосковавшихся женских сердец обрели покой и успокоение в любви.

Характеристики женственной природы:

1. Слабость, мягкость.
2. Послушание.
3. Зависимость.
4. Нежность.
5. Боязливость.
6. Добрая надежность.

Задание

1. Проанализируйте свои женственные качества. Перечислите эти черты характера. Допишите те женственные качества, которых у вас нет.

2. Попросите мужа сделать что-нибудь для вас, что-то, что потребует применения мужской силы и способностей.

3. Если вам приходится выполнять мужскую работу, делайте ее по-женски.

Глава 21

Женская роль и работающая жена

*Луна, переходя из темной стороны сферы в свет
дня, перестает светить, теряет свое очарование,
свою поэзию.*

Лучше всего можно развить и проявить свои женственные качества в доме, где вы служите как жена, мать и хозяйка. Здесь перед вами простирается широкое поле деятельности, на котором вы можете расти как женщина. Вы будете приобретать мягкие и женственные характеристики по мере того, как будете проявлять любовь и заботу о детях, с радостью посвящать себя обычным делам по хозяйству и служить мужу как понимающая жена. И все же, несмотря на такие идеальные условия для развития этих черт характера, женщины бегут из дома в мир работающих женщин. Давайте посмотрим на следующие цифры.

Департамент труда сообщает, что 54,3% *замужних женщин, живущих с мужем,* работают вне дома, причем 39,4% из них работают полный рабочий день, а 14,9% — неполный рабочий день (данные 1988 года). Из работающих женщин женщины с детьми младше восемнадцати лет составляют 19,3%, причем 20,4% из них работают полный рабочий день, а 8,9% — неполный. Из общего числа работающих женщин женщины с детьми младше шести лет составляют 12,4%, причем 8,2% работают полный рабочий день, а 4,2% — неполный. Эти цифры не учитывают женщин, работающих на дому или занимающихся семейным бизнесом, помогающих на ферме или сидящих с чужими детьми.

Эти статистические данные касаются замужних женщин, живущих с мужьями, и сюда не входят матери-одиночки, вдовы или разведенные женщины. Если бы учитывались и эти группы населения, то приведенные цифры возросли бы значительно.

Когда женщине нужно работать

Если женщина овдовела, развелась или она мать-одиночка, если ее муж по состоянию здоровья не может работать, то ей приходится работать, и этот шаг вполне оправдан. Все зависит от финансовой обеспеченности семьи и ее потребности в деньгах. Если вы замужем и здоровье вашего мужа в порядке, ваше желание работать вне дома оправданно в следующих случаях:

1. *Обстоятельства.* Женщина вынуждена пойти на работу, если возникла крайняя и дополнительная необходимость в деньгах. В случае, когда вы *вынуждены работать*, семья воспринимает это как естественную альтернативу. Она даже может воспринять ваш выбор как благородную жертву. В таких ситуациях семье не будет нанесено никакого ущерба, поскольку все члены семьи вместе будут работать на преодоление кризиса.

2. *Когда мужу приходится учиться или повышать квалификацию.* Если ваш муж поступил учиться или если ради карьерного роста ему нужно пройти стажировку, ваша работа будет оправданной, особенно если у вас нет другой альтернативы. Поскольку его учеба в дальнейшем обеспечит вас повышенным уровнем дохода и поскольку ваша работа — дело временное, вы можете оказать ему помощь в достижении вашей общей цели. Все зависит от количества детей, их возраста и необходимости позаботиться о них, пока вы работаете.

Однако учтите следующую опасность. Если вы помогаете мужу получить образование, у вас может возникнуть искушение продолжать работать и после окончания им учебы. Во-первых, нужно помочь мужу, во-вторых, вы так долго себе во всем отказывали. Что плохого в том, что вы поработаете еще немного? Может быть, ничего плохого, но сначала вы будете работать на удовлетворение нужд, а потом захотите удовлетворить и возрастающие потребности. Скоро вы привыкнете к дополнительному заработку, а затем начнете зависеть от него. Так матери попадают в эту ловушку на всю жизнь.

3. Женщины зрелого возраста. Если ваши дети выросли или женаты и у вас много свободного времени, вы можете захотеть занять себя работой. Лучше заняться чем-то полезным, чем напрасно убивать время. В таком случае ваша работа может быть оправдана, но подумайте вот о чем.

Если вы замужем, вам по-прежнему нужно вести домашнее хозяйство и заботиться о муже. В вашей помощи могут нуждаться семьи ваших детей. Если вы привязаны к работе, никто из них не сможет на вас рассчитывать. Очень важно, чтобы ваши внуки имели возможность общаться с вами. Ваша помощь может быть нужна обществу, поскольку вы можете занять себя делами милосердия. Ваша преданность дому, семье и общественная деятельность *увеличат обаяние женственности*, в то время как работа вне дома вам ничего не даст или даст очень мало.

Когда женщине работать не нужно

1. Чтобы помочь в разрешении финансовых проблем. Может быть, у вас недостаточно денег, чтобы покрыть все расходы. Может, вам нужно удовлетворить самые насущные нужды, но денег на это не хватает. Вы устали от постоянной нехватки финансов, поэтому решили поискать работу, возможно, с одобрения мужа. Все дело в том, однако, что работа не стоит той цены, которую вы готовы уплатить ради нее. Ваше присутствие дома стоит дороже. Вместо того чтобы отправиться на работу, *сократите расходы*: если вы занимаете слишком большую площадь, уменьшите ее, откажитесь от уроков музыки, покупайте одежду в магазинах Second Hand и во всем проявите бережливость.

2. Чтобы обеспечить себе более комфортную жизнь. Может быть, вы решили пойти работать, чтобы получить возможность жить более комфортно, чтобы купить дорогостоящие вещи, новую мебель, квартиру или престижную одежду. Может быть, ваш муж одобряет ваше желание работать, потому что он стремится выйти на новый уровень жизни, иметь яхту, плавательный бассейн во дворе или загородный домик. Или же вы хотите дать вашим детям возможность брать уроки музыки, поступить в престижный колледж или лучше одеваться. Все эти желания могут показаться оправданными, но ваша жертва слишком велика. Лучше отказаться от всего этого.

3. *Если вам дома скучно.* Может быть, вы устали от монотонной работы по дому и от забот о детях. Вы ищете облегчение в волнующей жизни вне дома. Муж поддерживает ваши планы, чтобы вы не расстраивались. Эти перспективы действительно могут положить конец вашей скуке и сделать вас счастливой, но на короткое время. Вся проблема в том, что вы покупаете себе счастье за счет своей семьи. Вы ставите свои желания выше нужд семьи. Но такое ничем оправдано быть не может.

4. *Чтобы сделать что-то важное.* Вам может показаться, что все ваши дела, которые вы изо дня в день выполняете дома, недостаточно важны и что мужчины выполняют намного более важную работу. Вы можете сравнивать свой труд с тем благородным вкладом, который вносят в развитие общечеловеческой цивилизации члены правительства, ученые, деятели искусства и работники промышленности.

Однако это не так. Женщины, так думающие, преувеличивают важность деятельности мужчин и недооценивают важность женского труда в доме. Да, мужчины делают благородный вклад, но их труд нельзя поставить выше женского труда, в результате которого мы получаем ухоженный дом, воспитанных детей и счастливого мужа. Врач посвящает свое время *спасению жизни* людей. Вы, с другой стороны, своим повседневным трудом *спасаете души.* Научитесь смотреть масштабно и попытайтесь увидеть, как ваше терпеливое посвящение семье дало миру достойных людей, а это самый великий вклад в развитие любого общества.

5. *Чтобы облегчить бремя мужа.* Если ваш муж работает много и напряженно, стараясь удовлетворить потребности растущей семьи, вы можете пожелать помочь ему, пойдя на работу. Каким бы милосердным ни был ваш акт, его нельзя оправдать как благоразумный шаг. *Бог благословляет мужчину силой, выносливостью и эмоциональной приспособленностью к работе. Вместо того чтобы разделить с ним его бремя, лучше поддержите его в его работе. Цените его. Тогда он почувствует себя еще увереннее,*

и это поможет ему достичь успеха в труде. Облегчите его бремя дома, сократив свои претензии к его времени и деньгам, обеспечив ему мир и покой в доме, чтобы он мог восстановиться для дальнейших трудов.

Карьера

Если вы обладаете талантами художника, писателя, модельера, актрисы, певицы, ученого или способностями в области техники, следует ли вам заняться карьерой? Подумайте дважды, прежде чем предпринять такой шаг. Ваш первостепенный долг — муж и семья. Именно здесь вам следует преуспеть. Карьерный рост может отвлечь вас от семейных забот. Карьера потребует от вас не только много времени, но и внимания, заинтересованности, а иногда и души. Если вы готовы поставить мужа и семью на второе место, вы делаете неразумный шаг. Цена, которую вы собираетесь уплатить, будет слишком высокой. Послушайте людей, которые пережили этот негативный опыт.

Тейлор Колдуэлл

Покойная Тейлор Колдуэлл, одна из самых читаемых авторов, писавших на английском языке, сделала перед представителями прессы такое заявление: «Для карьеры такой женщины, как я, нет никакого удовлетворительного обоснования. У меня нет ни дома, ни настоящей свободы, ни надежды, ни радости, ни ожидания завтра, ни чувства довольства. Лучше готовить еду для мужа и подавать ему тапочки, чувствуя себя в его объятиях защищенной, чем признание и награды по всему миру, включая ленту Почетного легиона и все мое состояние и банковские счета. Они ничего для меня не значат, и я всего лишь одна из подобных мне миллионов одиноких и печальных женщин».

Беверли Силлз

Беверли Силлз, известная оперная звезда и импресарио, недавно обратилась с речью к выпускникам колледжа Барнарда в Нью-Йорке. Она сказала: «Женщинам говорят, что сегодня они должны иметь все: карьеру, брак, детей. Но чтобы все это получилось, нужно этому посвятить всего себя. Присмотритесь внимательно к своему ребенку. Ему не нужно, чтобы вы были звездой, талантливой, шикарной или самой умной. Ему нужно, чтобы вы просто любили его. Только он уплатит всю цену сполна за ваше желание сделать карьеру и достичь успеха в жизни. Подумайте об этом ребенке. Не иметь детей было бы большой утратой. Если родить его поздно, то ваше и его здоровье будет подвергнуто большему риску. Но родить ребенка и не посвятить ему всего себя — величайшая трагедия из всех».

Письмо женщины, сделавшей карьеру

Мне чуть за тридцать, я одинока и служу в корпорации в качестве руководителя. Я состою членом трех Советов директоров, один из которых национального значения. Мой вклад в развитие общества со всеми моими контактами и связями как по вертикальной, так и по горизонтальной линии невозможно сравнить с тем вкладом, который делает жена и мать. Женщина напрямую влияет на менталитет и взгляды мужа и детей. Она имеет власть сделать свой дом *раем* или *адом*. Это я и называю *властью женщины*».

Моя собственная карьера

Несколько лет назад я получила письмо от женщины из Хантсвилла, штат Алабама. Она пишет: «Миссис Анделин, Вы сами себя обманываете. Вы советуете женщинам сидеть дома и заниматься хозяйством, не пытаться сделать карьеру, но сами Вы яркий пример женщины-профессионала. Фактически Вы типичная деловая женщина. Отсюда и Ваши достижения. Все мои знакомые женщины, успешно работающие в соответствии со своей профессией, живут в благополучном браке. Мужья жен, которые сидят дома, бесстыдным образом изменяют им с секретаршами, с которыми они находят нечто общее. Они утверждают, что им до смерти скучно с женами-домоседками. Многие женщины следуют Вашим советам, но в двадцатом веке такая политика не приводит к успеху».

Вот что я ей ответила.

«В течение двадцати лет я была домоседкой и домохозяйкой на полный рабочий день. Я была типичной неработающей женой и матерью, и очень мало была занята вне дома. Я любила наводить порядок, готовить, печь хлеб и старалась выглядеть хорошо. Я с большим нетерпением ждала каждого следующего ребенка. Мой муж часто вспоминает красивую плетеную колыбельку с верхом, которую я приготовила для третьего ребенка, с розовой стеганой атласной подбивкой, вышитой вручную, стеганым матрасиком внутри, оборочками, бантиками и прозрачным бордюром. Он сказал, что эта колыбелька была видимым подтверждением того радостного ожидания, с которым я готовилась к встрече с ребенком.

У меня было много работы по дому, но я всегда старалась проводить какое-то время с детьми. Я читала им рассказы, учила их рукоделию, наблюдала, как они играют. Однажды летом я умыла их, причесала, положила малыша в коляску, и мы отправились гулять в парк. Вокруг не было более гордой мамочки, чем я.

Мы жили в холодном климате, поэтому иногда мы сидели в доме безвылазно по две недели. Но я много читала чудесных книг, которые помогли мне сформировать мою философию жизни. Я росла и становилась более интересной личностью. Мир стал казаться шире. Жизнь была прекрасна, и мне было непонятно, как кому-то может быть скучно. Когда я уставала от чтения, я рисовала картинки для детской комнаты или украшала дом. Летом в начале дня я выходила на солнце, садилась на ящик и смотрела, как играют дети, или помогала им рыться в песке. Я наслаждалась жизнью и чувствовала себя важной персоной.

Затем мы переехали в Калифорнию и стали жить в сельской местности. К тому времени у нас было восемь детей, и все они жили с нами. Однажды вскоре после рождения восьмого ребенка я выглянула в окно и сказала самой себе: «Это самый счастливый день в моей жизни». У меня было все для счастья — восемь чудесных детей, муж, который любил меня, и хорошие друзья. Мне приходилось много работать, но это не важно. У нас бывали финансовые проблемы, но это жизнь. Вечерами мы с мужем уходили погулять по лесной тропинке. Он рассказывал мне о своих планах, мечтах и проблемах и о своих чувствах ко мне. Его мир был моим миром. Мне большего и не нужно было. Я жила ради детей и мужа.

Находясь в мире бизнеса, он имел много возможностей обратить внимание на секретарш, если бы он этого захотел. Но я никогда не думала об этом. Он проводил все свое свободное время дома, и даже когда уезжал, всегда старался вернуться на день раньше. Женщина всегда чувствует, что ей незачем сомневаться в любви мужа, и я чувствовала себя в безопасности. Когда я уезжала на недельку, он ставил мои туфли у заднего крыльца, чтобы видеть их каждый раз, когда выходил во двор. Он писал мне: «Ты радость моей жизни». Но я не была бесцветной и заурядной особой. Я была интересным человеком.

Потом я стала преподавать женщинам истины «Очарования женственности», делясь с ними секретами супружеского счастья. Эти занятия стали очень популярными, и группы становились все больше и больше. Этот факт побудил меня написать книгу. Мое имя стало известным, а я продолжала пропагандировать истины супружеского счастья. Но я не считала эту сторону своей жизни карьерой. Для меня это была миссия или служение.

«Очарование женственности» стало известным по всей стране. Может быть, честолюбивые женщины могли бы позавидовать моему положению и известности, не понимая, почему я не купаюсь в лучах этой славы. Я продолжала принимать участие в занятиях по принципам семейного счастья с духом жертвенности, не зная, как остановить этот процесс. Я занималась канцелярской работой только дома и уезжала только изредка, но была занята этим служением *по горло*.

Называйте меня, как угодно — деловой женщиной, профессионалом, сделавшей карьеру женщиной или работающей женой, но я никогда себя таковой не считала. Для меня это служение всегда было делом милосердия. Эту уникальную работу могла выполнить только женщина. Жизнь многих женщин благодаря этой книге изменилась к лучшему. Мои личные жертвы того стоили. Однако свой брак и семью я всегда ставила на первое место. Нет сомнений, что именно в этом кроется причина моего успеха в этой области».

Через несколько лет я получила письмо от женщины, которая усомнилась в моем отношении к женщинам и их карьере. Вот ее история.

Я вернулась на работу

Все пятнадцать лет, что я работала вне дома, я чувствовала себя виноватой и мечтала о времени, когда смогу полностью посвятить себя дому, как это делала моя мама. Когда муж наконец стал получать достаточно, я уволилась. Сначала я ликовала. Я радовалась тому, что могу делать все то, на что раньше у меня не хватало времени, но очень скоро я переделала все, что хотела сделать, и поняла, что так жить мне не интересно. Долгие годы двойственной роли заставили меня стать организованной и быстрой. Я быстро справлялась с домашними обязанностями, мой дом сиял чистотой, пищу я готовила в современных скороварках, и у меня еще оставалось много свободного времени. Не нужно было спешить, и у меня всегда было в запасе достаточно свободных часов. Я перестала краситься и ходила в старом платье. Зачем одеваться, если я никуда не иду?

Я пошла на занятия по макраме, но и это мне очень скоро надоело. Женские разговоры о рецептах и их талантливых детях казались мне пустыми по сравнению с годовым отчетом, балансом и уровнем продаж, которые мы обсуждали на работе. Я никак не могла понять свои чувства. Я стала часто плакать, у меня появились вспышки раздражения, депрессии и язвительности. Мой муж в ответ стал отдаляться. Младшему сыну, казалось, было все равно, дома я или нет. Гамбургеры ему нравились больше, чем домашняя еда, приготовленная в дорогой посуде.

Все было плохо, пока муж и сын не предложили мне вернуться на работу. Они хотели, чтобы я была счастлива. Я решила, что это правильное решение, независимо от того, что делала моя мама. Я стала работать неполный рабочий день, и все пришло в норму. Теперь я счастлива, как и моя семья.

В ответ на это могу сказать одно. Если в семье всего один ребенок и ему восемь или более лет, почему бы маме действительно не начать работать неполный рабочий день, если она этого хочет? Но это не единственная альтернатива и даже не самая лучшая. Если бы эта женщина обладала творческими способностями, она могла бы сделать для семьи больше, послужив в то же время обществу.

В письме она говорила о *пустых разговорах* женщин, когда они обсуждали рецепты и своих детей. В какой-то степени это правда, но почему она считает, что *годовые отчеты, балансы и уровень продаж* — более интересная или более важная тема? И потом, не все домохозяйки ведут пустые разговоры. Ведущий популярной радиопрограммы, в которой принимали участие различные знаменитости, однажды в разговоре сказал мне следующее: «За все десять лет моего общения с тысячами женщин из слушательской аудитории я повстречал одну домохозяйку, которая оказалась более интересной и начитанной собеседницей, чем многие женщины, сделавшие головокружительную карьеру. Может быть, у нее просто было больше времени для чтения?»

Следует ли готовить дочерей к карьере?

Вы можете решить, что дочери следует дать образование и возможность сделать карьеру на случай, если ей придется самой обеспечить свое существование. Подумайте о серьезности этого шага с учетом следующих моментов:

1. *Она станет независимой.* Если одной из характеристик женственности считать *зависимость*, тогда нет смысла ориентировать ее на карьеру, которая сделает ее *независимой*. Иначе она не будет нуждаться в мужской заботе, а именно эта потребность делает женщину привлекательной в глазах мужчины. Существует также опасность, что она приобретет мужское качество компетентность — недостаток, которым страдают многие женщины со специальностью.

Конечно, бывают женщины с образованием, которые умудряются оставаться женственными либо в силу своей исключительно женственной натуры, которая не может изменить себе, либо благодаря осознанному усилию воли. Однако было бы ошибкой побуждать девочку к карьерному росту с тем, чтобы она могла обеспечить себя в случае, если овдовеет, разведется или останется одна.

2. *Она научится работать.* Когда у женщины есть специальность, у нее будет желание пойти работать и после свадьбы. Она захочет использовать полученные знания и не позволит диплому пылиться на полке вне зависимости от того, нужно ей работать или нет.

3. *Полученные знания могут устареть.* Требования к специалистам повышаются год от года. Женщина, получившая образование, через несколько лет может оказаться невостребованной. Когда она выходит замуж и у нее появляются дети, она выпадает из процесса профессионального роста. Если она возвращается на работу, ей приходится восстанавливать свою квалификацию. Стоило ли тогда получать специальность? Может быть, время, потраченное на обучение в колледже, следовало потратить на что-либо более полезное?

4. *Легкий способ разрешения брачных проблем через развод.* Независимость, которую приобретает женщина в результате своей способности зарабатывать деньги, может стать опасной вещью, поскольку женщина может легко пренебречь браком. Если в браке возникают проблемы, у независимой женщины не будет стимула искать выхода из сложившейся ситуации. Поскольку она в состоянии обеспечить себя, развод может показаться ей легким выходом из положения.

5. *Формальное образование лишает ее шансов стать более успешной женой и матерью.* Какой смысл женщине получать специальность на случай, если она останется вдовой или разведется, если тем самым она лишает себя возможности подготовиться к роли успешной жены и матери? Если следовать подобной логике, то к роли успешной жены и матери можно было бы подготовить и мужчину.

Самое лучшее образование для женщины состоит в воспитании и обучении в широком смысле этого слова. Ее нужно научить понимать детей, быть способной помочь им в учебе и подготовке к предстоящей жизни. Такое образование в равной степени поможет ей стать лучшей женой. Такая женщина будет более интересной личностью, более открытой для новых идей. Она будет лучше понимать мир, а потому станет более эффективным гражданином своего общества.

Женщина с большим кругозором и широким образованием будет в большей степени приспособлена к преодолению кризисной ситуации, чем женщина, подготовленная к карьере. Широкое образование разовьет ее творческий потенциал, интеллект, способность к рассуждениям и мудрость. При столкновении с проблемами она проявит больше находчивости для их разрешения. Если ей придется работать, она найдет собственный путь в мир труда и зарекомендует себя лучше, чем женщина, получившая специальное образование за десять лет до того, как пошла работать.

Вред, который причиняет работа женщине

1. *Вред для мужчины.* Когда вы работаете, вы лишаете собственного мужа возможности исполнения своих прямых обязанностей и духовного роста через это исполнение. Кроме того, когда вы сами становитесь способным, эффективным и независимым работником, он чувствует, что семья не испытывает в нем особой необходимости, а значит, он перестает чувствовать себя полноценным мужчиной. Это осознание подтачивает его. По мере вашего карьерного роста *его требовательность к себе понижается.*

2. *Вред для женщины.* Когда вы сами решаете пойти на работу, вы тем самым в какой-то степени отрекаетесь от своей женственности. *Луна, переходя из темной стороны сферы в свет дня, перестает светить, теряет свое очарование, свою поэзию. То же можно сказать о женщине, когда она пытается сыграть роль, для нее не предназначенную. Ее сияние исчезает, она теряет свое очарование, свою поэзию, которая говорит, что она есть образ очарования».*

Когда вы работаете, у вас появляется склонность перенять мужские качества характера и его агрессивность, смелость, компетентность и независимость, что в результате приводит к утрате женственности. Степень утраты женственности зависит от вида работы, которую вы намерены выполнять. Женская работа — это труд секретаря, служащей канцелярии, няни, учительницы и воспитательницы. Но любая работа, приносящая заработок, дает *независимость*, а это враг женского очарования. И вновь я привожу цитату из книги моего мужа «Man of Steel and Velvet».

«Когда женщина пытается разделиться между двумя мирами, ей трудно преуспеть в обоих сразу. В своем собственном мире у нее достаточно проблем, которые ей следует разрешить, чтобы достичь желаемых успехов в сфере домашнего хозяйства. Она должна быть понимающей женой, хорошей матерью и домохозяйкой и получать огромное удовлетворение от хорошо выполняемой работы. На это уходит много сил. Попытка разделить время и интересы между двумя мирами делает успех в них более чем сомнительным.

Даже если она откажется от исполнения домашних обязанностей и отдаст все свое сердце работе вне дома, ей будет очень трудно. Во многих видах работ она по определению не сможет добиться успеха. Она не сможет превзойти мужчину в его мире и всегда будет занимать второстепенные позиции. Она так и будет бродить между двумя мирами, отказавшись от собственного мира, где могла бы стать звездой, потому что выбрала другой, где она не станет никем, кроме как второсортным суррогатом мужчины.

Когда женщина идет на работу по решению мужа, ущерб ей наносится еще более серьезный. Его решение отправить ее на работу зарождает в ее разуме сомнение в его достаточности как мужчины. Если мужчине приходится полагаться на жену, она начинает сомневаться в его способности разрешить его собственные проблемы и нести собственную ответственность. Это осознание вызывает чувство нестабильности и тревоги.

Еще одно вредное последствие — отношения женщины с ее начальником, особенно если это мужчина. Она привыкла смотреть на мужа как на руководителя своих действий. Когда ею начинает командовать другой мужчина, она попадает в неестественную ситуацию. Она обязана подчиняться ему как работодателю и за бесчисленные часы близкого общения она может почувствовать физическое влечение к нему. В ее глазах он становится более компетентным лидером, а может, и более энергичным и эффективным, чем собственный муж, после чего сравнение их обоих бывает не в пользу мужа, чьи недостатки и слабые стороны она знает слишком хорошо».

3. *Вред для детей.* Когда мама работает по причине чрезвычайной ситуации, дети принимают это как данность. Они понимают, что произошли действительно непредвиденные события. Они испытывают недостаток внимания со стороны матери, но они не чувствуют недостатка ее любви или заботы.

Но когда мама работает по собственному выбору, ребенку может быть нанесен серьезный ущерб. Когда он понимает, что она предпочла работать вместо того, чтобы заботиться о нем, когда он видит, что она ставит свои интересы или удобства выше его основных, насущных нужд, он начинает сомневаться в ее любви к себе.

Дети работающей матери обычно страдают от чувства отверженности. Не всегда, но чаще всего. Работающая женщина должна посвятить себя работе, чтобы преуспеть и оправдать те деньги, которые ей платят. В рабочие часы ее работа становится для нее приоритетным занятием. Иногда ей приходится думать только о работе. Дети не требуют от нее столько внимания, сколько требует работа. Естественно, что в основном страдают именно они.

Работающие мамы часто говорят следующее: «Дело не в количестве времени, которое мать проводит с детьми, но в качестве…» Когда мать возвращается домой, она пытается компенсировать время отсутствия *качеством* того времени, которое она может провести с ребенком. Но чаще всего это пустые слова. Работающая мать слишком занята по вечерам, чтобы сделать для своего ребенка что-нибудь особенное. Но даже если ей удается уделить своему ребенку качественное время, стоит подумать вот о чем:

Присутствие матери дома в течение дня значит все для ощущения ребенком собственного благополучия, даже если она занята домашними делами. Не всегда возможно, да и не всегда нужно, чтобы занятая мать отрывалась от работы и играла с ним. Слишком много внимания к нему со стороны матери тоже может испортить ребенка и сделать его капризным и требовательным.

Но ее присутствие в доме дает ребенку ощущение безопасности и помогает ему развиваться нормально.

Когда ребенок возвращается домой из школы, он может даже и не осознавать факт присутствия матери дома, но он чувствует ее присутствие, которое идет ему только на пользу. Если мать отсутствует в течение долгих часов, он может ничего не говорить, но ему будет недоставать ее присутствия. Даже крошечный младенец чувствует отсутствие матери. Если матери нет долгое время, ребенок может серьезно отставать в развитии и росте. Медицинские исследования несомненно доказали этот факт.

4. *Вред для общества.* Я опять обращаюсь к «Man of Steel and Velvet».

«Тенденция матерей идти на работу представляет собой модель поведения, распространившуюся в Америке со времени Второй мировой войны, когда обстоятельства вынудили миллионы женщин отправиться на фабрики и заводы. Именно в этот период в нашем обществе возникли одни из самых страшных проблем, а именно семейные проблемы. Они привели к разводам, насилию, потреблению наркотиков, нарушению правопорядка и попранию нравственных законов. Многие из них начались с домов, где матери работают».

Доктор Дэвид В. Хоус, глава психиатрического отделения в общей больнице города Феникса, сказал: «Мать следует вернуть в семью. Уровень жизни — дело десятое. Основная функция матери — находиться дома и воспитывать детей. Ей не следует ходить на охоту вместе с мужчинами. Мужчина чувствует себя в меньшей степени мужчиной, когда его жена работает. Если вы после себя не оставили хорошо воспитанных детей, вы ничего не оставили. Главное в разрешении подростковых проблем в любом поколении — целостный дом».

Работающая жена также приводит в расстройство *экономику* нашей страны таким образом, что теперь она считает себя *обязанной работать*. В 1975 году, выступая на национальном телевидении, я сделала предсказание. Это было время, когда женщины ратовали за возможность работать вне дома. Я обратилась к таким женщинам со следующим заявлением: «Если вы не прекратите ратовать за право работать, вы так расстроите экономику этой страны, что наступит время, когда у вас не будет выбора — и тогда вам придется работать». Это время наступило. Работодатели понизили ставки, чтобы семья могла прожить, в основном, только на две зарплаты. Во многих случаях мать просто вынуждена идти на работу. Она не видит иного выхода. Она вынуждена пойти на этот шаг.

Решение

Если вы работаете и не видите для себя другого выхода, знайте, все можно исправить. Во-первых, научитесь женскому искусству бережливости, чтобы прожить на зарплату мужа. В случае необходимости продайте все лишнее. Сократите расходы на отпуска и проведите свободное время дома или за городом. Питаться тоже можно проще и менее дорого, не причиняя ущерба питательности и ценности пищи. Довольствуйтесь малым количеством одежды, а детям покупайте одежду в комиссионных магазинах.

Далее, прекратите работать. Сделайте все возможное, чтобы обеспечить в доме мир и покой, восстановить уверенность мужа в себе и живите по принципам «Очарования женственности». Все это станет стимулом для продвижения вашего мужа вперед, к успеху и более высоким заработкам.

Смелость, необходимая для такого шага, и вера, которую вы проявите в этом нравственно правильном поступке, принесут вам неожиданные благословения от Бога. Вы начнете получать доходы, о которых никогда не мечтали. У вас будут возникать решения проблем, которые сделают вашу жизнь намного лучше, чем раньше. Невозможно проиграть, если ты все делаешь правильно.

Когда вы уйдете с работы, в доме сразу воцарится мир. Дети возвращаются из школы, а дома их ждет мама. Она спокойная, собранная и никуда не торопится. Дом прибран, и в нем так уютно. Все хорошо. Такой дом оставит больше теплых воспоминаний, чем материальный достаток и связанные с ним удобства.

Движение феминисток

Женщины, участвующие в феминистском движении, считают, что домашняя работа унижает женщину и ставит ее на уровень, находящийся ниже уровня мужчины. Выполняя обыденный, повседневный труд по дому, женщины чувствуют себя как второсортные граждане, *а не богини*. Феминистки придают значение только важной и интересной работе, которую выполняют мужчины. Поэтому они стремятся реализовать себя в карьере вне дома. Я хочу процитировать отрывки из выступлений феминисток:

«Мой муж обладает свободой и возможностью идти в мир работающих людей и встречаться с новыми людьми, новыми идеями, возможно, испытывая творческую радость от изменений, которые происходят в обществе благодаря его усилиям. А я в это время сижу дома, в изоляции, и мне не с кем поговорить, кроме как с маленькими детьми и подругами, которые оказались в такой же ситуации, что и я». Вот еще одно выступление: «Я исполняю роль, которая препятствует развитию моих дарований и не позволяет мне выступать в качестве партнера, способного понять мир мужа и его чувства через соприкосновение с его жизнью вне дома». И еще: «Слишком часто женщина превращается в тень собственного мужа и служанку своих детей».

Женщины с развитым интеллектом и хорошим образованием жалуются, что роль домохозяйки требует всего лишь средних умственных способностей. Обладая выдающимися талантами, они считают, что призваны проявить себя вне дома, внося вклад в развитие общества, как это сделала мадам Кюри в области науки, другие женщины — в области культуры, политики, промышленности или техники. Таким образом, женщины могли бы сделать этот мир лучше, чем он есть сегодня.

Я согласна с тем, что не надо большого ума для того, чтобы накормить и одеть семью и чтобы справиться с обычными домашними обязанностями. Однако для достижения успеха в доме нужно быть действительно умной. Идеальная жена должна быть всегда чуткой и внимательной, понимающей и настроенной на удовлетворение нужд своего мужа. Она должна проявить свою способность создать в доме безопасную среду для своих детей в их трудные годы роста. Когда они наконец станут полезными гражданами для общества, *она испытает творческую радость от изменений, которые происходят в обществе благодаря ее усилиям.*

Но для успеха в доме недостаточно только ума. А как насчет сердца? Неужели любовь и доброта не важны в той же степени? Разве они не могут послужить в той же или даже в большей степени на благо общества? В мире достаточно людей с мощным интеллектом. Но нашему обществу явно не хватает любви, доброты и духовных ценностей. Мастерской по воспитанию этих качеств и должен стать дом, а мать — главным наставником в этой области.

Феминисты не в состоянии понять, что *кто-то должен выполнять женскую работу. Кто-то должен заботиться о детях.* Разве не логично, что эту роль должна исполнить жена и мать? Неужели интеллект в домашних условиях отдыхает? Нет, карьера в доме требует от женщины приложения всего того, что в ней есть лучшего. Эту мысль высказала великая женщина, Ли Д. Уидстоу, слова которой я привожу здесь:

«Обучение человеческой души для прогресса и радости в настоящем и будущем времени требует величайшего напряжения разума и сердца. Психологи и ученые единодушно признают тот факт, что первые годы жизни исключительно важны для физического, умственного и духовного развития ребенка. Огромная ответственность за это возлагается по праву пола на женщин, которые выносили и воспитали весь человеческий род. На них возложено право вынашивать и воспитывать до зрелого состояния драгоценные души людей, а также оказывать на них влияние во благо или во зло».

Быть успешной матерью — дело более ответственное, чем карьера оперной певицы, писательницы или художницы. В первом случае женщина удостоена чести во веки веков, а во втором случае почести оказываются только в течение краткого времени. Однажды мой маленький сын сказал мне: «Мама, правда, мальчики лучше, чем девочки, потому что они могут стать президентами, генералами или просто знаменитыми людьми». Я ответила: «Но именно мамы делают из мальчиков президентов, генералов и просто знаменитых людей. *Рука, качающая колыбель, это рука, управляющая миром*».

Каждая женщина может внести достойный вклад в развитие общества через своих детей, но не каждый мужчина может сделать это через свою работу. Некоторые виды работ не важны и даже разрушительны. Если женщина считает, что должна послужить своей стране, лучше всего она может сделать это в своем доме, добившись успеха в семейном кругу. Кальвин Кулидж, бывший президент США, сказал: «Нельзя недооценивать важность семейного очага. Именно там сокрыта надежда Америки».

Работа в доме приносит женщине иную славу, чем карьера на работе. Имена великих матерей остались неизвестны миру, а имен хороших жен тем более никто не знает. Женщине в награду уготована спокойная, непризнанная слава. *Ее награда — слава мужа, счастье ее детей и общий успех ее семьи*. Она радуется, исполняя свой долг и испытывая неземную любовь, как, например, в следующем рассказе.

Мы можем быть счастливы здесь, на земле

«Очарование женственности» открыло мне глаза на многое в моей жизни. Уникальность книги состоит в том, что нам не нужно волноваться или бояться, что через пару недель мы забудем все, о чем прочитали, как это происходит в случае с другими книгами. Просто эта книга меняет мировоззрение женщины и ее отношение ко всему, так что многие вещи, о которых вы пишете, происходят естественно.

Я всегда чувствовала себя виноватой в том, что ограничила себя ролью простой *домохозяйки*. «Очарование женственности» сняло с меня это тяжкое бремя. Мне всегда казалось, что я совершаю грех, не используя Богом данные таланты для достижения сказочной карьеры. Я не подозревала, какой сказочной и важной на самом деле является роль жены и матери! Моя ответственность находится прямо здесь, под крышей моего собственного дома вместе с пожизненной карьерой. Я так счастлива от осознания этого! Мне стало очень легко, когда я поняла, что нахожусь там, где Бог предназначил мне быть. Наконец-то я могу перестать ждать *золотого шанса*, потому что я его уже получила у себя дома. Я так долго пренебрегала своим мужем во всех сторонах нашей жизни.

Теперь я отношусь к нему не так, как раньше, потому что прежде я всем своим видом давала понять, что впустую трачу свое время или что он мешает мне достичь успехов в жизни. С тех пор, как я прочитала вашу книгу, он находится в состоянии ошеломления и счастья. Мне даже странно, что он очень скоро стал таким обходительным со мной. Я отравила десять лет его жизни, и мне теперь нужно многое исправить. Мои бедные дети тоже настрадались. Я была жестокой и эгоистичной, и вы знаете, что я имею в виду. Я слишком долго заблуждалась и теперь с радостью устремляюсь вперед по пути исцеления. Спасибо Вам и спасибо Богу за открытые глаза. Слава Господу! Мы можем быть счастливы здесь, на земле. Раньше я этого не знала, и в результате была страшно несчастлива.

Я ратовала за эмансипацию женщин

После прочтения «Очарования женственности» в течение полутора лет я применяла принципы этой книги в своей жизни. Раньше я была буквально слепой. Мне пришлось многое изменить практически во всех вопросах. Теперь в семье царят любовь и взаимопонимание. Какое это благословение!

Мне двадцать семь лет, и я выросла, начиненная идеями феминистского движения. И средняя школа, и средства массовой информации, и личный опыт подсказывали мне единственную сферу приложения моих сил — карьера на работе. Будучи редактором школьной газеты, я писала статьи о равноправии женщин и сотрудничала с активистками феминистского движения. Мы должны были доказать на практике, что на самом деле мы такие же, как мужчины, и на основании этого требовали такого же отношения к себе. Это уродливое соперничество продолжалось и во время обучения в колледже. Дух феминизма лишил меня женственности.

Четыре с половиной года назад в мою жизнь вошел Иисус. Он прикоснулся к моему ожесточенному сердцу и стал менять мое мышление. Мне так хотелось обрести тот кроткий и молчаливый дух, который Библия называет драгоценным в глазах Бога. Потом моя соседка дала мне почитать «Очарование женственности». Я была поражена, когда увидела, что в ней говорится о практическом применении Божьих принципов. Это извечные законы для современной женщины, это карта, сверяясь по которой, можно обрести супружеское счастье. Из книги я получила знания о том, как мне стать обворожительной женщиной, женой и помощницей, матерью и женщиной по замыслу Божьему. Да, я знаю, что повторяю многие счастливые истории. «Очарование женственности» помогло мне вернуть обратно когда-то утраченную женственность.

Женщина — за женскую карьеру

Все радужные цвета, которыми феминистское движение разрисовало мир работающей женщины, давно поблекли. Мир труда в нашей стране, особенно на уровне руководящих лиц, несет, скорее, негативную окраску, чем позитивную или творческую. Это происходит отчасти по причине высокой инфляции, усиленного контроля со стороны властей, огромной доли судебных тяжб, в результате которых расценки страховых компаний взлетели до небес, и так далее. Женское движение также породило мысль о том, что карьера вне дома сделает женщину более организованной и компетентной. Это тоже не совсем так.

Руководителям, как и домохозяйкам, часто приходится выполнять *неприятные задачи*. Моими самыми нелюбимыми обязанностями всегда были подготовка правительственных контрактов на восьмидесяти страницах и разбор наиболее проблемных жалоб клиентов, которые не получили соответствующего разрешения на низшем руководящем уровне. Если бы женщина могла уделить столько же внимания и времени своим детям и мужу, сколько я уделяла его только в сфере разрешения конфликтов с проблемными клиентами, мир воистину изменился бы к лучшему. Правильные ответы и разрешение проблем требуют обдуманного подхода и даже молитвы. Клиент далеко не всегда прав.

Работающим матерям приходится часто и подолгу разговаривать с детьми по телефону, и их нет рядом с детьми в моменты, когда они нужны детям больше всего. Происшедший недавно случай подтверждает это наилучшим образом: одна моя дорогая родственница внезапно умерла. Молодая женщина, жившая с ней по соседству, рассказала мне, что моя родственница была ей ближе, чем родная мать. Ее мать работала, а моя родственница всегда была дома и всегда могла оказать помощь, когда соседка, еще будучи ребенком, нуждалась в разрешении своих детских проблем. Когда эта девочка выросла, вышла замуж и родила своих детей, она продолжала общаться с моей родственницей. Когда я выйду замуж, я хочу сделать карьеру дома и стать хорошей женой и матерью, и делать воистину *важное дело*.

Я оставила работу, чтобы сидеть дома

Через девять лет замужней жизни я решила, что у нас все в порядке и что мы с мужем представляем собой успешную молодую пару. У нас с мужем была приличная работа, двое детей, дом, машина и все необходимые условия для счастливой жизни. Но мы не были счастливы.

Одной из главных причин возникших проблем было мое выдвижение на руководящую должность. Я понимала, что должна отдавать моей компании большую часть своего времени, поэтому работа стала для меня приоритетным направлением, а муж и семья были отодвинуты на задний план. По мере усиления споров между мной и мужем повысился также уровень напряженности в доме. Мы пытались договориться, а муж повторял, что я сильно изменилась. Я соглашалась с этим, добавляя, что стала *идеальным сотрудником для компании и просто работающей мамой.*

Наши отношения не стали лучше и после десятидневного отпуска, проведенного вдвоем с мужем. Но вот однажды в почтовом ящике я обнаружила рекламный листок, в котором говорилось о книге «Очарование женственности». Моя мама настоятельно рекомендовала мне ее, поэтому я купила эту книгу. До сего времени я была уверена, что люблю свою работу. Но, прочитав «Очарование женственности» и переварив ее содержание, я поняла, что на самом деле я ее не люблю. Мой начальник постоянно оказывал на меня давление в области, где дело касалось моих нравственных убеждений и семейных ценностей. После долгих размышлений я спросила мужа, можно ли мне уволиться с работы, чтобы заняться домом, заботиться о нем и детях. Он ответил *согласием*!

С тех самых пор мой брак стал чудесным, изумительным и невероятным! Наши отношения перестали быть натянутыми, поскольку я не пытаюсь быть свободной женщиной и заставить мужа делать свою работу по дому. Я не пытаюсь вложить свою половину в семейное счастье, ожидая, что муж вложит свою половину. Когда напряжение покинуло наш дом, мы с мужем стали общаться без споров и ссор. Я поняла, что моя работа подрывала его авторитет кормильца, потому что я своей зарплатой могла полностью обеспечить себя и детей, и он понимал, что я больше в нем не нуждаюсь. Теперь, когда мы стали раскрываться друг перед другом, он вынес все, сокрытое внутри себя, наружу. Я следовала советам «Очарования женственности» буквально, когда весь гнев и обиды, накопившиеся за долгое время, полезли наружу, и сделала все так, как нужно.

Благодаря «Очарованию женственности», моя жизнь теперь течет в правильном направлении. Муж счастлив, дети счастливы, а я довольна, как никогда раньше. Я горжусь тем, что я идеальная жена, и с радостью следую советам книги, чтобы стать идеальной женщиной моего мужа.

Задание

1. Если вы работаете, спросите себя, зачем вы это делаете.

2. Если вы работаете по соображениям материального порядка, но хотели бы уволиться и заняться семьей, подумайте, в чем и как вы могли бы сократить расходы. Обсудите этот вопрос с мужем. Объясните ему недостатки ситуации в том случае, когда мать работает, и преимущества того случая, когда она может находиться дома.

Женственность. Заключение

После обсуждения темы женственности вы должны обрести новое представление по этому вопросу. Женственность, как вы поняли, это не только оборочки и кружева. И хотя внешнее проявление женственности тоже важно, оно не поможет, если у женщины не будет женственных манер. Внешность не будет оценена по достоинству без проявлений женственной природы, а именно, мягкости, нежности, слабости, очаровательного духа послушания и зависимости от мужчины в деле обеспечения и защиты. В женщинах не должно быть и следа мужской силы, агрессивности или духа соперничества.

Вы узнали о специфике женской роли в доме — осуществлении заботы о нуждах семьи. Именно в этой сфере женщины могут расти и развиваться. Когда вы посвящаете себя семье, вы приобретаете такие качества, как терпение, мягкость, нежность и любовь — характерные черты женственности.

Чтобы стать женственной, сделайте карьеру у себя дома. Приобретите женские умения и навыки. Научитесь готовить, содержать дом в порядке, заботиться о детях. Сделайте дом семейным очагом. Пусть муж зарабатывает на жизнь, а вы сделайте жизнь в семье счастливой.

Конечно, вы сами должны решить, какой будет ваша жизнь, и все окружающие должны уважать ваше право на выбор. Однако когда вы принимаете подобное решение, вы сами будете отвечать за последствия этого решения. Если вы покидаете сферу женского труда и входите в мир карьеры, помните: *Луна, переходя из темной стороны сферы в свет дня, перестает светить, теряет свое очарование, свою поэзию.*

Из всех качеств, которыми обладает женщина, когда дело касается мужчин, женственность перевешивает все остальные.

Без женственности вы можете быть притягательной личностью или обладать благородным характером, но в глазах мужчины вы перестанете быть женщиной. Мужчинам не интересны великие или благородные характеры. Им нужны нежные, мягкие и женственные женщины.

Глава 22

Лучезарное счастье

То такое лучезарное счастье? Чем оно отличается от внутреннего умиротворения, о котором мы говорили ранее? Внутреннее счастье нужно заработать формированием характера, в то время как лучезарное счастье — это *осознанное действие*, когда вы, например, решаете улыбнуться. Это жизнелюбие, смех, пение, радость, улыбки и сияющие глаза. Это живость, энтузиазм, оптимизм и чувство юмора. Это хорошее расположение духа и способность поднять настроение у других людей.

Лучезарное счастье — одно из качеств, которое мужчины считают истинно обворожительным в женщине, оценивая его выше, чем красота лица или фигуры. Красивым женщинам не стоит *почивать на лаврах*, надеясь, что их красивое личико привлечет к ним мужчин. Без улыбки на лице и сияющих глаз они не будут выглядеть привлекательными. Мужчина любуется красивой женщиной, как знаток прекрасной картиной или любитель природы красивым пейзажем, однако в качестве спутницы жизни он будет искать сияющую радостью и улыбающуюся женщину.

Женщины с некрасивыми чертами лица или несовершенной фигурой часто могут буквально очаровать мужчин. Это происходит потому, что они осознанно скрывают недостатки своей внешности, приобретая качества, которые ценят мужчины. Если помните, Амелия была круглолицей и полной, с коротким носом и круглыми щеками, но все мужчины, видевшие ее, влюблялись в эту девушку. Недостатки ее внешности скрывались за улыбающимися устами, глазами и сердцем. Живость и радостная улыбка могут покорить сердце любого мужчины.

Женщины всегда старались выглядеть привлекательными в глазах мужчин. Однако главный акцент они делали на одежде, прическах и макияже. Конечно, внешняя оболочка важна, но намного важнее улыбающееся лицо и радостное расположение духа. Например, женщина может выглядеть, как картинка, в безупречной одежде, с красивой прической и макияжем, но если выражение ее лица кислое, она не покажется мужчинам привлекательной. Если, с другой стороны, она одета в обычное платье, и прическа у нее самая обыкновенная, с обычным макияжем или без оного, но ее лицо освещено солнечной улыбкой, мужчины будут очарованы.

Амелия и Дора

Самым очаровательным качеством женщины может быть ее способность источать вокруг себя сияние счастья, *распространять радость* и освещать светом темные периоды жизни других людей. Радостная улыбка такой женщины обладает способностью поднять настроение других людей, ее присутствие излучает свет, обогревающий весь дом, ее приближение несет радостное оживление. Как сказал один автор: «Она прошла мимо, и нам приятно, она встала поодаль, и мы счастливы».

Амелия, например, было доброй, улыбающейся женщиной с радостным сердцем. Дора умела смеяться *тихим заливистым смехом и говорила радостным негромким голосом*. Президент Вудроу Вильсон сказал о своей жене: «Она была такой сияющей, такой счастливой!» Мужчинам не нравятся угрюмые, мрачные и даже чересчур серьезные женщины. Они ищут живых, трепетных и счастливых женщин!

Долли Мэдисон

Долли Мэдисон была одной из первых леди, которая была самой искрящейся из всех и дольше всех пробыла в Белом доме. В течение восьми лет, пока ее муж был президентом, она покорила сердца своих соотечественников и стала известной как самая популярная и самая любимая личность в США. В персидском тюрбане, на верху которого красовалось перо, с шеей и запястьями, украшенными жемчугом, она была самой изумительной хозяйкой — оживленной и естественной, деликатной и грациозной. Ее любовь к жизни никогда не иссякала. Однажды, в возрасте восьмидесяти двух лет она, даже не заболев, во сне просто ушла из жизни. «Она сверкала, — сказала про нее подруга, — до самой смерти».

Нинон де Ланкло

Нинон де Ланкло, французская придворная семнадцатого века, была еще одной женщиной, источавшей особый шарм и обаяние. Величайшие люди того времени были увлечены ею, и она, как рассказывают, покорила сердца трех поколений мужчин из одной семьи, ибо она сохранила свою красоту и обаяние до восьмидесяти лет. Самые интересные женщины Франции были ее преданными подругами. Но самое удивительное, о чем вспоминают все знавшие ее, заключалось в ее способности восторгаться всем, что ее окружало. Она сама говорила об этом так: «Вы никогда не услышите от меня слова „это хорошо, а это плохо“, но я всегда говорю: „Я так счастлива, я так радуюсь“».

Наташа

Наташа, героиня «Войны и мира», имела искорку, энергию, отвагу и дерзость наряду с шаловливостью. Иногда она озорничала. Она была счастливой и жизнерадостной девушкой. Князь Андрей был пленен ее жизнелюбием. Однажды вечером у открытого окна он услышал с верхнего этажа голос Наташи, говорившей своей кузине:

«„Ну, как можно спать? Да ты посмотри, что за прелесть! Ах, какая прелесть! Ведь эдакой прелестной ночи никогда, никогда не бывало! Нет, ты посмотри, что за луна. Ах, какая прелесть! Ты поди сюда… так бы вот села на корточки, вот так, подхватила бы себя под коленки — туже, как можно туже, натужиться надо, и полетела бы“.

Опять все замолкло, но князь Андрей знал, что она все еще сидит тут… Чему она так рада? О чем она думает? И чем она счастлива?.. Ее очарование ударило ему в голову, как вино».

Наташа была не такой, как все, со своим удивлением, восторгом, застенчивостью и даже ошибками во французском. Он любовался сиянием ее глаз, улыбкой, в которой отражалось ее внутреннее умиротворение.

Автор не говорит, что Наташа была как-то особенно красива. Ее считали очаровательной, обворожительной, а некоторые даже хорошенькой. В одном месте автор даже подчеркивает недостатки ее внешности: «Большой рот Наташи открылся, отчего она стала выглядеть почти уродливо». Как и в других случаях с очаровательными женщинами, их привлекательность состоит не столько во внешней красоте, сколько в ангельских и человеческих достоинствах.

«Князь Андрей чувствовал в Наташе присутствие совершенно чуждого для него, особенного мира, преисполненного каких-то неизвестных ему радостей, того чуждого мира, который… так дразнил его. Он посмотрел на поющую Наташу, и в душе его произошло что-то новое и счастливое… Радостно и ново было ему на душе, как будто он из душной комнаты вышел на вольный свет Божий. Ему и в голову не приходило, чтоб он был влюблен в Ростову. Он не думал о ней; он только воображал ее себе, и вследствие этого вся жизнь его представлялась ему в новом свете… И он в первый раз после долгого времени стал делать счастливые планы на будущее».

«Вчера я мучился, страдал, но и мучения этого я не отдам ни за что в мире. Я не жил прежде, теперь только я живу, но я не могу жить без нее». Князь Андрей казался себе и был совсем другим, новым человеком. Где была его тоска, его презрение к жизни, его разочарованность? Он удивлялся, как чему-то странному, чуждому и от него не зависящему, тому чувству, которое владело им.

«Весь мир разделен для меня на две половины: где она, там все счастье, надежды, свет; другая половина всё, где ее нет, там все уныние и темнота».

Вот какие чувства может испытывать мужчина к женщине.

Чувство юмора

Когда я говорю, что женщина должна обладать чувством юмора, я не имею в виду ее способность рассказывать глупые анекдоты или разыгрывать других людей. Такого рода вещи только развеют очарование женственности. Я говорю о женской способности видеть забавные стороны в обычных, повседневных ситуациях. Это качество не только привлекательно в женщине, оно может также послужить ей во благо. С помощью чувства юмора женщина может преодолеть сложные жизненные коллизии и даже обратить слезы в смех. Я выросла в семье, в которой именно так относились к различного рода неприятностям, поэтому я научилась этому еще в детстве и хочу в связи с этим поделиться свидетельством из своего прошлого.

Вскоре после того, как я встретила своего мужа, он отвез меня в колледж, в котором я училась. Когда он помогал мне выйти из машины, я за что-то зацепилась и порвала пальто. Не могу объяснить почему, но благодаря моему воспитанию мне это показалось смешным, и я стала смеяться. Мой муж, выросший в серьезной семье, был поражен моей реакцией. Думаю, он просто не знал, что думать, но у него было такое выражение лица, что я подумала, что мне будет хорошо с ним, и мы стали встречаться.

После нашей свадьбы произошел еще один подобный случай. Я несла кастрюлю со спагетти через кухню, поскользнулась на коврике, и весь пол вместе со мной оказался покрытым вареными спагетти. Я, конечно, могла сесть на полу и заплакать, но вместо этого я увидела нелепость случившегося и стала смеяться. Мой муж до сих пор любит вспоминать этот случай. Это произошло во время Второй мировой войны, когда мы смеялись очень редко.

Когда у вас в жизни произойдет нечто непредвиденное, постарайтесь увидеть в этом забавную сторону. Например, предположим, у вас на полпути кончился бензин или вы вышли на минутку во двор в ночной рубашке и нечаянно захлопнули дверь, потеряли десять долларов, случайно выбросили билет на самолет в мусорное ведро, пришли домой в чужом пальто вместо своего или совершили еще какую-нибудь нелепую человеческую ошибку. Вы может отреагировать, как реагируют многие люди, то есть ворчать, жаловаться, огорчаться и чувствовать себя несчастной. Но разве недовольство поможет вам разрешить проблемы? Но вы можете увидеть в происшедшем забавную, юмористическую сторону. Собственно говоря, ваше хорошее настроение поможет вам придумать выход из создавшейся проблемы и найти ее разрешение.

Как обрести лучезарное счастье?

1. *Работайте на внутреннее счастье.* Вы можете естественным образом и постоянно распространять счастье на других людей, если вы счастливы внутри. Работайте над этим постоянно.

2. *Делайте осознанные усилия.* После того как вы накрасились, встаньте перед зеркалом и попытайтесь улыбнуться. Постарайтесь выглядеть радостной. Однако радость должна проглядывать в губах, глазах и в выражении лица вообще, то есть улыбка не должна быть застывшей. Выходите из дому со счастливым лицом. Ваша семья будет отражением вашего выражения лица, и день начнется хорошо. Кроме того, к счастливому выражению лица добавьте радостное отношение к жизни. Старайтесь не быть скептиком и не сомневайтесь во всем. Конечно, к чему-то следует относиться с осторожностью, однако общее наше отношение к жизни должно быть оптимистичным, полным надежды, с акцентом на положительные ее стороны. Мы не сможем сохранить улыбку, которая поднимет настроение окружающих, если не сохраним радостное отношение к окружающему миру.

3. *Излучайте радость на окружающих.* Лучше всего формировать радостный настрой, когда вы улыбаетесь всем людям, а не только членам семьи и друзьям. Мир радуется солнечным людям, потому что серьезных и без того слишком много. Несите солнечный свет грустным, уставшим и отчаявшимся. Распространяйте радость на тех, кто морщится и хмурится. Им радость нужна более всего. Дайте им эту радость, независимо от того, заслуживают они ее или нет. «Бог посылает дождь на праведных и

неправедных», или, как гласит восточная пословица, «цветущий лотос распространяет свой аромат на всех людей, находящихся в комнате».

4. *В дни бедствий улыбайтесь.* В жизни случаются периоды, когда нам бывает трудно. Казалось бы, улыбаться в такой обстановке неестественно, но, в соответствии с христианским учением, *мы должны сделать нечто сверхъестественное*. Признаком истинного характера и, в частности, женского характера, станет улыбка в трудных обстоятельствах, как об этом говорится в следующих строках, написанных Эллой Уилер Уилкокс.

Довольно легко быть приятной,
Когда жизнь цветет, словно сказка.
Но особой чести достоин тот,
Кто может улыбаться в трудные дни,
Ибо сердце испытывается трудностями,
Которые встречаются в жизни.
И улыбка достойна награды тогда,
Когда она сияет сквозь слезы.

5. *Здоровье.* Улыбаться и выглядеть сияющей будет легче, если вы чувствуете себя хорошо. Если же нет, если ваше тело изнывает от боли, если вы чувствуете себя усталой, слабой или измученной, вам будет трудно выглядеть радостной. В следующей главе мы будем обсуждать тему здоровья, которое очень важно для радости и способности применять в жизни принципы «Очарования женственности».

Когда улыбаться не нужно

Бывают случаи, когда ни улыбаться, ни излучать радость не нужно. Например, в присутствии человека, который переживает трагедию или горе, ваше счастливое состояние может послужить признаком отсутствия сострадания. В этом случае лучше всего проявить серьезность и понимание страданий, которые испытывает этот человек. Постарайтесь представить ситуации, в которых ваша серьезность и сострадание были бы более уместны.

Если вы не уверены, посмотрите, как люди реагируют на вашу улыбку. Если ваше настроение покажется им оскорбительным, значит, они в плохом расположении духа, и потому вам нужно спрятать улыбку. Иногда скорбное настроение можно назвать добродетелью, в случае если оно помогает выразить сострадание к чужому горю.

Истинное очарование

В этом мире нет более важной задачи, чем распространение радости и света среди мрака, как золотой ниточки, и духа благодати и гармонии. Разве это не служение человечеству?

Задание

Попробуйте улыбаться перед зеркалом. Пусть улыбаются ваши губы, глаза и все лицо.

Глава 23

Крепкое здоровье

О**сновой** красоты можно считать крепкое здоровье, и не только само здоровье, но радость и свежесть, которые становятся характеристиками внешности, действий и отношений благодаря крепкому здоровью. Какими привлекательными нам кажутся сияющие глаза, блестящие волосы, чистый голос, живость манер и мысли, как и внешнее оживление, что естественно при крепком здоровье. Невозможно переоценить значение этих характеристик.

Но что такое крепкое здоровье? Мы здоровы, если не болеем, если нам не приходится ходить по врачам и если мы не прикованы к постели. Но здоровы ли мы, если большую часть времени чувствуем себя относительно хорошо? Не совсем. Сияющая внешность, о которой мы только что говорили, не может быть признаком относительно хорошего здоровья. Свежая и сияющая внешность свидетельствует об *избыточном здоровье*.

Но каковы секреты избыточного здоровья? Здоровье, как и счастье, строится на соблюдении определенных законов. Мы приобретаем хорошее здоровье соблюдением этих законов и применением их в своей жизни. Вот эти законы крепкого здоровья.

1. Питайтесь правильно

Превосходная и правильная диета состоит в следующем: примерно наполовину или даже больше ваше питание должно состоять из свежих фруктов и овощей, причем нужно постараться подвергать их как можно меньшей термической обработке. Лучше употреблять их свежими или сырыми. При возможности покупайте или выращивайте их без применения химикатов. Примерно четверть или более диеты должна состоять из цельных зерен (пшеница, овес, кукуруза, рожь, просо, ячмень и греча). Примерно на десять процентов от общего объема или более нужно потреблять бобовых (горох, чечевица, фасоль), семян и орехов. Оставшиеся десять–пятнадцать процентов пищи должны состоять из постного мяса, молочных продуктов с низким уровнем жирности и растительного масла, которое в основном следует употреблять вместе с другими продуктами.

В процессе приготовления пищи не используйте жиров и воды. Готовьте пищу в герметически закрытой посуде при температуре ниже точки кипения воды. Не варите слишком долго продукты. Если вы чувствуете себя неважно, уже через несколько дней такой диеты вы почувствуете себя значительно лучше. Если вы здоровы, то почувствуете себя еще более здоровой. Если вы не хотите следовать этим советам во всех подробностях, измените диету в тех аспектах, в каких посчитаете нужным.

Пища, которую употреблять не рекомендуется

1. *Продукты, подвергшиеся переработке.* Избегайте всякой переработанной и рафинированной пищи, как, например, белая мука, белый сахар, белый рис или продукты, их содержащие. Это макароны, печенье, сухие завтраки, галеты, пирожные, пирожки, пышки, пицца, спагетти, конфеты, жвачка и мороженое. Не употребляйте пищу, упакованную в коробки, бутылки, банки или пакеты. Избегайте консервированных или замороженных продуктов. Не употребляйте холодного мяса, ветчины, буженины, колбасы или сосисок. Но почему не следует употреблять в пищу эти продукты? По двум причинам.

Во-первых, во время переработки в продуктах теряются или уничтожаются жизненно важные элементы. Это витамины, минералы, энзимы и природные волокна. В процессе замораживания и термической обработки, например, уничтожаются энзимы. Во время перемалывания зерна в тонкую муку происходит исчезновение отрубей, а значит, витаминов и волокон. В переработанном сахаре исчезают все минералы и витамины, так что в этом продукте не остается ничего, что можно было бы назвать пищей. В попытке восполнить эти потери производители добавляют в переработанные продукты питания витамины и минералы, но они несравнимы с тем, что было из них удалено, и, кроме того, добавить энзимы невозможно, потому что они тоже исчезают.

Во-вторых, в переработанной пище имеются добавки, это консерванты, эмульгаторы, красящие вещества и вкусовые добавки. Такие дополнения вредны для человеческого организма и становятся причиной множества заболеваний. Красящие вещества, добавляемые в продукты питания, например, могут вызвать у детей повышенную чувствительность к ним. Если продукты называются *натуральными*, не верьте этому. Производители продуктов питания называют так свой товар, желая продать его. Внимательно вчитывайтесь в ярлычки, чтобы избежать *отравления*.

2. *Соль*. Употреблять ограниченное количество.

3. *Ядовитые химикаты*. Избегайте употребления фруктов и овощей, которые подвергались обработке пестицидами во время выращивания или химикатами для сохранения их в свежем виде.

4. *Химические удобрения*. Не приобретайте свежие продукты питания, выращенные в почве, которую подкармливали химическими удобрениями. Такие удобрения разрушают поверхностный слой почвы, вызывая нашествие насекомых и производя большие урожаи продуктов с дефицитом основных витаминов, минералов и энзимов.

2. Высыпайтесь

Чтобы высыпаться, ложитесь всегда в одно и то же время. Если вам трудно лечь спать вовремя, может быть, вы планируете слишком много работы? В таком случае выясните для себя, что для вас важнее, работа или сон и здоровье. Может быть, вам стоит пересмотреть шкалу своих приоритетов.

Чтобы сон приносил отдых и восстановление сил, не ешьте после 6 часов вечера, ложитесь спать до 10 часов и спите на хорошем плотном матраце. Самые полезные часы для отдыха — это время до 12 часов ночи. Никто не может объяснить этот феномен, но практика доказала, что это так.

3. Давайте себе физическую нагрузку

Физические упражнения так же нужны для крепкого здоровья, как и пища, которой мы питаем тело. Вы можете подумать, что обеспечиваете свой организм достаточной физической нагрузкой, если ходите по дому, наклоняетесь и тянетесь во время работы по дому. Но все дело в том, что эти движения не способствуют физической тренировке сердца и кровеносной системы и не заставляют напрягаться все мускулы.

Физические упражнения должны быть двух видов. Во-первых, они должны давать достаточную нагрузку в определенном отрезке времени. То есть они должны *усилить сердцебиение* и длиться в течение получаса или сорока минут. Тогда они будут стимулировать сердечно-сосудистую систему, способствовать укреплению мышц сердца и обеспечат систему кровообращения кислородом. Если вы будете заниматься физическими упражнениями регулярно в течение полугода или более, они понизят ваш пульс, нормализуют кровяное давление, а значит, сделают вас более здоровыми. Во-вторых, во время упражнений должно быть задействовано как можно больше мускулов, чтобы *укрепить* их и сделать их *более гибкими*.

Хорошие виды упражнений — это гимнастика, акробатика, ритмическая гимнастика, велосипедный спорт, поднятие тяжестей, плавание, быстрая ходьба и бег. Однако чтобы включить в работу все мускулы, следует объединить некоторые виды упражнений. Но что мы получим в результате этих усилий? Если вы будете нагружать себя регулярно и в достаточной степени, вам захочется *меньше спать, меньше есть*, вы обретете *больше здоровья* и *почувствуете себя лучше*.

4. Пейте больше чистой воды

Подсчитайте количество воды, которую вам нужно выпить в течение дня, сообразуясь с вашим весом. Вы должны выпить в унциях половину вашего веса в фунтах. Например, если вы весите 128 фунтов, вам нужно выпить 64 унции воды в день. Следите за тем, чтобы вода была чистой. Вода из наших кранов далеко не всегда пригодна для питья. В ней могут содержаться пестициды и другие элементы, попавшие в воду из почвы и канализационных труб. Можно проверить состав воды из ваших кранов в специальных лабораториях. В случае несоответствия ее стандартам, приобретите фильтр или покупайте воду в бутылях.

Следите за тем, чтобы пить воду в *достаточном* количестве. Не лишайте своего организма одного из самых важных составных здоровья. Если вы не употребляете необходимое количество воды, ваш организм изо дня в день будет вынужден использовать собственную воду. Если вы не снабжаете свой организм свежей водой в достаточном количестве, будут страдать все его органы и весь организм в целом.

5. Больше дышите свежим воздухом

Хороший воздух обеспечивает вас тремя ингредиентами. Во-первых, он должен быть *свежим*, и тогда в нем будет много кислорода. Во-вторых, он должно быть в достаточной степени *влажным*. В-третьих, *дышите глубоко*, чтобы обеспечить свои легкие необходимым количеством кислорода. Кислород — основная пища для легких. Следите за тем, чтобы комнаты регулярно проветривались, следите за осанкой, чтобы вы могли дышать глубоко, и чтобы легкие проветривались не только сверху, но до самого дна. Увеличьте употребление кислорода посредством усиленных физических упражнений.

Влажность воздуха исключительно важна для здоровья, особенно для профилактики болезней дыхательных путей, таких как простуда, ангина и бронхит. Многие современные отопительные системы осушают воздух, так что даже во влажном климате воздух в доме сухой. Чтобы разрешить эту проблему, приобретите специальные кондиционеры или повесьте мокрые полотенца в тех комнатах, где вы находитесь большую часть времени. На ночь, если позволяет погода, выключите обогреватели и откройте окна.

6. Не напрягайтесь ни в работе, ни в игре

Способность расслабляться играет очень важную роль в сохранении здоровья и красоты, в то время как напряжение вредит человеку. Во время выполнения работы, при которой ваше тело невольно напрягается, как можно расслабиться? Усилием воли. Ваш разум контролирует тело и заставляет его напрячься или расслабиться. Когда вы велите телу расслабиться, вы мгновенно чувствуете ослабление напряжения. К дополнительным средствам, способным помочь вам расслабиться, относятся упражнения и хороший психологический настрой.

7. Умейте сохранить позитивный психологический настрой

Позитивное отношение строится на таких добродетелях, как вера, надежда, оптимизм и любовь. Сюда же относятся доброта, жизнелюбие, сострадание, прощение и энтузиазм. Эти позитивные свойства гармонируют с функциями тела, наполняют его силой и способствуют хорошему здоровью. В противоположность этому негативное отношение к жизни возникает из таких недостатков характера, как беспокойство, ощущения страха, тревоги, пессимизма, ненависти, обиды, нетерпения, зависти или гнева. Любое негативное проявление оказывает разрушающий эффект на здоровье. Его разрушительное действие отражается на нервной системе и на всем теле. Мы все знаем о случаях, когда люди умирали из-за страха или приступа ярости.

8. Контроль за весом

Существует две причины, по которым нужно следить за своим весом. Первая — *ваше здоровье*. Избыточный вес разрушителен для здоровья. Он мешает органам исполнять свои функции, служит препятствием правильному дыханию, ходьбе, становится причиной таких заболеваний, как диабет и болезни сердца. Вы можете в значительной степени поправить здоровье, укрепить силы и продлить жизнь, понизив вес до нормы.

Вторая причина, по которой стоит снизить вес, заключается в *вашей внешности*. Если у вас полная фигура, вы не сможете произвести впечатление женственной, утонченной или деликатной даже с помощью мягких тканей, нежных расцветок и женственной одежды. Вы ничем не сможете скрыть избыточную полноту. Когда вы вернетесь к нормальному весу, вы будете выглядеть во много раз привлекательнее в своей женственной одежде. Вы станете моложе и нежнее, а черты вашего лица приобретут новую живость. Сбросить лишние килограммы стоит даже ради собственной внешности.

Советы для желающих сбросить лишний вес:

1. *Диета*. Выберите одну из многочисленных полноценных диет или воспользуйтесь правилами, которые предлагаем мы. Нужно есть как можно больше фруктов и овощей и питательной пищи. Это поможет вам удовлетворить аппетит и сохранить здоровье.

2. *Откажитесь от употребления определенных продуктов*. Откажитесь от употребления сладостей и жиров. Это пироги, торты, мороженое, конфеты, жвачка, прохладительные напитки, печенье, кексы, сиропы и варенье. Через месяц или два вы почувствуете меньшую потребность в сладком, а то и вовсе не будете испытывать таких желаний. Этот шаг не только поможет вам сбросить вес, но и существенно улучшит ваше здоровье, сохранит зубы и продлит жизнь.

3. *Следите за правильным временем приема пищи*. Старайтесь не есть после 6 часов вечера. Еда, съеденная вечером, когда вы наслаждаетесь отдыхом, усваивается организмом лучше всего. Никогда не ешьте на ночь по той же причине. Было бы разумно питаться только два раза в день. Это завтрак в 10 часов утра и обед в 4 часа дня.

4. *Группа поддержки*. Может быть, стоит записаться в группу желающих похудеть. Там вы вместе можете обсуждать различные виды полезной диеты, оказывать друг другу поддержку и помощь.

5. *Радикальная диета*. Избегайте радикальной диеты и таблеток для похудения, поскольку они вредят здоровью.

Может быть, вы не верите в возможность потерять лишние килограммы или считаете, что вы обречены на борьбу с лишним весом всю свою жизнь, а потому не стоит и начинать? Может, вы думаете, что вам придется *голодать всю жизнь*, чтобы оставаться стройной? Нет, это не так. Пусть вас вдохновит вот какая мысль: когда вы наконец достигнете своего нормального веса, и будете чувствовать себя прекрасно, скинув лишние килограммы, вам будет намного легче контролировать свой вес дальше. Ваш аппетит тоже придет в норму, или, по крайней мере, вам будет намного легче управлять им. Вы достигнете точки, где эта проблема уже не будет мучительной и неразрешимой.

После того как вы достигнете нормального веса, выработайте привычку взвешиваться *один раз в день или хотя бы два раза в неделю*. Если за это время вы пополнеете хотя бы на полкило, сядьте на диету, чтобы сохранить стройность на всю оставшуюся жизнь.

9. Справьтесь с внутренними проблемами

Если вы питаетесь правильно и следуете принципам сохранения здоровья, о которых мы только что говорили, многие внутренние проблемы будут разрешены сами собой. Если вы питаете свое тело сытной и полноценной пищей и даете ему достаточную физическую нагрузку, то оно само будет работать на собственное оздоровление. Если какие-то внутренние проблемы не исчезнут через значительное время реализации строгой оздоровительной программы (например, заболевания крови, гланд, внутренних органов и хронические инфекции), обратитесь к хорошим специалистам. Большую часть таких проблем можно разрешить внимательным и правильным отношением к питанию.

Здоровый вид

Чистота, свежесть и здоровье привлекают мужчин. Но что делать, чтобы так выглядеть? Вот некоторые советы для этого.

1. *Здоровье.* Чтобы иметь здоровый вид, нужно быть здоровым. Здоровье окрасит ваши щеки свежестью, даст ясность глазам, блеск волосам, чистоту коже и живость чертам лица.

2. *Чистота и ухоженность.* Это тоже очень важно. Следите за тем, чтобы ваши зубы, волосы, ногти, ноги и все тело были чистыми и хорошо ухоженными.

3. *Одежда.* Одежда вносит свой вклад в свежий и здоровый вид человека. Это накрахмаленные воротнички, цветы, начищенная обувь и чистая, хорошо выглаженная одежда. Есть виды ткани, которые выглядят особенно свежими, это определенные расцветки, чистые полоски, ткань в горошек или просто свежие цвета.

4. *Макияж.* Этот аспект очень важен для достижения впечатления свежести и здорового вида. Особенно это касается макияжа для глаз, румян и губной помады. Мужчины не возражают против применения декоративной косметики, если в результате женщина выглядит свежей и сияющей.

Если вы больны

Если вы по каким-либо причинам не в состоянии обрести бьющее через край здоровье, постарайтесь сохранить *здоровое, позитивное отношение* к жизни. Тогда вы будете выглядеть более здоровой, чем на самом деле. Элизабет Браунинг была инвалидом, но ее запомнили как одну из самых очаровательных женщин в истории. Ее муж Роберт Браунинг обожал ее. Ее физические немощи не смогли повлиять на ее женственность и привлекательность благодаря ярким женским качествам, которые затмили ее физические недостатки. Крепкое здоровье — всего лишь одно из качеств идеальной женщины. Если вы обладаете позитивным мышлением, вы всегда останетесь привлекательной женщиной.

Основные условия хорошего здоровья

1. Правильное питание.
2. Полноценный сон.
3. Регулярные физические упражнения.
4. Употребление достаточного количества воды.
5. Свежий воздух.
6. Способность расслабиться во время работы или игры.

7. Здоровый и позитивный психологический настрой.
8. Контроль за весом.
9. Нормальная работа внутренних органов.

Задание

Оцените свое здоровье в сравнении с идеалом, о котором мы говорили на этом уроке. Если вы выявили слабые места в этом вопросе, разработайте программу по устранению недостатков и исправлению ситуации.

Детская непосредственность. Введение

«Если не обратитесь и не будете как дети, не войдете
в Царство Небесное» (Матфея 18:3).

Что Библия имеет в виду, когда говорит, что для вступления в Царство Божье нужно *быть, как дети*? Не значит ли это, что у детей имеются качества, которые нам нужно копировать? Дети обычно очень доверчивы и любознательны, легко верят и прощают.

Нам следует научиться тому, как дети выражают свои эмоции, особенно гнев. Когда ребенка обижают, он не реагирует в уродливой манере, придумывая оскорбительные и больно бьющие ответы, и не пытается скрыть свою боль. Его чувство мгновенно и с силой вырывается наружу! Он честно и откровенно говорит вам о том, что чувствует. Он не дуется на вас долгое время, но быстро и с готовностью прощает.

Детская непосредственность может научить вас справляться с трудными и широко распространенными проблемами в браке. Вы научитесь выражать свои эмоции, когда вы сердитесь, вы узнаете, как реагировать, когда сердится муж или когда он резок, угрюм и недоволен. Используя детскую непосредственность, вы сможете через какие-то мгновения обратить ночь в день. Вы научитесь правильно просить, и ваш муж всегда будет *готов* что-то сделать для вас.

До сего момента я предлагала вам отдавать многое. Я советовала принять как данность слабости мужа, ценить его таким, какой он есть, восхищаться им и поставить его на первое место в своей жизни, уважительно относиться к его главенствующей роли в семье и быть идеальной женой. А вот детская непосредственность призвана уравновесить вашу жертвенность. Теперь речь пойдет о ваших нуждах и чувствах, вашей боли и обидах. Вы научитесь справляться с конфликтными ситуациями таким образом, чтобы сохранить чувство собственного достоинства и не ощущать себя ковриком у дверей, о который вытирают ноги. Так вы заслужите его уважение, его нежные к себе чувства и любовь. Ваши взаимоотношения станут насыщеннее и богаче, и ваша любовь засияет новыми гранями. Так вы вырвете занозу из вашего брака и сделаете его радостным и счастливым.

Детская непосредственность — одна из самых очаровательных черт характера, которой вы сможете научиться. В ней заложена пикантность и особый вкус, которые не позволяют пресытиться ангельским характером женщины. Мужчинам нравится эта черта в женщине. Она забавляет и приводит их в состояние восторга, поскольку является резким контрастом мужским качествам в мужчинах.

Глава 24

«Детский» гнев

Детский гнев — это острое, дерзкое и уверенное чувство маленького ребенка. Нет лучшей школы, в которой можно было бы научиться выражению эмоций с детской непосредственностью, чем наблюдение за поведением маленьких детей, особенно маленьких девочек, избалованных слишком большим проявлением любви. Они так доверчивы и невинны и в то же время настолько пикантны и самоуверенны, что часто испытывают приступы гнева. Они слишком невинны, чтобы ненавидеть, ревновать и обижаться или выражать другие уродливые чувства, свойственные взрослым.

Если маленькую девочку дразнить, она не станет отвечать со скрытой язвительностью. Она топнет ногой, встряхнет кудряшками и надует губы. Она страшно рассердится на себя, потому что не в силах найти ответ на обиду. Наконец, она решает, что делать, и объявляет, что в жизни больше никогда не будет с тобой разговаривать. Потом она посмотрит на тебя украдкой, чтобы увидеть, поверила ли ты ее словам, и топнет ногой в нетерпении, когда поймет, что ей не удалось тебя одурачить.

Такие сценки вызывают у нас невольную улыбку и изумление. Мы чувствуем неудержимое желание взять на руки этого ребенка и крепко прижать его к себе. Мы готовы пойти на все, чтобы не дать этому созданию почувствовать боль или страдание. Желание заботиться и защитить это изумительное человеческое дитя приносит нам чувство радости и восторга.

Те же чувства вызывает в мужчине женщина, когда выражает свой гнев с детской непосредственностью. Ее забавные, излишне подчеркнутые манеры внезапно вызывают в нем желание засмеяться, дают ему возможность почувствовать себя настоящим мужчиной и, в противовес ей, сильным и рассудительным. Вот почему мужчинам так нравятся горячие, искрометные и легко взрывающиеся женщины. Однако такой гнев выглядит очаровательным в ребенке, а в *самостоятельной и независимой* женщине он будет смотреться как категоричность и упрямство.

Гнев Доры

Пример гнева, выраженного с детской непосредственностью, мы находим в истории о Дэвиде Копперфилде. Однажды Дэвид стал выговаривать Доре, потому что она плохо управляла слугами. В результате один из них украл золотые часы Доры. Дэвид решил обсудить происшедшее с Дорой. Он сказал: «Мне начинает казаться, что виноваты не только они: все эти люди становятся дурными потому, что мы сами поступаем не очень хорошо.

— Ох, что за обвинение! Ты хочешь сказать, что видел, как я брала золотые часы! Ох, — вскричала Дора, широко раскрывая глаза.

— Какая чепуха, моя дорогая! — опешив, сказал я. — Кто говорит о золотых часах?

— Ты говоришь. Ты! — настаивала Дора. — И ты отлично это знаешь. Ты сказал, что я поступаю нехорошо, и сравнил меня с ним. С этим мальчишкой! Ох, — зарыдала Дора. — Какой злой! Ты сравниваешь свою любящую жену с мальчишкой-каторжником… Какое у тебя жестокое сердце! Ох! Какого ты ужасного обо мне мнения! О Господи!»

Пожалуйста, обратите внимание, что Дора использовала сильные выражение для определения отношения к ней Дэвида. Она назвала его *злым и жестокосердным*. Она также *преувеличила* его отношение тем, что, по ее словам, он сравнил ее с воришкой. Это детский способ выражения гнева.

Как выразить гнев с детской непосредственностью

1. *Характер.* Чтобы научиться выражать гнев с детской невинностью, в вас не должно быть ни обиды, ни чувства отверженности, ни ненависти, ни язвительности или других уродли-

вых эмоций. Если вы склонны к категоричным высказываниям и осуждению других людей, вы не сможете выражать свои эмоции с детской непосредственностью, пока не преодолеете эти недостатки в своем характере.

2. *Манеры.* Понаблюдайте за манерами маленьких девочек. Топните ногой, поднимите подбородок, приподнимите плечи, надуйтесь, подбоченьтесь, широко раскройте глаза, поднимите удивленно брови, бормочите себе под нос что-то, резко повернитесь и уйдите, а затем задержитесь и украдкой взгляните из-за плеча. Или бейте кулачком по груди мужа. Чтобы преуспеть в этом, нужно быть актрисой, но играть нужно только на публику. Помните, однако, вы начинаете уникальную актерскую карьеру, которая поможет вам не испытывать боль и обиды, снимет напряжение и не даст впасть в отчаяние, не испортит отношений с мужем и поможет сохранить брак. Разве есть карьера с более важной целью? Поэтому работайте и усваивайте новую роль. Такой поворот событий гарантирует снятие напряжения, привнесет забавный момент в вашу жизнь вместо боли и обид.

3. *Используйте определения.* Используйте прилагательные, в которых будет звучать *комплимент его мужским качествам. Большой, сильный, жесткий, упрямый, несгибаемый, несговорчивый, или волосатый зверь.* Другие приемлемые прилагательные — *непреклонный, трудный, жестокосердный, неуправляемый, неукротимый и непробиваемый.* Но следите за тем, чтобы ваши слова звучали комплиментом его мужским качествам. Никогда не употребляйте слов, которые могут быть восприняты как унижение его мужского достоинства, например, *маленький, недоразвитый, презренный, незначительный, слабый, простачок или тупой.*

4. *Преувеличения.* Преувеличивайте его поступок по отношению к вам, сказав, например: «Как ты, такой большой и сильный человек, можешь мучить такую маленькую и бедненькую девочку, как я?» Или: «Ах, вот как ты относишься к бедной, маленькой и беззащитной женщине!» Или: «Как ты можешь так поступить со мной!» Или с женским очарованием постройте такую защиту: «Я просто обыкновенное человеческое создание, я просто

немного ошиблась, вот и все». Или: «Каждый может допустить небольшую ошибку. Совершенных людей нет!»

Или начните угрожать ему так, как пытаются угрожать нам дети: «Я больше с тобой разговаривать не буду» или «Я все скажу твоей маме». Если он обидел вас при посторонних, скажите: «Ну, подожди, я тебе покажу, когда мы с тобой останемся один на один» или «Ну, подожди, я с тобой посчитаюсь». Но следите за тем, чтобы выражение вашего лица было искренним, женственным и доверительным, не теряйте при этом достоинства и не допускайте вульгарности, властности или подозрительности.

Почему дети склонны к преувеличениям? Потому что они чувствуют себя маленькими и беспомощными в присутствии взрослых людей и даже других детей. В момент отчаяния совершенно неосознанно они пытаются компенсировать свои малые размеры преувеличением. Поэтому когда женщина прибегает к такому методу, она создает у мужчины впечатление маленького, беспомощного, а потому по-детски беззащитного создания.

5. *Слезы.* Если на глаза у вас наворачиваются слезы, они тоже будут выглядеть по-детски непосредственно. Следите за тем, чтобы они выражали детскую невинность и безобидность и не были слезами эмоционально встревоженной и глубоко оскорбленной женщины. Для мужчины нет ничего страшнее, чем женщина-истеричка.

Когда мы можем сердиться

Мы имеем полное право рассердиться, когда с нами поступили несправедливо, обидели, отругали, накричали, проявили равнодушие, не обратили внимания или стали дразнить.

Вы *не имеете права* сердиться, если ваш муж потерпел неудачу на работе, если он совершил серьезную ошибку в своем деле или если его уволили. Вы не должны проявлять отрицательных эмоций, если он не выполнил свои обязанности по дому, не привел в порядок расчеты по семейному бюджету или не помыл машину. Он имеет право быть таким, какой он есть, даже если это значит, что он ленив или слаб, не выполняет своих обязанностей и даже терпит неудачи. Это зона его ответственности.

Кроме того, не показывайте виду, если вы чувствуете, что в вас возникло чувство ненависти, горечи, отверженности или любая другая негативная эмоция. В таких ситуациях доверьте свои чувства верной подруге или займитесь тяжелой физической работой. Работайте над своим характером, особенно над такими качествами, как смирение, прощение и способность принимать других людей, такими, какие они есть. И только когда вы справитесь с негативными эмоциями, вы можете выразить чувство негодования в детской непосредственной манере.

Выражайте гнев с детской непосредственностью *в тот момент, когда вас обидели*, а не позже, когда у вас появится возможность все обдумать. Это значит, что вам придется соображать очень быстро или запланировать подобную реакцию заранее. Если вы не отреагировали *сразу*, проанализируйте свою неудачу. Вы можете, естественно, забыть обо всем и простить. Проанализируйте эту ситуацию и приготовьте себя к следующему разу, когда случится нечто подобное. Не обвиняйте мужа. В вашей неудаче виноваты вы сами. И даже если вы не всегда реагируете с детской непосредственностью, одно осознание того, что вы должны были и могли это сделать, смягчит ваши чувства.

Не используйте выражение гнева с детской непосредственностью, надеясь изменить его отношение к себе, думая, что теперь он перестанет обижать вас и пренебрегать вашими чувствами. Он может продолжать относиться к вам по-прежнему. В таком случае продолжайте реагировать на его отношение с детской беззащитностью. Единственная цель реакции по-детски заключается в стремлении *освободиться от тревожных чувств, облегчить чувство боли, сохранить чувство собственного достоинства и остаться обворожительной*.

Выражайте гнев в случаях обиды *средней степени*. Другими словами, лучше не концентрировать внимания на мелочах, чем показаться придирчивой. Серьезная обида может быть настолько болезненна, что ее трудно прикрыть детской беззащитностью (хотя возможно и это). Поэтому используйте это средство в случаях нанесения обиды *средней степени*.

Серьезные обиды

Бывают случаи, когда мужчины наносят женщинам серьезные обиды. Это супружеская неверность, физическое насилие или оскорбление, оскорбительное пренебрежение, нежелание обеспечивать семью и отсутствие уважения к человеческим правам и свободам женщины. Если ваш муж причиняет вам серьезную боль и обиды, попробуйте применить в своих взаимоотношениях с ним все принципы «Очарования женственности», чтобы смягчить его сердце и помочь ему изменить свое поведение и отношение к вам. Может быть, вы демонстративно не принимали определенные его качества, никогда не выражали своего восхищения им и не проявляли сочувственного понимания, не поставили его на главное, первое место в своей жизни. Дайте ему шанс ответить на то новое, что в вас появилось. Однако если он представляет собой для вас психологическую и физическую опасность, уйдите от него и заберите детей, чтобы спасти и оградить себя от угрозы в его лице.

Слово к тем, кто не желает вести себя по-детски

Некоторые женщины считают, что идея детского гнева выглядит нелепо. Они говорят: «Как можно взрослой женщине изображать из себя маленькую девочку, которая топает ногой, встряхивает кудряшками и надувает губы? Как можно выглядеть обворожительной, когда злишься?» Но попробуйте, почему нет? Эта идея может показаться вам нелепой, но предоставьте это решить вашему мужу. Конечно, если вы плохо сыграете свою роль, если начнете смеяться или поведете себя глупо, вы выставите себя на посмешище. Не обязательно топать ногой и трясти кудрями. Вы можете просто использовать соответствующие прилагательные, преувеличения и забавные фразы.

Некоторые женщины утверждают, что им не нужны эти детские ухищрения, потому что они прекрасно справляются и без этого. Может быть, это и так в каких-то случаях, но если в семье есть мужчина, который проявляет бестактность и неоправданный критицизм, а чувствительные женщины расстраиваются, сердятся и обижаются из-за этого, им нужен детский гнев в качестве альтернативной защитной реакции.

Если вы не можете выразить гневные чувства с детской непосредственностью, найдите приемлемые средства выражения своих чувств, чтобы в вас не накопилось обиды против мужа, которая может разрушительно подействовать на ваши взаимоотношения. В конце концов, вы не только имеете право выразить свои чувства, но вы также обязаны показать мужу, какие чувства вы испытываете. Вы оказываете ему медвежью услугу, скрывая свои эмоции и сдерживая гнев. Разрешение этих проблем и есть главная цель выражения гнева по-детски. Таким образом ваши взаимоотношения с мужем станут откровеннее и ближе.

Как преодолеть гнев

Когда вы сердитесь, когда испытываете тревогу и обеспокоенность, попробуйте найти эффективные средства разрешения этой ситуации. Далее, постарайтесь преодолеть склонность выражать гнев следующим образом.

1. *Духовный рост.* Научитесь прощать, понимать мужа и проявлять терпение. Дайте ему право на ошибку и позвольте ему иметь человеческие слабости. Это приведет вас к духовному росту. Так вы преодолеете свою склонность сердиться и раздражаться. Больше вы не будете испытывать мучительные и неприятные чувства, которые вызывает гнев. Однако на пути к совершенству вы все еще остаетесь обычным человеком, склонным испытывать гнев и раздражение. Разберитесь с этими эмоциями по-детски.

2. *Самооценка.* Если вы оцениваете себя правильно, скорее всего, вы перестанете обижаться, а значит, будете менее склонны испытывать гневные чувства. Вместе с нормальной самооценкой приходит спокойствие духа, когда вы не чувствуете себя обиженной. Когда вы перестанете болезненно реагировать на критические замечания или обидные слова, вы начнете думать так: «Ты меня обижаешь, не беспокоишься о моих чувствах и относишься ко мне несправедливо, но я знаю, что ты действительно любишь меня, а значит, делаешь это не нарочно». Так вы чудесным образом освободите себя от разрушающего воздействия обид. Ниже

приводятся реальные истории, связанные с выражением чувств по-детски.

Детская реакция

Когда я однажды отреагировала на бестактность мужа по-детски дерзко и спонтанно, он сказал: «Это так забавно, давай попробуем еще раз».

Недовольная гримаса

Я сомневалась относительно того, применять мне детский вариант реакции на обиды или нет, потому что боялась, что у меня ничего не получится. Затем однажды, когда я обиделась, я просто выпятила нижнюю губу, совсем немного, а муж в ответ на это сказал: «Ты выглядишь так смешно, когда делаешь это», и мы оба забыли, из-за чего поссорились.

Я топнула ногой

Однажды на завтрак я пекла блины. Муж был в раздраженном состоянии духа, настроение у него было плохое, и наконец он сказал мне что-то резкое. Я топнула своей маленькой ножкой (сорок второго размера) и воскликнула: «Ах, ты старый, сердитый медведь! Ты, такой большой и сильный, и так разговариваешь со мной! — Я гордо вскинула голову и повернулась к плите. — Пожалуй, я сожгу для тебя парочку блинов», — сказала я, потом повернула голову и посмотрела на него хитрым взглядом, чтобы увидеть, смотрит он на меня или нет. Рот у него разошелся до ушей, а мрачного и угрюмого настроения как ни бывало. Я впервые попробовала выразить свои чувства по-детски через четыре месяца после того, как узнала об этой методике, потому что мне такое поведение казалось ужасно глупым. Месяцами я репетировала такую реакцию перед зеркалом, тренируясь использовать правильные определения.

Война с подушками

Мы только что опять ужасно поссорились, как всегда по выходным, когда каждое движение ресниц истолковывается неверно, а напряжение в доме такое сильное, что кажется, воздух вот-вот взорвется. Чтобы муж мог отдохнуть и успокоиться, я взяла пятилетнюю дочку, и мы пошли погулять в парке. Вернулись мы только к ужину, после которого я тут же уложила ее в постель.

Вскоре после ужина я забралась в постель подавленная, обиженная и даже со слезами, взяв с собой «Очарование женственности». Мне нужно почитать о детской непосредственности и дерзости, решила я. Я не имела ни малейшего представления, как проявить детскую самоуверенную дерзость, и потом у меня не было никаких кудрей, которыми я могла бы встряхнуть. Итак, я сидела в постели, разговаривала сама с собой, пытаясь отрепетировать то, что я намеревалась сказать, и изображая детскую дерзость и непосредственность. Я так увлеклась, что совершенно забыла об обиде и стала смеяться над собой.

Когда муж пришел в спальню, я неожиданно для себя подскочила на постели и с надутыми губами, смело и не задумываясь, сказала: «Надеюсь, что ты сполна насладился тишиной и покоем, потому что я чувствовала себя просто ужасно». Он так удивился моим словам и позе, что взял подушку и бросил ею в меня. Я бросила ее обратно, и мы оба рассмеялись. Он сказал мне, что повел себя неправильно и что в следующие же выходные поведет дочку в парк, чтобы я могла отдохнуть. Без советов «Очарования женственности» боюсь, наша ссора не закончилась бы так мирно и радостно. Благодаря детской манере наш конфликт завершился благополучно.

Письмо от девочки

Мне десять лет, и я учусь в шестом классе. У моей мамы есть книга «Очарование женственности». Однажды около двух месяцев тому назад моя мама попросила меня отнести эту книгу нашей учительнице. Правда, ее муж умер шесть лет назад. Но она с удовольствием прочитала ее. В классе она читать ее не могла, потому что ей пришлось воевать с некоторыми мальчиками, которые прогуляли предыдущие занятия.

Я сказала, что она может взять книгу домой. На следующий день она пришла в школу в красивом и очень женственном платье. Она сказала: «Это великолепная книга. Если бы все женщины прочитали ее, разводов стало бы намного меньше. Можно я подержу ее еще немного?» Я разрешила. Теперь, когда она начинает сердиться, она ведет себя просто как ребенок и говорит очень тихим голосом. Спасибо «Очарованию женственности» за все.

Мой большой и волосатый зверь

Мой брак, как у многих, представлял собой череду коротких перемирий. Мы старались, как лучше, но получалось, как всегда, то есть, плохо. Мой муж никогда не носил обручального кольца и проводил со мной и нашими двумя детьми мало времени. Он ясно дал понять, что я ему вообще не нужна. Его отец постоянно кричал на жену и даже бил ее, поэтому мой муж решил действовать иначе. Он редко разговаривал со мной и никогда не прикасался ко мне.

Осенью прошлого года, ровно через полгода после покупки нового дома, мужа перевели на работу за две тысячи миль. Мы с детьми остались, чтобы продать дом. А муж поехал покупать новый дом. Мне предстояло жить в том, что решит купить *он*. Никто не собирался спрашивать моего мнения.

Однажды я стала изливать свое обиженное сердце подруге, рассказывая ей, что я решила сделать. Не могу передать, сколько раз она мне говорила, что «этого делать нельзя» и «делать надо совсем не так». Я просто рассвирепела по поводу ее слов, но она неуклонно апеллировала к «Очарованию женственности». Наконец, я назвала ее фанатичкой и одержимой «Очарованием женственности».

Мой муж на выходные прилетал домой. Всю неделю я планировала встречу с ним. Хорошо, что воскресным вечером он улетал обратно, потому что меня хватало ровно на два дня. Ровно два дня я могла делать вид, что все нормально и все меня устраивает. Но после прочтения «Очарования женственности» я приехала в аэропорт рано, чтобы встретить мужа, как положено. Оставив машину на парковке, я присоединилась к встречающим (раньше я ждала его на выходе из аэропорта). Я оделась во все самое женственное. Когда я увидела его, я побежала ему навстречу, обняла его и сказала, что рада его приезду и что очень скучала без него. Люди вокруг смотрели на нас во все глаза. Можно было подумать, что это военнопленный, который после года отсутствия наконец возвращается домой. Его всегда раздражало проявление эмоций даже наедине, и он называл проявление чувств отвратительным. Но теперь он ничего не сказал, но было видно, что он тронут. В машине я сидела, тесно прижавшись к нему, крепко закрыв рот, а моя рука слегка прикасалась к его руке. Всю дорогу я его ела глазами. Он был ошеломлен моим поведением.

Но это было только начало. Три недели спустя он предложил мне оставить детей с моей мамой и приехать к нему на неделю, чтобы выбрать дом из того, что он присмотрел. В той поездке я выразила восхищение красотой ландшафта в той местности, старалась замечать в муже только хорошее и радовалась от всей души. Я была само понимание. Но кульминационный момент нашей встречи произошел однажды вечером после того, как мы решили строиться. Мы остановились в доме его друга-холостяка.

Я мыла посуду, а муж показывал другу, который очень хотел жениться, план строительства нашего дома. Муж вдруг стал говорить снова и снова примерно следующее: «Так ты надумал жениться, Боб. Даже не знаю, что тебе сказать на это. Иногда жена может стать такой головной болью…» Сначала я воспринимала его слова как шутку, но вскоре это перестало звучать забавно.

Стоя над раковиной, я подумала: «Если он еще раз такое скажет, я ему отвечу». Но потом я подумала: «А что я читала в своей книге про гнев?» И я решила попробовать. Я повернулась, топнула ногой и сказала: «Ах, ты большой и волосатый зверь! Я больше никогда любить тебя не буду» — и вышла из комнаты, на выходе повернувшись и посмотрев на него через плечо с едва заметной улыбкой. Не думаю, что он видел мою улыбку. У него рот расплылся от уха до уха. «Ты слышал, как она меня назвала? — спросил он своего приятеля. — Ты слышал?»

Я вошла в спальню и подумала: «Хорошо, но что теперь?» Муж за все восемь лет нашей совместной жизни ни разу не извинился за бестактность или грубость. Но не прошло и минуты, как он вошел в спальню, сел рядом со мной на кровати и сказал: «Прости, я не хотел обидеть тебя. Ты меня прощаешь?» В это мгновение я готова была простить ему что угодно.

Примерно пару месяцев спустя я получила от мужа первую открытку на свой день рождения. Это была особенная открытка, и не только потому, что он помнил о моем дне рождения и дату вспомнил правильно, но и потому, что на открытке был изображен смешной волосатый зверек с чемоданом в руке. На открытке было написано: «С днем рождения с любовью. Твой волосатый зверь». Как видите, он специально искал и нашел такую открытку.

С тех пор прошло пять лет. Это были лучшие пять лет моей жизни. Я могла бы многое рассказать, но одно свидетельство превосходит все остальные. В январе у нас родился третий ребенок. У меня начались преждевременные роды, и мой чудесный муж, который абсолютно не выносит боли и страданий, не отходил от меня ни на одну минуту. Когда я выписывалась из роддома, все нянечки сказали, что они считают моего мужа самым любящим, самым нежным и романтичным мужем из всех, кого они видели! Он действительно стал таким!

Наш брак совершенным назвать нельзя. По-прежнему бывают случаи, когда он причиняет мне боль. Нам еще предстоит пройти долгий путь, но я знаю, что он станет совершенным, когда совершенной буду я. Молюсь о том, чтобы каждая женщина могла прочитать и принять «Очарование женственности».

Как выразить гнев в непосредственной детской манере

1. Формируйте характер таким образом, чтобы избавиться от таких негативных черт, как ненависть, горечь, язвительность или чувство отверженности.
2. Используйте детские манеры, в которых проявляется беззащитная непосредственность.
3. Произносите в адрес мужа определения, которые стали бы комплиментом его мужским качествам.
4. Преувеличивайте его негативное к вам отношение.

Задание

1. Составьте список прилагательных, которые звучали бы комплиментом его мужским качествам.

2. Придумайте выражения преувеличения на случай, когда вам нужно будет разыграть гнев по-детски.

Глава 25

«Детская» реакция

*Когда мужчина находится в сердитом, угрюмом,
раздраженном или мрачном расположении духа.*

В браке существует два варианта проявления гнева. Во-первых, когда вы сердитесь на мужа. Во-вторых, когда он сердится на вас. Всегда различайте эти две ситуации и не путайте одну с другой. *Когда вы сердитесь на мужа,* реагируйте так, как мы советовали вам в предыдущей главе. *Когда он сердится на вас,* ведите себя несколько иначе.

Мягкий вариант

Женщины могут придумать множество вариантов ответа, чтобы отреагировать на гнев или раздражение мужа. Когда в истории о Мэри Поппинс Джордж Бэнкс рассердился, его жена мягко сказала ему: «Твоя проблема, Джордж, в том, что ты не в духе». В раннем христианском гимне есть такие слова: «Ты можешь сказать мягкое слово сердцу, в котором поселился гнев». Кроткий ответ отвращает гнев, и, кроме того, его можно назвать женственной и ангельской реакцией на обидное слово.

Детская реакция

Есть еще один вариант реакции в ситуации, когда муж сердит, раздражен или мрачен. Это детская реакция. В основном методика поведения такова: 1) Преувеличивайте негативизм его поведения словами или манерой поведения. 2) Отвлеките его внимание на посторонний предмет. 3) Перемените тему разговора. 4) Проявите покорность в детской, безоговорочной манере.

5) Проявите игривость в сочетании с детским, уверенным в себе озорством. Например:

1. *Мой повелитель.* Один из моих племянников часто испытывает приступы раздражения и недовольства. Его маленькая дочка научилась укрощать его гнев, в результате чего она заставляет его удовлетворить ее прихоти. Например, когда он начинает сердиться на нее, она берет его лицо в свои ладошки, заглядывает ему в глаза и говорит: «Наш повелитель, наш восхитительный и царственный повелитель». Такое озорное и по-детски непосредственное проявление нежности полностью обезоруживает его, и он тает от умиления.

2. *Цветы.* Когда мой дядя сердится на жену, она меняет тему разговора и говорит: «Ты видел недавно высаженные перед церковью цветы?» Она всегда говорит одну и ту же фразу, и это выглядит так забавно, что он начинает смеяться и забывает, что вызвало его недовольство.

3. *Бэбби.* Один из самых удачных и по-детски непосредственных вариантов ответа на гнев мужчины можно найти в книге «The Little Minister» («Маленький священник») сэра Джеймса Бэрри. Это большой отрывок, но в нем столько проявлений детской непосредственности и веселого озорства, что он послужит прекрасной иллюстрацией к обсуждаемой нами методике.

Бэбби

Бэбби уговорила священника вместе с ней пройти через строй солдат, сделав вид, что они муж и жена. Гэвин был в ярости.

— Это было прекрасно, — воскликнула она, радостно хлопая в ладоши.

— Это было чудовищно, — ответил он, — и тем более для меня, священника.

Услышав его выговор, Бэбби изменила выражение лица, и теперь оно было по-детски наивным и игривым.

— Пожалуйста, простите меня, — сказала она так, словно ее уличили в краже варенья. Капюшон упал с ее головы, и она умоляюще посмотрела на него. Казалось, теперь она полностью находится в его руках…

— Я не понимаю тебя, — торопливо проговорил Гэвин, — всего несколько часов назад ты была цыганкой в фантастическом одеянии… а теперь ты накидываешь плащ на плечи и становишься прекрасной дамой. Кто ты на самом деле?

Бэбби ответила озорной улыбкой:

— Вероятно, плащ просто заколдовал меня. — Она легким движением плеча скинула его с себя:

— Ой, — произнесла она с напускным изумлением, — это действительно всего лишь плащ, ибо теперь я снова все та же бедная, безграмотная, маленькая девушка. Боже мой, но одежда действительно меняет женщин.

Девушка явно играла, и священник с достоинством вышел вон, однако, он был очарован.

Гэвин с ужасом смотрел на дикие цыганские выходки Бэбби. Когда он встретил ее на старой мельнице, чтобы получить от нее деньги для Нэнни, он намеревался отчитать ее. До ее прихода он вслух повторял то, что хотел ей высказать: «Как ты посмела околдовать меня? В твоем присутствии я швыряю на ветер драгоценные часы субботнего дня и даже забываю про субботу… Я недостойный проповедник Слова… Тем не менее, я призываю тебя, прежде чем мы расстанемся, чтобы никогда более не встретиться, покайся в своих…», и вдруг он услышал пение Бэбби с елки.

— Ты где? — вскричал в изумлении Гэвин.

— Я наблюдаю за вами из высокого окошка, — ответила цыганка, после чего священник, взглянув вверх, увидел ее сидящей на елке.

— Как ты туда залезла? — спросил он в полном изумлении.

— На своей метле, — ответила Бэбби и снова запела.

— Но что ты там делаешь? — спросил Гэвин, закипая гневом.

— Это мой дом, — ответила она, — я же говорила вам, что живу на дереве.

— Немедленно спускайся, — приказал Гэвин, на что девушка ответила продолжением шотландской баллады.

В следующее мгновение в его шляпу попал снежок.

— Это за то, что вы так сердитесь, — объяснила девушка. — Почему вы сегодня такой несносный? А кстати, вы знаете, что вы разговариваете сами с собой?

— Ты ошибаешься, — ответил Гэвин сурово. — Я разговаривал с тобой, или, скорее, я говорил себе то, что...

— Что вы хотели сказать мне? — радостно подхватила цыганка.

— Так вы предпочитаете читать проповеди вместо обычных разговоров? А я-то надеялась, что вы приготовили для меня нечто приятное. Если это что-нибудь очень приятное, я подарю вам этот пучок еловых веток.

— Не думаю, что мои слова покажутся тебе приятными, — медленно сказал священник, — но мой долг...

— Ах, так это долг, — перебила его Бэбби, — не говорите о долге. Не надо, и тогда я подарю вам вот эти ягоды.

Она вынула из складок своего платья ягоды, сияя торжествующей улыбкой, словно только что обнаружила способ избежать исполнения долга; и Гэвин, вместо того чтобы указать на нее обличающим перстом, стоял в немом ожидании.

— О нет, — сказал он, вдруг вспомнив свой сан и отталкивая девушку от себя, — не пытайся дать мне взятку. Должен тебе сказать...

— Ну вот, — сказала цыганка печально. — Я вижу, вы опять сердитесь на меня. Это потому что я сказала, что живу на дереве? Пожалуйста, простите меня за эту ужасающую ложь.

Она встала перед ним на колени прежде, чем он смог остановить ее, глядя на него умоляющими глазами, сложив перед собой ладони.

— Ты опять издеваешься надо мной, — сказал Гэвин, — но я не сержусь на тебя. Но только ты должна понять...

Она вскочила на ноги и заткнула пальцами уши:

— Видите, я ничего не слышу.

— Послушай, что я скажу тебе, — продолжал Гэвин.

— Я не слышу ни слова. Почему вы ругаете меня, когда я сдержала свое слово? Если бы я посмела отнять руки от ушей, я бы отдала вам деньги для Нэнни. И, мистер Дишарт, через пять минут мне надо идти.

— Через пять минут, — эхом отозвался Гэвин с таким мрачным выражением лица, что Бэбби услышала его слова даже с заткнутыми ушами и опустила руки.

— Почему ты так торопишься? — спросил он, механически взяв деньги и забыв все, что он хотел ей сказать.

— Потому что меня ждут дома, — ответила она, с наивным выражением лица взглянув на ель…

— Хотите узнать все обо мне? — спросила она. — А вы действительно думаете, что я цыганка?

Она встала спиной к нему, чтобы посмотреть, кто из них выше.

— Давайте померяемся ростом, — сказала она сладким голосом, вставая спиной к его спине. — Вы не стоите на цыпочках, нет?

Не стоило этого говорить Гэвину, потому что он болезненно относился к своему небольшому росту, но ее слова прозвучали так по-детски. Когда она увидела, что он обиделся, ей стало стыдно за себя, и она быстро переменила тему.

Затем, когда она собралась уходить, она сказала:

— Я знаю, что вас тревожит. Вы ждете, когда я спрошу, какого цвета у меня глаза, и вы опять про это забыли.

Он хотел ответить, но она опередила его:

— Не притворяйтесь, — сказала она строго, — я знаю, что вам мои глаза кажутся голубыми.

Она приблизила к нему свое лицо так близко, что они почти соприкасались.

— Посмотрите мне в глаза, — сказала она торжественно, — после этого вы запомните, что они черные, черные, черные.

При каждом повторении этого слова она трясла головой перед его лицом. Она была восхитительна. Он был очарован. Он готов был обнять ее, но она убежала.

Обратите внимание, что Бэбби вовсе не реагировала на гнев Гэвина проявлением обиды или ответным испорченным настро-

ением. Она не пыталась поправлять его, сделать замечание или
ответить тем же. Напротив, игриво и даже шаловливо она от-
влекала его внимание, стараясь, чтобы он забыл о своем настрое.
Она пела шотландскую балладу, говорила, что живет на дереве,
предлагала ему елочные ветви и занимала его цветом своих глаз.
Или, стоя на коленях со сложенными руками, она полагалась на
его милость и просила прощения. Она заткнула уши руками,
чтобы не слышать его. Все это взято из детского репертуара и
выглядит игриво и озорно.

И Гэвин, за которым все его прихожане наблюдали с момента его пробуждения и до времени отхода ко сну, и который делал все, чтобы противиться своим пробуждающимся чувствам к
ней, посчитал ее обворожительной. Он посчитал ее необходимой
для своего счастья, так что рискнул ради нее своей карьерой священника, служением, для достижения которого он пожертвовал
многими годами. Бэбби не была совершенством. Она совершала
ошибки. Но она являет собой превосходный пример женственного характера и детской непосредственности.

Глава 26

Другие виды детской реакции

Научитесь просить

Есть ли что-то, что вы хотели бы получить в течение долгого времени, но до сих пор не имеете? Подумайте. Может быть, что-то незамысловатое, например, дополнительная полка в чулане или новая посуда, или шелковое платье. Может, вы хотели съездить в гости к подруге, которая живет в другом городе, начать обучаться игре на музыкальном инструменте или вступить в интересный женский клуб. Я не имею в виду эгоистические капризы, но только вещи, которые вы заслужили и которые муж может вам позволить, может быть, принеся небольшую жертву со своей стороны. Может, вы просили его об этом, а он не воспринял вашу просьбу всерьез. Или же он обещал сделать, но никак не возьмется и находит оправдания неисполнению вашей просьбы. Или просто не хочет этого делать. Тогда, возможно, вы просили не так. Вот обычные варианты просьб, которые, как правило, обречены на неуспех.

Обычные варианты просьб

1. *Намеки.* Когда вы намекаете на свое желание, реагирует ли на это ваш муж? Или он игнорирует вашу просьбу и забывает о ней? Если так, вы можете интерпретировать его реакцию как отсутствие его любви к вам. Может, вы говорите самой себе: «Если бы он действительно любил меня, он бы помнил о таких вещах». Но пренебрегает ли он вашими просьбами потому, что недостаточно любит вас? Не всегда. Чаще всего он слишком занят собственными проблемами. Или он может расценить ваши намеки

как женский каприз. Какой бы ни была причина его невнимательного отношения к вашим просьбам, этот метод обычно обречен на провал.

2. *Предложение в виде совета.* Вы можете сказать мужу: «Давай этим летом поедем на озера, и здорово было бы в гостиной поставить книжный шкаф». Такого рода предложения вполне приемлемы, если вы сами не знаете, чего хотите, и ищете его совета. Но если вы уверены в своем желании, такой метод не предполагает положительного ответа, если, конечно, он уже не решил сделать это сам. Такое предложение, скорее всего, повлечет противоположный ответ.

3. *Попытка убедить его.* Вы можете придумывать самые разные доводы, чтобы обосновать свою просьбу. Затем вы можете прийти к мужу со своими аргументами, пытаясь убедить его при помощи своих рассуждений. Иногда этот метод помогает, но чаще всего он вызовет противоположную реакцию. Муж в ответ представит вам доводы, которые обоснуют неприемлемость вашего предложения. Кроме того, вы в такой ситуации выступаете как человек, *на равных принимающий решения,* вынуждая его сказать «нет» только для того, чтобы все знали, *кто здесь главный.* Может быть, он с удовольствием ответил бы положительно на вашу просьбу, но автоматически он скажет «нет», чтобы сохранить свою позицию вожака в стае.

4. *Требование.* Вы можете прийти в отчаяние, пытаясь получить желаемое, и поэтому перейдете в наступление. Если муж почувствует давление, он может дать положительный ответ, но это будет шаг, на который вы его вынудили. Или же он может категорически отказать вам. Это приведет к спорам и ссорам, и если он одержит в них победу, в проигрыше останетесь только вы. Такой вариант может положить начало серьезным разногласиям. Ваше требовательное отношение не заставит его *захотеть* сделать что-то для вас.

Если вам трудно убедить в чем-то мужа, вы можете просто сдаться и прекратить просить его. Вы можете обойтись без его помощи, не желая сталкиваться с препятствиями и не пытаясь заставить его что-то сделать. Все дело в том, что если вы перестанете обращаться к нему с просьбами о том, что для вас важно, вы начнете испытывать глубокую обиду, с которой справиться будет трудно. Вы будете помнить, что он несправедлив по отношению к вам, что он отвергает самые простые просьбы, когда вы для него сделали так много.

Не сдавайтесь. Смысл взаимоотношений между мужчинами и женщинами состоит в удовлетворении нужд и желаний друг друга. Если он любит вас, он должен что-то сделать для вас. Вместо того чтобы перестать просить его о чем-то, научитесь просить правильно, чтобы у него возникло желание выполнить ваши просьбы. Вот методы, которые предлагаем мы.

Научитесь просить с детской непосредственностью

Здесь мы тоже переймем детскую манеру, с которой подходят к нам наши дети. Как они получают то, что хотят получить? Они просто *просят* в доверительной манере. Они не пытаются обосновать или объяснить свою просьбу, они не пытаются убедить нас. Когда маленькая девочка хочет чего-то, она подходит к родителям с доверием, уважая их право ответить отрицательно или положительно. Она скажет: «Пожалуйста, можно мне…» или «Мамочка, пожалуйста», или «Мне это так нужно». Сердце почти каждого родителя в ответ на такую доверительную просьбу ответит «да».

Когда вы просите в доверительной, детской манере, вы тем самым показываете свое уважение к его главенствующей роли в семье. Когда он видит ваше уважение к его статусу, вашу зависимость в том, что вы можете получить от него, он сделает все возможное, чтобы удовлетворить вашу просьбу. Он даже будет рад возможности сделать это. *Мужчины испокон веков готовы были на все, чтобы выполнить женские капризы.* Я не предлагаю капризничать, но советую просить то, что вам нужно, чего вы хотите и что важно для вашего благополучия. Ваш муж будет любить вас еще больше, и у вас сформируется благодарное к нему отношение, когда он начнет с радостью выполнять ваши просьбы.

Чего не нужно просить

Существуют вещи, которые просить не следует. Не просите того, что отвечает вашим эгоистичным наклонностям или чего он позволить себе не может. Не просите также того, что заставит его пренебречь своим долгом или важными обязательствами. Не просите того, что противоречит его убеждениям и принципам. Не просите ничего, что станет для него тяжелым бременем или всерьез обеспокоит его. И возьмите себе за правило, не требуйте, чтобы он доказывал вам свою любовь, нежность или привязанность. Может быть, и есть мужчины, которым это понравится, но большая их часть не любит подобной агрессивности в женщинах. Эти чувства следует *разбудить*. Они ценны только тогда, когда выражаются добровольно, а не по принуждению.

Когда просить не надо

Вы не можете просить, если сами не выполняете полностью обязанности жены. Если вы пренебрегаете обязанностями домохозяйки, приготовлением еды, если не обращаете должного внимания на свою внешность и интимный аспект жизни, лучше не просить его ни о чем особенном, пока вы сами не измените своего отношения к семейной жизни.

Жертвенная жена

Может быть, вы обходитесь без нужных вам вещей, потому что считаете жертву благородным делом? Может быть, в течение долгих лет вы хотели получить что-то, но каждый раз, когда вы вспоминаете об этом, вы подавляете желание просить, чтобы сэкономить деньги для мужа и детей. Все это действительно кажется благородным, но для брака такие «жертвы» не полезны.

Когда в семье случаются непредвиденные обстоятельства, муж высоко оценит вашу готовность отказаться от удовлетворения личных нужд, чтобы разрешить возникшие проблемы. Но если никаких чрезвычайных обстоятельств нет, он никак не оценит вашу жертву. Помните, вы его королева, и вы заслуживаете самого лучшего из того, что он может вам дать. Он не желает, чтобы вы ставили удобства и комфорт всей семьи превыше ваших насущных и важных потребностей.

И еще одно. Когда вы чрезмерно жертвуете, вы лишаете вашего мужа возможности послужить вам, а значит, и возможности проявить больше любви. Мы любим тех, кому служим. Ради благополучия брака и ваших взаимоотношений с мужем обязательно нужно сделать так, чтобы он что-то делал для вас. Однако вам *нужно просить*. Мужчина *не умеет* читать мысли на расстоянии.

Ожидание просимого

Это еще один метод прошения, и хотя он не относится к детскому арсеналу, он тоже в некоторых случаях эффективен. Иллюстрацией может послужить случай из жизни Авраама Линкольна. Родители Авраама, Том и Нэнси Линкольн, многие годы жили с детьми в маленькой хижине с земляным полом. Том был достаточно ленивым и нерадивым хозяином, поэтому никак не мог собраться и сделать деревянный пол, и Нэнси не представляла, как заставить его взяться за это дело.

Потом Нэнси умерла, и Том женился на Саре. Сара была прекрасным человеком и существенно отличалась от Нэнси. Когда Том привез ее в свою хижину, в ее повозке была прекрасная мебель и домашние принадлежности. Она бросила взгляд на земляной пол и сказала: «О Боже, Том, я даже не подумаю поставить мои прекрасные вещи на такой грязный пол. Я просто оставлю их в повозке, а завтра ты сделаешь мне деревянные полы».

Том Линкольн действительно сделал ей деревянные полы на следующий же день. Как печально подумать, что Нэнси все свои годы прожила в хижине с земляным полом, потому что не умела найти достойную мотивацию, которая заставила бы ее мужа действовать. Обратите внимание, Сара не сердилась и не упрекала мужа, но поставила совершенно *четкую* задачу и определила *конкретный срок* ее выполнения. Мебель стояла на улице, а потому ее просьба была срочной. Когда вы столкнетесь с подобной срочностью, ваш муж тоже быстро отреагирует на такой метод.

Детская радость

Наблюдая за проявлением радости у маленьких детей, обратите внимание на тот факт, что им очень мало нужно для счастья. Они радуются, когда им удается поймать солнечный лучик, ликуют, когда плещутся в тазике с водой или ходят босиком под теплым летним дождем. Они радуются, когда топают по лужам, подбирают гальку, гладят щенка или едят мороженое.

Женщина, способная находить радость в простых вещах, способна очаровать мужчину. Редкие женщины искренне радуются летнему дню, закату солнца, первым весенним цветам или полной луне; они радуются, спускаясь вниз, к заливу, чтобы подышать соленым морским воздухом, понаблюдать за кораблями и за тем, как волны разбиваются о пирс.

Вернемся к теме радости маленьких детей. Что они делают, когда получают неожиданные подарки или долгожданную награду? Их глаза горят от волнения, они хлопают в ладоши и подпрыгивают. В этот момент они склонны к преувеличениям, говоря: «Это самый лучший подарок во всем мире». Когда родители видят такую неподдельную радость, они готовы повторить еще и еще доказательства своей благосклонности.

Когда мужчина дарит жене подарок или делает для нее что-то особенное, он высоко оценит ее радостную реакцию. Мужчины обычно балуют и потакают женам, которые с радостным волнением реагируют на каждую мелочь, которую для нее делает муж. С другой стороны, женщины, отвечающие дежурным «спасибо» или «ах, как мило», или «какой ты внимательный», ничего не делают, чтобы побудить мужа к проявлению щедрости. Более того, некоторые женщины принимают проявления внимательности со стороны мужей так, словно те *выполняют свой священный долг*.

Конечно, детская непосредственность не всегда к месту. Когда мужчина дарит жене нечто очень ценное или дорогое или делает то, что от него потребовало значительной жертвы, детского изъявления радости может быть недостаточно. Мужчина в таком случае оценит, скорее, глубокое выражение признательности, проявление любви и даже слезы радости.

Проблема с подарками

1. *Невнимательность мужа.* Если ваш муж игнорирует или забывает ваши дни рождения и это вам не нравится, сделайте следующее. Во-первых, задайте себе вопрос, а не виноваты ли в этом вы сами. Когда в прошлом он вам что-нибудь дарил, сумели ли вы показать свою признательность и благодарность? Или, может быть, вы сделали какое-то негативное замечание. Если это так, тогда именно случай из прошлого объясняет его нежелание дарить вам что-нибудь.

Если вам не в чем винить себя, попробуйте его понять. Мужчины вообще известны своей небрежностью к теме подарков. Они никогда не знают, чего женщина хочет, и склонны недолюбливать ситуации, которые обязывают их дарить что-то. Некоторые мужчины предпочитают покупать то, что им кажется нужным, тогда, когда они считают это нужным, а не в то время, когда того требуют традиции. Поэтому особенно не беспокойтесь относительно такого отношения мужа к подаркам и не объясняйте это отсутствием любви.

Если вы не можете обойтись без соблюдения приличий в этом вопросе, то в следующий свой день рождения помогите ему сделать вам подарок. Вы можете сказать, например, следующее: «Есть нечто, что я очень хотела бы получить». Но вы должны быть уверены, что этот подарок он легко найдет и его финансовое состояние позволит ему купить его. Или скажите так: «Я знаю, тебе всегда было трудно выбрать мне подарок на день рождения. Хочешь, я пойду вместе с тобой и ты выберешь его при мне?»

Если вам это удобно, так и сделайте. Правда, тогда вы лишаете его радости дарения, а себя — радости получения подарка. Когда вы являетесь зачинателем и инициатором, то подарок теряет свою ценность. Лучше применять все принципы «Очарования женственности» и таким образом подсказать ему, как сделать неожиданный и спонтанный сюрприз.

2. *Когда подарок вам не нравится.* Никогда не совершайте бестактность, а именно, не показывайте своего разочарования и не критикуйте его подарок. С другой стороны, не нужно неискренности, а потому не надо делать вид, что вам очень нравится подарок, если на самом деле он вам не нравится. Вы должны оценить не подарок, но *самого дарителя* или *факт дарения.* Поблагодарите его за заботу и внимательность. Сам подарок не имеет особо большого значения по сравнению с щедростью дарителя.

Но не возвращайте подарка, не пытайтесь обменять его, если только это не тот размер одежды, и не откладывайте его в сторону, решив вообще не пользоваться им. Каким бы ни был подарок, используйте его хотя бы какое-то время.

3. *Когда он не в состоянии делать подарки.* Если у мужа есть привычка дарить подарки, которые он позволить себе не может, не делайте критических замечаний, говоря, что следовало бы поступать более разумно. Вместо этого предложите ему подарить вам что-нибудь недорогое, но для вас важное. Объясните, что вы цените не только дорогие вещи, но можете оценить и вещи, которые стоят не так дорого.

Детская доверчивость

Дети относятся к родителям с безоговорочной детской доверчивостью, будучи уверены в том, что родители в сердце своем желают для них самого лучшего и всегда о них позаботятся. Точно такое же доверие вы оказываете мужчине, когда верите, что он сможет позаботиться о вас, сможет руководить семьей и у него есть все способности и таланты, для этого необходимые. Вы проявляете отсутствие доверия, когда сомневаетесь в его способностях позаботиться о семье.

Вам не следует, например, говорить мужу, что делать и как делать. Ничто так не раздражает мужчину, чем указания и повеления жены в областях, где он, по предположению, знает намного больше, чем она. Помню, однажды мы оказались в компании одной супружеской пары, которая показывала нам город, в котором они жили. Жена сидела рядом с мужем и постоянно говорила ему, где повернуть и в какую сторону ехать. Когда мужчина ведет машину, никогда не совершайте эту ошибку и не говорите ему, куда ехать, если только он сам не спросит. Пусть он лучше допустит ошибку и ему придется возвратиться, чем вы выразите сомнение в его способности судить самому. Особенно раздражает мужчин этот диктат в разрешении обычных житейских вопросов.

Вы показываете отсутствие доверия к мужу, когда проявляете сомнение в его способности разрешить свои проблемы, например, в сфере финансовых вопросов или достижения желанной цели. Не давайте ему слишком много советов о том, как преуспеть в том или ином деле. Лучше вовсе отвернуться от проблемы и проявить детское доверие в том, что так или иначе он добьется успеха. Однако, с другой стороны, пусть он не подумает, что вы считаете его путь к успеху легким, так что помогите ему почувствовать в себе достаточно сил для победы.

Когда вы доверяете мужу, не ждите от него совершенства. Конечно, не все, что он делает, будет правильно. Но вы доверяете не столько последствиям его действий, сколько *намерениям его сердца*. Постарайтесь поверить, что он все делает из лучших побуждений, что он поступает в соответствии со своими лучшими планами и намерен позаботиться о вас. Скорее всего, у него лучше получится с этим, чем у вас.

Вы можете спросить, как можно доверять человеку, который совершает глупые ошибки? Ответить на этот вопрос действительно нелегко, но вы вспомните, мы все совершаем ошибки, из которых извлекаем ценные уроки. Ошибки прошлого совершенствуют нашу способность оценивать ситуации в будущем. Но даже человек, научившийся хорошо оценивать обстановку, совершит еще немало ошибок. Это реальность земной жизни для каждого из нас. Но идите вперед с детской доверчивостью, с готовностью, рискуя временем, удобствами и чувством безопасности ради достижения достойной цели. Именно так достигаются величайшие цели в истории человечества.

Но чего можно достичь с помощью доверия? Когда вы проявляете к человеку доверие, вы побуждаете его жить в соответствии с вашим упованием, которое вы возлагаете на него. Ничто так не вдохновляет мужчину на действия, как доверие к нему других людей.

Искренность

Еще один способ проявления детских чувств — искренность. Это совсем не значит, что не следует *сдерживать язык* или говорить слишком откровенно, мало задумываясь о чувствах других людей, что взрослые часто допускают. Но в разговоре будьте прямолинейными, а не скользкими. Не ходите вокруг да около, не оправдывайтесь и постарайтесь говорить по существу.

Маленькая девочка, живущая с добрыми и любящими родителями, которых она не боится, скорее всего, будет честной и искренней в своем поведении. Например, если вы спросите ее, хочет ли она навестить соседку, а ребенок туда идти не хочет, она не станет искать оправданий и не предложит отложить визит на следующий раз. Она просто скажет: «Не хочу». Это и есть детская искренность.

Если вы спросите ее, почему она не убрала игрушки, когда ей было велено, она не станет долго и утомительно объяснять причину своего непослушания. Она скажет: «Я забыла». Это по-детски. Но если ребенок хотя бы немного боится родителей, он начнет лгать или сваливать вину на кого-нибудь другого. А ребенок, которому нечего бояться, будет говорить искренне. Мужчина ценит в женщине именно такую реакцию.

Если вы вместе с мужем пошли в магазин за такими покупками, как мебель, одежда, или если вы решили купить дом, и он предлагает купить то, что вам не нравится, не оправдывайте долго и многословно свое нежелание согласиться с его выбором. Будьте честны и откровенны и скажите: «Дорогой, мне это просто не нравится». Такой ответ не только прояснит ситуацию, муж, скорее всего, оценит его и не почувствует себя обиженным. Конечно, очень важно угодить мужу, особенно в таких крупных и важных приобретениях, но не за ваш счет. Важно угодить вам обоим.

Я знаю одну женщину, которая обладает этим обворожительным даром искренности. Однажды, я помню, ее муж вместе с несколькими мужчинами объявил о своем решении плыть на плотах вниз по реке Колорадо. Эта женщина, посчитав путешествие сумасбродным, особенно если учесть, что ей пришлось бы ехать без вещей, которые она считала необходимыми, сказала детским тоном: «А как же я? Мне обязательно нужны новые трикотажные платья и несколько пар туфелек на очень-очень высоких каблуках!»

Ее муж посмотрел на нее с удивленным выражением лица. Это намного лучше, чем если бы она стала жаловаться и обвинять его в эгоизме, или, что еще хуже, совсем ничего не сказала бы, затаив обиду. Но, пожалуйста, учтите: в каких-то случаях вам придется поддержать планы мужа со всей серьезностью и волнением. Это зависит от ситуации. В данном случае та поездка была им не по карману, и ее по-детски искренне сказанные слова вернули всех к реальности и помогли им не допустить ошибку.

Переменчивость

Женщина намного интереснее, когда время от времени меняется, то есть когда она может быть разной. Чарльз Рид в книге «The Cloister and the Hearth» («Монастырь и домашний очаг») сказал: «Девушкам нравится быть поочередно робкими и застенчивыми, нежными и озорными». Ваша личность в таких переменах воспринимается как разносторонняя, вы выглядите таинственной, а потому более интересной, особенно в глазах мужчин. Вы будете более очаровательной, если вы непредсказуемы, то есть если мужчина не сможет вычислить заранее ваше настроение или реакцию в какой-либо ситуации.

У маленьких детей постоянно меняется *эмоциональный* настрой. Обратите внимание, когда они чувствуют себя обиженными, они бегут к маме со слезами. Когда мама их приласкает и утешит поцелуем и нежным словом, они тут же начинают улыбаться, хотя слезы на щеках еще не высохли. Маленькие дети не таят в душе обиды, и именно поэтому их настрой так часто меняется.

Понаблюдайте за детьми, когда они слушают перед сном сказку. Их настроение меняется с каждым поворотом событий.

Когда непонятно, что станет с героем сказки, они переживают. Когда обстоятельства выглядят угрожающими, их беспокойство возрастает. Когда возникает настоящая опасность, они сильно волнуются. Когда все заканчивается хорошо, они испытывают сильный восторг и ликование.

Вечно молодые женщины

Женщины с живыми и энергичными манерами обладают жизнелюбием. Они ходят легкой походкой, с ними легко общаться, в них заметен острый и неиссякаемый интерес к жизни, они с энтузиазмом смотрят в будущее. Так действует юный дух. Такое отношение к жизни может сохраниться до старости. Недавно я разговаривала с женщиной, которая сказала: «Мне семьдесят четыре года, но я чувствую себя совсем молодой и даже, знаете ли, сообразительной». Эта молодость души зависит от характера и всегда делает женщину привлекательной.

Чтобы сохранить молодость души, откажитесь от солидности и степенности, особенно в походке. Есть женщины, которые наклоняют корпус вперед, опускают вниз подбородок и плечи, ходят, ставя носки ног врозь, раскачивая верхнюю часть тела. Это старческая походка. Чтобы выглядеть моложавой, делайте все наоборот. Также следите за тем, чтобы выражение вашего лица не было озабоченным, так как такое выражение отражает ваше постоянное беспокойство о будущем, хроническую усталость, которую можно воспринять как признак старости.

Моложавая внешность

Чтобы выглядеть молодо, старайтесь не вести себя, как матрона, и не носите старческой одежды. Избегайте всего, что вышло из моды — это прически, туфли и макияж, который был популярен лет десять или более назад. Женщины часто привыкают к стилю или моде своей молодости. Чтобы выглядеть молодо, отвыкните от этой привычки.

Чтобы не выглядеть солидно и важно, следите за весом и не допускайте даже пяти лишних килограммов. Нет ничего другого, что так быстро и так успешно разрушает моложавость, как расплывшаяся фигура. Практически невозможно выглядеть молодо ни в манерах, ни во внешности, если вы пополнели.

Чтобы подчеркнуть моложавость в одежде, ходите по магазинам молодежной одежды. Может быть, вы не купите там вещи, но получите представление о том, что сейчас носят. Молодежь предпочитает все ультрасовременное, причудливое и необычное. Однако вам не стоит бросаться в крайности, чтобы не выглядеть нелепо. А вот молодые женщины просто следят за последней модой. Собственно, для молодых людей естественно следить и следовать за модой. Пусть их стиль повлияет на вас хотя бы слегка.

Если вы хотите сотворить что-то сами в современном стиле, особенно если это касается домашних платьев, пойдите в магазин готового платья для маленьких девочек. Там вы увидите бантики и пуговицы, клеточку, шотландку, полоски, фартучки, цветочки и даже атлас, кружева и бархат. Вся эта одежда просто изумительна.

Помните также о прическе. Избегайте причесок, которые вы носили десять лет назад, потому что они давно устарели. Не нужно следовать крайностям, но просто учитывать тенденции современной моды в этом вопросе. Маленькие девочки носят ленты, бантики, береты и цветы в волосах. Они могут носить маленькие, забавные шляпки.

Если вы считаете, что взрослая женщина будет выглядеть нелепой в молодежной одежде, носите ее у себя дома, и пусть муж станет вам судьей. Может, он не захочет, чтобы вы появлялись в этом наряде на людях, но вполне вероятно, что он захочет видеть вас в этом дома или в неформальной обстановке.

Я надела детскую шляпку

Я получила письмо от женщины, которая не обращала особого внимания на тему детского поведения в жизни женщин, пока с ней не произошел следующий случай.

Это небольшое событие, но мой муж вспомнил шляпку, которую я надела восемь лет назад, когда отправилась вместе с ним на рыбалку. Он сказал, что я была похожа в этой шляпке на маленькую девочку. Я даже не думала, что он заметил, что у меня было на голове. Благодаря «Очарованию женственности» я поняла, что она ему понравилась именно потому, что выглядела по-детски.

Ребячество

Детские манеры не следует путать с ребячеством, которое можно назвать негативной характеристикой. Ребячество копирует недостатки детей, в то время как детская непосредственность предполагает копирование их положительных качеств. Ребячество в детях — это их эгоизм, отсутствие ответственности за свои действия и завышенные требования к другим людям. Взрослые люди, в поведении которых проявляется ребячество, раздражаются, когда им не удается все сделать по-своему, обвиняют других в неблагоприятных обстоятельствах, не могут признать свои ошибки и неудачи и предъявляют непомерные требования к окружающим.

Когда мы были детьми, мы требовали многого от родителей и думали, что они могут практически все. Но когда взрослые люди продолжают так же требовательно относиться к окружающим во взрослой жизни, они ведут себя несерьезно. Несерьезность во взрослой женщине — очень *непривлекательная* черта.

Заключение

Очень немногие из женщин согласны с идеей применения в своей жизни детской непосредственности. Они считают недопустимым для себя копировать поведение маленькой девочки. Они уверены, что благоразумные мужчины, которыми они восхищаются, будут в ужасе, а не в восторге от детского поведения своей жены. Однако вы можете убедиться в неотразимости детского поведения только на собственном опыте.

Но даже когда женщины соглашаются с привлекательностью детской непосредственности, многие из них ошибочно полагают, что для них такая игра немыслима. Но я уверяю вас, что любая женщина может сыграть ребенка, ибо эта способность заложена в женской природе. Это неотъемлемая часть любой женщины.

Помните, совсем недавно вы были маленькой девочкой, и эти черты характера были для вас делом естественным. Вы можете вернуть те манеры и очарование и сделать их частью своей личности.

Когда девочка становится взрослым человеком, она склонна утратить детские качества, особенно после замужества. Она считает, что теперь она взрослая, не понимая, что мужчины не хотят, чтобы женщины становились зрелыми и солидными людьми. Истинно привлекательные женщины никогда не перестают быть маленькими девочками независимо от возраста.

Качества детской непосредственности

1. Детский гнев (когда вы сердиты).
2. Детская реакция (когда сердятся на вас).
3. Просить, как просят дети.
4. Детская радость.
5. Детская доверчивость.
6. Искренность.
7. Быстрая смена настроения.
8. Молодая душа.
9. Молодая внешность.

Задание

1. Подумайте, что вы хотели бы получить, и попросите мужа об этом с детской непосредственностью.

2. Сделайте себе кокетливое домашнее платье в соответствии с молодежной модой.

Глава 27

Очарование женственности в применении к интимной жизни

Самое главное для радостной интимной жизни кроется в правильных и здоровых взаимоотношениях с мужем. Когда женщина начинает применять в жизни принципы «Очарования женственности», многие сексуальные проблемы разрешаются сами собой, и эта сфера жизни улучшается вместе с взаимоотношениями вообще.

В этой главе информация предназначена для следующей цели. Во-первых, установить нравственную подоплеку секса в соответствии с моральными требованиями Бога. Во-вторых, порекомендовать методы применения принципов «Очарования женственности» для того, чтобы интимная жизнь стала более радостной. В-третьих, сделать обзор обычных проблем в интимной сфере и указать способы их разрешения.

Нравственная основа секса

Следующий принцип можно назвать главным: *секс предназначен только для женатых пар*. Это установлено Божьим законом как в Ветхом, так и в Новом завете. Нарушение этих законов вызывает болезненные последствия, и не важно, знаете вы эти законы или нет. Чтобы сделать брак счастливым, а последующую жизнь успешной, придерживайтесь следующего принципа: *Никогда не вступайте в близкую связь ни с кем, кроме законного супруга*.

Вложите этот принцип в разум и сердца своих детей. Учите их чистоте взаимоотношений, чтобы они подошли к брачному ложу чистыми перед Богом. Относитесь к целомудрию как самой драгоценной добродетели. Помогите детям понять, что нарушение этих законов вызовет серьезные и даже трагические последствия, в то время как строгое их соблюдение принесет внутреннее умиротворение и благословения.

В качестве второго принципа помните, что следует содержать в чистоте сексуальную жизнь с мужем. Брачный контракт — это не дозволение творить зло. Не делайте того, что нельзя назвать чистым. Святой Дух подскажет вам, что можно делать, а чего нельзя. Прислушивайтесь к тихому голосу, который поможет вам отличить добро от зла.

Не открывайте свой разум для того, что побуждает вас к нечистому сексу, как, например, порнографические фильмы, очень откровенные спектакли, телевизионные шоу или журналы и другая литература. Не слушайте рок-музыку и другие виды музыки, которые приводят в сильное возбуждение. Учите детей этим предосторожностям. Не позволяйте ни мужу, ни другим людям вносить в ваш дом подобную скверну. В случае обнаружения — сожгите. Вы имеете полное право уничтожить в зародыше подобные явления, как и в случае нашествия на ваш дом тараканов.

Как сделать сексуальную жизнь радостной

Что такое радостная интимная жизнь? Говоря простыми словами, это близость, которая приносит глубокую радость обоим супругам и которая происходит так часто, как считают нужным оба супруга. Для этого помните следующее: женщины, как правило, менее сексуальны, чем мужчины. Поэтому удовлетворяющая обоих супругов интимная жизнь может означать необходимость настроя себя на соответствующий лад.

Как часто следует заниматься любовью

Сколько раз в неделю следует заниматься сексом? Статистика утверждает, что чаще всего супруги делают это от одного до пяти раз в неделю. Однако оба крайних варианта действительно являются крайностью. Все дело не в частоте близости, но в принятии решения в этом вопросе, который удовлетворил бы обоих.

Не нужно думать, что вы обязаны уступать мужу каждый раз, когда он того желает, никогда не отказывая ему в этом. Сомневаюсь, что этот вариант заслуживает одобрения. Более того, такая безотказность может даже навредить вам. Я заметила, что мужья таких жен не боготворят. Чаще всего их безотказность и услужливость воспринимаются как само собой разумеющийся факт, ими пренебрегают, а иногда даже относятся с презрением. Собственно, это самые несчастные жены из всех, кого мне приходилось видеть.

Никто из мужчин не ценит близость, которая предоставляется им с такой готовностью. Она становится слишком дешевой. И хотя вы действительно не должны ущемлять права мужа в этом вопросе, он не является собственником вашего тела. Если вы будете уступать ему каждый раз, когда он того захочет, вы его просто избалуете, как балуют ребенка, которому дают сласти каждый раз, как только он попросит. Дети уважают нас больше, если мы не удовлетворяем все их прихоти. То же самое с мужьями. Когда мы считаем возможным, мы с радостью даем детям то, что они просят. Но мы не даем, если это им во вред или во вред нам. Эти же самые принципы применимы к сексуальным нуждам наших мужей.

Не позволяйте мужу никакого секса, если он серьезно обидел вас. Это не наказание за нанесенную обиду, просто врожденное женское достоинство не допустит даже приближения мужчины, который оказал на женщину давление. Рассматривайте свою интимную жизнь как драгоценность и не позволяйте обесценить ее, когда к вам было проявлено неуважение. Уступить в таком случае значит сделать ваши интимные отношения дешевыми, а если вы не допустите близости, вы тем самым продемонстрируете высокое почтение к этой сфере вашей жизни.

Никогда не уступайте мужу, если он настаивает. Когда женщина уступает под давлением мужа вопреки своим желаниям, в ней может зародиться чувство отверженности. Получается, что для мужа его половое влечение важнее, чем ее чувства. В таком сексе нет любви, и отношение к нему становится негативным. Получается, что муж удовлетворяет свою страсть за счет жены.

Она начинает считать близость унизительным и неприятным переживанием.

Но и муж испытывает негативные чувства. Ему стыдно за то, что он не сумел себя контролировать и не посчитался с чувствами жены. Он также может считать виновной жену, потому что она уступила его натиску. Если бы она отказалась, он смог бы сохранить уважение к себе, а для мужчины это намного важнее чем удовлетворение страсти. Но что еще хуже, он перестает ее уважать. И хотя такой поворот событий кажется несправедливым, мужчина действительно не уважает женщину, которой он может воспользоваться ради удовлетворения своих прихотей. Иллюстрацией к тому может послужить история Амнона и Фамари из Второй книги царств, глава 13.

Как сказать «нет»

Говоря «нет» своему мужу, важно помнить, что самое главное — не оскорбить его чувствительную мужскую гордость. Доктор Дэвид Р. Мейс, бывший директор Американской Ассоциации консультантов по вопросам брака и семьи однажды сказал: «Когда муж выражает желание вступить в интимный контакт с женой и получает отказ, он чувствует себя униженным. Конечно, бывают ситуации, когда жена может ответить отказом, однако, это следует делать с большим тактом, иначе вы можете глубоко ранить чувство мужского достоинства».

Прежде всего, не следует говорить слова «нет». Лучше предложить это сделать позже, или же показать ему как-то иначе, что вы не настроены на близость в данный момент. Никогда не заставляйте его сожалеть о предложении и не давайте ему понять, что он животное, которое не в состоянии контролировать собственные чувства. Никогда не говорите таких слов, как, например: «Как мне надоели твои приставания», «Ты можешь думать о чем-нибудь другом, кроме секса?» или «Почему тебя не интересует что-нибудь другое?»

Отказывая мужу в интимной близости, постарайтесь понять его чувства. Вы привлекательны для него. Ваше тело его возбуждает. Однако будьте тверды, отказывая ему в желании. Не заставляйте его томиться. Не позволяйте ему недоумевать и пребывать в ожидании. Разрешите этот вопрос сразу. Примите решение и твердо держитесь своего слова.

Если он подойдет к вам с этими намерениями посреди дня, вы можете ответить на его желание, однако вы не обязаны этого делать. Если вы сами этого хотите, тогда другое дело. Если нет, скажите, что в данный момент вы не расположены к этому.

Настройте себя

Чтобы получить от секса максимальное удовольствие, следует сделать некоторые вещи, чтобы настроить себя на соответствующий лад. Это нужно сделать не только ради собственного удовольствия, но и ради мужа. Он получает удовлетворение не столько от вашего соучастия в процессе, сколько от того удовольствия, которое испытываете вы. Самооценка мужчины глубоко коренится в его способности пробудить чувства жены и дать ей удовлетворение. Если он не сделает этого, он будет чувствовать себя неудачником. Поэтому настройте себя на предстоящий процесс следующим образом:

1. *Забудьте обо всех обидах.* Обида на мужа может отрицательно сказаться на влечении к мужу и даже может послужить причиной нежелания иметь с ним близость. В книге доктора Мэри Робинсон «The Power of Sexual Surrender» («Сила послушания») автор рассматривает проблему охлаждения и пробуждения полового влечения. Она приходит к выводу, что сексуальное желание следует подогреть. Вот два метода, с помощью которых можно избавиться от обиды.

Во-первых, примените принципы «Очарования женственности». Цените и принимайте мужа таким, какой он есть, дайте ему право на ошибки и человеческие слабости. Прощайте его и постарайтесь видеть в нем только хорошие стороны. Поймите его мир, полный тревог и волнений. Не возмущайтесь его поведением и невнимательностью, не ждите от него совершенства. Когда он проявляет бестактность или поступает необдуманно, реагируйте на это с детской непосредственностью. Если вы не используете этот вариант, знайте, что могли бы использовать.

Даже осознание этого помогает снять напряжение конфликтного момента.

Если вы после этого по-прежнему испытываете чувство отчуждения, которое влияет на ваше отношение к мужу, ему, пожалуй, стоит посмотреть на себя с большим пристрастием. Может быть, в таком случае вы не в силах восстановить свои чувства к мужу. Ему придется сделать что-то для этого. Если он оскорбил ваши чувства или допустил серьезную несправедливость, он не может ожидать от вас ответной реакции на свое влечение до тех пор, пока он не исцелит раны, которые нанес вам собственным поведением. Женщине трудно ответить взаимностью на сексуальное желание мужа, если в ней нет расположения и она не уверена в его искренней любви к ней.

В книге «Education for Marriage» («Подготовка к браку»), написанной Джеймсом А. Петерсоном, мы находим подтверждение этой мысли. Он пишет: «Для женщины исключительно важно чувство психологической безопасности. Если она не уверена в искренней любви мужа и в том, что при любых обстоятельствах он встанет на ее защиту, ей трудно будет ответить взаимностью на его влечение к ней. И только в том случае, когда все эти условия соблюдены, создается атмосфера, способствующая благоприятному развитию сексуальных взаимоотношений».

Если ваш муж нанес вам серьезную обиду, которая повлияла на ваши взаимоотношения в интимной области, поговорите с ним честно и откровенно. Объясните ему, что его поведение оскорбило ваши самые глубокие чувства и вы сами не в состоянии справиться с этим. Для него ваше откровение будет болезненным, но если он осознает свои ошибки и признает их, вы сможете полностью простить его, и это серьезное препятствие будет преодолено.

2. *Общее отношение к сексу.* В прошлом многие женщины придерживались в области секса старых взглядов, свойственных викторианской эпохе. Они понимали, что мужчины получают от этого удовольствие, но для себя считали этот аспект жизни выполнением долга. Некоторые женщины того времени воспринимали секс как чисто плотское и даже греховное явление. Воз-

никшая в результате соития беременность утаивалась от людей в попытке скрыть факт близости, во время которой произошло зачатие. Женщины тайком шили одежду для будущего младенца, старались не появляться на публике, когда беременность скрыть уже было невозможно. В общем, женщины смотрели на секс со стыдом и смущением.

Современное общество отвергло викторианское отношение к сексу, и теперь акцент делается на естественности этого аспекта в человеческой жизни, на его полезности и удовлетворении, которое он приносит обоим партнерам. В этом направлении были сделаны огромные шаги. Однако по ходу дела возникли и новые нюансы в отношении к сексу.

Многие дети в хороших семьях вырастают с искаженным отношением к интимной стороне жизни. Родители, пытаясь противостоять безудержному распространению распущенности и безнравственности, учат детей блюсти целомудрие. В результате дети вырастают с убеждением, что секс — дело грязное. Родители не умеют провести четкую разграничительную черту между тем, что сексуальные отношения до брака — это зло, а эти же отношения в рамках брака — добро. Они неосознанно вкладывают в разум детей мысль о том, что в сексе заложено низменное начало. Секс имеет отношение к грязным словам, которые пишут в общественных туалетах, употребляют в дешевых книжках, безнравственных журналах и кино.

После вступления в брак молодым людям трудно изменить отношение к сексу и видеть в нем что-то доброе. Разрешение этой проблемы лежит в правильном воспитании дома, в четком определении безнравственности сексуальных отношений до брака и их чистоте и святости в браке. Часто мы полагаем, что дети знают об этом без наших объяснений.

Чтобы женщина могла получить удовлетворение и радость от интимной сферы жизни с мужем, она должна правильно относиться к ней. Ее влечение будет скованным до тех пор, пока она не поймет, что секс — это нормальный и естественный аспект взрослой жизни, способный принести радость обоим супругам. Правильное отношение можно создать в большинстве случаев правильным объяснением. Если же и в этом случае женщина не избавится от искаженного понимания, значит, речь идет о более серьезных нарушениях, для разрешения которых придется привлечь специалистов.

3. *Не отвлекайтесь и не забивайте голову посторонними вещами.* Если у вас проблемы в интимной области, внимательно исследуйте свою жизнь. Не подвергаете ли вы себя слишком сильным стрессам и волнению? Может быть, вы связаны обязательствами, накладывающими жесткие требования к вашему времени? Если так, то внесите нужные коррективы в организацию своего времени, основное внимание уделяя действительно важным вещам. Ваша интимная жизнь — исключительно важна, особенно для мужчин. Она заслуживает того, чтобы ее поставили в ряд наиболее приоритетных аспектов. И тогда ваше отношение к интимной сфере тоже изменится.

4. *Пробудите свои чувства в этой области.* Сексуальные чувства берут свое начало из ощущений. Поэтому их можно пробудить при помощи стимулирования ощущений. Самое главное в этом направлении — это хорошее здоровье. Правильное питание, физические упражнения, свежий воздух и здоровый сон помогут вам сохранить и усилить чувственную сферу жизни. Разрушительными в этом смысле являются чай, кофе, курение, алкоголь, наркотики и неправильное питание.

Красота природы тоже пробуждает чувственный аспект в жизни человека. Полюбуйтесь красотой лужаек, покрытых травой, холмов, деревьев, цветов и прекрасного неба, рек, озер и ручьев. В природной водной глади есть нечто, что способно пробудить романтические чувства в человеке. Женщина может настроиться на чувственный лад, наблюдая за потоками водопадов или слушая неумолчный шум океана. Пробуждают наши чувства также запахи. Запах свежескошенной травы, аромат цветов и свежего дождя. Как ни странно, но вкусная еда тоже способствует этому. Вечер, проведенный в ресторане, имеет свои преимущества в этом вопросе. Своеобразную помощь может оказать такая еда, как пряности, сыр и острые соусы к салатам. Такая пища не совершит чуда, но помочь отчасти сможет.

5. *Нежное отношение мужа.* Еще один способ пробудить чувства женщины заключается в нежном отношении к ней мужа. Когда он разговаривает с ней ласково, когда выражает свою любовь и преданность, нежно прикасается к ее волосам, шее и рукам, ей будет легче ответить ему взаимностью. Вы можете пробудить в своем муже эту нежную привязанность, применяя принципы «Очарования женственности».

6. *Травы.* Есть травы, которые могут способствовать пробуждению страстных чувств. Самые популярные травы в этом отношении это сельдерей, салат-латук и лук репчатый. Рекомендуются также азиатский женьшень, чертополох, грецкий орех, пажитник, жасмин, любисток, шафран и синеголовник. Пользуйтесь травами с большой осторожностью, и тщательно следуйте правилам применения. Я мало пользовалась подобными травами, но этот вариант стоит попробовать.

Половой акт

Мы только что обсуждали способы настройки своих чувств на интимный акт с мужем, так что теперь вы хотите этого и ничто вам не мешает. Дайте ему знать, что вы этого хотите. Как уже говорилось, это очень важно, потому что его удовлетворение от полового акта зависит не только от вашего участия в нем, но и от удовольствия, которое вы получаете. Будьте пылким и отзывчивым сексуальным партнером. И тогда вы получите цветы, а не сорняк.

Мы не будем здесь обсуждать техническую сторону секса. Дело в том, что, когда у мужчины и женщины здоровое представление о сексе, когда они любят друг друга и чувствуют обоюдное влечение друг к другу, им не нужны инструкции о том, как это делать. Все происходит естественно и само собой.

Слишком много внимания сексу

Проблема особого внимания к сексу у мужчин заключается в том, что половые железы у них действуют достаточно активно. Но здесь я говорю о ситуации, когда мужчина уделяет этому аспекту своей жизни слишком большое внимание, так что жена при всем своем желании не в состоянии выдержать его аппетиты. Для разрешения этой проблемы обратите внимание на следующие моменты.

1. *Примите как данность его страстную натуру.* Во-первых, помните, что мужчины возбуждаются намного быстрее, чем женщины. Эротическая картинка или история быстро возбуждает в нем страсть. В современном мире эта проблема становится еще более актуальной, поскольку на каждом углу мужчинам предлагаются соблазны и искушения. Невозможно пройти по улице, не увидев сексуально откровенные изображения и предложения. Женщина почти не возбуждается при виде подобных вещей, но на мужчин они действуют с достаточно большой силой.

Постарайтесь понять, что мужчины рождаются с сильным половым влечением, заложенным в них Самим Богом для обеспечения воспроизводства населения на земле. Это влечение достаточно сильное, чтобы преодолеть естественное нежелание взвалить на себя ответственность за семью. Половое влечение мужчины может быть очень сильным даже для него, и он вполне осознает свою способность или неспособность контролировать это влечение. Но, за редким исключением, мужчина не животное, которое готово удовлетворить свой пыл за счет женщины. Проявите сочувственное отношение к его сексуальным потребностям и настройте себя на соответствующий лад. Если его влечение выходит из-под контроля, примите меры, чтобы успокоить его.

2. *Избегайте чувственного возбуждения.* Если вы хотите погасить пылкость мужа, не усугубляйте проблему своим поведением. Не раздевайтесь перед ним, не целуйте его со страстностью, не говорите на эту тему и не смотрите на него манящим взглядом. Ему следует воздержаться от просмотра откровенных фильмов и прочтения книг или журналов на темы секса. Избавьтесь от любого порнографического и возбуждающего чувственность материала в своем доме.

3. *Удовлетворите его эмоциональные нужды.* Иногда мужчина обращается к сексу только как к способу «выпустить пар», освободиться от напряжения, стресса, отчаяния или беспокойства.

Если обстоятельства во внешнем мире для мужа достаточно серьезные, ему может потребоваться больше секса, чем обычно. Чтобы смягчить его сексуальное рвение, восполните его эмоциональные нужды. Дайте ему понять, что вы цените его и восхищаетесь им, сделайте все, чтобы поднять уровень его самооценки. Помогите ему утвердить уверенность в себе. Все это понизит его потребность в сексе как способе снять напряжение.

4. *Тяжелый труд и физические упражнения.* Один из лучших способов нормализации деятельности чрезмерно возбужденных половых желез заключается в напряженном физическом труде и усиленных физических упражнениях. Эти виды деятельности отвлекают от мыслей о сексе, способствуют физической и умственной релаксации и здоровому сну. Пожалуй, нет более эффективной терапии для разрешения этой проблемы.

5. *Лечебные травы.* Если ваш муж чрезвычайно возбудим, вы можете взять на вооружение лечебные травы в качестве средства понизить его возбудимость. Для этого можно почитать книги о лечебных травах и настоях. Специалисты в таких случаях советуют белладонну, отвар из коры ивы, кориандр, костенец, дикий майоран. Используйте травы с большой осторожностью, тщательно выполняя все рекомендации по их употреблению. Некоторые травы обладают большой силой и могут быть опасными. Чаи из трав не считаются опасными, и их можно пить спокойно.

Импотенция мужчин

Если у вашего мужа наблюдается пониженное сексуальное влечение, вы можете сделать для него самое важное — проявить *понимание.* Он может болезненно относиться к этой проблеме, потому что именно своей сексуальностью он подтверждает для себя принадлежность к мужскому полу. Здесь, как нигде в другой сфере, подвергается опасности его чувство мужского достоинства. Если он действительно страдает от импотенции, он может испытывать эмоциональные мучения, считая, что он больше не мужчина. Для его благополучия и последующего разрешения проблемы исключительно важно ваше понимание. Обычно причины импотенции кроются не в физическом состоянии, но в эмоциональной и психологической сфере. Среди них выделяются следующие основные причины.

1. *Искажение внутреннего мира человека.* Когда мужчина пережил унижение, когда его мужскому достоинству был нанесен сильный ущерб, это может оказать сильное воздействие на его сексуальную сферу. Интересно понаблюдать, как происходит этот процесс. В книге доктора Эдриты Фрид «The Ego in Love and Sexuality» («Личность в любви и сексуальности»), о которой мы уже упоминали, автор объясняет, почему оскорбленная гордость может повредить сексуальности мужчины:

«Когда нам наносят физический вред, например, не дают пищи в течение долгого времени, или когда мы оказываемся в условиях очень высокой температуры, мы становимся апатичными. Когда человеку снова и снова причиняют эмоциональный урон, например, когда над ним регулярно издеваются и подвергают насмешкам или демонстрируют презрение, в нем постепенно развивается апатия, которая действует как обезболивающее средство, как наркотик, который притупляет действие боли. Человек, которого унижают на работе, защищается от обиды ожесточением, в результате чего перестает чувствовать боль. Он перестает реагировать на оскорбления. Его чувства атрофируются, поэтому ему уже не больно».

Но, к сожалению, и здесь мы опять цитируем доктора Фрид, «нам приходится дорого расплачиваться за добровольное оцепенение, поскольку, если оно действительно делает боль менее острой, оно также понижает нашу способность реагировать на приятные переживания». Человек, который научился защищать себя от унижения, больше не чувствует боли, но он также не может реагировать на любовь жены. Его сексуальное влечение ослабевает, и он может стать импотентом.

Чтобы помочь человеку преодолеть понижение сексуального влечения, проявляйте максимум уважения к его статусу мужчины. Восхищайтесь его телом, его мужскими умениями, способностями и достижениями. Никогда не оскорбляйте его мужское достоинство и исцеляйте раны, которые нанесли ему другие люди. Восхищаясь его мужскими достоинствами, вы поможете ему воссоздать правильную самооценку и пробудите его сексуальные чувства.

2. *Стремление сделать карьеру.* Если мысли вашего мужа заняты только работой и карьерой, это также может понизить его сексуальность. Это особенно верно в том случае, если он поставил для себя достаточно высокие цели и короткие сроки для их выполнения, подвергая себя серьезному напряжению. Это может быть, например, получение образования или продвижение к высокому посту. Либо он просто все силы отдает карьерному росту, и это тревожит и волнует его больше всего.

С такой преданностью своей работе он может мало обращать на вас внимания и перестанет проявлять любовь, в которой вы так нуждаетесь. Когда вы ляжете в постель, он может повернуться к вам спиной и уснуть. Вы можете обвинять себя в таком небрежении, полагая, что вы утратили былую притягательность, хотя проблема на самом деле заключается в его стремлении сделать карьеру. Подобная ситуация потребует от вас понимания и терпения. Вы можете принять эти обстоятельства как данность и ждать того момента, когда муж наконец достигнет поставленной цели.

3. *Жене недостает женственности.* Помните, мужчина реагирует на женственность. Когда женщина утрачивает свою женскую привлекательность, она в большой степени теряет также способность возбудить в мужчине сексуальность. Например, если женщина перестает быть нежной и чуткой и приобретает мужские черты агрессивности, смелости и стремления к соперничеству, она теряет свою привлекательность. Если она стремится к мужской компетентности и независимости, она перестает вызывать в мужчине желание. С другой стороны, когда она становится мягкой и нежной, беззащитной и зависимой натурой, она может пробудить в нем сильное влечение, привязанность и любовь.

4. *Активность жены в сфере секса.* Иногда мужчине хочется увидеть у жены активность в сексе. Ее инициатива в этом станет для него подтверждением того, что ей нравится близость с

мужем и она хочет этого. Это может польстить его самолюбию. Однако женщине не стоит быть слишком агрессивной, иначе это может подействовать на него охлаждающе. Если у него не все в порядке в этом смысле, ее инициативность может усугубить уже имеющиеся проблемы.

Например, представим человека, который настолько занят карьерным ростом, что его сексуальные желания несколько остыли. Его жена может почувствовать озабоченность по этому поводу, решив, что он потерял к ней всякий интерес. Она может надеть кокетливую ночную сорочку, надушиться хорошими духами, смотреть на него многозначительно и использовать другие средства для того, чтобы привлечь к себе внимание. Как правило, мужчинам нравится, когда жены проявляют инициативу в этом плане, но если у него нет никаких желаний, он может воспринять подобное поведение жены как агрессивное и даже назойливое. Все дело просто в неправильной трактовке поведения друг друга.

Если вы вызвали в муже раздражение проявлением инициативы в этом направлении, попробуйте противоположное поведение. Когда у вас возникает желание близости с мужем, не показывайте вида. Кстати, вас может выдать даже выражение глаз. Вместо того чтобы надевать кокетливые ночные сорочки, допоздна не ложитесь спать, а сядьте где-нибудь и почитайте книгу. Или, когда ляжете спать, наденьте что-нибудь незатейливое, отвернитесь от него и спите. Проявите полное равнодушие к сексу и крайнюю заинтересованность чем-то другим. Такая линия поведения все расставит по своим местам. Однако не заходите слишком далеко. Когда он проявит настоящее влечение, отреагируйте на призыв.

Помните, мужчина — охотник, а женщина — преследуемая лань даже после свадьбы. Всегда помните это разделение ролей. Единственное исключение из этого правила допустимо только тогда, когда вы уверены, что ему понравится ваша инициативность. Чутко реагируйте на его реакцию. Он даст вам знать, когда ему это понравится. Иногда единственной причиной снижения сексуального влечения мужчины является слишком агрессивная жена. Тогда в разрешении этой проблемы вам поможет противоположное поведение.

Советы, предлагаемые здесь, помогут супругам разрешить сексуальные проблемы и получить максимум удовольствия от близости. Секс — это далеко не все в браке, поэтому не стоит преувеличивать его значение, но поскольку он является неотъемлемой частью супружеских отношений, возникающие проблемы следует разрешать серьезно и быстро.

Вопреки распространенному мнению хороший секс не делает брак крепким и прочным. Консультанты по вопросам брака и семьи утверждают, что существует множество брачных пар, интимная жизнь которых в прекрасном состоянии, но супруги тем не менее стоят на грани развода. Любовница никогда не чувствует себя уверенной во взаимоотношениях с любовником не только потому, что у нее нет свидетельства о браке, но потому что в их взаимоотношениях не хватает очень важных и значительных элементов.

Мужчину и женщину накрепко связывает единство духа. Это единение строится на нравственном основании Божьих стандартов и требует преданности, доверия, понимания и бескорыстного посвящения второй половине. Общая цель написания «Очарования женственности» состояла в построении именно таких взаимоотношений. Когда супруги достигают этого уровня, тогда, как правило, следуют хорошие и удовлетворяющие обоих сексуальные отношения, как это случилось с автором следующего письма.

Три года мы спали отдельно

Я хочу выразить благодарность «Очарованию женственности». Я читала эту книгу по главе каждый день, и с трудом могла дождаться времени возвращения мужа с работы, чтобы применить ее принципы на практике. Всего через три дня с начала чтения книги я лежала в постели, снова и снова благодаря Бога за Его чудесные откровения. Псалом 1 стал для меня реальностью. Я радовалась закону Божьему и наяву увидела излияние Его благодати.

Моя семейная жизнь была сплошным кошмаром. Я была той самой отрицательной героиней, ошибки которой описываются в книге. Я все делала неправильно и изо всех сил боролась за право быть любимой. Как я сожалела о своем поведении, когда узнала об истинах из этой книги. И как мне не терпелось все исправить и все начать сначала. Практически сразу я снова почувствовала любовь к мужу, равно как и влечение к нему (в течение трех лет мы спали отдельно). Как сильно я хочу развить в себе качества женственности, которых у меня никогда не было.

В наших церквях встречается немало примеров, которые свидетельствуют о стремлении мужчин и женщин работать сообща и идти на компромиссы ради разрешения семейных проблем. Я очень хочу познакомить свою церковь с книгой «Очарование женственности». Просто поразительно, как энергично мы переворачиваем с ног на голову Божьи законы. Но после прочтения «Очарования женственности» все становится на свои места.

Заключение

На страницах этой книги я представила образ жизни, который может привести вас к счастливому браку. Но многое в достижении этой цели зависит от вас. Брак — это не соглашение сторон по принципу пятьдесят на пятьдесят, но готовность отдать спутнику жизни девяносто процентов всего. Отдавая партнеру от всего сердца, вы получите богатую компенсацию. *Когда вы пускаете свой хлеб по водам, он в свое время вернется к вам с маслом.*

Когда вы с верой будете жить согласно этим концепциям, ваш муж станет мягче и романтичнее. Он не только будет любить вас, он станет вас *почитать, лелеять* и *обожать.* Счастливый брак — средоточие счастливой семьи. Очарование женственности делает счастливыми женщин, мужчин и детей. Одна женщина сказала, что «даже ее собака стала счастливее».

Вполне вероятно, что вы не захотите дать мужу последнее слово в процессе принятия решений. Может быть, вы приложили немало сил, чтобы взять власть в свои руки или право просто участвовать в принятии решений. Теперь вам может показаться, что посредством этой уступки вы лишаетесь слишком многого. Об этом не нужно беспокоиться. Когда вы откажетесь от исполнения мужской роли, если вы и отдадите что-нибудь, то это будет лишь головная боль, беспокойство, отчаяние, разочарование, тяжкий труд и чувство беспомощности. Если вы отдадите свободу, вы приобретете намного больше, чем потеряли. Когда вы станете действительно обворожительной, ваш муж пойдет на все, чтобы сделать вас счастливой.

На жену возложена огромная ответственность. *Вы можете либо создать мужа, либо уничтожить.* Женщина разрушает мужа тем, что беспрестанно изводит его, пытаясь изменить к лучшему, крадет у него право на главенство в семье, ранит его гордость и игнорирует его основные потребности. Она созидает его своей признательностью и уважением к его личности, признавая его таким, какой он есть. Она понимает его, исцеляет его раны и помогает ему функционировать как главе, защитнику и кормильцу.

Основные принципы, изложенные в «Очаровании женственности», таковы. Если вы хотите пробудить в муже любовь и нежность, вы должны: 1) *быть достойной этой любви*, став женщиной с ангельскими и лучшими человеческими качествами; 2) *дайте ему почувствовать себя мужчиной*. Для этого восхищайтесь его мужскими качествами, дайте ему почувствовать себя на своем месте, выразите свою потребность в нем как мужчине и исполняйте свою роль женщины, будьте женственной и по-детски непосредственной. Именно такими качествами своего характера вы поможете ему почувствовать в контрасте свою принадлежность к сильному полу.

Не огорчайтесь, если иногда будете терпеть неудачи. Это нормально. Обычно на формирование новых привычек уходит около года. Продолжайте идти вперед, и вы создадите новый образ жизни и построите новый мир. Взглянув одним глазком в новый мир, который мы нарисовали в «Очаровании женственности», вы уже больше никогда не будете довольствоваться старыми представлениями. Какое-то время вы, может быть, будете стоять между этими мирами, будучи не в состоянии достичь нового и чувствуя недовольство своим несчастливым прошлым. Но постепенно вы тоже начнете вкушать *праздник жизни* и уже никогда не будете *питаться крохами со стола*.

Как только ваш муж увидит в вас очарование женственности, его уже не будет удовлетворять *ваше прежнее «я»*. Вкусив сладкое, он почувствует большее, чем раньше, отвращение к горечи прошлого. Решите с самого начала, что раз ступив на путь очарования женственности, вы больше *не повернете назад*.

Самую большую помощь в реализации этого идеального пути вы найдете в *обращении к Богу, Который дарует вам необходимую для этого силу*. Позвольте мне объяснить это следующим образом: ваш самый лютый враг на пути к успеху — слабость человеческой плоти или склонность людей уступать слабостям плоти. У вас могут быть самые благие намерения и сильное желание осуществить наше учение, но человеческая природа начнет вмешиваться в этот процесс проявлением лени, эгоизма, отсутствием самодисциплины, критическим отношением и гордыней, чтобы удержать вас от достижения поставленных целей. Некоторые женщины испытывают глубочайшее отчаяние, потому что присущие людям слабости не дают им жить в соответствии с принципами этого учения.

Когда человек обращается к Богу и *рождается от духа*, он обретает новую силу, которая поддерживает его во всех аспектах повседневной жизни. С Богом намного легче преодолевать слабости человеческой природы. Если вы раньше не обращались с верой к Богу, Который дарует нам любовь к людям, пусть это будет вашим первым шагом в жизни. Если вы доверитесь Богу и попросите у Него силы, успех вам обеспечен.

И еще. Повсюду люди страдают от низкой самооценки. Есть много книг, в которых авторы советуют различные способы и средства для повышения самооценки. Но основной путь к хорошей оценке себя самого кроется в том, чтобы действительно стать хорошим человеком.

Благодаря «Очарованию женственности» вы получаете прекрасное поле деятельности, на котором вы можете осуществить этот курс усовершенствования. По мере продвижения к статусу идеальной женщины вы будете становиться лучше и лучше. Когда вы начнете выполнять свой долг, улучшать характер, созидать мужа и проявлять женственные качества, вы будете *освещать своим светом тьму* и повысите собственную самооценку.

Большую помощь в желании жить принципами «Очарования женственности» оказывают истории феноменального успеха, которого добились другие женщины. Эти истории приводятся в нашей книге. Но в книгу не вошли тысячи других историй, полученных автором за долгие годы. Вот еще несколько писем, которыми я хотела бы поделиться с вами.

Сила Духа

Мы с мужем поженились очень молодыми, ему было семнадцать, а мне девятнадцать. Мы женились по необходимости, и с самого начала делали все возможное, чтобы брак оказался удачным. Пять лет спустя, когда у нас было уже двое детей, наш союз оказался на грани распада. Я где-то нашла «Очарование женственности» и прочитала эту книгу. Я была крайне взволнована и пыталась реализовать на практике идеалы из этой книги, но очень скоро сдалась. Я вернулась к работе, перестала применять принципы очарования женственности и делала все по-своему. Вскоре после этого мы с мужем разошлись.

В течение последующих двух лет я искала счастья во всем, что мог предложить мне современный мир, но счастливее я не стала, а даже наоборот. Тем временем мой бывший муж стал христианином и молился за меня. Через какое-то время я тоже стала христианкой, и мне в руки опять попала книга «Очарование женственности», в которой рассказывается, как стать благочестивой женщиной. Через три года после развода мы с мужем опять поженились.

Это случилось более тринадцати лет назад, и я рада сообщить, что у нас все хорошо. Изменялась я медленно, а иногда проявляла упрямство, и мне было очень нелегко превратиться в обворожительную женщину. Думаю, единственная причина, по которой я преуспела, объясняется *силой Святого Духа*, Который осуществил в моей жизни все эти чудесные изменения. *Бог воздал нам за те годы, которые пожрала у нас саранча,* и теперь у нас прекрасная, воссозданная заново семья. У нас есть приемные дети, и мы прикладываем все усилия, чтобы научить их этим же ценностям. Теперь я занимаюсь тем, что приносит мне намного большее удовлетворение, чем все, что может предложить мир. Я преданная жена и мать! Еще раз спасибо за отличное учение!

Написать любовный роман о себе

Наш брак с самого начала был трудным и ничем не напоминал мои мечты до свадьбы. До того, как мы стали мужем и женой, муж обожал меня и делал для меня все. Он был таким романтичным и любящим. После свадьбы я его не узнавала и, полагаю, я тоже сильно изменилась. Мы просто не знали друг друга, хотя с детства жили через улицу.

Мы с мужем выросли в двух совершенно разных семьях. В его семье не было никакого порядка и дисциплины, отца дома почти не бывало, он работал в другой стране, а когда возвращался, шатался по барам. Его мать позволяла мужу вытирать об себя ноги и делать все, что ему хотелось. Он не уважал ее и не проявлял к ней ни малейших признаков привязанности. В моей семье была строгая дисциплина. Отец обожал мою мать и относился к ней, как к королеве. Он не пил и никуда не ходил с друзьями. Моя мама была очень требовательной и неблагодарной женой.

Мы вступили в брак, не понимая, какими мы были разными. Мой муж не знал, что жену следует уважать и любить. Он не считал это обязательным и полагал, что со мной можно обращаться как с ковриком у дверей. В конце концов именно так обращались с его матерью. Я думала, что, если я проявлю требовательность и буду руководить им, он изменится и я получу таким образом уважение и любовь. Моя мать была требовательной и получала от моего любящего отца все, что считала нужным.

Чем более требовательной и настойчивой я становилась в своих претензиях, тем меньше я его видела. Он никогда не возвращался домой с работы вовремя, выпивал с друзьями и старался, как мог, меня избегать. Я не пила и никогда не бывала в компаниях с его друзьями. Я сидела дома одна и плакала, не понимая, в чем я допустила ошибку. Мой муж никогда не приглашал меня пойти вместе с ним. Я была половой тряпкой в доме, полезной вещью, служанкой, которая готовила пищу, наводила в доме порядок, платила по счетам, стирала и могла пригодиться в постели. Я, скорее, чувствовала себя его матерью и рабыней, но не женой. Он часто говорил такое, например: «Как я скучаю по своей свободе. Ты меня душишь, как цепь на шее. Мое свободное время принадлежит мне, а не тебе. Я буду делать то, что посчитаю нужным».

Я испытывала тяжелейшую депрессию. Я могла сидеть дома в полном одиночестве, изнывая от боли и страдая, и мне не с кем было поговорить. Мне так часто хотелось просто бросить все и уйти, чтобы облегчить жизнь нам обоим, но я никогда не была предателем. Я была сильным и решительным человеком, поэтому я осталась, пытаясь найти какой-то выход из этого кошмара. Весь дом лежал на мне, и я осознавала эту ответственность. Я с удовольствием занималась домашней работой, однако мне казалось несправедливым, что я к тому же должна ходить на работу.

Через три года такой адской жизни я забеременела. Теперь я чувствовала, что мне действительно некуда идти. Но даже рождение сына нисколько не изменило мужа. Он никак не участвовал в этом радостном событии. Теперь на мне лежала не только моя работа, не только весь дом, но и новорожденный ребенок. Муж не стукнул пальцем о палец, чтобы хоть как-то помочь мне, и когда я просила, он отвечал: «Мой отец не помогал моей матери, и я не буду». Только по благодати Божьей я выдержала этот период.

Одна очень дорогая мне подруга на работе показала мне книгу «Очарование женственности». Я просмотрела книгу, не имея времени изучить ее принципы. Мне понравилось то, что я увидела, и я поняла, что мне очень хочется узнать подробнее об этом учении. Я никогда раньше не слышала ничего подобного. Я отчаянно желала найти что-нибудь, что помогло бы мне сохранить брак, потому что мне теперь нужно было думать о сыне.

Первым делом я уволилась с работы. Больше всего на свете я хотела быть дома с сыном, заботясь о нем и о доме. Далее я пришла к Богу и отдала Ему свою жизнь. Я понимала, что сама изменить ничего не смогу. Я заметила в «Очаровании женственности», что Вы много говорите о Боге, и поскольку я шла по пути в ад, мне нужно было чудо, чтобы в моей жизни что-нибудь изменилось. Посвящение своей жизни Богу — это самое прекрасное, что я сделала за всю свою жизнь. И только потом я смогла изучить и применить принципы очарования женственности на практике. По мере духовного роста я поняла, что мне не нужно пытаться измениться самой. Это сделает за меня Иисус. Мне казалось, будто Он воздействует на меня через «Очарование женственности», говоря мне, что «это способ стать такой женщиной, какой тебе предназначено стать».

Затем мне нужно было доказать свою веру в эти принципы применением их на практике. Мне трудно было произносить вслух слова, которые я вычитала в книге, поэтому я использовала открытки и письма. Трудно было практиковать эти принципы после восьми лет дурных привычек, но я постоянно получала силу от Господа.

Первым делом я послала открытку на его работу, написав в ней, что принимаю его таким, какой он есть, и что я рада, что он не позволил мне помыкать им. Эта открытка ознаменовала первую оттепель, и он был тронут моей открыткой. Затем я стала посылать ему открытки раз в неделю и выражала в них свое восхищение им. Теперь он улыбался и все чаще стал приходить домой вовремя. Я стала смелее и уже вслух говорила ему слова восхищения, и он с благодарностью все принимал.

Однажды вечером я написала десять качеств, которыми я восхищалась в нем более всего, и попросила его сделать то же самое. К моему удивлению, он это сделал, и качества, которые он перечислил, наполнили меня радостью, потому что он никогда раньше не говорил мне ничего подобного. Он даже стал дарить мне открытки, в которых выражал свои чувства ко мне. Для него это было великим достижением, учитывая крепкую стену отчужденности, которая строилась многие годы его детства и юности, когда он испытывал боль и отверженность. Я ничего не знала об отверженности, пока не прочитала об этом в «Очаровании женственности». Это знание помогло мне проявить сочувствие к его детским обидам и ранам.

Дела у нас пошли лучше, но все же что-то продолжало нам мешать. Я так и не стала главным человеком в его жизни. Это была проблема, о сути которой я не догадывалась. Но я продолжала молиться и применять принципы «Очарования женственности» со всем усердием.

Вдруг Бог открыл мне глаза на ту часть в «Очаровании женственности», где речь идет о муже-алкоголике и проблемах, с этим связанных. Я поняла, что мой муж был алкоголиком. На первом месте в его жизни была выпивка. Теперь мои глаза открылись, и я поняла, в чем крылась настоящая проблема.

Я продолжала старательно выполнять все требования «Очарования женственности» по благодати Божьей, и он очень медленно стал открываться передо мной в том, о чем мы никогда раньше не говорили. Однажды утром он разбудил меня в половине второго, сказав, что ему нужна помощь и что у него проблема.

С того времени он отдал жизнь нашему Господу и Спасителю и воистину стал прекрасным человеком. Поскольку я тоже стала настоящей женщиной, он может быть абсолютно откровенным со мной относительно прошлого и всех ошибок, которые он совершил. Он даже признался мне в связях с другими женщинами, которых он подбирал в барах. Мне было нелегко принять это признание, но я знаю, что он видит во мне то, чем должна быть женщина. Он часто говорит мне, что никто не идет ни в какое сравнение со мной. Если бы я не изменилась, он никогда бы не сказал и даже не подумал бы такого.

Сегодня он говорит мне, что благодаря изменениям во мне он тоже хочет измениться, но не знает как. Он смотрит на меня и хочет быть таким же, как я, и хочет получить все то, что получила я. Сегодня наши взаимоотношения можно назвать прекрасными. Я получила больше, чем мечтала, и очень немногие пары живут так же счастливо, как мы, но самое прекрасное то, что главным в нашей семье является Бог.

Моя история — это не сказочное превращение за одну ночь. Мне понадобилось три года стараний, молитв и тяжелого труда, но награда стоила намного больше, чем усилия, затраченные на ее приобретение. Мне бы хотелось сказать каждой женщине, которая страдает и чувствует себя обиженной в браке: не сдавайтесь, продолжайте молиться и применять принципы «Очарования женственности», потому что если мой брак получил исцеление, значит, чудеса возможны!

Трудно выразить словами мое убеждение в том, что миру так необходима книга «Очарование женственности». Когда я смотрю на женщин вокруг меня, мне становится так грустно, потому что многие из них ставят на первое место, выше семьи, материальные блага и карьеру. Я не говорю о том, как много они потеряли, утратив женственность, и как сильно напоминают спортсменов, стремящихся занять первое место. Если женщины будут изучать «Очарование женственности», они перестанут читать любовные романы и томиться ожиданием очередной серии мыльной оперы. Они найдут то, чего ищут, и смогут написать собственный любовный роман.

Я хотела бы выразить глубокую признательность автору за эту чудесную книгу и сказать, как я благодарна Вам за полученную информацию. Я должна всю славу по праву отдать Богу, но я знаю, что Бог использовал Вас, чтобы дать нам эту книгу. Я знаю, что Бог действовал во мне через эту книгу, и в нашем доме Вы привели к спасению две души.

Спасибо за учение о том, что такое настоящая женщина. Я твердо верю, что мы должны стремиться стать теми, кем мы предназначены быть в глазах Бога. После всего, что мне пришлось пережить в браке, я уверена, что я та самая женщина, которую мой муж не сможет сравнить ни с кем. Каждый вечер я встаю на колени и молюсь о том, чтобы я могла стать обворожительной женщиной, и я вижу, как Бог отвечает на мои молитвы.

Как я вернула себе мужа

«Очарование женственности» было буквальным ответом на мои молитвы. Помню, как эта книга появилась в нашем доме. Я молилась о том, чтобы Господь показал мне, что мне делать, чтобы измениться к лучшему и где я вела себя неправильно в своем разваливающемся браке. Однажды я решила позвонить своей подруге по колледжу, которую не видела много лет. В результате она приехала ко мне в гости. Когда она спросила, что говорит муж по поводу четвертого ребенка, которого я ожидала, я ушла от ответа, потому что он был в ярости от этого. В конце концов я не выдержала и рассказала ей, что муж уже дважды подавал на развод, один раз уходил из дома, ходил к психиатру, а потом и к консультанту по вопросам брака и семьи. Он ходил к гипнотизеру, к нашему пастору, к каждому из своих друзей и даже к моему гинекологу, но все говорили ему, чтобы он либо молился, либо подал на развод. Я же делала, что могла, чтобы не допустить развода.

Каждый раз, когда он на что-то жаловался, я старалась погасить конфликт. Дом сиял чистотой, детей я держала в строгости и послушании, и когда он приходил домой, они были тише воды и ниже травы. Если он говорил, что ему что-то не нравится, я вскакивала и бежала исправлять. Я очень старалась не забеременеть, потому что знала, как он этого не хочет. Я посылала ему любовные письма, называла его всякими ласковыми словами, какие только знала, и то грозила ему разводом, то обещала никогда не давать ему развод. Я могла не отвечать на его звонки и велела детям разговаривать с ним по телефону, или, напротив, бежала на первый же звонок и разговаривала с ним самым сладким голосом. Я использовала в общении с ним все известные женщинам трюки, чтобы прибрать к рукам мужа, используя его слабости. Они приносили временное облегчение, но значительных изменений не было.

На следующий же вечер моя подруга по колледжу еще раз проехала сорок миль, чтобы привезти мне «Очарование женственности». Я пробежала несколько глав и так разволновалась, что меня стало трясти. На следующее утро я погрузила детей в машину и проехала двадцать миль до ближайшего магазина, где купила книгу, нанеся достаточно существенный урон семейному бюджету в статье расходы на питание. Я стала читать ее везде, где только могла, — на кухне, в ванной, в спальне. Я пила ее так, как может пить воду человек, умирающий от жажды в пустыне. Мое лицо горело и пылало, когда я читала о том, что нельзя сравнивать своего мужа с другими мужчинами, что нужно обрести внутреннее умиротворение, даже если у твоего мужа этого нет. Я впитывала истины о том, что нужно принять мужа таким, какой он есть, со всеми его недостатками, не пытаясь перекроить его, акцентируя внимание только на положительных сторонах. Нужно высвобождать свои эмоции с детской непосредственностью, не теряя при этом своего достоинства, принимая все его качества как данность. Я поняла, что может сделать с мужчиной критика. Как видно, я совсем не понимала мужчин.

Примерно через месяц после прочтения «Очарования женственности» мой муж наконец сказал, что я изменилась. Он не мог понять, в чем дело, но ему определенно нравились перемены во мне. Через четыре месяца после этого он признался, что, пребывая в полном отчаянии от того, что происходило в нашем доме, он познакомился с одной проституткой и прожил с ней три с половиной года. Она была некрасивой, необразованной, больной, трижды разведенной в возрасте двадцати четырех лет, почти алкоголичкой, и не могла удержаться ни на одной работе. Она отдала своего единственного сына родителям на воспитание. Но она была очень женственной. Мой муж был в ее глазах почти богом. Его враги становились ее врагами, его друзья — ее друзьями. В ее присутствии он чувствовал себя важным, значительным, достойным и понятым.

Когда муж признался в этой связи, я за секунду забыла все очарование женственности, полностью утратив контроль над собой. Я разбила стеклянную дверь и пару застекленных картин, что закончилось моим избиением, после чего муж ушел из дому. Он отправился в гостиницу, выпил два пузырька аспирина, а потом позвал к себе на помощь любовницу. Даже после того как он успокоился и вернулся домой, он еще пару недель ходил притихший и посматривал на меня с опаской. А передо мной стояла цель — добротой и терпением приручить дикого тигра. Постепенно я стала получать плоды, о которых молилась в течение восьми лет нашего брака. Когда я стала познавать трудные уроки того, как быть обворожительной, роману моего мужа с проституткой пришел конец, по крайней мере так он сказал мне.

Не подумайте, что все эти перемены достались нам легко. Муж сильно привязался к той женщине, и мне нужно было проявить любовь и понимание и вытирать ему слезы, когда он лежал в постели, и его всего трясло, потому что он три дня не виделся с нею. Когда он забывался и начинал в разговоре упоминать ее имя, я находила внутренние силы и внутреннее умиротворение, чтобы выдержать это. Иногда я впадала в настоящее отчаяние.

В этот период, когда мой муж старался избавиться от этой зависимости, он принес домой Библию и начал ее читать. Я была взволнована до глубины души. Примерно через два месяца после его признания мы вместе крестились в нашей церкви. Через два месяца после этого мой муж стал руководить служением звукозаписи в нашей церкви, а это очень почетное и благословенное служение. Вся церковь молилась об этом долгое время.

Муж продолжал читать Библию с поразительной скоростью. Он быстро возрастал и продолжает расти в духовном отношении до сего дня, а с тех пор прошел целый год. Он обладает таким пониманием Бога, каким, как я думаю, мало кто из мужчин обладает. Моя жизнь с ним подобна жизни с пророком наподобие апостола Павла или Давида из Библии. Он построил собственный бизнес и за пять лет достиг такого уровня процветания, что теперь имеет на счету в банке 200 тысяч долларов. Но он не позволит миру отдалить себя от Бога, поэтому не стремится использовать деньги на материальные нужды. Он пока не знает, что хочет сделать с этими деньгами Бог, но все чаще он поговаривает о том, чтобы взять в семью несколько детей. Спасибо Вам, миссис Анделин, и даже больше, слава Богу за то, что Вы открыли мне и моей семье эти чудесные истины.

Трагическая история со счастливым концом

Мы с мужем поженились, когда мне было восемнадцать, а ему девятнадцать лет. Мы вместе учились в школе, и через полгода после окончания школы мы обручились. Мы были обручены в течение полутора лет до свадьбы, а через неделю после свадьбы его отправили за границу в составе Военно-воздушных сил. Следующие пять месяцев я жила с его родителями, пока не скопила достаточно денег, чтобы приехать к нему. Его родители стали мне ближе, чем мои собственные. Он был их единственным сыном, и они с любовью приняли меня в свой дом в качестве единственной дочери. Я думала, что знаю все, что можно было знать о муже, когда наконец мы воссоединились.

Но я ошибалась, потому что совершенно не знала очень важных вещей, которые должна знать каждая жена о муже и, что еще важнее, о себе. В полном неведении мы с горем пополам прожили семь лет. Последние четыре года были для меня кошмаром, потому что когда нашему первому ребенку было три месяца, муж наконец признался (после миллионов моих обвинений в том, что он меня не любит), что, наверное, я была права и он меня, по всей видимости, не любит. Наконец все стало ясно, но мы не знали, что с этим делать. Мы оба люди очень ответственные, с высокими нравственными принципами. Мы стали искать помощи профессионалов, чтобы выяснить, можно ли спасти то, что осталось от нашего брака.

Наш пастор посоветовал нам обратиться в Ассоциацию помощи семьям, так что два года после этого мы еженедельно ходили к нашему консультанту по семейным вопросам. Через полтора года после рождения первого ребенка появился второй, а вскоре после этого я получила серьезные ожоги в автомобильной аварии, что было, как я понимаю, ответом на мои молитвы. Глупо? Но я была в отчаянии, я разваливалась на части от непонимания. Поскольку консультации не помогали в разрешении наших проблем (фактически моих проблем), я молилась каждый день, прося Бога забрать меня из этой жизни, видя в этом выход из создавшегося положения. Я также просила Бога сделать со мной что-нибудь ужасное, чтобы муж понял наконец любит он меня или нет. Я не могла нести на себе это невыносимое бремя неизвестности.

Это со мной и случилось, или по крайней мере я так думала. Пока я лежала в реанимации, я слышала, как мой муж сказал «Я люблю тебя» впервые за три года. Это было так приятно, но я сильно пострадала, чтобы услышать эти слова. Они помогли мне вынести два месяца пребывания в больнице. Я верила, что когда вернусь домой, все изменится, и мы будем счастливы, несмотря на мои изуродованные шрамами лицо и руки.

Но я и здесь ошиблась. Дела пошли хуже, чем раньше, и последующие два года я молилась о том, чтобы Господь явил Свою милость несчастному человеческому созданию, которое живет буквально с петлей на шее. Я очень старалась, и многое изменила в своем поведении, в точности следуя советам нашего консультанта, но ничто не помогало. Проблема, видимо, была действительно неразрешимой, а у меня больше не было сил сдерживать свои эмоции. Я была развалиной в полном смысле этого слова.

В июле прошлого года мой муж в присутствии детей разговаривал со мной жестко и неуважительно, и я подумала, что это последняя капля в чаше моего терпения, поэтому я упаковала его чемоданы и попросила его уйти. Он так и сделал, к моему удивлению, поскольку, как я поняла, был давно готов к этому. Наконец в моем доме воцарился долгожданный мир, и я решила, что так Господь ответил на мои молитвы.

Но я опять ошиблась. В течение двух месяцев мы были самой счастливой парой, разбежавшейся друг от друга в разные стороны. Малышка, которой тогда было два года, совершенно самостоятельно научилась садиться на горшок, и мальчики тоже были счастливы, как никогда раньше. Затем моя сестра Салли принесла мне книгу «Очарование женственности», и я тут же приступила к самым напряженным занятиям в своей жизни. Я читала медленно, очень внимательно, после чего думала и думала, а потом начинала применять на практике каждый раз по одной главе. Внутри меня взрывными волнами назревала революция и я наконец была счастлива, что Бог ответил на все мои проблемы. В то же самое время я ненавидела себя со страстью, которой никогда в себе не подозревала. «Как я могла быть такой тупой, такой слепой, такой идиоткой!»

Мой муж был самым чудесным человеком в мире, именно таким, о каком я мечтала всю жизнь, и я обвиняла себя в том, что никогда не понимала его как мужчину. К тому времени, когда я закончила чтение книги, я посмотрелась в зеркало и увидела себя такой, какая я есть и какой видел меня муж. Мне очень не понравилось то, что я увидела. Ах, какой невежественной и праведной в своих глазах я была! Я проплакала два дня, а потом прочитала о русском писателе Льве Толстом, который написал «Войну и мир». Его жена постоянно обвиняла его в чем-либо, так что он больше не хотел ее видеть. Я была уверена, что уже поздно пытаться восстановить отношения с мужем после всего того, что я ему сделала. Он выстроил вокруг себя стену отчуждения, по сравнению с которой Великая Китайская стена выглядит игрушкой!

Слава Богу, Он так милостив к нам всем. Шаг за шагом я применяла принципы «Очарования женственности», и муж стал реагировать на это буквально неожиданным образом. Я всегда буду в долгу перед этой книгой, перед ее автором Хелен Анделин и перед Богом, Который показал несчастному созданию, как сделать окружающих счастливыми людьми и самой сделаться счастливой.

Вот как это произошло. Я позвонила мужу и попросила его заехать к нам по пути с работы. Я хотела рассказать ему о найденных мною истинах и сказать ему все то, что должно было растопить первый слой льда. Он пришел, а я, сначала заикаясь, сказала ему о своем одиночестве, о книге и о том, как я была не права все эти годы (семь лет) нашего брака.

Я сказала, что не надеюсь, что он может простить мне тот ад на земле, в который я превратила его жизнь. Я просто хотела попросить прощения, и я действительно глубоко и искренне раскаиваюсь за то зло, которое ему причинила. Я объяснила, что понимаю свою вину, ибо причиной наших неудач была только я, а он был лучшим мужем, о котором может мечтать любая женщина. Я сказала, что восхищаюсь силой его характера, тому, что он ни разу не поддался на мою придирчивость и критику, не поддался на мои попытки сделать его послушной марионеткой. Он должен был знать все это ради своего будущего счастья, потому что я не хотела, чтобы он думал, что наш брак распался по его вине. Он должен верить, что однажды встретит ту женщину, которая станет ему прекрасной женой, ибо он заслуживает такую жену. Он самый лучший человек на свете, и я ненавидела себя за то, что не видела этого раньше.

Пока я говорила все это, он сидел, глядя в пространство и ничего не видя. Затем он перевел взгляд на меня и посмотрел глазами, полными неверия, чтобы потом опять уставиться в пространство. Когда я закончила говорить, по лицу у меня бежали слезы, и в доме наступила мертвая тишина. Он сидел, не шевелясь, а я села рядышком и ждала, ждала, ждала. Две или три минуты показались мне вечностью. Потом он заговорил. Он сказал: «У меня нет слов. Я не знаю, что сказать». Я сказала, что не жду от него никакого ответа, но просто хочу, чтобы он знал, что я чувствую. Он ушел на работу все в том же недоумении.

Я не выходила из дому три дня, ожидая, что он позвонит или заедет. Наконец он позвонил, чтобы спросить, можно ли приехать навестить детей, как обычно, и я разрешила. В тот вечер перед детьми я сказала, что восхищаюсь его длинными ногами, широкими плечами, сильной, мужской статью и красивым мужественным лицом. Было видно, что ему приятно все это слышать. Он улыбался широкой улыбкой и говорил детям, что не надо верить всему, что говорит мама. После того как мы уложили детей спать, он пригласил меня пойти вместе с ним на банкет, который должен был состояться через месяц. Я была счастлива, счастлива, счастлива. Во мне затеплилась надежда восстановить наши с ним отношения, и я опять благодарила Бога за Его милость ко мне, такому недостойному существу. Он продолжал навещать детей раз в неделю, и дети поглощали все его внимание, но иногда он делал мне комплименты относительно ведения домашнего хозяйства или того, что я стала выглядеть лучше. Но ни разу он даже не намекнул насчет возможности возвращения домой, поэтому однажды в момент острого одиночества я попросила его посидеть со мной перед телевизором, и он пришел.

Уложив детей спать, мы немного поговорили, и я сказала ему, что он должен знать, что я очень его люблю и знаю, что совершила много ошибок. Теперь я понимаю его как мужчину и думаю, что могу сделать его счастливым, если он сможет простить меня и вернуться домой. Я сказала, что не надеюсь на это, но я хотела бы получить шанс сделать его счастливым, и я просила его подумать об этом. «Я просто хочу, чтобы ты знал, что я очень хочу быть с тобой и что если каким-то чудом ты вернешься домой, мы будем сильно любить тебя и станем самой счастливой семьей». Он сказал, что не может решить так быстро и что ему очень жаль, что я не могла измениться раньше. Шло время, и в следующие два месяца он не обронил ни слова и не дал ни капли надежды, что вообще думает о возвращении домой.

Со времени нашей свадьбы прошло семь лет, а с того момента, как мы разошлись, прошло пять месяцев. Однажды он пришел ко мне с какими-то бумагами и попросил меня подписать их. Он купил машину, и ему нужна была моя подпись, потому что он оформил ее на мое имя. Я летала по дому всю неделю, сияя от этого лучика надежды. Может быть, он все же думает дать мне «последний шанс» для создания здорового брака. Я была просто счастлива, но давления на него не оказывала.

Неделю спустя холодильник в его квартире поломался, и он привез к нам все свои продукты до того времени, пока его холодильник не отремонтируют. Шутливым голосом он стал рассуждать, как ему теперь забирать продукты каждый день и готовить себе еду. В ответ на это я предложила ему переехать к нам и не беспокоиться об обедах. Он остановился и улыбнулся (к моему удивлению), а я стояла и ждала. Когда он наконец ответил, я мгновенно оказалась на седьмом небе от счастья. Он сказал: «Ну, пожалуй, я так и сделаю». Я обняла его и вне себя от восторга могла произнести только такие слова: «Правда? Ты, правда, дашь мне еще один шанс?»

Через несколько минут, когда я немного успокоилась, он усадил меня в кресло и сказал, что прежде чем он вернется домой, он хочет знать мое мнение относительно его вновь обретенной и полюбившейся ему свободы. Он сказал, что пока он жил один, он понял, что свобода означает право быть самим собой и право занимать свободное время занятием по вкусу (столярная работа, электроника и т.д.). Он теперь не хочет ограничивать себя жизнью по расписанию, поскольку эта свобода — его самое драгоценное приобретение, которое он ни на что и ни на кого не хочет променять. Я ответила, что понимаю его и что он должен поверить, что я действительно понимаю (наконец-то). Он поехал за вещами и на прощание поднял руку, в которой были зажаты новенькие ключи от машины. Он оставил мне ключи и сказал: «Вот, думаю, они тебе понадобятся». Это случилось за три недели до Рождества, и в тот раз мы отпраздновали самое счастливое Рождество, о котором может мечтать любая семья. С того великолепного дня прошло почти полгода. Не проходит и недели, чтобы он не сказал с удивлением, что не может поверить тому, как я сильно изменилась. (Он часто говорит мне, как я отреагировала бы на разные ситуации раньше.)

«Очарование женственности» стало спасением моей души, моего брака и семьи, и теперь я всегда буду стремиться жить в соответствии с принципами, изложенными в этой книге. Раньше я все делала неправильно, поэтому мне пришлось многому научиться, прежде чем мои старые привычки и понятия стали отмирать и на их месте укоренились истины, изложенные в «Очаровании женственности». Ни одна из этих истин не подвела меня ни разу, и я знаю, что это правильный вариант поведения, хотя каждый день ставит передо мной новые задачи. Мой муж до сих пор не может до конца поверить тому, что я так сильно изменилась. Благодарю Бога на небесах и Вас на земле за предоставление «последнего шанса», который позволил всей моей семье стать счастливыми. Спасибо, спасибо, спасибо.

Как я себя жалела!

Когда самолет взлетел из аэропорта Майами, я выглянула в иллюминатор и со слезами на глазах попросила Бога помочь мне. Я чувствовала себя измученной, обиженной и опустошенной. Мне было так одиноко и тоскливо. Который раз за тридцать лет супружеской жизни я пыталась найти хоть какое-то облегчение. Мой муж был подобием человека — эгоистичным, невнимательным и равнодушным. Это был мужской шовинист, исполненный желчи, язвительный и ревнивый… Я обвиняла его в том, что восемь лет назад он симулировал сердечный приступ, чтобы выйти на пенсию и манипулировать мной.

Меня совсем не волновало то, что ему придется оставить нашу квартиру и одному возвращаться на машине в Нью-Йорк. Я была рада лишь тому, что могу испытывать тишину и уединение в течение нескольких недель вдали от этого жалкого подобия мужа. «Куда ты идешь? Зачем ты это купила, тебе это не нужно? Зачем ты так много стираешь? Почему ты не убираешься в доме?» И я в ответ на это: «Какое твое дело, оставь меня в покое. Сдохни! Отправляйся обратно на работу или заткнись». И хотя я оставляла его и раньше, но на этот раз все было как-то по-дру́гому. Я чувствовала, что на этот раз все было как-то иначе. Мое будущее было неопределенным.

На этот раз у меня в руках была книга «Очарование женственности». Моя дочь прислала мне ее за месяц до этих событий. Я обещала ей, что прочитаю книгу, но знала, что мне теперь ничто не поможет. Я и раньше читала много книг о том, как угодить мужу, как быть притягательной, как заботиться о нем. Кому теперь это надо? Моя жизнь приближается к закату. Мне за пятьдесят, и я смертельно устала. Я прочитала одну из книг, после которой почувствовала еще большее недовольство своей жизнью, а наши взаимоотношения с мужем стали еще хуже, потому что он ни капли не изменился. Поэтому я даже не думала читать эту книгу, откинулась в кресле и стала думать о себе. Жизнь прожита впустую, остались одни разочарования. Как я одинока, и все произошло совсем не так, как я мечтала, когда была молодой и полной надежд. Как я себя жалела! Жизнь подло обманула меня.

В молодости я была красивой, уверенной в себе, способной, надменной и независимой — но только с виду. Внутри себя я всегда была очень ранимой, неуверенной и настолько зависимой, что старалась не показать этого другим людям. Я мечтала о романтических взаимоотношениях в браке, таких какими я видела их в кино. Если какая-нибудь героиня в фильме давала пощечину мужчине, естественно, что на другой день он приходил к ней с цветами, бегал за ней и стучался в ее двери. Она могла делать, что угодно, а он все равно бегал бы за ней. Я была уверена, что все, что бы женщина ни делала, было привлекательным, а мужчины должны были валяться у ее ног, чтобы потом счастливо прожить вместе до самого конца.

Когда я встретила Билла, я овдовела, и на руках у меня был годовалый ребенок. Через месяц знакомства я сделала ему предложение, и он согласился. Мне так хотелось любви. Мой первый муж Майкл умер от рака в течение первого года нашей совместной жизни. Он был таким заботливым, и мне нужно было заменить его кем-то, кто захотел бы позаботиться обо мне. Одна-

ко Билл оказался совсем не таким человеком. С самого начала
он был ориентирован на внешний мир. Самым приоритетным
направлением в его жизни был карьерный рост. Его никогда не
было дома. Он никогда не звонил домой. Я пережила массу разочарований. Потом я начала требовать, кричать, жаловаться,
угрожать, невольно подражая героиням фильмов, однако мой
герой почему-то не следовал моему сценарию.

Чем больше я кричала и ругалась, тем дольше он задерживался на работе. Почему все шло не так, как надо? Как странно.
Я ничего не понимала. Мне нужна была его любовь, его общение, помощь, объятия. Я никак не могла пробиться к его сердцу.
Чаще всего он просто уходил. Хлопнув дверью, оставляя поза-
ди себя истерично кричащую жену, а теперь уже и троих детей,
которые должны были страдать от последствий наших беско-
нечных баталий. Как я его ненавидела за отсутствие понимания!
Я говорила людям: «Если он будет плакать на моих похоронах,
выгоните его вон».

Во время этой сумасшедшей жизни я обрела Бога. Но, оглядываясь назад, я теперь понимаю, какой праведной я казалась
самой себе. Он тоже стал ходить со мной в церковь, однако он
не скрывал того, что его вера была поверхностной. Я же была
лицемеркой. Иногда во время семейных обедов я просила его
помолиться, и он механически молился. Иногда он отказывался
назло мне. Я обрушивалась на него за вопиющий антихристиан-
ский поступок, напоминая ему, что он глава семьи и должен яв-
лять собой положительный пример. Я вынудила его поступить
на библейские курсы. Но он назло мне засыпал на занятиях. Он
всегда знал, на какую кнопку нажать. В самый последний момент
перед пикником, свадьбой, зваными обедами он отказывался
идти с нами, говоря, что передумал. Я взрывалась и шла одна,
забирая с собой детей. Раз в неделю я брала детей в церковь, но
не забывала напоминать ему об этом снова и снова.

Он вынудил меня все взять на себя — дом, религию, счета,
ремонт, газоны, покраску, детей, то есть все. Я жаловалась на
это, но чувствовала себя в этой лидирующей роли достаточно
комфортно. Я постоянно повторяла слова: «Если женщина хо-

чет чего-то добиться, она все должна делать сама». Иногда после телефонного разговора с мужем, чувствуя отверженность, я разгоняла детей. Мои нервы не выдерживали, особенно когда он в очередной раз говорил, что не придет домой обедать. А я приготовила для него его любимое блюдо!

Время и жизнь летели на огромных скоростях, дети подрастали, а я вечерами перед ужином стала попивать вино. Он же поднимался все выше и выше по служебной лестнице. Я держала в секрете мои тайные встречи с бутылкой, а дети продолжали от этого страдать. В ответ на мои мольбы, критику и доводы он ложился на диван перед телевизором, перед которым скоро засыпал, или говорил мне: «Пожалуйста, оставь меня в покое, у меня своих проблем достаточно». Иногда он просто уходил из дома. Как я ненавидела его за нежелание понять меня. Я прекращала пить, потом снова начинала, и между окончанием и новым началом мог пройти целый год. Я боролась с этой привычкой, и теперь, как я надеюсь, я с ней справилась.

Вскоре дети совсем выросли. Слава Богу, с ними все было в порядке. Может быть, они понимали нашу ситуацию. Я продолжала стареть, по-прежнему живя независимой и по большей части одинокой жизнью. Какое-то время я успешно занималась недвижимостью, и это помогло мне с большим терпением относиться к образу жизни Билла. Я продолжала ходить на собрания в церковь, но внутри меня по-прежнему была пустота и ощущение, что я никому не нужна. Все в жизни было не так, хотя время от времени я ходила в кино, на званые обеды и так далее. Я чувствовала в своей жизни какую-то незавершенность.

Вдруг все изменилось в одночасье. Этот человек, который из чувства гордости и ради власти и успеха годами жертвовал женой, детьми, религией и друзьями, закончил тяжелейшим сердечным приступом, который чуть не закончился смертельным исходом. Благодарю Бога за то, что он остался жить, и я немедленно стала ухаживать за ним, хотя почти двадцать лет мы не жили вместе. Я взяла на себя все заботы о нем и радовалась этому самым искренним образом. Я компенсировала этой возможностью все те годы, когда его не бывало дома, и ему это понравилось. Но прошло полгода и я стала сопротивляться его указаниям и повелениям, которые он давал, полулежа в своем кресле. Мне стало казаться, что он использует меня, опустошает и заставляет прислуживать, словно я его собственность. Врачи велели ему ходить и выполнять физические упражнения, и он почти полностью восстановил свое здоровье. Я опять ничего не понимала. Я делала все, что было в моих силах, чтобы угодить ему и сделать его счастливым, но чувствовала себя при этом опустошенной, нелюбимой и неудовлетворенной его реакцией в ответ на мою заботу. В чем же заключается проблема?

По мере нарастания моего недовольства я стала говорить ему такие вещи, как, например: «Тебе не кажется, что пора бы помнить самому о приеме лекарств; почему бы тебе самому не встать и не взять это?» К нему вернулась прежняя его враждебность, и мы опять заняли свои привычные позиции на передней линии фронта. Теперь он сидит дома круглые сутки и учит меня тому, как делать покупки, готовить, застилать постель, закрывать ставни, стирать белье и так далее. Я двадцать лет занималась этим без его помощи, и мне не нужен помощник. И я опять стала говорить ему, что это не его дело, стала выражать желание, чтобы он сдох, отстал от меня и так далее.

Но я по-прежнему изображала из себя христианку, ходила в церковь, пела песни хвалы и молилась, облачаясь в мантию мученицы, искренне веруя в своем сердце (уверенном в собственной праведности), что принесла огромные жертвы, выйдя замуж за такого человека. Иногда он тоже приходил в церковь, чтобы вздремнуть там во время проповеди. В это же время он купил квартиру во Флориде, чтобы бежать из Нью-Йорка на время холодной зимы. Мы купили дом меньших размеров в штате Нью-Йорк, и я работала бок о бок рядом с ним, выполняя мужскую работу, — косила газоны, отделывала дом, чистила дорожку к гаражу, стригла кусты, клеила обои и так далее. Я горела на этой работе, а у него хватало наглости ни разу не поблагодарить меня, но зато он жаловался, что я не готовила ему обеды.

Когда я говорила ему, что он неблагодарный эгоист, что я лишь пытаюсь помочь ему нести его ношу из-за его больного сердца, он говорил: «Иди в дом и выполняй свою обычную работу. Пойди, приготовь мне обед». Я его просто ненавидела. Какой неблагодарный! В конце концов я была уверена, что если бы не моя помощь, он развалился бы на части. И потом, кто укажет ему на его ошибки? Кто посоветует ему и покажет, как нужно сделать внутренний двор или гараж? Кто будет рядом, чтобы в любой момент показать, как надо красить, клеить обои и косить газон? Я была нужна ему. Разве не я делала все это в течение последних двадцати лет? Но естественно, все это приводило к новым ссорам и крикам друг на друга. Я стала все чаще воздерживаться от интимной близости.

То же самое продолжилось и после того, как мы купили квартиру во Флориде. Но дела пошли еще хуже, потому что там я увидела мужчин, которые ухаживали за своими женами, и тогда я закипела от злости. Эти мужчины мыли полы и окна, занимались стиркой и даже ходили вместо жен в магазин за покупками. Билл же не хотел принимать во всем этом никакого участия. Эти мужчины смеялись надо мной и Биллом, когда видели, что я мою окна. Как я ненавидела его за то, что эта шовинистическая свинья использует меня.

Последней соломинкой в нашей эпопее послужил тот факт, что после долгой ссоры мой старший сын Майкл захотел поговорить со мной по телефону. Билл никогда не вмешивался в наши отношения и никак не пытался помирить меня с сыном все то время, пока тот не хотел разговаривать со мной. Теперь же он не скрывал своего явного неодобрения нашим примирением. Мне трудно было в это поверить. Как он мог! Он мне сделал столько подлостей, но такое! Только тогда я поняла, что он радовался нашей ссоре и даже, может быть, сам спровоцировал ее. Как это ужасно! Как отвратительно! Я его ненавидела как никогда раньше. И вот тогда я упаковала чемоданы и улетела в Нью-Йорк. О да, я оставляла его и раньше много раз. Но на этот раз я знала, что теперь все будет иначе. Мои мысли о будущем были путаными и туманными, а надежды на счастье в моем возрасте были под большим сомнением. Я знала одно, что я больше не хочу его видеть.

Я вышла из самолета и отправилась домой, благодаря Бога за то, что теперь я наконец осталась одна. Теперь я могла сесть и подумать в тишине и покое. Никто не перебивал меня, никто не ругался. Моя дочь снова попросила меня почитать «Очарование женственности». Через несколько дней уединения я подумала, что мне терять больше нечего, поэтому, может, стоит заглянуть в эту книгу одним глазком.

Но после первых же двух страниц у меня раскрылись глаза. *Я виновата?* Это утверждение возбудило мое любопытство, и я захотела посмотреть, каким образом автор собирается обосновать свое заявление. Я стала читать дальше. *Мой возраст не имеет значения? Есть закон, которому я должна следовать? Я обладаю властью? Я могу узнать, как побудить мужа делать для меня приятные вещи? И я при этом не утрачу своего достоинства? Напротив, меня ожидают награды и сюрпризы???* Я была полна скептицизма, но мне также было любопытно. Но как же автор обосновывает все эти обещания?

Я просидела дома две недели, читая, подчеркивая, перечитывая и размышляя над прочитанным. Мне казалось, что я постоянно слышу удары пощечин, и я чувствовала попеременно то желание оправдаться, то стыд, то гнев. Я то плакала в отчаянии, чтобы потом вдохновиться снова и засиять надеждой на счастье. Я ненавидела автора, а затем полюбила ее. «Очарование женственности» резко и хладнокровно разбудило меня. Я много раз плакала, пока читала и перечитывала эту книгу. Я начала верить, что автор знает, о чем говорит. Все, что я отвергала в своем муже и ненавидела, происходило, по словам автора этой книги, в результате *моего стремления захватить мужские позиции.* Что за дурочкой я была все эти долгие, впустую потраченные годы! Почему мне эта книга не попалась раньше?

Я стала думать о том, что мне предпринять, чтобы растопить первый слой льда. Я подожду, пока он не приедет домой в Нью-Йорк. Тогда у меня будет больше времени, чтобы пожить в независимости. Стоп, глупая! Позвони ему сейчас же. Книга обещает счастье, заключенное именно в нашей *зависимости.* О Боже, что мне делать? Мне так хорошо и спокойно без него. Но кому нужен мир в опустошении? Позвони ему! Но в таком случае я попаду в полное его подчинение, и вот тогда жизнь с ним превратится в настоящий ад. Но автор говорит, что моя жизнь станет радостной и будет заполнена наградами и сюрпризами. О Боже, помоги мне. Я верю в это и не верю. Но почему же я колеблюсь? Ведь все, о чем говорит «Очарование женственности», есть в Библии!

Я решила сделать первый шаг. Я очень сильно нервничала. Я очень хотела получить все то, что обещало «Очарование женственности», если я буду выполнять все изложенные там правила. А вдруг у меня ничего не получится? Я боялась отказаться от господствующего положения в семье, от своей независимости. Мне нужна была моя непробиваемая шкура. Мне нужно было держать в руках *хоть какие-нибудь* вожжи. Прекрати сомневаться. Позвони прямо сейчас. Сейчас! Я позвонила во Флориду. Он ответил. О Боже, как я боялась! Сначала мы немного поговорили ни о чем, затем — я пошла в атаку. Я сказала: «Постой минутку». Я сбегала за книгой, нашла главу о ледоколе. И потом стала говорить, с трудом подбирая слова. Я сожалею о прошлом, и счастлива, что он никогда не поддавался моему властолюбию. Я подождала его ответа — но он молчал. «Ты меня слышишь, Билл?» «Да, слышу. Ты что, выпила?» Я сказала: «Нет, Билл, сегодня воскресенье и очень рано. Я собираюсь на собрание в церковь. Но я осознаю каждое слово, которое я говорю тебе. Теперь я буду тебе очень хорошей женой, я обещаю».

Он сказал, что живет счастливо и мирно и всерьез подумывает о том, чтобы остаться там, а мне оставить дом в Нью-Йорке. Он больше не может выносить меня. Спасибо книге, я не ответила: «А как же мой мир?» Я просто сказала, что не виню его за его отношение ко мне, потому что заслуживаю каждого слова, которое он произнес, включая такое заявление: «Мы пробовали и раньше, и все заканчивалось одинаково плохо». У меня в глазах стояли слезы, и я просила у него прощения. «Позволь мне вернуться во Флориду и дай мне еще один шанс, пожалуйста! На этот раз все будет иначе. Я позвоню тебе после обеда».

В тот же день я позвонила ему еще раз, а он был у телефона, ожидая моего звонка. Я еще раз сказала ему слова из репертуара ледокола. Он казался смущенным, растерянным и озадаченным. Он сказал: «Откуда ты взяла всю эту чушь?» Я ответила, что читала книги вместе с Библией и размышляла над прочитанным. Я взмолилась: «Билл, когда я раньше уходила от тебя, я всегда фантазировала, что когда мы помиримся, ты будешь совсем другим человеком и будешь делать все то, что я посчитаю нужным. Но теперь все иначе. Во всем была виновата я одна. Я была такой глупой. Я не хочу, чтобы ты менялся. Я люблю тебя таким, какой ты есть. Я все время делала не так, как надо. Мне так стыдно за себя. Прости меня, пожалуйста. Пожалуйста, разреши мне вернуться во Флориду. Пожалуйста, поверь мне и дай мне еще один шанс. Сейчас билет до Флориды стоит всего семьдесят девять долларов. Это будет самая разумная трата семидесяти девяти долларов, вот увидишь. Если у нас ничего не получится, ты можешь отправить меня обратно».

Он осторожно сказал, что я могу приехать к нему, и добавил: «Но знаешь, я захочу прикасаться к тебе и крепко прижимать тебя к себе. Мне нужно чувствовать в своих объятиях женщину». (Дело в том, что по злобности своей я прекратила всякие близкие с ним отношения за пять лет до этого как благочестивая христианка.) Я ответила: «Да, Билл, я знаю. Мне тоже нужно чувствовать твои крепкие мужские объятия. Я так по тебе соскучилась». Он сказал: «Не знаю, откуда ты набралась всей этой чепухи, но я попробую. Если у нас ничего не получится, я останусь здесь, а ты улетишь обратно». Я ответила: «Билл, я обещаю, что ты не пожалеешь о своем решении».

Я так боялась и всю дорогу в самолете молилась. Пожалуйста, Боже, помоги мне справиться. Как я могу так сразу измениться после тридцати лет прежнего образа мыслей? Мы чувствовали себя неловко и были вежливы друг с другом. В машине по пути домой мы говорили о пустяках. После обеда с его семьей, которая жила по соседству (вместо романтического ужина при свечах, как я себе нарисовала), я вернулась с головной болью. Я прилегла отдохнуть в кресле-качалке. Вдруг я проснулась. Как я могла, подумала я. Разве так начинают новую жизнь? Но на следующее утро, поблагодарив его за понимание и терпеливое сердце, я взялась за себя.

Следующие несколько недель он наблюдал за мной с радостью и недоумением, но был, как змея, осторожен. Я хорошо исполняла свою роль, но, к великому моему изумлению, я не играла, а была совершенно искренна. С самого начала все пошло очень хорошо, как и обещала книга. Я тоже была и смущена, и восхищена. Повиноваться ему было так легко и совсем не унизительно, и чем больше успехов в этом я видела, тем радостнее мне было исполнять на практике принципы «Очарования женственности». Я стала чувствовать себя счастливой, достойной женщиной, не предметом для удовлетворения сексуальных потребностей, не рабыней. Мне не казалось, что меня используют, обижают или унижают. Мне было хорошо, хорошо с ним и хорошо внутри себя. Впервые в жизни я почувствовала умиротворение со Всемогущим Богом.

Мой Билл никогда не выражал громко своих чувств, да это и не нужно. Он показывает мне свою любовь и благодарность тем, что с радостью позволяет мне делать что-то. Теперь с ним так легко договориться о чем-нибудь. Я теперь получаю огромное удовольствие оттого, что помогаю ему по-женски, не соперничая с ним, как мужчина с мужчиной. Ему это тоже нравится. Он радостно смеется, когда я не могу поднять какую-нибудь тяжесть, и бежит мне на помощь. Это прекрасный человек с качествами, которые я никогда бы не оценила, если бы не «Очарование женственности». Не проходит и дня, чтобы я не говорила ему, какой он умный, какой мужественный или деятельный и так далее. Но я всегда говорю абсолютно искренне, от всего сердца. К моему удивлению, он теперь останавливается у любого магазина, когда я попрошу его об этом, если позволяет время, и при этом не кричит и не оскорбляет меня.

На этой неделе он пришел к нам в церковь, потому что сам того захотел. Я его не подталкивала и не заставляла. На днях он сказал мне такую вещь: «Ты не хочешь поехать со мной в ресторан?» Я согласилась с радостью. Потом он добавил задумчиво: «Только ты и я». На днях утром я готовила завтрак, а он сам застлал постель и убрал мою ночную сорочку. Я поцеловала и поблагодарила его за это.

Временами я отступаю назад, но потом он милостиво принимает мои извинения. Я стала всем довольной, идеальной женой, и мой Билл доволен и счастлив. Он смущенно улыбается, когда я говорю ему, какой он сильный и как много он знает в делах, которые берется выполнять. Это правда. Как я могла быть такой глупышкой, такой слепой, что не видела этого в прошлом? Я так благодарна «Очарованию женственности» за то, что оно открыло мне глаза на природу моего мужа. Не представляю, что со мной было бы теперь и в какие неблагоприятные обстоятельства я бы попала, если бы не Вы, миссис Анделин. Даже в нашем возрасте мы обрели счастье. Как мне благодарить Вас за это? Искреннее Вам спасибо.

P.S. Я думаю, что если люди вышли на пенсию и постоянно находятся рядом друг с другом, препираясь и ругаясь, им следует разойтись на несколько дней или на недельку, чтобы жена могла получить эту важную информацию, переварить ее и напитаться ею сполна. Не уверена, что у меня получилось бы все так удачно, если бы я читала эту книгу в условиях постоянной войны, стычек, споров, обоюдных требований, язвительных замечаний и непрекращающейся боли.

Хелен Анделин
ОЧАРОВАНИЕ ЖЕНСТВЕННОСТИ

Ответственный редактор *А. И. Шапошников*
Редакторы: *В. С. Волкова, Э. А. Ретнева*
Корректор *Н. А. Акинина*
Компьютерная верстка: *А. Б. Кодак*

Издательская лицензия ЛР 030808 от 25.02.98.
Подписано к печати 07.08.2006. Формат 60 × 88 $^1/_{16}$.
Печать офсетная. Объем 30 печ. л.
Тираж 10000 экз. Заказ № 4024.

МРО ХВЕП «Христианская Миссия»
198188, Санкт-Петербург, ул. Подводника Кузьмина, д. 46

Налоговая льгота — Общероссийский классификатор продукции
ОК 005-93, Код ОКП 953140

Отпечатано в полном соответствии
с качеством предоставленных диапозитивов
в ОАО «Дом печати — ВЯТКА».
610033, г. Киров, ул. Московская, 122.

НОВИНКА!

Кевин Леман

Секс начинается с кухни

Создайте атмосферу близости,
чтобы поднять температуру ваших отношений

288 стр., 140x205 мм,
мягкая обложка

Секс нельзя назвать самой важной потребностью в жизни мужа... Вы связали себя узами брака не с одним человеком, а с четырьмя... Удивлены? Это всего лишь пара интригующих тем, которые обсуждает в этой книге доктор Кевин Леман, известный автор бестселлеров. Если в ваших брачных отношениях отсутствует искорка, а за закрытыми дверями спален ничего не происходит, значит, пора прислушаться к тому, что хочет сказать вам этот знаменитый психолог и консультант по семейным вопросам. Как показывает автор, сексуальная близость — это выражение той близости, в которой пара живет во всех областях совместной жизни. Из этой полной юмора несравненной книги вы сможете узнать, как удовлетворить своего супруга(у), даже не приближаясь к спальне.

...подробнее на www.biblicalview.ru

НОВИНКА!

Билл Хайбелс

Заразительное христианство

320 стр., 140х205 мм, мягкая обложка

Настало время излечиться от паралича, охватывающего вас всякий раз при упоминании слова «евангелизация». Эта книга по-новому наполнит ваши сердца надеждой на то, что жизнь ваших близких и друзей может быть иной и что именно вы можете стать тем инструментом, который повлияет на то, где они проведут вечность.

Это не собрание теоретических статей, а план действий, не раз доказавший свою результативность. Эта книга поможет вам эффективно передать свою веру окружающим людям, так как предлагаемые принципы евангелизации основаны на словах Иисуса, а все приведенные примеры — на практическом опыте как самого Билла Хайбелса, так и руководителя евангелизационного отдела церкви Марка Миттельберга.

...подробнее на www.biblicalview.ru

Издательство «Библейский взгляд»

НАШИ КНИГИ МОЖНО ПРИОБРЕСТИ:

САНКТ-ПЕТЕРБУРГ, «Библейский взгляд»
191025, Санкт-Петербург, а/я 94
Тел./факс +7 (812) 320-0191, E-mail: distrib@biblicalview.ru
Заключаем договоры на оптовые поставки книг.

МОСКВА
Сеть магазинов «ВСЁ О ХРИСТЕ»

Москва, ул. Прохладная, 18
(м. «Царицыно»)
Тел. +7 (495) 730-5534, 740-3631
115304, Москва, а/я 812 (для писем)
www.INCHRIST.RU — интернет магазин
E-mail: admin@inchrist.ru, gospel@online.ru

Библейский центр «Слово Жизни»

104000, Москва, Варшавское шоссе, 37
Международный почтамт, а/я 8
Тел./факс +7 (495) 797-8726; 223-3035
E-mail: publishing@wolmos.ru

Магазин «Сирин»

109280, Москва, ул. Автозаводская,
д. 19, к. 1
м. "Автозаводская".
Тел./факс +7 (495) 677-2228
E-mail: sirinbook@mail.ru

Издательство «Протестант»

123290, Москва, Мукомольный проезд,
д. 1, к. 2
Тел. +7 (495) 259-7128;
факс +7 (495) 259-6769
E-mail: protestant@list.ru

Книжный магазин «Филадельфия»

109316, Москва, Волгоградский пр., д.17,
стр. 1, 2 этаж
Тел./факс: +7 (495) 676-4983
E-mail: clcmoscow@yahoo.com

САНКТ-ПЕТЕРБУРГ
Магазин «Слово»

191186, Санкт-Петербург,
ул. М. Конюшенная, 9
Тел./факс +7 (812) 311-2075; 312-5200
E-mail: slovo@peterlink.ru

КЕМЕРОВО
Оптовый склад
христианской книги «Ковчег»

650002, г. Кемерово-02, а/я 763,
Иванову И.Л.
Тел. +7 (3842) 647-234, + 7 904-994-2503
E-mail: ivanov_igor@mail.ru

ХАБАРОВСК
«Книги оптом»

680013, г. Хабаровск, а/я 40/37
Тел. +7 (924) 207-3700
E-mail: olegzuev@mail.ru

БЕЛАРУСЬ
«Скиния»

220082, Минск 82, а/я 243.
Тел./факс +7 (17) 255-3025
E-mail: family-god@mail.ru

УКРАИНА
Христианское издательство
«Светлая звезда»

Украина, 02002, Киев 2, а/я 87.
Тел. +7 (044) 550-2514
E-mail: sales@brightstar.com.ua

УКРАИНА
Дистрибьюторский центр
«BOOKS LINE»

Украина, Киев. Тел. +7 (044) 592-1256,
+7 (067) 390-1479
E-mail: booksline@cdmaua.com

УКРАИНА
Издательский дом «Слово Жизни»

Украина, Киев-1, а/я 190-В.
Тел. +7 (044) 537-1971
E-mail: wordlife@i.com.ua
Донецк, 83062, ул. И. Ткаченко, 100.
Тел. +7 (062) 345-9039